がん病態栄養専門管理栄養士のための

がん栄養療法ガイドブック 2024

編集●日本病態栄養学会

改訂第3版

南江堂

■編　集

日本病態栄養学会

■編集委員

加藤　章信　盛岡市立病院／岩手医科大学内科学講座消化器内科

■執筆者（執筆順）

白木　亮　JA 岐阜厚生連中濃厚生病院消化器内科
徳本　良雄　愛媛大学大学院地域医療学
日浅　陽一　愛媛大学大学院消化器・内分泌・代謝内科学
樋口　裕二　医療法人梁風会さきがけホスピタル
稲垣　正俊　島根大学医学部精神医学講座
内富　庸介　国立がん研究センター中央病院支持療法開発センター
丸山　道生　田無病院
西村　哲夫　静岡県立静岡がんセンター放射線・陽子線治療センター
大村　健二　上尾中央総合病院外科・腫瘍内科
柳原　一広　関西電力病院腫瘍内科
二瓶　哲　岩手医科大学附属病院薬剤部
工藤　賢三　岩手医科大学附属病院薬剤部／岩手医科大学薬学部臨床薬学講座
松浦　文三　愛媛大学大学院医学系研究科地域生活習慣病・内分泌学
利光久美子　愛媛大学医学部附属病院栄養部
小倉　雅仁　国立病院機構京都医療センター糖尿病内科
幣　憲一郎　京都大学医学部附属病院疾患栄養治療部／武庫川女子大学食物栄養科学部
稲垣　暢也　医学研究所北野病院
加藤　章信　盛岡市立病院／岩手医科大学内科学講座消化器内科
桑原　節子　淑徳大学看護栄養学部栄養学科
本間　義崇　国立がん研究センター中央病院頭頸部・食道内科
鍋谷　圭宏　千葉県がんセンター食道・胃腸外科/NST
首藤　潔彦　帝京大学ちば総合医療センター外科/NST
海道　利実　聖路加国際病院消化器・一般外科
中屋　豊　吉野川病院
後藤　慶次　医療法人ソレイユ ひまわり在宅クリニック
西村　一弘　駒沢女子大学人間健康学部健康栄養学科
木村　祐輔　岩手医科大学緩和医療学科
片岡　幸三　兵庫医科大学病院下部消化管外科
福田　治彦　国立がん研究センター中央病院臨床試験支援部門データ管理部
梅垣　敬三　静岡県立大学
元雄　良治　福井県済生会病院内科
堀　圭介　一宮西病院消化器内科
岡田　裕之　姫路赤十字病院
田邊　俊介　岡山大学病院消化管外科
小野田友男　おのだ耳鼻咽喉科医院
櫻谷美貴子　北里大学医学部上部消化管外科

比企　直樹　北里大学医学部上部消化管外科
三木　誓雄　医療法人社団碧水会/昌健会
内田　耕一　セントヒル病院消化器内科
坂井田　功　セントヒル病院
高橋かおる　静岡県立静岡がんセンター乳腺外科
京　　　哲　島根大学医学部産婦人科
仲野　　彩　東京慈恵会医科大学附属病院腫瘍・血液内科
畠　　清彦　医療法人財団順和会 赤坂山王メディカルセンター予防医学センター
がん病態栄養専門管理栄養士制度管理栄養士委員会

本書の編集委員・執筆者のCOI（利益相反）関連事項については，本学会のWebサイトにて開示する予定である．

発刊にあたって

種々のがん対策および治療の進展に伴い担がん患者の生存率は向上しており，治療と就労を両立するうえでの健康寿命の延伸が重要課題です．また，わが国は世界で最も高齢化の進んだ国となり，担がん患者においても糖尿病や腎臓病，あるいはフレイル，サルコペニアの併発など複数の疾患を有することが多く，栄養管理は複雑化してきました．したがって，がんの栄養管理のみを行っても健康寿命が維持されないことがあり，併発する疾患とのなかで優先順位を考えた栄養管理を行わなければ，がんは抑制できても他疾患によって状態が重篤化することも考えられます．とくにがん治療においては，加齢のみならず腫瘍細胞を介した炎症性サイトカインや治療そのものの影響によって骨格筋量が減少する二次性サルコペニアを伴っている場合，手術や化学療法の有害事象が強く発現することが知られており，筋量の維持・改善は大変重要となります．がん治療が優先された結果，ADL 低下をきたし QOL が低下しては本末転倒です．しかるに，わが国においては他疾患を併発する担がん患者における，栄養と二次性サルコペニアの関連に着目した診療は始まったばかりです.がん治療とともに併発疾患を鑑みた治療指針は多領域にまたがるため，日本医学会の後援のもと 21 の学術団体から構成された日本栄養療法協議会によって，栄養管理指針の標準化に向けた協議が進んでいます．がんの栄養療法は，手術や化学療法，放射線治療の支持療法として，きわめて重要視しなければなりません．

本学会では，幅広い疾患栄養学に特化したエキスパートとして「病態栄養専門管理栄養士」を養成してきました．種々の疾患の栄養管理に精通する専門家が誕生しつつあります．そこで，これらの専門管理栄養士を対象に，更なるがんの栄養療法の実践が行える高度な知識と技術を修得し，チーム医療で栄養療法についてのリーダーシップを発揮できる人材育成を目的とし，2013 年より「がん病態栄養専門管理栄養士」制度を開始しました．本制度は日本栄養士会との共同認定事業として行い，現在までにがん診療拠点病院の約 8 割に配置され，近いうちにすべての拠点病院で配置される予定です．その活躍をあらわす論文数が増加するなか，第 3 期がん対策推進基本計画のなかに「がん病態栄養専門管理栄養士」の名称が盛り込まれ，さらに 2022 年度の診療報酬改定では，がん化学療法における栄養支持療法に際し「がん病態栄養専門管理栄養士」の支援に係る加算が新設されました．

本書はがんにおける疫学と基礎医学，また科学的根拠に基づいた栄養療法の知識の整理や最新の知見を学べるよう集約したベストプラクティスです．がん病態栄養専門管理栄養士が，日常の臨床現場で活用いただくためのバイブルとなることを祈念します．

2024 年春

日本病態栄養学会
理事長　清野　裕

発刊にあたって

目 次

総 論 がんの臨床に関する一般知識

総　論

がんの臨床に関する一般知識

第1章

各種がんの疫学，臨床所見，診断，合併症，予後などの一般知識

(1) 成人のがん

JA 岐阜厚生連中濃厚生病院消化器内科
白木　　亮

■日本のがん死亡数・死亡率[1)]

日本における2021年の死亡数（死亡率：人口10万対）を死亡順位別にみると，第1位は悪性新生物で38万1,497人（310.7），第2位は心疾患21万4,623人（174.8），第3位は老衰15万2,024人（123.8），第4位は脳血管疾患で10万4,588人（85.2）となっている．主な死因の年次推移をみると，悪性新生物は，一貫として上昇を続け，1981年以降死亡順位は第1位となり（図1），2021年の全死亡者に占める割合は26.5%となっている（図2）．全死亡者のおよそ3.7人に1人は悪性新生物で死亡したことになる．

また，悪性新生物の死亡率を部位別にみてみると，男性では「肺」が最も高く，1993年以降第1位となり，2021年の死亡数は5万3,279人，死亡率は89.3となっている（図3）．女性では「大腸」と「肺」が高く，「大腸」は2003年以降第1位となり，2021年の死亡数は2万4,337人，死亡率は38.6となっている（図3）．

A　脳腫瘍

中枢神経系の悪性新生物の2020年の死亡数は2,830人（2.3）となっている．脳腫瘍は原発性脳腫瘍（約80%）と転移性脳腫瘍（約20%）

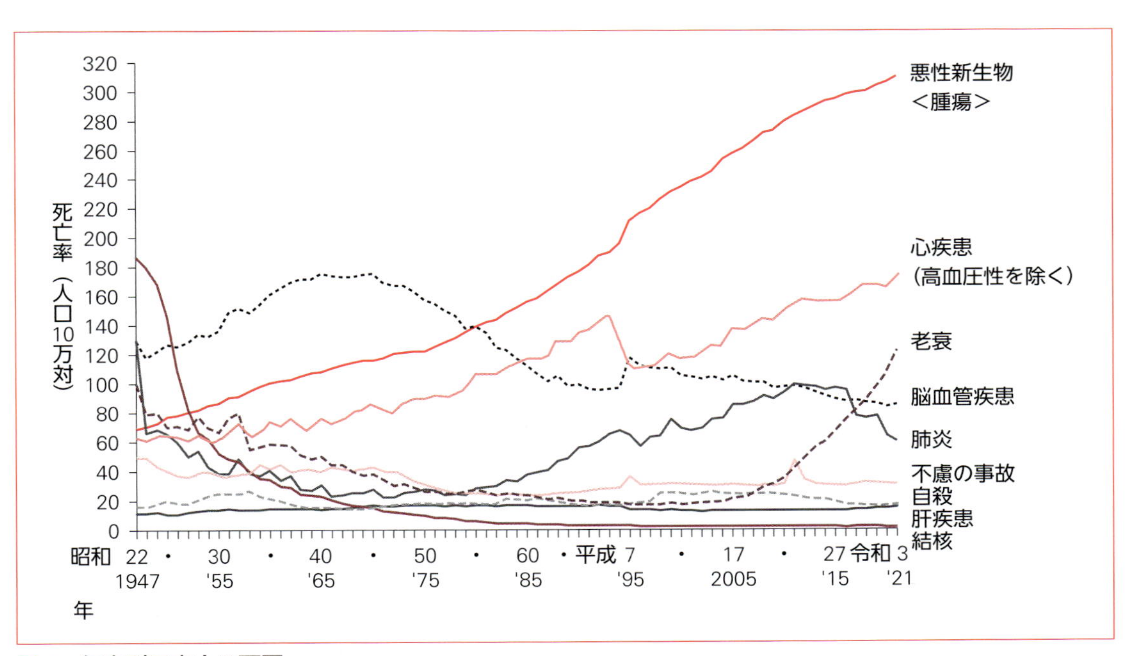

図1　年次別日本人の死因

［厚生労働省：令和3年人口動態統計月報年計（概数）の概況[1)]より引用］

に大別される．原発性脳腫瘍として最も頻度が高いのは神経膠腫で，原発性脳腫瘍の約25%を占める（表1）[2)]．転移性脳腫瘍の原発巣としては，肺がん（約45%），乳がん（約15%）の順に多い．

脳腫瘍の症状は，頭蓋内圧亢進症状と局所症状である．頭蓋内圧亢進症状は，頭痛，悪心・嘔吐であるが，進行した場合，意識障害をきたすこともある．意識障害をきたした場合，脳ヘルニアの可能性があり，対応が遅れると生命にかかわる危険性があるため注意を要する．局所症状は，痙攣，視野・視力障害，不全片麻痺，認知機能障害，意識障害などが代表的である．

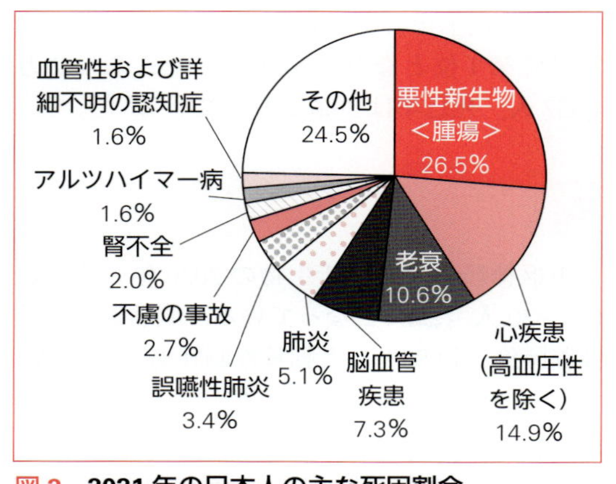

図2　2021年の日本人の主な死因割合
［厚生労働省：令和3年人口動態統計月報年計（概数）の概況[1)]より引用］

原発性脳腫瘍の50%以上，転移性脳腫瘍の約25%が経過中に痙攣発作を発症する．前頭葉や側頭葉皮質に腫瘍や浮腫が及ぶ場合に，痙攣発作を発症する危険性が高まる．

診断の主要な方法は画像診断であり，主にMRIやCTが使用されることが多い．腫瘍の栄養動脈，導出静脈の有無，血管増生などの評価には血管造影が有用である．現在では中枢神経系腫瘍において髄液検査はほとんど診断的価値を持たず，頭蓋内圧亢進症状を呈している場合の腰椎穿刺は大孔ヘルニアを惹起する危険性があり禁忌となる．

原発性脳腫瘍の分類は，他のがん種のように腫瘍の大きさ，リンパ節の状態，および転移の広がりに基づくTMN分類による病期分類は一般的に行われず，形態学，細胞遺伝学，分子遺伝学，および免疫学的マーカーを取り入れ予後を考慮したWHO悪性度分類（Grade）が用いられる．組織分類はWHOによる中枢神経系腫瘍組織分類を用いて行われるが，2016年に改訂された．

治療法と予後は，中枢神経系腫瘍は前述のように組織学的に多種多彩であるため，手術療法のリスク，放射線療法や薬物療法に対する感受性もさまざまであり，一様でない．また，中枢神経系原発悪性リンパ腫は血液脳関門が存在するため全身の悪性リンパ腫とは治療法が異なる．

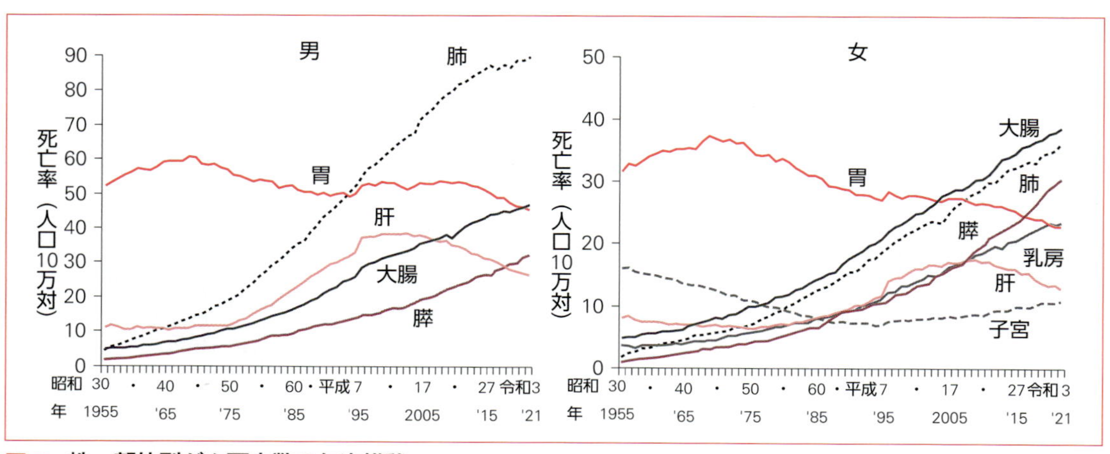

図3　性・部位別がん死亡数の年次推移
［厚生労働省：令和3年人口動態統計月報年計（概数）の概況[1)]より引用］

表１　脳腫瘍の組織分類と頻度

組織名		グレード	脳腫瘍全体に占める割合（%）	年齢（中央値）
毛様細胞性星細胞腫		Ⅰ	1.3	15.0
主な神経膠腫（グリオーマ）	びまん性星細胞腫	Ⅱ	2.4	38.0
	乏突起膠腫	Ⅱ	2.4	41.0
	退形成性星細胞腫	Ⅲ	3.3	49.0
	退形成性乏突起膠腫	Ⅲ	2.5	53.0
	膠芽腫	Ⅳ	12.3	62.0
	上衣腫	Ⅱ	0.5	37.0
	退形成上衣腫	Ⅲ	0.5	10.0
神経節膠腫		Ⅰ	0.3	28.0
中枢性神経細胞腫		Ⅱ	0.4	31.0
髄芽腫		Ⅳ	1.0	8.0
胚細胞腫瘍（胚腫）		Ⅳ	1.4	17.0
中枢神経系悪性リンパ腫		Ⅳ	4.9	66.0
髄膜腫	Grade Ⅰ	Ⅰ	22.0	60.0
	Grade Ⅱ	Ⅱ	1.5	63.0
	Grade Ⅲ	Ⅲ	0.4	58.5
神経鞘腫		Ⅰ	8.6	55.0
下垂体腺腫	成長ホルモン産生腺腫	Ⅰ	3.4	53.0
	プロラクチン産生腺腫	Ⅰ	2.3	31.0
	副腎皮質刺激ホルモン産生腺腫	Ⅰ	1.0	48.0
	非機能性下垂体腺腫	Ⅰ	10.1	58.0
頭蓋咽頭腫		Ⅰ	2.3	42.0
脊索腫		Ⅱ	0.5	52.0
血管芽腫		Ⅰ	1.5	49.5
類上皮腫		Ⅰ	0.9	51.0

［The Committee of Brain Tumor Registry of Japan.：Neurologia medico-chirurgica 2017；Suppl：**57**[2)] より引用］

B　頭頸部がん

頭頸部がんは頭頸部領域（頭蓋底から鎖骨まで）の多数の臓器に発生する腫瘍の総称である．2020年の口腔および咽頭の悪性新生物の死亡数は7,827人（6.3），喉頭の悪性新生物の死亡数は781人（0.6）である．発声，構音，咀嚼，嚥下など重要な機能が集中しているため，予後改善と機能温存の両立を目標とした治療が行われる．原発部位は，口腔，鼻腔・副鼻腔，上咽頭，中咽頭，下咽頭，喉頭，唾液腺に大別される．発症のリスク因子は，喫煙・飲酒である．また，上咽頭がんとEpstein-Barr virus（EBV）や口腔および中咽頭がんとhuman papilloma virus（HPV）との関連も指摘されている．

診断は，視診（喉頭鏡，頭頸部内視鏡），触診，

画像（CT・MRI）にて原発を同定し，生検にて確定診断する．臨床病期診断はTNM分類を用いられる．

頭頸部がんは，原発亜部位と進行度によって治療方針が異なる．また頭頸部には発生・嚥下・咀嚼などの機能があるために，機能温存を希望して非外科的治療を希望する患者も増えている．ゆえに，①組織型，②原発部位，③病期，④根治的外科切除の適応，⑤機能温存の希望，⑥年齢，基礎疾患，臓器機能などを総合的に考え治療方針を決定する必要がある．また，喫煙・飲酒者が80％程度であるので，肺気腫・アルコール性肝障害・慢性膵炎などを合併していることが多い．

治療法は，頭頸部がんの90％を占める扁平上皮がんに対するものは後述のとおりであるが，腺がんなどの他の組織型の標準的治療は確立していない．局所進行切除不能例や局所再発例であっても切除または根治的放射線療法が可能な場合の治療目標は完全治癒である．適切に治療を遂行するためには支持療法がきわめて重要であり，栄養管理や口腔ケアなど多職種の連携が必須である．

上咽頭がんでは，解剖学的な位置関係により，放射線単独または化学放射線療法が第一選択となる．上咽頭がん以外では，病期により外科的切除・放射線療法・化学療法の組み合わせが選択される．

C 食道がん

食道がんの2020年の死亡数は10,981人(8.9)である．組織学的には，扁平上皮がんと腺がんが2大組織型である．本邦の食道がんの90％以上は扁平上皮がんであるが，欧米では腺がんが多い．発症のリスク因子は，扁平上皮がんでは飲酒・喫煙であり，腺がんでは胃酸の逆流によるBarrett食道とされている．粘膜下層までの病変では60％が症状はなく検診などで発見されており，筋層以深に及ぶ病変では狭窄感40％，嚥下困難20％などの症状が出現する．

診断は上部消化管内視鏡検査で行われ，周囲臓器への浸潤・リンパ節や多臓器への転移の診断にはCTやPETが有用である．臨床病期診断はTNM分類を用いる．また，原発巣の壁深達度が粘膜内（MM）にとどまるものを早期がん，粘膜下層（SM）までにとどまるものを表在がんと定義し，ともにリンパ節転移の有無は問わない．

食道がんに対する治療法としては，内視鏡治療，手術，化学療法，放射線療法があり，『食道癌診療ガイドライン2022年版』では臨床病期に応じて治療アルゴリズムが決められている．

D 胃がん

胃がんの2020年の死亡数は42,319人（34.3）である．国際がん研究機関（IARC）は，*Helicobacter pylori*（*H. pylori*）菌感染が胃がんの原因（class Ⅰ）と判定している．しかしながら，*H. pylori*感染者のなかで胃がんを罹患する人は一部であることより，宿主要因，細菌自体の要因，他の生活要因の関与などが，そのリスクを修飾していると考えられる．喫煙・飲酒・食塩過多などもリスク因子との報告がある．特有な症状はなく，病期によっては，体重減少・食欲不振・心窩部痛などを呈することがある．

診断は，主に上部消化管内視鏡検査で行う．胃X線（胃造影）検査は，粘膜面に病変の露出の少ないスキルス胃がんの診断や切除範囲を定めるため有用な検査である．またCT検査では，胃がんの多臓器浸潤，肝転移，遠隔リンパ節転移，腹水の有無などを診断する．特殊な転移形式として，卵巣に血行性ないしは播種性に転移したKrukenberg腫瘍や播種性にDouglas窩に限局性に転移したSchnizler転移，左鎖骨上窩リンパ節へのVirchow転移がある．早期胃がんは，大きさやリンパ節転移の有無に関係なく，深達度が粘膜内（M）または粘膜下層（SM）までにとどまるものと定義されている．病期分類は，本邦では胃癌治療ガイドラインによる進行度分類を用いることが多い[4]．TNM分類との相違点は，遠隔転移を肝転移（H），腹膜転移（P），腹腔洗浄液陽性（CY），その他の遠隔

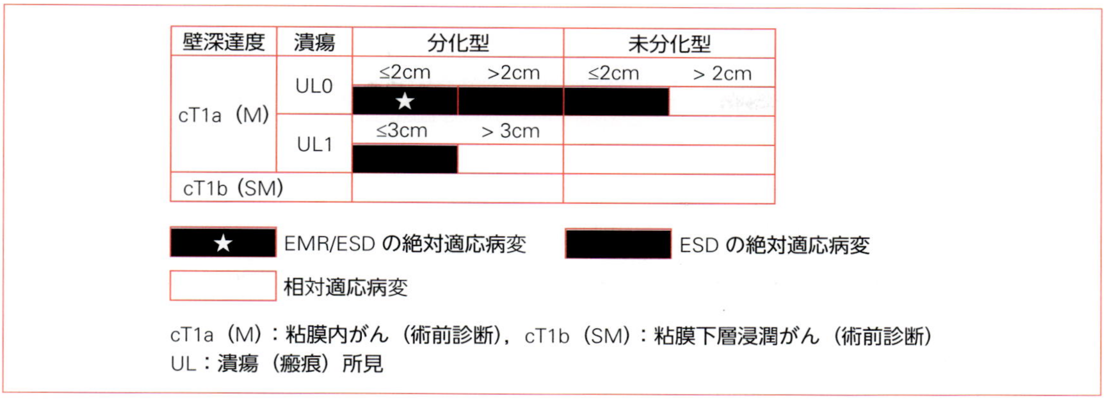

壁深達度	潰瘍	分化型		未分化型	
cT1a（M）	UL0	≤2cm	>2cm	≤2cm	> 2cm
		■★	■	■	
	UL1	≤3cm	> 3cm		
		■			
cT1b（SM）					

■★ EMR/ESD の絶対適応病変　■ ESD の絶対適応病変

□ 相対適応病変

cT1a（M）：粘膜内がん（術前診断），cT1b（SM）：粘膜下層浸潤がん（術前診断）
UL：潰瘍（瘢痕）所見

図 4　早期胃がんの内視鏡治療の適応
［日本胃癌学会（編）：胃癌治療ガイドライン 医師用 2021 年 7 月改訂（第 6 版），金原出版，p.26–28，2021[4] を参考に作成］

転移（M）と分別している点である．

胃がんに対する治療法としては，内視鏡治療，手術，化学療法がある．胃癌治療ガイドライン（医師用 2021 年 7 月改訂第 6 版）では，EMR（内視鏡的粘膜切除術）や ESD（内視鏡的粘膜下層剥離術）による内視鏡的治療の適応が拡大されている（図 4）．

E　大腸がん

大腸がん（結腸がん・直腸がん）の 2020 年の死亡数は 51,788 人（42.0）であり，本邦の大腸がん罹患率・死亡率はともに増加している．大腸がん家族歴はリスク因子である．家族性大腸腺腫症と遺伝性非ポリポーシス性大腸がん家系は，特に関連が強い．食事でのリスク要因は，赤身肉・加工肉・飲酒とされている．また，体脂肪・腹部肥満といった体型も大きなリスクとされている．

大腸がんはかなり進行しないと血便・便通異常・便狭小化といった症状が出ないため，早期発見のためには便潜血検査による検診が重要である．診断には，下部消化管内視鏡検査や注腸造影検査が施行される．リンパ節転移，肝肺転移などの遠隔転移，周囲臓器への浸潤などの検索には CT・MRI を行う．また PET-CT による全身検索は簡便で有用である．

治療は臨床病期に応じて治療アルゴリズムが決められている．内視鏡的治療の大腸癌治療ガイドラインでの適応基準を図 5 に示す[5]．また，Stage 0〜Ⅲに対する外科的治療において，リンパ節郭清度は，リンパ節転移度と腫瘍の壁深達度から決定される．リンパ節転移が疑われる場合，D3 郭清が行われる．Stage Ⅳに対する治療では，原発巣だけでなく転移巣の切除の可能性も考慮して治療方針を決定する必要がある．化学療法としては，治癒切除が行われた Stage Ⅲ大腸がんに術後 4〜8 週頃までに術後化学療法を開始し 6 ヵ月間行われることが推奨されている．レジメン，再発のリスク，患者特性を総合的に考慮したうえで，治療レジメンならびに投与期間を検討する．また，切除不能進行再発大腸がんに対して，腫瘍増大を遅延させて延命と症状コントロールを行うことを目的として化学療法が行われる．しかし近年の化学療法の進歩により，治療が奏効して切除可能となり，外科治療が行われる症例もある．放射線療法では，補助放射線療法として直腸がんの局所制御率向上，生存率改善の目的で施行される．また，緩和的放射線療法として，骨盤内腫瘍による疼痛，出血，便通障害の緩和目的として行われる．

F　肝がん・胆道がん・膵がん

肝がんによる 2020 年の死亡数は 24,839 人（20.1）である．男性は女性の 2 倍以上多い．肝細胞がんの背景肝病変として 80％以上に肝

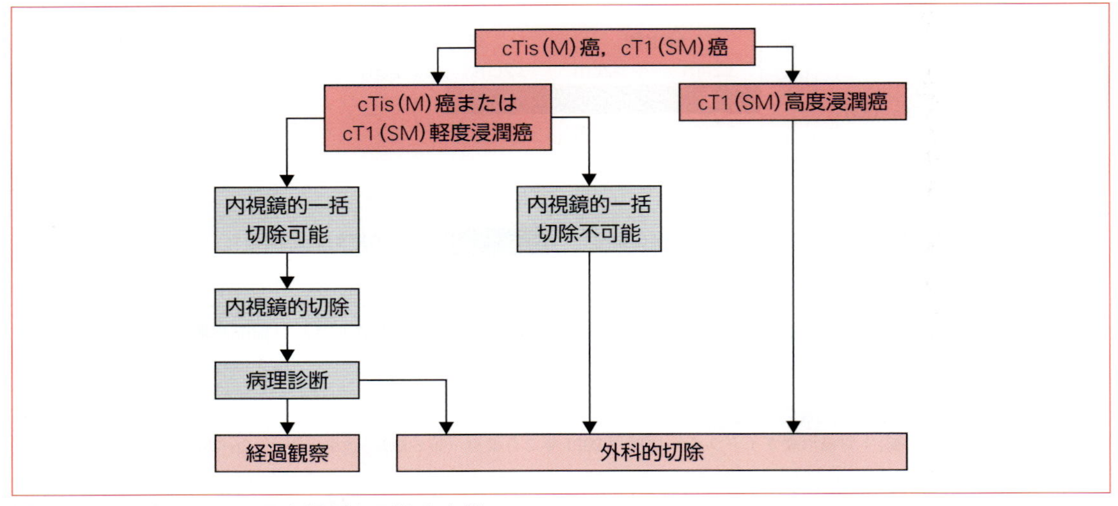

図 5　Stage 0～Stage Ⅲ大腸がんの治療方針

［大腸癌研究会（編）：大腸癌治療ガイドライン 医師用 2022 年版，金原出版，東京，p. 12，2022[5] より許諾を得て転載］

硬変や慢性肝炎があり，わが国では HCV 感染による肝がんが最も多い．また近年，HCV 感染の治療により HCV に関連した肝がんが漸減し，メタボリックシンドローム，肥満でみられる非アルコール性脂肪性肝疾患（nonalcoholic fatty liver disease：NAFLD）が原因となる割合が増えつつある．

症状は無症状のことが多いが，進行すると右季肋部痛，黄疸などを生じる．診断は，早期診断のために B 型・C 型肝炎ウイルスの感染患者では，3～6 ヵ月ごとの腫瘍マーカー（AFP，AFP レクチン分画，PIVKA-Ⅱ）と超音波あるいは dynamic CT/MRI による経過観察が推奨されている．

肝細胞がんの多くは，前述のごとく障害肝より発生し，その予後はがんの進行度だけでなく，肝予備能に大きく左右される．そのため，治療方針の決定にあたっては腫瘍因子と Child-Pugh 分類による肝予備能の両方を考慮する必要がある（図 6）[6]．肝細胞がんの治療は，肝切除，ラジオ波熱凝固療法（radiofrequency ablation：RFA），肝動脈［化学］塞栓療法（transcatheter arterial［chemo-］embolization：TA[C]E）の 3 大治療法，および肝動注化学療法（transcatheter arterial infusion：TAI），全身化学療法，放射線療法，肝移植などがある．肝細胞がんは再発することが多く（多中心性発癌や肝内転移），実際の臨床ではこれらの治療法の組み合わせで行われる．

胆道がんは，肝外胆管がん（肝門部領域胆管がん，遠位胆管がん），胆嚢がん，十二指腸乳頭部がんの総称であり，2020 年の死亡数は 17,773 人（14.4）である．リスク因子として，原発性硬化性胆管炎，膵胆管合流異常，先天性胆管拡張症，ジクロロメタンやジクロロプロパンなどの化学物質がある．症状は，胆管がんでは閉塞性黄疸が初発症状であることが多く 70～90％に出現する．診断は，超音波・CT・MRI（MRCP）・超音波内視鏡（EUS）の画像検査で行われる．治療は外科切除・化学療法・放射線療法がある．根治療法は外科切除のみであるが，発見された時点で進行している症例が多い．

膵がんの罹患数は年々上昇傾向にあり，2020 年の死亡数は 37,677 人（30.5）である．膵がんのリスク因子は，糖尿病・肥満・慢性膵炎・喫煙などがリスクを増加させると報告されている．症状は，腹痛が最も多く，黄疸，腰背部痛なども呈することもある．診断は，超音波・CT・MRI（MRCP）の画像検査で行われ，近年では超音波内視鏡下穿刺吸引細胞診・組織診による病理学的診断が行われる．治療は外科切除・化学療法・放射線療法があり，進行度に

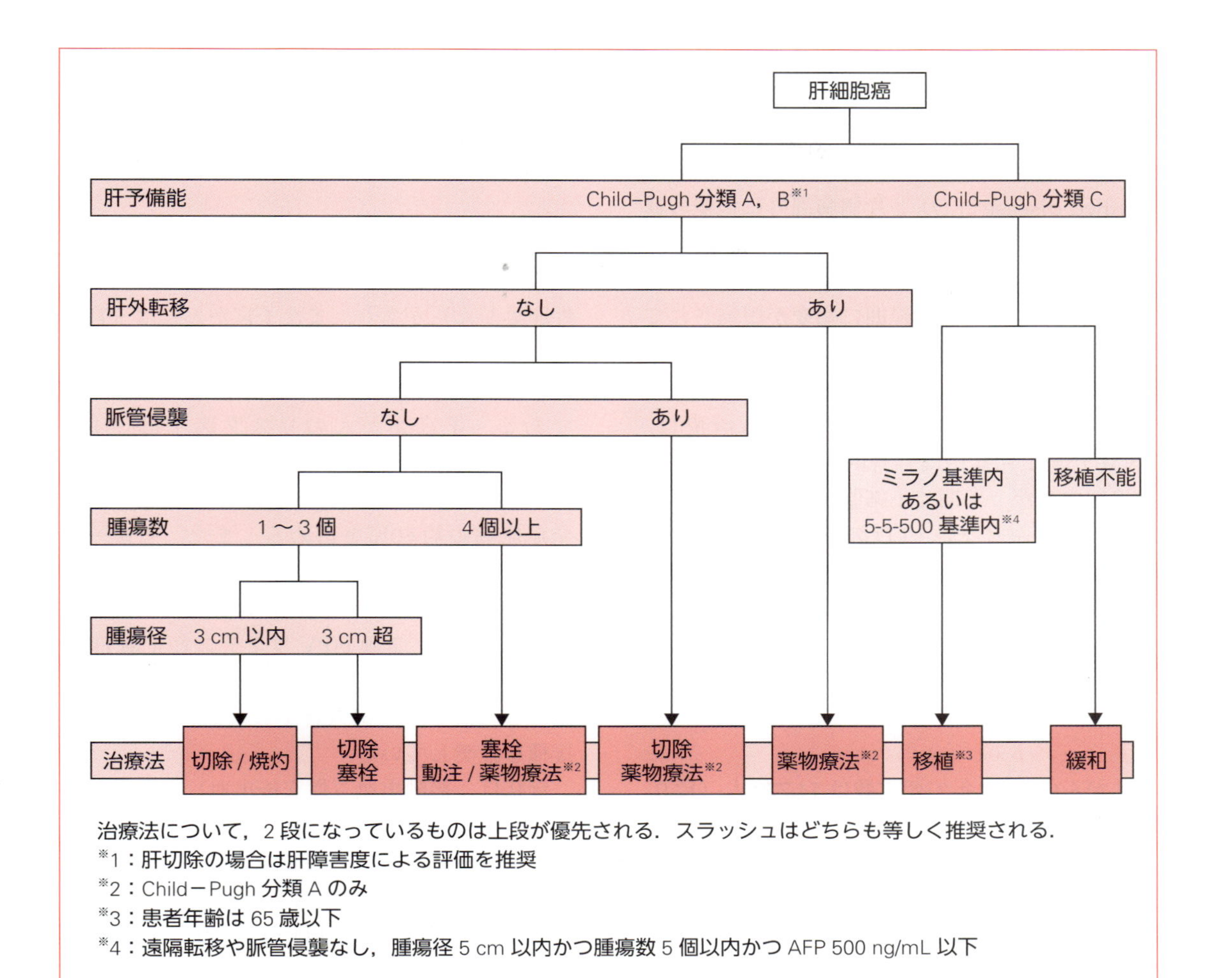

図 6　肝がんの治療アルゴリズム

［日本肝臓学会（編）：肝癌診療ガイドライン 2021 年版（第 5 版），金原出版，東京，p.76，2021[6] より許諾を得て転載］

よって選択される．

G 肺がん

肺がんの 2020 年の死亡数は 75,585 人（61.3）であり，現在全悪性腫瘍死の第 1 位である．リスク因子としては，喫煙，職業的曝露（アスベストなど），慢性閉塞性肺疾患である．喫煙者が肺がんに罹患するリスクは非喫煙者に対し，男性で 4.4 倍，女性で 2.8 倍と報告されている．

症状は早期では無症状であるが，進行すると中枢型では咳嗽，喀痰，血痰など出現し，末梢型では胸膜・胸壁浸潤による疼痛，胸水貯留などが生じる．進展部位により，嗄声，Horner 症候群，上大動脈症候群が出現することがある．また，小細胞肺がんでは，SIADH（抗利尿ホルモン不適合分泌症候群）や Lambert-Eaton 筋無力症症候群（LEMS）などの腫瘍随伴症候群を伴うこともある．

診断は，胸部 X 線・CT が基本であり，確定診断は経気管支肺生検などによる組織診断で行われる．また病期診断として，腹部 CT，脳 MRI，骨 RI，PET-CT などが行われ，手術適応の確認のため近年では超音波気管支鏡下針生検（EBUS-TBNA）を行うこともある．肺がんは組織学的に，非小細胞がん（80〜85%）と小細胞がん（15〜20%）に分けられる．

非小細胞がんでは，TNM 分類によって病期分類されⅢA期の一部までが外科療法の適応となる．ⅢB期，Ⅳ期は化学療法もしくは放射線療法が施行される．小細胞がんでは，TNM分類以外に病変が片側胸郭内に限定される限局型（limited disease：LD）と片側胸郭外に病変の進展がみられる進展型（extensive disease：ED）に分類する．治療上LDは根治を目的とした胸部放射線照射が可能な範囲に病変が限局されているものであり，EDは病変が胸部照射の適応とならない範囲に及ぶものであり，治療法を決定するうえで有用な分類である．治療は，TNM分類Ⅰ期症例は外科的切除し，化学療法を追加するが，Ⅰ期で小細胞がんが発見されることはほとんどない．LDの小細胞肺がんには化学療法と胸部放射線療法を同時に行い，EDの小細胞肺がんには，化学療法のみの適応である．

H 乳がん

乳がんの2020年の死亡数は14,779人（12.0）であり，本邦での罹患率，死亡率はいずれも増加傾向であり，女性の食生活を含む生活習慣の変化，高エストロゲン期間の延長などが増加に関与していると考えられる．早い初経・遅い閉経・長期間のホルモン療法・閉経後の肥満が高エストロゲン状態をもたらすためリスク因子となり，未産，高齢出産，家族歴，授乳経験なし，飲酒，良性乳腺疾患の既往（特に異型過形成）もリスクとなる．遺伝性乳がんは，全体の5～10％を占める．*BRCA1*と*BRCA2*の遺伝子変異による遺伝性乳がん卵巣がん症候群（HBOC）のほか，TP53の病的変異が原因となるLi-Fraumeni症候群，PTEN変異が原因のCowden症候群などがある．

症状は，乳房腫瘤（74％），疼痛（6％），異常乳頭分泌物（4％）などが出現する．診断はマンモグラフィ，超音波検査で行われるが，病期診断ではCTやMRIが有用である．確定診断は病理学的に行われる．治療は外科的手術，放射線療法，薬物療法からなる．薬物療法では，ホルモン療法・分子標的治療薬・化学療法が行われる．生検組織や手術検体の免疫組織化学染色によりホルモン受容体・HER2・Ki-67の発現などを調べ，これらのサブタイプに基づいて薬物療法の選択を行う．

I 婦人科がん

婦人科がんには，子宮がん・卵巣がん（上皮性卵巣がん）があり，また子宮がんには子宮頸がんと子宮内膜がん（子宮体がん）がある．

子宮がんの2020年の死亡数は6,808人（10.7）である．子宮頸がんのリスク因子は，HPV（Human papilloma virus）感染が最も重要であり，特に本邦ではHPV-16，18型感染はがん発症原因の約60％を占める．また，多産・経口避妊薬・喫煙・低年齢での初性交，複数のセックスパートナーの存在などもリスクである．本邦では，2価HPVワクチンと4価HPVワクチンに加えて，2020年に9価ワクチンが承認され，日本産婦人科学会はHPVワクチン接種を推奨している．

症状は，接触出血（性交後出血）が典型的な初発症状である．診断は組織診断で行われ，超音波検査，CT，MRI，PET-CTといった画像検査が腫瘍径や周囲組織への浸潤など病変の広がりの評価のため用いられる．2020年にFIGO2018を受けて子宮頸がん進行期分類が改訂され，これに基づき治療が行われる．

治療は，病期により手術療法と放射線療法が基軸で行われ，化学療法も選択となる．生殖可能な若年者で増加しており，妊孕性をはじめとする機能温存が求められている．

子宮内膜がんの発症は，多くが50歳以上の閉経後の女性に発症する．エストロゲン異常にかかわる因子が主であり，肥満，高血圧，糖尿病などの生活習慣病素因と，早期月経，遅発閉経，未産，多嚢胞性卵巣症候群，エストロゲン過剰状態（エストロゲン補充療法や乳がん術後のタモキシフェン服用）などのホルモン的要因，遺伝性非腺腫性大腸がん患者などの遺伝的因子がある．なお経口避妊薬の服用は有意にリスクを下げる．症状は，90％以上に不正性器出血を認めるため，閉経後の不正出血は，子宮内膜がんが疑われる．診断は子宮内膜組織診で行われ，病期分類は，FIGO分類とTNM分類が用いられる．治療は，出血コントロール目的および進行期の決定のため，手術を基軸として行う．単純子宮全摘術と両側付属器摘出術に加えてsurgical stagingとして，腹腔内細胞診，骨盤内リンパ節・傍大動脈リンパ節の生検が行われる場合もある．術後補助療法は，高リスクの患者では術後放射線療法や化学療法が行われる．

卵巣がん（上皮性卵巣がん）の2020年の死亡数は4,876人（7.7）であり，年々増加傾向である．最も重要なリスク因子は，卵巣がんや乳がんの家族歴である．そのほか不妊，初経年齢が早い，閉経年齢が高い，肥満，ホルモン補充療法，内膜症がある場合にはリスクが高いとされている．卵巣腫瘍は組織学的に，上皮性・間質性，性索間質性，胚細胞性などに分類されるが，90％は上皮性・間質性である．卵巣がんは，早期症状に乏しく40〜50％が腹膜播種や後腹膜リンパ節転移を有するStage Ⅲ以上の進行がんとして発見される．病期分類には，手術療法（staging laparotomy）後にFIGO分類とTNM分類が用いられる．

治療は，化学療法と手術療法との複合療法として行われる．初回治療は手術療法であり，手術では両側付属器摘出術，子宮全摘術，大網切除術（基本術式）とsurgical laparotomyとして，腹腔内細胞診，後腹膜リンパ節郭清が必要である．また進行がんに対しては腹腔内播種病巣を最大限に切除する初回腫瘍減量術が重要となる．

J　骨軟部悪性腫瘍

原発性骨軟部腫瘍は大きく分けて原発性悪性骨腫瘍と原発性悪性軟部腫瘍（軟部肉腫）に分けることができる．肉腫は非上皮性悪性腫瘍の総称であり，骨組織より発生するものと軟部組織（皮下組織，筋肉，後腹膜など）より発生するものがあるが，実質臓器や皮膚などにも発生する．

骨軟部悪性腫瘍の罹患数は，悪性骨腫瘍では人口10万あたり約0.5人，軟部肉腫では約1.4人とまれである．骨軟部悪性腫瘍は小児と高齢者に多く，15歳未満が15％，55歳以上が40％を占める．一般に小児の骨軟部悪性腫瘍は化学療法に対する感受性が高く，成人では低い．リスク因子は，生殖細胞遺伝子変異，放射線（骨肉腫，血管肉腫など），感染（HHV8によるKaposi肉腫，EBVによる平滑筋肉腫など），化学療法（アルキル化薬やアントラサイクリンの投与による骨肉腫や軟部肉腫など），塩化ビニル（血管肉腫）などがある．

臨床症状は，悪性骨腫瘍の四肢発生例では疼痛，病的骨折，脊椎発生例では疼痛，脊髄麻痺，軟部肉腫では疼痛，腫瘤形成などである．最終的な確定診断は，病理組織診断で行われるが，骨腫瘍や一部の軟部腫瘍では，X線やCT，MRIなどの画像診断によってもある程度診断可能である．骨軟部悪性腫瘍では，組織型および組織学的悪性度（G）が治療方針決定や予後予測を行ううえで重要な因子であり，TNM分類とともに病期分類の基本要素となっている．

骨軟部悪性腫瘍の治療の基本は根治的手術であり，適切なマージンを確保した切除を行う．切除困難や進行例に対しては，組織型に応じて化学療法，放射線療法を考慮するが，これらが著効した場合には根治や長期のコントロールを目指した切除が，また非著効例でもQOL向上のための切除が行われることがある．

K　泌尿器腫瘍

前立腺がんの2020年の死亡数は12,759人（21.3）であり，本邦での罹患率，死亡率はいずれも増加傾向である．罹患率は70歳代が最も多く，50歳代以下ではまれである．血尿，尿閉などの臨床症状で発見されることがあるが，現在は無症候性PSA高値を契機に発見されることが多い．診断は血清PSA検査に加えてMRIが有用で，確定診断には経直腸超音波ガイド下に針生検を行う．病期診断はTNM分類で行われるが，さらにGleason scoreを用いた病理学的悪性度とPSA値を総合したNCCNリスク分類が治療法を決定するうえで有用である．治療は，患者の年齢層は高齢で進行が緩徐な症例も多く，がんの臨床病期のみならず，前立腺がん以外の既往歴や併存疾患と年齢から予測される余命，症状の有無など総合的に治療の必要性や治療法を検討する．主な治療法は，監視療法，手術（外科治療），放射線治療，内分泌療法（ホルモン療法），化学療法であり，複数の治療法が選択可能な場合がある．

膀胱がん/上部尿路がん（腎盂・尿管がん）は，腎盂，尿管，膀胱，尿道を覆う移行上皮（尿路上皮）に発生する腫瘍で，組織学的に約90%が移行上皮がんである．膀胱がんの2020年の死亡数は9,168人（7.4）であり，リスク因子はナフチルアミン，ベンジジン，アミノビフェニルなどの発がん物質や喫煙とされている．臨床症状は，肉眼的あるいは顕微鏡的血尿を約80%に認める．診断は尿細胞診，膀胱鏡の検査による．経尿道的膀胱腫瘍切除術（TUR-BT）による腫瘍の深達度と組織学的異型度が予後因子として重要である．筋層非浸潤性膀胱がんは膀胱がん全体の約70%を占め，TUR-BTによる完全切除を目指す．TUR-BT後の膀胱内再発は，50～90%と報告されている．リスクごとに術後治療が推奨されている．一方，筋層以上の浸潤性がんは予後不良で，一般的には膀胱全摘除術の対象となるが，化学療法も施行される．

腎細胞がんは成人の腎に発生する悪性腫瘍の90%を占め，好発年齢は50歳代後半であり，2020年の腎・尿路（膀胱は除く）死亡数は9,712人（7.9）である．リスク因子は，喫煙，肥満，高血圧，慢性透析，von Hippel-Lindau病とされている．臨床症状は早期には無症状で，血尿・腹部腫瘤・疼痛の3徴をすべて呈するのは10%程度である．診断は，腹部USやCTで行われ，診断目的の針生検は一般的には行われない．最も多い組織型は淡明細胞型腎細胞がん（85%）である．治療は，手術療法が最も有効な手段とされ，手術（外科治療），凍結療法，薬物療法，放射線治療などが検討される．

胚細胞腫瘍は，生殖細胞から発生する腫瘍で，精巣胚細胞腫瘍や卵巣胚細胞腫瘍のように生殖器に発生するものと，生殖器以外に発生する性腺外胚細胞腫瘍がある．精巣胚細胞の発生頻度は男性10万人に対して1～2人弱であり，停留精巣の既往があると発症リスクが2.5～11.4倍程高くなる．症状は無痛性の陰嚢腫大であり，診断はUSやCT/MRIで行われる．精巣胚細胞の場合，進行期によらず，まずは診断と治療のためにも精巣の摘除術が行われる．そのうえで，進行度や組織型に応じて，追加治療として，化学療法などが行われる．

L　皮膚がん

皮膚がんは，本邦では発症の多いほうから，基底細胞がん，有棘細胞がん（扁平上皮がん，表皮内がんを含む），悪性黒色腫の3つが代表的で他に乳房外Paget病などがある．本邦では皮膚がん全体の2020年の死亡数は，1,707人（1.4）である．皮膚がんの罹患率は人種差が大きく，白人では罹患率が高いが日本人ではまれであり，悪性黒色腫の人口10万人あたりの罹患率は白人：黒人：アジア系で32.3：1.0：1.7と報告されている．

日本人の悪性黒色腫発生部位は，皮膚原発が80.5%を占め（頭頸部6.3%，体幹14.0%，上肢16.6%，下肢49.8%，境界域など13.4%），皮膚以外でも粘膜14.8%，ぶどう膜2.9%などにみられる．悪性黒色腫はメラノサイト（色素細胞）が悪性化した腫瘍のため，黒褐色調病変としてみられる．診断の際にはダーモスコピーが有用であり，肉眼による診察と比較し相対診断オッズ比は約4～15.6と報告されている．病理診断には全体構築の観察が重要であるため，部分生検は禁忌ではないが生検をする場合には1～3 mmのマージンをつけた全切除生検が推奨される．治療は，病変の厚さ，潰瘍の有無，所属リンパ節，他の臓器への転移の有無などの程度により治療法が異なる．臓器転移を生じていない例では手術による切除，所属リンパ節の生検もしくは郭清術，および術後補助療法が行われる．所属リンパ節の転移が明らかでない場合は，センチネルリンパ節生検を，所属リンパ節転移が明らかな場合はリンパ節郭清術を行う．手術により完全な摘出が難しい場合や，臓器に転移がある場合は，免疫チェックポイント阻害薬や分子標的治療薬などの化学療法を主体とし，外科治療，放射線治療を加えた集学的治療が行われる．一般的に放射線治療が効きにくい腫瘍と考えられてきたが，近年では免疫チェックポイント阻害薬との併用による上乗せ効果が期待されている．また，脳転移に対する定位放射線治療は効果的で，通常の放射線治療に比べて予後が半年以上延長することが示されている．

M　白血病

白血病は，造血細胞（血液細胞）の腫瘍である．無治療の場合に日/週単位で急速に増悪する急性白血病と，月/年の単位で緩徐に進行する慢性白血病に分類される．また，腫瘍化する細胞の種類から，骨髄性白血病とリンパ性白血病に分類される．本邦での 2020 年の死亡数は 8,983 人（7.3）である．

急性白血病の臨床症状は，白血病細胞の増殖による症状（発熱・肝脾腫・リンパ節腫脹，歯肉腫脹，骨痛など）と，骨髄で正常造血の抑制による症状（貧血・血小板減少による出血傾向，好中球減少による感染症）である．診断は，末梢血や骨髄中に芽球を検出して行い，芽球の形質の判定にはペルオキシダーゼ染色や細胞表面マーカーが有用である．

骨髄性白血病の治療には，初回治療である寛解導入療法と，残存する白血病細胞細胞の根絶および再発予防を目的とした寛解後療法がある．急性前骨髄球性白血病とそれ以外では化学療法が異なる．近年は特定の遺伝子変異に対する分子標的療法の開発が進んでおり，特に FLT3-ITD/TDK 変異に対するチロシンキナーゼ阻害薬が使用可能となり治療スキームが変化しつつある．また急性リンパ性白血病においては，標準リスク以外のほとんどの症例で第 1 寛解期での同種造血幹細胞移植が施行されている．また，再発・難治例であっても可能な症例には（再）移植を検討するのが望ましい．

慢性骨髄性白血病（CML）は，*BCR-ABL1* 融合遺伝子によるチロシンキナーゼ型がん遺伝子の活性化が発症の原因とされている．無治療の場合，3～5 年の慢性期を経て急性白血病様の病態（急性転化）となる．慢性期と急性転化期の間は移行期と呼ばれる．CML のほとんどは，慢性期に診断される．慢性期の特徴は巨大脾腫であるが，近年は検診時の血液検査異常で発見されることが多い．CML 慢性期の第一治療薬は，チロシンキナーゼ阻害薬である．しかし変異による薬剤耐性となるため，変異解析を行い有効なチロシンキナーゼ阻害薬を選択する．また移植適応のある患者については早期から計画を立てることが推奨される．慢性リンパ性白血病（CLL）は，末梢血，骨髄およびリンパ組織において成熟 B リンパ球増殖する疾患腫瘍である．CLL は化学療法による治癒は困難であるものの，慢性の経過をたどる．

N　悪性リンパ腫・多発性骨髄腫

悪性リンパ腫は，リンパ球（B 細胞，T 細胞，NK 細胞）に由来する悪性腫瘍の総称でありすべての臓器に発症する．また，Hodgkin リンパ腫（HL）と非 Hodgkin リンパ腫（NHL）に分けられる．2020 年の死亡数は 13,786 人（11.2）であり，罹患率は全世界的に増加傾向である．特定の病原体との関連として，EB ウイルスと節外性 NKT 細胞リンパ腫・鼻型，免疫不全関連リンパ腫，臓器移植後発生するリンパ腫，一部の高齢者リンパ腫や Burkitt リンパ腫，HL があり，*H. pylori* と胃 MALT リンパ腫，HTLV-1（human T-lympho-tropic virus type 1）と成人 T 細胞白血病・リンパ腫（ATL）などがある．症状は，リンパ節腫脹や B 症状（発熱，盗汗，体重減少）がある．診断は生検でなされ，生検検体は病理組織診断（免疫染色），フローサイトメトリー，染色体検査，遺伝子検査が行われる．病理組織分類は，WHO 分類に従って行われる．一方，臨床的には 3 段階の悪性度分類がしばしば用いられる．低悪性度（経過が年単位）は，濾胞性リンパ腫（FL），MALT リンパ腫など，中悪性度（経過が月単位）は，びまん性大細胞型 B 細胞リンパ腫（DLBCL），末梢性 T 細胞リンパ腫，マントル細胞リンパ腫など，高悪性度（経過が週単位）は，リンパ芽球リンパ腫，急性型/リンパ腫型 ATL，Burkitt リンパ腫である．悪性リンパ腫の病変の広がりは治療選択，予後予測に大きく影響するため，病期を正確に把握することはきわめて重要である．

悪性リンパ腫に対する病期分類は，Ann Arbor 分類や Lugano 分類が用いられる．悪性リンパ腫の治療は，化学療法と放射線治療が中心である．全身状態，病理組織診断，悪性度および臨床病期（ステージ）に基づいて治療方針を決定する．病期Ⅰ期およびⅡ期の限局期においては，化学療法と病変部位への放射線照射を化学療法の後に追加が可能であれば実施する．

Hodgkin リンパ腫に対する化学療法は，ドキソルビシン・ブレオマイシン・ビンブラスチン・ダカルバジン併用療法（ABVD 療法）が現在の標準的治療法である．

B 細胞性非 Hodgkin リンパ腫に対する治療法は，病理組織型および悪性度に基づき決定する．最も頻度の高い病理組織型である，びまん性大細胞型 B 細胞リンパ腫に対しては，シクロホスファミド・ドキソルビシン・ビンクリスチン・プレドニゾロン併用療法（CHOP 療法）と抗 CD20 モノクローナル抗体であるリツキシマブを併用する R-CHOP 療法が標準的治療法と位置づけられている．2 番目に頻度の高い濾胞性リンパ腫は，緩徐に進行するため自覚症状が乏しい場合も多いが難治性であり，治療に関しては，①慎重な経過観察，②リツキシマブ単剤療法，③リツキシマブ併用化学療法の 3 つが主な選択肢となる．マントル細胞リンパ腫や Burkitt リンパ腫のような中高悪性度 B 細胞非 Hodgkin リンパ腫に対しては，年齢および臓器機能から実施可能と判断されれば，強力多剤併用化学療法を考慮する．

一方で T 細胞性非 Hodgkin リンパ腫に対しては CHOP 療法が標準的治療法と考えられているが，一般に治療効果は B 細胞性非 Hodgkin リンパ腫と比較して不良である．そこで治療効果を高めることを目的とした造血幹細胞移植などの強力多剤併用化学療法を目指した治療を計画する場合もある．また一部の病理組織型においては，それらに特化した標準的治療法が確立している．本邦において発生頻度の高い成人 T 細胞白血病リンパ腫に対しては，年齢および臓器機能から実施可能と判断されれば，同種造血幹細胞移植を目指して多剤併用化学療法を実施する．限局期の節外性 NK/T 細胞リンパ腫，鼻型に対しては，同時化学放射線療法が標準的治療法に位置づけられている．

B 細胞分化の最終段階である形質細胞は免疫グロブリンを産生する．多発性骨髄腫（MM）は，形質細胞ががん化し主に骨髄で増殖する疾患で，2020 年の死亡者は 4,243 人（3.4）である．臨床症状は，骨痛が最も多い自覚症状で 60～80％に出現し，病的骨折もみられる．他に，貧血，腎障害，高カルシウム血症，易感染症に伴う症状もある．過粘稠症候群をきたし，出血傾向，眼症状，神経症状などもみられる．診断基準は IMWG（international myeloma working group）による国際診断基準，病期分類は改訂国際病期分類 ISS が推奨される．MGUS（monoclonal gammopathy of undetermined signigicance）と無症候性 MM は無治療経過観察で，症候性 MM に移行後治療する．移植適応のある症例には，初回導入療法に引き続いて自家末梢血幹細胞移植併用大量化学療法を行い，維持療法を行う．移植非適応症例には，免疫調整薬もしくはプロテアソーム阻害薬を含む治療が施行される．

文献

1）厚生労働省：令和 3 年人口動態統計月報年計（概数）の概況
2）The Committee of Brain Tumor Registry of Japan.：Neurologia medico-chirurgica 2017; Suppl 57
3）日本食道学会（編）：食道癌診療ガイドライン 2022 年版（第 5 版），金原出版，東京，2022
4）日本胃癌学会（編）：胃癌治療ガイドライン 医師用 2021 年 7 月改訂（第 6 版），金原出版，東京，2021
5）大腸癌研究会（編）：大腸癌治療ガイドライン 医師用 2022 年版，金原出版，東京，2022
6）日本肝臓学会（編）：肝癌診療ガイドライン 2021 年版（第 5 版），金原出版，東京，2021

(2) 食事・発がんリスクとがん予防

JA 岐阜厚生連中濃厚生病院消化器内科
白木　亮

国立がん研究センターをはじめとする研究グループ[1)]は，日本人を対象としたこれまでの研究において，日本人のがんの予防にとって重要な，「禁煙」「節酒」「食生活」「身体活動」「適正体重の維持」の5つの改善可能な生活習慣に「感染」を加えた6つの要因を取りあげ，「日本人のためのがん予防法(5+1)」を定めた(表1).

これまでに研究班が実施した評価（図1・図2）では，喫煙，飲酒のリスクについては多くのがんで，またBMIや感染については一部のがんで，その関連の確実性が示されている．その一方，食事要因についてはほとんどの食品，栄養素においていまだデータ不十分という評価が並び，塩，緑茶，コーヒーなどの一部で関連

表1　日本人のためのがん予防法

喫煙	たばこは吸わない．他人のたばこの煙を避ける．
目標	たばこを吸っている人は禁煙をしましょう．吸わない人も他人のたばこの煙を避けましょう．
飲酒	飲むなら，節度のある飲酒をする．
目標	飲む場合はアルコール換算で1日あたり約23g程度まで (日本酒なら1合，ビールなら大瓶1本，焼酎や泡盛なら1合の2/3，ウィスキーやブランデーならダブル1杯，ワインならボトル1/3程度です．飲まない人，飲めない人は無理に飲まないようにしましょう)．
食事	偏らずバランスよくとる． ＊塩蔵食品，食塩の摂取は最小限にする． ＊野菜や果物不足にならない． ＊飲食物を熱い状態でとらない．
目標	食塩は1日あたり男性8g，女性7g未満，特に，高塩分食品（たとえば塩辛，練りうになど）は週に1回未満に控えましょう．
身体活動	日常生活を活動的に
目標	たとえば，歩行またはそれと同等以上の強度の身体活動を1日60分行いましょう．また，息がはずみ汗をかく程度の運動は1週間に60分程度行いましょう．
体形	適正な範囲内に
目標	中高年期男性の適正なBMI値（Body Mass Index 肥満度）は21～27，中高年期女性では21～25です．この範囲内になるように体重を管理しましょう．
感染	肝炎ウイルス感染検査と適切な措置を 機会があればピロリ菌感染検査を
目標	地域の保健所や医療機関で，一度は肝炎ウイルスの検査を受けましょう．感染している場合は専門医に相談しましょう． 機会があればピロリ菌の検査を受けましょう．感染している場合は禁煙する，塩や高塩分食品のとりすぎに注意する，野菜・果物が不足しないようにするなどの胃がんに関係の深い生活習慣に注意し，定期的に胃の検診を受けるとともに，症状や胃の詳しい検査をもとに主治医に相談しましょう．

[科学的根拠に基づく発がん性・がん予防効果の評価とがん予防ガイドライン提言に関する研究班 https://epi.ncc.go.jp/[1)]より引用]

	全部位	肺	肝	胃	大腸	大腸（結腸）	大腸（直腸）	乳房	食道	膵	前立腺	子宮頸部	子宮体部(内膜)	卵巣	頭頸部	膀胱	血液
喫煙	確実↑	確実↑	確実↑	確実↑	可能性あり↑	データ不十分	可能性あり↑	可能性あり↑	確実↑	確実↑	データ不十分	確実↑	データ不十分	データ不十分	確実↑	確実↑	(急性骨髄性白血病) ほぼ確実↑
受動喫煙	データ不十分	確実↑	データ不十分	データ不十分	データ不十分			可能性あり↑	データ不十分	データ不十分	データ不十分	データ不十分	データ不十分	データ不十分	データ不十分	データ不十分	
飲酒	確実↑	データ不十分	確実↑	データ不十分	確実↑	確実↑	確実↑	データ不十分	確実↑	データ不十分	データ不十分	データ不十分	データ不十分	データ不十分		データ不十分	
肥満	可能性あり↑ (BMI 男 18.5 未満, 女30 以上)	データ不十分	ほぼ確実↑	データ不十分	ほぼ確実↑			(閉経前) 可能性あり↑ (BMI 30 以上) (閉経後) 確実↑	データ不十分	データ不十分	データ不十分	データ不十分	可能性あり↑	データ不十分			
運動	データ不十分	データ不十分			ほぼ確実↓	ほぼ確実↓	データ不十分	可能性あり↓			データ不十分	データ不十分	データ不十分	データ不十分			
感染症		(肺結核) 可能性あり↑	(HBV,HCV) 確実↑	(H. ピロリ菌) 確実↑								(HPV16,18) 確実↑ (HPV33,52,58 クラミジア) データ不十分					
糖尿病と関連マーカー	可能性あり↑	データ不十分	(糖尿病) ほぼ確実↑	データ不十分	可能性あり↑			データ不十分	データ不十分	ほぼ確実↑	データ不十分	データ不十分	可能性あり↑	データ不十分			
メタボ関連要因	データ不十分	データ不十分	データ不十分								データ不十分						
社会心理学的要因	データ不十分	データ不十分		データ不十分				データ不十分	データ不十分	データ不十分							
IARC Group 1		(職業性アスベスト) ほぼ確実↑	(砒素) データ不十分	(EBV) データ不十分				(ホルモン補充療法) データ不十分									
その他			(服薬歴) データ不十分		(高身長) データ不十分			(授乳) 可能性あり↓				(授乳 / 服薬歴) データ不十分	(授乳 / 服薬歴) データ不十分	(授乳 / 服薬歴) データ不十分			

図 1　がんのリスク・予防要因 評価 (1)

		全部位	肺	肝	胃	大腸（結腸・直腸）	乳房	食道	膵	前立腺	子宮頸部	子宮体部(内膜)	卵巣	頭頸部	膀胱	血液
食品	野菜	データ不十分	データ不十分	データ不十分	可能性あり↓	データ不十分	データ不十分	ほぼ確実↓	データ不十分	データ不十分	データ不十分	データ不十分	データ不十分			
食品	果物	データ不十分	可能性あり↓	データ不十分	可能性あり↓	データ不十分	データ不十分	ほぼ確実↓	データ不十分	データ不十分	データ不十分	データ不十分	データ不十分			
食品	大豆		データ不十分	データ不十分			可能性あり↓	データ不十分		可能性あり↓						
食品	肉	データ不十分	データ不十分	データ不十分	データ不十分	データ不十分 (加工肉/赤肉) 可能性あり↑	データ不十分	データ不十分	データ不十分	データ不十分	データ不十分	データ不十分	データ不十分			
食品	魚	データ不十分	データ不十分	データ不十分	データ不十分	データ不十分	データ不十分	データ不十分	データ不十分	データ不十分	可能性あり↓	データ不十分	データ不十分			
食品	穀類		データ不十分	データ不十分	可能性あり↑	データ不十分	データ不十分	データ不十分		データ不十分	データ不十分	データ不十分	データ不十分			
食品	食塩・塩蔵食品				ほぼ確実↑											
食品	牛乳・乳製品	データ不十分	データ不十分	データ不十分	データ不十分	データ不十分	データ不十分	データ不十分	データ不十分	データ不十分	データ不十分	データ不十分	データ不十分			
食品	食パターン				データ不十分	データ不十分	データ不十分				データ不十分	データ不十分	データ不十分			
飲料	緑茶	データ不十分		データ不十分	(男) データ不十分 (女) 可能性あり↓		データ不十分			データ不十分	データ不十分	データ不十分	データ不十分			
飲料	コーヒー			ほぼ確実↓		データ不十分					データ不十分	可能性あり↓	データ不十分			
熱い飲食物								ほぼ確実↑								
栄養素	食物繊維					可能性あり↓										
栄養素	カルシウム					可能性あり↓				データ不十分						
栄養素	ビタミンD					データ不十分										
栄養素	葉酸		データ不十分			データ不十分	データ不十分	データ不十分		データ不十分	データ不十分	データ不十分	データ不十分			
栄養素	イソフラボン	データ不十分	データ不十分	データ不十分	データ不十分	データ不十分	可能性あり↓	データ不十分	データ不十分	可能性あり↓	データ不十分	データ不十分	データ不十分			
栄養素	ビタミン	データ不十分	データ不十分	データ不十分	データ不十分	データ不十分	データ不十分	データ不十分	データ不十分	データ不十分	データ不十分	データ不十分	データ不十分			
栄養素	カロテノイド	データ不十分	データ不十分	データ不十分	データ不十分	データ不十分	データ不十分	データ不十分	データ不十分	データ不十分	データ不十分	データ不十分	データ不十分			
栄養素	脂質		データ不十分		データ不十分	(魚由来の不飽和脂肪酸) 可能性あり↓	データ不十分			データ不十分						

図 2　がんのリスク・予防要因 評価 (2)

が示されたにとどまる．その理由として，日本人の食生活にばらつきが少ないことと，研究データのもとになる食事調査の難しさがあげられる．つまり，和食を中心としたバラエティ豊かな日本人の食生活は健康上望ましく，多くの人がこのような食生活を送っているために，日本人を対象集団とした研究の設定では，明確な効果がみえにくい．現在，質の高い大規模長期追跡調査からのエビデンスの更なる蓄積，複数の研究結果のメタアナリシス，栄養素摂取量を精度良く測定できるバイオマーカーの探索などの研究が行われている．

文献

1) 科学的根拠に基づく発がん性・がん予防効果の評価とがん予防ガイドライン提言に関する研究班 https://epi.ncc.go.jp/

第2章

がん対策基本法とがん対策推進基本計画等政策について

*1 愛媛大学大学院地域医療学
*2 愛媛大学大学院消化器・内分泌・代謝内科学
徳本　良雄*1，日浅　陽一*2

A　わが国におけるがん対策の歩み

わが国の死亡原因は，長らく脳卒中と結核が上位を占めていたが，1953年にがん（悪性新生物）が結核を抜いて第2位となった[1]（「総論1章-(1)」の図1参照）．このようながん死亡者の増加に対して，厚生省の成人病予防対策協議連絡会が実態把握を求める答申を行い，1958年から3回にわたり実態調査が行われた．この調査結果をもとに，1965年に政務次官会議がん対策小委員会はがん対策の推進に係る課題として，①がんに対する正しい広報・衛生教育，②健康診断の実施，③専門医療機関の整備，④専門技術者の養成訓練，⑤がん研究の推進の5本柱を決議した（**表1**）．これと並行して，がん医療・がん研究の拠点整備を行うため，1962年に国立がんセンターが設置され，1966年からは地方がんセンターの整備が開始された．

1981年には，わが国の死亡原因の第1位が悪性新生物（がん）となり，がんは国が積極的に取り組むべき施策と位置づけられた．1984年度に厚生労働省は「対がん10カ年総合戦略」を策定した．さらに，1994年から文部科学省と厚生労働省が「がん克服新10か年戦略」，2004年から「第3次対がん10か年総合戦略」として，がん対策・がん研究の推進を行ってきた．しかし，がん死亡の増加が続いたことから，厚生労働省は，がん対策を総合的に推進することを目的として，2005年5月に厚生労働大臣を本部長とする，がん対策推進本部を設置した．がん対策の飛躍的な向上を目指し，同年8月に①「がん対策基本戦略」の策定と推進，②「がん情報提供ネットワーク」構築の推進，③外部有識者による検討の枠組み創設の3つのアクションから構成された「がん対策推進アクションプラン2005」が策定された．さらに，「がん対策戦略アプローチ」として，①がん予防・早期発見の推進，②がん医療水準均てん化の促進，③がんの在宅療養・終末期医療の充実，④がん医療技術の開発振興を提案した．

このように，わが国のがん対策は着実に進められてきた．しかし，これらの対策によっても依然としてがん死亡者数の減少にはいたらず，国としての取り組み強化を求める声や，がん患者等からのがん対策に関する法律の制定を求める声の高まりがあった．このような背景のもと，2006年国会において「がん対策基本法案」が議員立法として衆議院に提出され成立した．2007年1月に施行されるとともに，本法律に基づいたがん対策推進基本計画の策定に向けた作業が進められた．がん対策推進協議会及び協議会に付設された3つの専門委員会からの意見，関係行政機関との調整を経て，同年6月にがん対策推進基本計画が閣議決定された．がん対策推進基本計画は定期的に見直しを行っており，現在は2023年3月に閣議決定された第4期がん対策推進基本計画に基づいて，がん対策が行われている．

B　がん対策基本法

がん対策基本法（平成18年法律第98号）[2]は，総合的かつ計画的にがん対策を推進するための理念を定めた法律である．2006年の第164回

表 1　わが国のがん対策の歩み

1962 年	国立がんセンター設置
1963 年	がん研究助成金制度（厚生省）発足
1965 年	がん対策の 5 本柱（がん対策小委員会決議）
1966 年	地方がんセンターの整備開始
1981 年	がん（悪性新生物）がわが国の死亡原因の 1 位となる
1983 年 2 月	胃がん，子宮頸がん検診開始（40 歳以上）（老人保健法）
1984 年 4 月	対がん 10 カ年総合戦略の策定（厚生省）
1994 年 4 月	がん克服新 10 か年戦略（厚生省，文部省，科学技術庁）
2001 年 8 月	地域がん診療拠点病院制度の開始
2004 年 4 月	第 3 次対がん 10 か年総合戦略（厚生労働省，文部科学省）
2005 年	がん対策推進本部（厚生労働省）の設置 がん対策推進アクションプラン 2005 の公表
2006 年 6 月	がん対策基本法が成立
2007 年 4 月	がん対策基本法の施行
6 月	がん対策推進基本計画（第 1 期）閣議決定
2009 年	がん検診 50％推進本部の設置（厚生労働省）
2012 年 6 月	がん対策推進基本計画（第 2 期）閣議決定
2013 年 8 月	健康・医療戦略推進本部設置（内閣官房）
2013 年 12 月	がん登録等の推進に関する法律が成立
2014 年 4 月	がん研究 10 か年戦略の策定（厚生労働省，文部科学省，経済産業省）
2014 年 5 月	健康・医療戦略推進法成立・施行 独立行政法人日本医療研究開発機構法成立・施行
2014 年 7 月	第 1 期健康・医療戦略及び医療分野研究開発推進計画策定
2015 年 4 月	独立行政法人日本医療研究開発機構（AMED）設置
2015 年 12 月	がん対策加速化プランの策定
2016 年 1 月	がん登録等の推進に関する法律の施行 全国がん登録開始
2016 年 12 月	がん対策基本法の一部を改正する法律の成立・施行
2018 年 3 月	がん対策推進基本計画（第 3 期）閣議決定
2019 年 4 月	がん研究 10 か年戦略の推進に関する報告書（中間評価）公表
2023 年 3 月	がん対策推進基本計画（第 4 期）閣議決定
2023 年度	がん研究 10 か年戦略の見直し作業

通常国会に議員立法として衆議院に提出され，同年 6 月 16 日に成立し，2007 年 4 月 1 日に施行された．その後，10 年が経過し，がん対策の取組が着実に進み一定の成果をあげるなかで，「がん患者等がその状況に応じて必要な支援を総合的に受けられるようにする」必要性が高まってきた．このような現状に即して，基本理念の追記，事業者の責務，基本的施策の拡充を図ることを目的として，2016 年 12 月 16 日にがん対策基本法の一部を改正する法律が成立

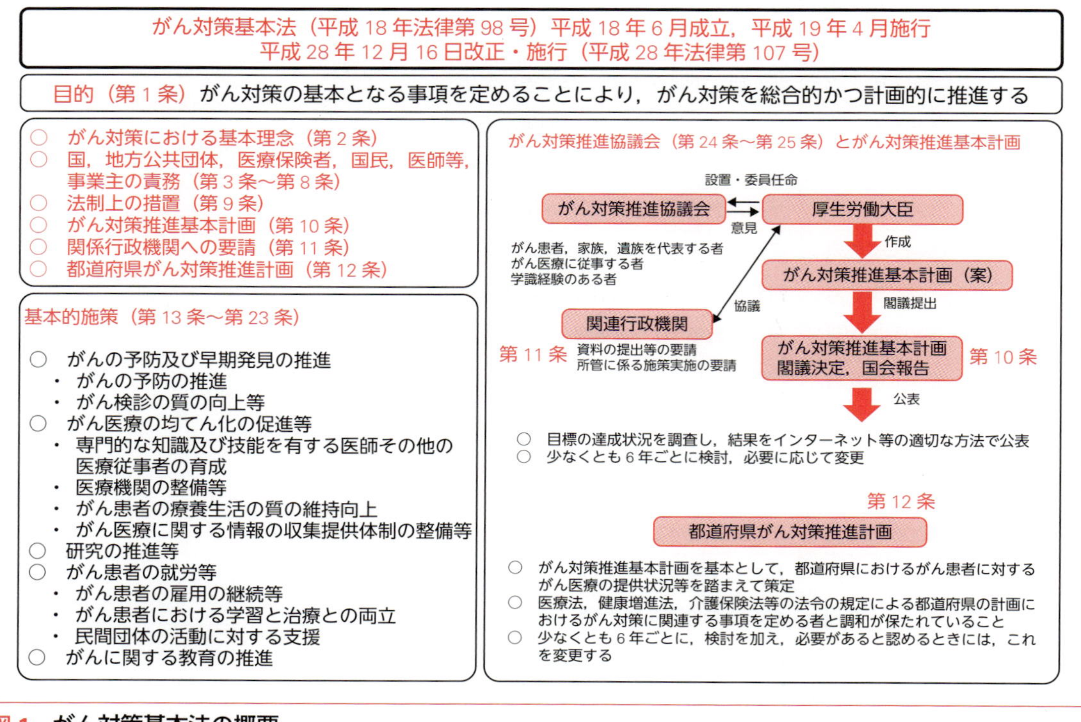

図1　がん対策基本法の概要

［がん対策基本法（https://elaws.e-gov.go.jp/document?lawid＝418AC1000000098_20161216_428AC0100000107）[2)]を参考に作成］

（平成28年法律第107号）し，同日施行された（図1）.

第2条にがん対策に関する基本理念が掲げられている．がん患者がその状況に応じて必要な支援を総合的に受けられる環境を整備するため，改正時に5つ（④～⑧）の基本理念が新たに追加され8本の柱が示された．①がんの克服を目指し，がんに関する専門的，学際的又は総合的な研究を推進するとともに，がんの予防，診断，治療等に係る技術の向上その他の研究等の成果を普及し，活用し，及び発展させること．②がん患者がその居住する地域にかかわらず等しく科学的知見に基づく適切ながんに係る医療（以下「がん医療」という．）を受けることができるようにすること．③がん患者の置かれている状況に応じ，本人の意向を十分尊重してがんの治療方法等が選択されるようがん医療を提供する体制の整備がなされること．④がん患者が尊厳を保持しつつ安心して暮らすことのできる社会の構築を目指し，がん患者が，その置かれている状況に応じ，適切ながん医療のみならず，福祉的支援，教育的支援その他の必要な支援を受けることができるようにするとともに，がん患者に関する国民の理解が深められ，がん患者が円滑な社会生活を営むことができる社会環境の整備が図られること．⑤それぞれのがんの特性に配慮したものとなるようにすること．⑥保健，福祉，雇用，教育その他の関連施策との有機的な連携に配慮しつつ，総合的に実施されること．⑦国，地方公共団体，第五条に規定する医療保険者，医師，事業主，学校，がん対策に係る活動を行う民間の団体その他の関係者の相互の密接な連携の下に実施されること．⑧がん患者の個人情報（個人に関する情報であって，当該情報に含まれる氏名，生年月日その他の記述等により特定の個人を識別することができるもの（他の情報と照合することにより，特定の個人を識別することができることとなるものを含む．）をいう．）の保護について適正な配慮がなされるようにすることである．

第３条から第８条は関係者の責務を示している．国は，がん対策を総合的に策定し，及び実施する責務を有し，地方公共団体は，国との連携を図りつつ，自主的かつ主体的に，その地域の特性に応じた施策を策定し，及び実施する責務を有する．一方，医療保険者は，国及び地方公共団体が講ずるがんの予防に関する啓発及び知識の普及，がん検診（その結果に基づく必要な対応を含む．）に関する普及啓発等の施策に協力するよう努めなければならない．さらに，国民に関する責務について，「喫煙，食生活，運動その他の生活習慣が健康に及ぼす影響，がんの原因となるおそれのある感染症等がんに関する正しい知識を持ち，がんの予防に必要な注意を払い，必要に応じ，がん検診を受けるよう努めるほか，がん患者に関する理解を深めるよう努めなければならない．」とされている．改正法で新たに示された事業者の責務は，「がん患者の雇用継続等に配慮するように努めるとともに，国及び地方公共団体が講ずるがん対策に協力するように努める」ことであり，仕事とがんの両立に向けた配慮を強く促す内容となっている．

これらの理念と責務に基づき，基本的施策（第13条から第23条）が行われる．施策は，①がんの予防及び早期発見の推進，②がん医療の均てん化の促進等，③研究の推進等，④がん患者の就労等，⑤がんに関する教育の推進の５つである．改正により④，⑤が追加され，これまでのがん対策の評価等を踏まえて①〜③についても基本的施策の詳細について見直しが行われた．

がん対策は国をあげての課題であり，厚生労働省ではなく政府が，がん対策の推進に関する基本的な計画（がん対策推進基本計画）を策定する（第10条）．厚生労働大臣はがん対策推進基本計画案の作成にあたり，必要な資料などの提出をがん対策推進協議会に求め，意見を聴取する必要がある．厚生労働大臣が，がん患者及びその家族や遺族，がん医療に従事する者，学識経験者の中からがん対策推進協議会の委員を任命する．さらに，関連行政機関には資料提出等の要請や所管に係る施策実施の要請など協議を行う．政府は厚生労働大臣から計画案の提出を受け，閣議決定後に，国会で報告し，国民に対して公表することとされている．基本計画は，目標の達成状況を調査し，その結果をインターネット等の国民がアクセスしやすい情報として公表する必要があり，少なくとも６年ごとに必要に応じた変更を求めている．厚生労働省のホームページ内にはがん対策関連の情報がまとめられており，計画の詳細や，がん対策推進協議会の資料や議事録についても閲覧することができる．

一方，都道府県により，がん患者の動態，がん医療の提供状況等には差がみられる．そのため基本法では，都道府県に対して，政府の定めた基本計画を基本として，各種がん対策に関連して定めた都道府県の計画との調和を保ちながら，都道府県がん対策推進計画を策定し，基本計画と同様に少なくとも６年ごとの検討を求めている．

がん対策基本法は，国をあげて推進するがん対策の目的，理念，基本的施策の方向性を定めたものである．具体的な施策は，がん対策推進基本計画に応じて，各個別法に基づいて実施されている．例として，がん検診は健康増進法により規定されており，子宮頸がんワクチンは予防接種法の所管である．また，医療以外でも，文部科学省はがん教育等，経済産業省は診断，治療技術の開発等，さまざまな関連行政機関においてがん対策が実施されており，政府全体としてがん対策を推進していることを理解しておく必要がある．

C　がん研究10か年戦略

1984年より「対がん10カ年総合戦略」，1994年より「がん克服新10か年戦略」，2004年より「第３次対がん10か年総合戦略」を行っており，2014年から第２期がん対策推進基本計画に基づき「がん研究10か年戦略」[3]が策定され，がん研究の推進を図っている（図２）．

第３次対がん10か年総合戦略では，戦略目標を「がんの罹患率と死亡率の激減」として，具体的事項として，①がんの本態解明，②基礎

がん研究10か年戦略（2014年3月31日文部科学大臣，厚生労働大臣，経済産業大臣確認の下に策定）

戦略目標：
わが国の死亡原因の第一位であるがんについて，患者・社会と協働した研究を総合的かつ計画的に推進することにより，がんの根治，がんの予防，がんとの共生をより一層実現し，「基本計画」の全体目標を達成することを目指す.

具体的研究事項
(1) がんの本態解明に関する研究
(2) アンメットメディカルニーズに応える新規薬剤開発に関する研究
(3) 患者に優しい新規医療技術開発に関する研究
(4) 新たな標準治療を創るための研究
(5) ライフステージやがんの特性に着目した重点研究領域
① 小児がんに関する研究　② 高齢者のがんに関する研究
③ 難治性がんに関する研究　④ 希少がん等に関する研究
(6) がんの予防法や早期発見手法に関する研究
(7) 充実したサバイバーシップを実現する社会の構築をめざした研究
(8) がん対策の効果的な推進と評価に関する研究

中間評価（2019年4月）での追加事項
(9) 各柱にまたがる「横断的事項」
① がん治療のシーズ探索
② がんゲノム医療に関する研究
③ 免疫療法に係る研究
④ リキッドバイオプシーに係る研究
⑤ AI等新たな科学技術
⑥ 基盤整備等について
・データベースの構築
・国内樹立細胞株，サンプル利用の促進
・患者の研究参画
・患者報告アウトカム（Patients reported outcome）の導入
・がん研究を担う人材の育成

図2　がん研究10か年戦略の概要
［厚生労働省：「がん研究10か年戦略」の推進に関する報告書（中間評価）（2019年4月）（https://www.mhlw.go.jp/content/10901000/000504881.pdf）[4]を参考に作成］

研究の成果の予防・診断・治療への応用，③革新的ながん予防・診断・治療法の開発，④がん予防の推進による生涯がん罹患率の低減，⑤がん医療の均てん化の5柱をあげていた．第4次の戦略にあたる「がん研究10か年戦略」では，戦略目標を「根治・予防・共生～患者・社会と協働するがん研究～」として，①がんの本態解明に関する研究，②アンメットメディカルニーズに応える新規薬剤開発に関する研究，③患者に優しい新規医療技術開発に関する研究，④新たな標準治療を創るための研究，⑤ライフステージやがんの特性に着目した重点研究領域，⑥がんの予防法や早期発見手法に関する研究，⑦充実したサバイバーシップを実現する社会の構築をめざした研究，⑧がん対策の効果的な推進と評価に関する研究を具体的研究事項としていた．

他方，政府は，2013年2月，世界最先端の医療技術・サービスを実現し，健康寿命の延伸と，それによる医療，医薬品，医療機器を戦略産業として育成することで，日本経済再生の柱とすることを目指すため，「健康・医療戦略室」を内閣官房に設置した．同年6月に「日本再興戦略」，「健康・医療戦略」が閣議決定され，同年8月に医療分野の研究開発の司令部として「健康・医療戦略推進本部」が閣議決定により設置された．これにより，2014年には健康・医療戦略推進法が施行され，2015年4月に国立研究開発法人日本医療研究開発機構（AMED）が設立された．AMEDに厚生労働省，経済産業省，文部科学省において実施されていた科学研究の多くが移管され，省横断的な研究体制を構築可能となった．AMEDの中で，がん研究は「ジャパン・キャンサーリサーチプログラム」として統合的に実施されている．一方で，がん対策の実施状況，普及啓発，両立支援などの社会科学に関する研究は厚生労働科学研究として引き続き実施されている．

今後のがん研究のあり方に関する有識者会議が2019年４月に報告した「がん研究10か年戦略」の中間評価[4]では，「解消されていない課題はあるものの，がん研究全体として，概ね順調に進捗している」とされた．そのうえで，戦略後半期には，８本の柱に係る研究の着実な前進に加え，新たに横断的事項として①シーズ探索，②がんゲノム医療に係る研究，③免疫療法に係る研究，④リキッドバイオプシーに係る研究，⑤AI等新たな科学技術，⑥基盤整備等（データベース，細胞株・サンプルの利用，患者参画に係る取り組み，患者報告アウトカム，がん研究を担う人材の育成）を提案している．

現在のがん研究10か年戦略は2023年度で終了する．時期戦略は，第４期がん対策推進基本計画と中間評価の項目についての成果と課題をもとに，今後改正に向けた議論が行われる予定である．

D　第４期がん対策推進基本計画

がん対策推進基本計画[5]は，がん対策基本法の理念に基づいて，一定期間のがん対策の基本的かつ具体的な方向性を示しており，これまでに2007年６月から第１期，2012年６月から第２期，2018年３月から第３期，そして，2023年３月28日に第４期のがん対策推進基本計画が閣議決定された（図３）．このがん対策推進基本計画に基づいて，都道府県は，がんの疫学，医療提供体制等の都道府県毎の特性に応じて都道府県がん対策推進計画を策定し，各種施策を実行している．

第４期は，「誰一人取り残さないがん対策を推進し，全ての国民とがんの克服を目指す」ことを全体目標として掲げている．分野別の施策は第３期と同じく，「がん予防」，「がん医療の充実」，「がんとの共生」の３本柱である．また，基盤整備に関する事項は，第３期の「がん研究」，「人材育成」，「がん教育・普及啓発」から①全ゲノム解析等の新たな技術を含む更なるがん研究の推進，②人材育成の強化，③がん教育及びがんに関する知識の普及啓発，④がん登録の利活用の推進，⑤患者・市民参画の推進，⑥デジタル化の推進となった．これは，がん研究10か年戦略の中間評価による横断的事項とがん登録に関する法整備を受けたものである．さらにがん対策を総合的かつ計画的に推進するために必要な事項については，第３期の「がん患者を含めた国民の努力」及び「患者団体等の協力」から「国民の努力」となり，全ての国民に対してがんの予防やがんとの共生などのがん対策に取組む努力を求める内容に変更された．さらに，新型コロナウイルス感染症流行拡大によるがん検診やがん医療の停滞等を受けて，感染症発生・まん延時や災害時等を見据えた対策についても盛り込まれた．

E　がん検診

わが国のがん検診には，市町村が実施するがん検診等の「対策型検診」と，人間ドック等の「任意型検診」がある[6]．対策型検診は，対象集団におけるがん死亡の減少を目的としており，公的資金を用いることから，科学的知見に基づいた対象者の絞り込みと，有効性の確立した検査法を採用する必要がある．一方，任意型検診は，個人が各々の死亡リスクを低下させるためにあり，医療機関や検診機関などが任意に提供している．そのため，後者では，必ずしも死亡リスクの減少に繋がらない項目が提供されている場合もあることに注意を要する．

わが国の対策型がん検診は，1983年２月に施行された老人保健法に基づいたがん検診に始まった．まず，40歳以上を対象とした胃がん検診，子宮頸がん検診が開始され，1987年には40歳以上を対象にした子宮体がん検診，肺

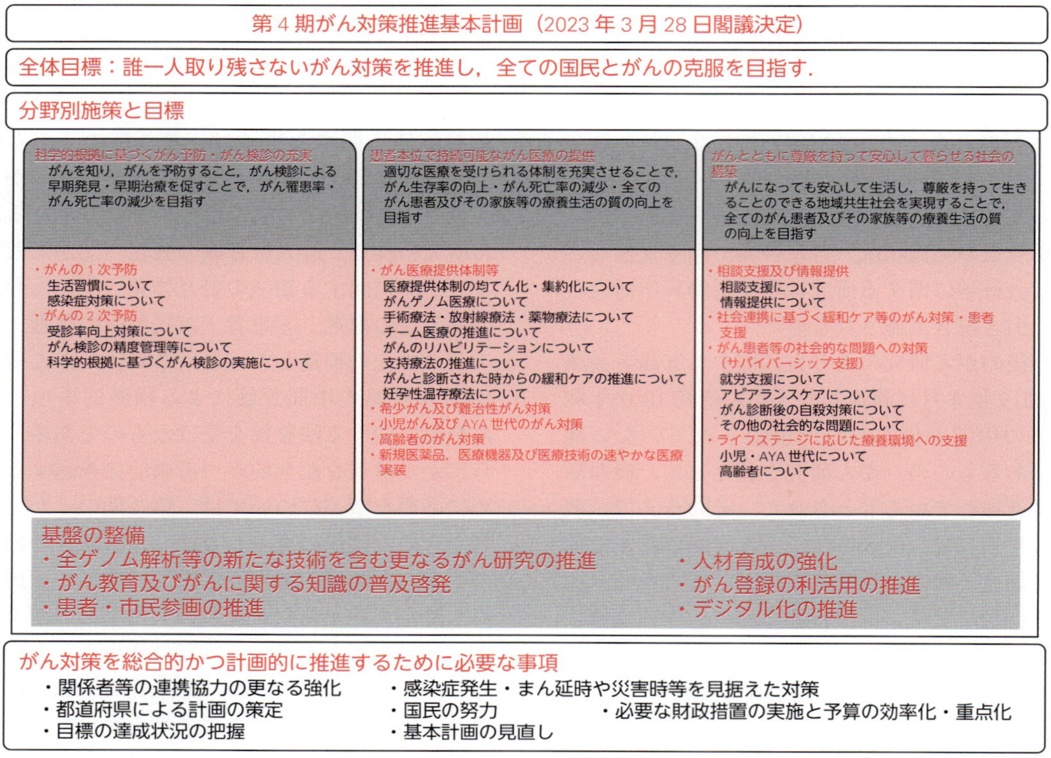

第4期がん対策推進基本計画（2023年3月28日閣議決定）

全体目標：誰一人取り残さないがん対策を推進し，全ての国民とがんの克服を目指す．

分野別施策と目標

科学的根拠に基づくがん予防・がん検診の充実
がんを知り，がんを予防すること，がん検診による早期発見・早期治療を促すことで，がん罹患率・がん死亡率の減少を目指す

・がんの1次予防
生活習慣について
感染症対策について
・がんの2次予防
受診率向上対策について
がん検診の精度管理等について
科学的根拠に基づくがん検診の実施について

患者本位で持続可能ながん医療の提供
適切な医療を受けられる体制を充実させることで，がん生存率の向上・がん死亡率の減少・全てのがん患者及びその家族等の療養生活の質の向上を目指す

・がん医療提供体制等
医療提供体制の均てん化・集約化について
がんゲノム医療について
手術療法・放射線療法・薬物療法について
チーム医療の推進について
がんのリハビリテーションについて
支持療法の推進について
がんと診断された時からの緩和ケアの推進について
妊孕性温存療法について
・希少がん及び難治性がん対策
・小児がん及びAYA世代のがん対策
・高齢者のがん対策
・新規医薬品，医療機器及び医療技術の速やかな医療実装

がんとともに尊厳を持って安心して暮らせる社会の構築
がんになっても安心して生活し，尊厳を持って生きることのできる地域共生社会を実現することで，全てのがん患者及びその家族等の療養生活の質の向上を目指す

・相談支援及び情報提供
相談支援について
情報提供について
・社会連携に基づく緩和ケア等のがん対策・患者支援
・がん患者等の社会的な問題への対策（サバイバーシップ支援）
就労支援について
アピアランスケアについて
がん診断後の自殺対策について
その他の社会的な問題について
・ライフステージに応じた療養環境への支援
小児・AYA世代について
高齢者について

基盤の整備
・全ゲノム解析等の新たな技術を含む更なるがん研究の推進
・がん教育及びがんに関する知識の普及啓発
・患者・市民参画の推進
・人材育成の強化
・がん登録の利活用の推進
・デジタル化の推進

がん対策を総合的かつ計画的に推進するために必要な事項
・関係者等の連携協力の更なる強化
・都道府県による計画の策定
・目標の達成状況の把握
・感染症発生・まん延時や災害時等を見据えた対策
・国民の努力
・基本計画の見直し
・必要な財政措置の実施と予算の効率化・重点化

図3　第4期がん対策推進基本計画の概要
［がん対策推進基本計画の概要（第4期）（令和5年3月）（https://www.mhlw.go.jp/content/10900000/001077544.pdf）を参考に作成］

がん検診，乳がん検診が追加された．1992年に40歳以上を対象とした大腸がん検診が追加された．1998年4月に「がん予防重点健康教育及びがん検診実施のための指針」が策定され，胃がん，肺がん，大腸がん，子宮頸がん，乳がんについてがん検診を実施することとなった．

2008年4月に健康増進法（平成十四年法律第百三号）[7]が成立し，同法律に基づいた健康増進事業の1つとしてがん検診が実施されることとなった（老人保健法は高齢者の医療の確保に関する法律に改正）．

2009年には，第1期がん対策推進基本計画の個別目標である，がん検診受診率50％を達成するため，厚生労働省に「がん検診50％推進本部」が設置され，職域におけるがん検診受検率の向上を企業連携の中で推進することを目的とした「がん対策推進企業等連携事業（がん対策推進企業アクション）」事業が開始となった．2022年9月時点で約4500の企業・団体が参加しており，がん検診の啓発のほか，がんについての理解促進，がんと仕事の両立に向けた環境整備等に関する取組みを推進している．

がん検診の目的はがんによる死亡を減らすことであり，厚生労働省は科学的根拠に基づいてがん検診の効果検証を行い，対象者，方法等を見直している[8]（**表2**）．

F　がん登録等の推進に関する法律

がん登録等の推進に関する法律（平成25年法律第111号）[9]は2013年12月に成立し，2016年1月に施行された．がん医療の質の向上等（がん医療，がん検診の質の向上とがん予防の推進），国民に対するがん・がん医療等・がん予防についての情報提供の充実その他のがん対策

表２　指針で定めるがん検診の内容

種類	検査項目	対象者（注１）	受診間隔
胃がん検診	問診に加え，胃部エックス線検査又は胃内視鏡検査のいずれか	50歳以上 ※当分の間，胃部エックス線検査については40歳以上に対し実施可	２年に１回 ※当分の間，胃部エックス線検査については年１回実施可
子宮頸がん検診（注２）	問診，視診，子宮頸部の細胞診及び内診 ※必要に応じコルポスコープ検査を追加	20歳以上の女性	２年に１回
肺がん検診	質問（問診），胸部エックス線検査及び喀痰細胞診（注３）	40歳以上	年１回
乳がん検診	問診，乳房エックス線検査（マンモグラフィ） ※視診及び触診は推奨しないが，実施する場合はマンモグラフィと併せて実施	40歳以上の女性	２年に１回
大腸がん検診	問診，便潜血検査（免疫便潜血検査２日法）	40歳以上	年１回

注１：受診を特に推奨する者は40歳以上69歳以下（胃がんは50歳以上，子宮頸がんは20歳以上）．
注２：子宮がん検診では，問診の結果，最近６月以内の不正出血，月経異常及び褐色帯下のいずれかの症状を有している場合に子宮体がんの有症状者である疑いがあり，医療機関への受診を勧奨する．ただし，子宮がん検診に引き続き子宮体部の細胞診（子宮内膜細胞診）の実施に本人が同意する場合は子宮体部の細胞診を実施可．
注３：喀痰細胞診は，問診（質問）により，原則として50歳以上で喫煙指数（１日本数×年数）600以上であることが判明した者（過去喫煙者を含む）を対象とする．
［がん予防重点健康教育及びがん検診実施のための指針（令和３年10月１日一部改正）（https://www.mhlw.go.jp/content/10900000/001073510.pdf）[8]を参考に作成］

を科学的知見に基づき実施する事を目的としている．

本法律で規定される「がん登録」は「全国がん登録」と「院内がん登録」がある．全国がん登録は，全ての病院（診療所は手上げ方式による都道府県の指定）が対象であり，「国・都道府県による利用・提供の用に供するため，国が国内におけるがんの罹患，診療，転帰等に関する情報をデータベースに記録し，保存すること」としている．院内がん登録は，「病院において，癌医療の状況を的確に把握するため，がんの罹患，診療，転帰等に関する詳細な情報を記録し，保存すること」である．

全国がん登録の制度化により，居住地域によらず，診断した医療機関からがんの診断を受けた患者のデータが都道府県ごとに設置されたがん登録室を通じて国（国立がん研究センター）に集積され，データベースによる一元管理を受ける体制となっている．また，死亡情報については別に市町村から国（国立がん研究センター）に提供され，生存情報や未登録患者情報のデータベースへの反映に用いられている．都道府県のがん登録室は，国にデータを提出する前に，項目漏れや記載間違いの修正，同一患者情報などのデータ統合処理など医療機関から得た患者データの整理を行う役割を担っている．

全国がん登録における届出項目は，「がん登録等の推進に関する法律施行規則（平成27年厚生労働省令第137号」により規定されている．氏名，性，生年月日，診断時住所等の個人を特定できる情報のほか，原発部位，病理診断，診断・治療施設，診断根拠，診断日，進展度，治療方法（外科的，鏡視下，内視鏡的，放射線，化学療法等）などのがんの診断・治療に関する情報などが含まれており，発見経緯については，検診等か，偶発的に発見されたか等の回答が求められている．

全国がん登録は，法律の下で病院等に報告義務がある．そのため，個人情報等を含む情報を登録するにあたり，情報提供に関する患者への説明と同意は必要ない．また，患者から登録をしないことを希望する発言があった場合も，法律に沿って登録する必要があることを理解しておく必要がある．一方，がん登録を用いた調査研究を行う者に対してのデータ提供については一定の制限がある．全国がん登録情報又は都道府県がん情報の提供を受ける場合，生存者については本人同意が必要である．円滑な遂行に支障を及ぼす場合には，同意代替措置が可能な場合があり，厚生労働大臣の定めた基準に沿って対象となるか判断し，厚生労働大臣に申請し，妥当性について審議を受ける必要がある．

わが国の法律が成立する以前より，海外ではがん登録の法制化が進んでおり，国をあげてのがんデータベースの構築と利用の面からは，海外に遅れをとっている．2021年にがんと診断された患者のがん情報は，2022年末までに届け出の義務がある．2022年末で6年間のデータが集積されたこととなり，全国がん登録情報を用いた5年生存率の評価がようやく可能となったところである．わが国の国民データを用いたがん情報の提供は端緒についたところであり，今後，がん対策の推進に活用されることが期待される．

文献

1）厚生労働省：令和3年（2021）人口動態統計（確定数）の概況（https://www.mhlw.go.jp/toukei/saikin/hw/jinkou/kakutei21/index.html）
2）e-Gov：がん対策基本法（平成十八年法律第九十八号）（https://elaws.e-gov.go.jp/document?lawid＝418AC1000000098_20161216_428AC0100000107）
3）厚生労働省：「がん研究10か年戦略」について（https://www.mhlw.go.jp/file/06-Seisakujouhou-10900000-Kenkoukyoku/0000042863.pdf）
4）厚生労働省：「がん研究10か年戦略」の推進に関する報告書（中間評価）（https://www.mhlw.go.jp/content/10901000/000504881.pdf）
5）厚生労働省：がん対策推進基本計画（https://www.mhlw.go.jp/stf/seisakunitsuite/bunya/0000183313.html）
6）国立がん研究センターがん情報サービス：がん検診について（https://ganjoho.jp/med_pro/cancer_control/screening/screening.html）
7）e-Gov：健康増進法（平成十四年法律第百三号）（https://elaws.e-gov.go.jp/document?lawid＝414AC0000000103）
8）厚生労働省：がん予防重点健康教育及びがん検診実施のための指針（令和3年10月1日一部改正）（https://www.mhlw.go.jp/content/10900000/001073510.pdf）
9）e-Gov：がん登録等の推進に関する法律（平成二十五年法律第百十一号）（https://elaws.e-gov.go.jp/document?lawid＝425AC0100000111_20230401_503AC0000000037）

第3章

がん診療に必要な倫理的な事項

*1 医療法人梁風会さきがけホスピタル
*2 島根大学医学部精神医学講座
*3 国立がん研究センター中央病院支持療法開発センター
樋口　裕二*1　稲垣　正俊*2　内富　庸介*3

人はいつか，必ず死ぬことになる．

仏教では「生老病死」を四苦と呼び，生きることも含めてこの四つを「思うようにはならないもの」と説いてきた．長い医療の歴史のなかでは，先人たちの縷々とした努力によっていくつかの病が克服されたが，いまだがんをはじめとした多くの病はやはり思うようにはならず，すべての人はやがて臨終と別離のときを迎えることになる．がんは特別な病ではない．今でも日本人の約3人に1人はがんによって命を落としている．生命科学の発展により人は数多くの知恵を身につけたが，がんによって苦しむたくさんの人々を救おうという試みはいまだ道半ばである．人とがんとの闘いの歴史は，病から救われた人，病によってさらに苦しむ人，そして数多くの倫理的な問題を生み出した．がん終末期医療において，生きている（心臓が動いている）時間をしばらく引き延ばすことは以前に比べていくらか容易になったが，患者本人や家族にとっては必ずしも幸せといえる結果を伴わないことがある．生きていることの意味を，時間だけでは量ることができない．

われわれは，がんと闘いながら少しだけ長く生きることが技術的に可能となった引き換えに，その経過中にさまざまな倫理的問題に頭を悩ませる機会が増えることになってしまった．がんがかつてのように「不治の病」のままであったなら，このような倫理的問題は生じなかったかもしれない．倫理とは「人として守るべき道」のことであるが，医療倫理は人の生と死にかかわる問題を扱うため，必ずしもはっきりとした答えが出せないことがある．過去にはその難しい問題にも何とかして答えを出そうと悩んだ数多くの先人たちによる，さまざまな議論が繰り返し行われた．この章では，がん診療に関係の深い代表的な5つの倫理的事項について解説する．一つひとつの問題について考えてみてはいかがであろうか．

①がん告知
②インフォームド・コンセント
③セカンド・オピニオン
④クオリティ・オブ・ライフ（QOL）
⑤リビング・ウィル

A　がんかもしれない：がん告知

❶ 患者にとってのがん告知

がんによる症状には種々のものがあり，患者は不安を抱えながら病院を訪れる．さまざまな診察や検査を経て，一部の人たちはがん告知を受けることになる．ある人にとっては「嫌な予感の的中」であり，またある人にとっては正に「晴天の霹靂」となる．がんを伝えられた多くの人々は衝撃を受け，落胆し，とても辛い思いをする．なかには自分や取り残されてしまう家族の将来を悲観するあまり，自らを傷つけようとする程までに思い悩む人もいる．精神科医であったエリザベス・キュブラー・ロスはかつて，その著書「死の瞬間」のなかで，死を受容するまでにはいくつかの段階があることを述べ，多くの人たちの賛同を得た[1]（図1）．しかし，すべての人が自らの死が身近にあることを

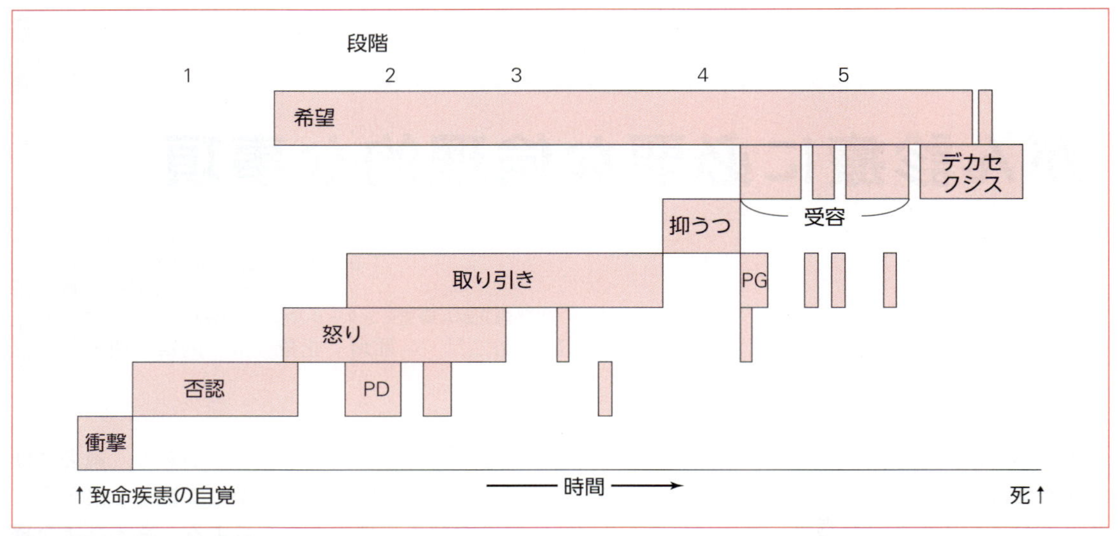

図1　死の受容の5段階

PG：preparatory grief（準備的悲嘆），PD：partial denial（部分的否認），デカセクシス：死に臨んだ静かな境地

受容できるわけではなく，それはロス自身にとっても例外でなかったと伝えられている．

かつての医療では「がん＝死」と捉えられており，その診断と治療については「知らしむべからず，依らしむべし」というパターナリズム的考え方が主流であった[2]．つまり，「患者にがんであることを知らせる必要はなく，医師の言う通りの治療を受けるのがよい」とする，医師側の一方的な判断に基づいた考え方である．ところが，がんと診断された多くの患者は，治療に関して自身や家族の意見も反映して欲しいと望んでいることがわかった[3]．現代では患者の自己決定と自律性も重視した“shared decision making”（ともに悩み考えて意思決定を行う）という意思決定方法の重要性を医師も認識している[4]．小さな子供や認知症の高齢者など「自分の身に起こっていることを正しく理解することが難しい」患者がいることや，必ずしも全員が意思決定に参加したいと望んでいるわけではないことにも注意が必要であろう[5]．このような「患者中心」の考え方が生まれたことは長い医療の歴史のなかでも最近の出来事であるが，とても大きな変化である．

❷ 医師にとってのがん告知

「事実を伝える」ということは，医師にとっても大きな負担になる．医師当人にとって，「あなたはがんの可能性が高い．治療は難しく，残された時間が限られている．また，子や孫にも病気が受け継がれる可能性がある」といった話を伝えることは，やはり過酷な体験である．元々は伝えなくともよかったことを伝えるようにはなったものの，「どのように伝えればよいか」については誰もわからなかった．倫理的な観点から「伝えるか，否か」から，ただ「伝えさえすればよい」ではなく，ようやく「どう伝えるか」を考えようという時代になった．こうした“Bad News”（よくない知らせ）をどう伝えるかについて，実は海外ではすでにさまざまな検討が行われている．結果，医師から患者への一方通行の情報伝達ではなく，患者の意向に沿った形で共感的な伝え方をするほうがよい結果につながるだろうとの結論となり，「悪い知らせの伝え方」をテーマにした教育研修も行われるようになった．わが国でも SHARE®のようなコミュニケーション技術研修会の有効性が示され，今では厚生労働省委託事業として開催され，年々その受講者数を増やしている[6]．

表１　ニュルンベルグ綱領・ヘルシンキ宣言の概要

ニュルンベルグ綱領（1947 年）
第二次世界大戦中のナチス・ドイツの人体実験に関して非倫理的であるとしたニュルンベルク裁判の判決文中に，「被験者の自発的な同意が絶対に必要である」など研究目的の医療行為について守るべきガイドラインが提示された．

ヘルシンキ宣言（1964 年）
ニュルンベルグ綱領を受け，世界医師会第 18 回総会において，インフォームド・コンセントの取得など人間を対象とする医学研究の倫理的原則が採択された．以後，2013 年まで時代を経て数度の修正が行われている．

B　がんと言われたが：インフォームド・コンセント（IC）

インフォームド・コンセントとは，「よく理解したうえで同意する」過程を意味する．医師の好みや価値観に基づいた治療を行うのではなく，患者自身が合理的な判断を行った後に治療を選択するという患者の権利や，自律性を重んじる倫理的な考え方が一般化するまでには，ニュルンベルク綱領やヘルシンキ宣言のような歴史的な取り決めがあった（表１）．

日本の医療法第一条では，「医療の担い手は医療を提供するにあたり，医療を受ける者との信頼関係に基づき，適切な説明を行い，医療を受ける者の理解を得るよう努めなければならない（要約）」と決められており，明確な説明とその理解がない限り医療を行うことができない．手術などの身体を傷つける行為を合法的に行うためには，患者本人の許可が必要となる．現代では医師が一方的に説明して同意を得られればそれでよいわけではなく，医師の説明により十分な情報を得て，それを理解し納得したうえで治療が始まることになる．

現在は患者の自己決定権を行使するため，必要な情報を提供するものとして医師には説明義務が課されている．がん診療で医師が説明すべき具体的内容には，病気の診断（病名と病状），予定される治療とそれに伴う危険性，他の治療方法がある場合にはその内容と利益と損失，生命予後などがある．しかし，実際のがん診療場面では，相手の理解度に合わせ，しかも突然のことで動揺している患者に対して，これらのただでさえ難しい医学的内容を十分に理解できるように説明することは容易ではない．緊急性，重大性によっては，伝えるべき情報の伝え方も変わるかもしれない．また，医師患者双方が妥当と考える治療の間に大きな溝があったり，「治療を適切に行うこと」と「重大な危害や副作用をもたらさないこと」の両立が難しいというジレンマが生じることもある．

医師の側も，患者の自己決定権を十分に尊重しつつ適切な説明を行うためには，誠実かつ熟練したコミュニケーション技術が必要となるが，インフォームド・コンセントについて統一的に学ぶ機会は乏しいのが現状である．

C　他に治療はない？：セカンド・オピニオン

1981 年のリスボン宣言において，「患者には良質の医療を受ける権利があることを医師は念頭に置くべきである」と定められた．がんの種類によっては治療法が定まっているものと，まだはっきりとした結論が出ていないものがある．がんにかかわる研究は長足の進歩を遂げているが，それでもまだ治療する医師によって意見が分かれることがある．このようなときに，患者の自己決定権を尊重する考えから，主治医以外の医師に求めた意見や，また意見を求める行為のことをセカンド・オピニオンという．主治医にすべてを任せるだけではなく，複数の専門家の意見を聞くことで，より望ましい治療法を患者自身が選択していくべきという考え方である．ただし，正式にセカンド・オピニオン外来を受診する場合，これは診療ではなく相談となるため，全額を自己負担する必要がある．

表2　ジュネーブ宣言：医の倫理に関する規定（2017年10月改訂）

医師の一人として，
私は，人類への奉仕に自分の人生を捧げることを厳粛に誓う．
私の患者の健康と安寧を私の第一の関心事とする．
私は，私の患者のオートノミーと尊厳を尊重する．
私は，人命を最大限に尊重し続ける．
私は，私の医師としての職責と患者との間に，年齢，疾病もしくは障害，信条，民族的起源，ジェンダー，国籍，所属政治団体，人種，性的指向，社会的地位あるいはその他いかなる要因でも，そのようなことに対する配慮が介在することを容認しない．
私は，私への信頼のゆえに知り得た患者の秘密を，たとえその死後においても尊重する．
私は，良心と尊厳をもって，そしてgood medical practiceに従って，私の専門職を実践する．
私は，医師の名誉と高貴なる伝統を育む．
私は，私の教師，同僚，および学生に，当然受けるべきである尊敬と感謝の念を捧げる．
私は，患者の利益と医療の進歩のため私の医学的知識を共有する．
私は，最高水準の医療を提供するために，私自身の健康，安寧および能力に専心する．
私は，たとえ脅迫の下であっても，人権や国民の自由を犯すために，自分の医学的知識を利用することはしない．
私は，自由と名誉にかけてこれらのことを厳粛に誓う．

［原文：http://www.wma.net/policies-post/wma-declaration-of-geneva/
和訳：http://www.med.or.jp/doctor/international/wma/geneva.html より］

表3　医療倫理の四原則

1. 自律尊重原則…インフォームド・コンセントを始め，必要な情報開示によって患者の自主的な意思決定を支援する原則．
2. 善行原則………積極的に他人の利益，幸福の為に行動すべきという原則．
3. 無危害原則……危害を避けることを意味し，無意味な治療や苦痛を与えないといった原則．
4. 正義原則………すべての人を公平に治療するため，医療資源を適正に配分する原則．

医療の根本に「不確実性」というものがある．治療がうまくいくかどうかは，誰にもわからないし，必ずしも選んだ治療が最善とは限らない．1990年代になり“evidence-based medicine（EBM：根拠に基づいた医療）”という言葉が生まれた．勘と経験に基づいて自分がよかれと思う治療を施せばよいという時代から，しっかりとした科学的根拠によって証明された医療を行うことが求められる時代になった．

現代でも医聖や医学の父として知られるヒポクラテスは，そのような科学的裏付けとは無縁であった紀元前5世紀の古代ギリシャ時代に生まれ「自身の能力と判断に従って，患者に利すると思う治療法を選択し，害と知る治療法を決して選択しない」と述べ，善行・無危害という医師の使命を「ヒポクラテスの誓い」のなかで明言した．これらの誓いを元にした倫理的精神は1948年にジュネーブ宣言において現代化され，また医療倫理の四原則の礎となっている（表2・表3）．

現在ではこれらの基準を遵守することは当然のこととして，研究成果を偽証しないことや，特定の営利企業に対して肩入れしたり見返りを求めたりしないことなど，旧来はあえて注目されなかった側面についても襟を正す謙虚な姿勢が個々の医師に求められている．

 よりよい人生を：クオリティ・オブ・ライフ（quality of life：QOL）

クオリティ・オブ・ライフとは，われわれ一人ひとりの人生についてその内容や質のことを意味する．ある人がどれだけ自分らしく，幸福

表4　WHOによる緩和ケアの定義

- 痛みやその他の辛い症状から解放する
- 生を尊び，死は自然なものと捉える
- 徒に死を早めたり延ばしたりしない
- 心理的，スピリチュアル的側面を統合した患者ケアを行う
- 死を迎えるそのときまで患者ができうる限り人生を積極的に生きられるようにサポートする
- 患者の病気の間や死別した後も家族が適応できるようにサポートする
- 患者と家族のニーズ（必要なら死別した後のカウンセリングを含む）を満たすために皆で協力する/QOLを高め，病気の過程によい影響を与える／病気の早い段階にも適用し，延命を目指す他の治療～化学療法，放射線療法～と同時に行い，臨床的に辛い合併症を理解し，うまく対応するために必要な調査も含む

［原文：http://www.who.int/ncds/management/palliative-care/en/ より］

に生きることができているかという尺度である．医学は発展したものの，やはり「病気は治ったが，患者は認知症になった」や「意識も失い体も動かないが，呼吸器だけが動いている」ことが倫理的に許されることなのか，疑問はある．

がんという診断の医学的な重症度とは別に，病気の症状のために普段の生活が障害されてしまうことがある．たとえば，手術によって運動や消化・排泄機能が変化し，化学療法によって味覚や頭髪に変化が生じることがある．これらは直接生命の危機を脅かすものではないが，「好きだったスポーツがもうできない」，「自分で清潔を維持できない」，「何を食べてもおいしくない」，「見た目が変わってしまって外に出たくない」ということは，われわれの普段の生活にとても大きな影を落とすことになる．医師視点のがんの治療効果とは，「腫瘍がどれだけ小さくなったか」や，「どれだけ長く生きていられたか」を数値的に評価することが大半である．患者側の視点が欠けているのは，人生の価値は人それぞれであるために，QOLについてきちんと評価することが難しいことも理由にある．がんという病気によってさまざまな可能性が閉ざされるのではなく，「病気だからこそよりよい人生を送るにはどうすればよいのか」を考える必要がある．

ある程度進行してしまったがんに対しては，「キュア（治癒）からケア（癒し）へ」と治療の重点が変わり，QOLを改善することを目的とした緩和医療が生まれた．世界保健機関（World Health Organization：WHO）は2002年に，「緩和ケアとは，命を奪う病気を負った患者とその家族に対し，診断から最期の時まで，そして別れの後も痛みや症状を和らげ，心理社会的・スピリチュアルなサポートによって，クオリティ・オブ・ライフの改善を目指すもの」であると定めた（表4）．医療の中にスピリチュアルなものも含めることを，はっきりと宣言したのである．それまで意識することのなかった「なぜがんになったのか」から始まり「何のために生まれて何をして生きるのか」というとても単純な問いにも，われわれは安易に答えることができない．こうした自分自身の存在にかかわる痛みや苦悩を“スピリチュアルな痛み”と表現する．

スピリチュアルとはあまり馴染みのない言葉かもしれないが，元々は「霊的な」という意味があり，人間として日々生きていることの意味や目的，人間は身体だけではなく魂をもった存在であるという幅広い意味が含まれている．そして，スピリチュアル・ケアとは，たとえば死を間近に控えたときに感じる自分自身の根源的な存在意義や価値にかかわる痛み，「魂の叫び」に対する癒しであり，少しでも有意義で幸福な人生を模索することを含んでいる．

E　私の最期は私が決める：リビング・ウィル

終末期という言葉には正確な定義はないが，おおよそ予想される余命が3ヵ月以内程度の意味になる．この時期に行われるケアのことを

ターミナル・ケアと呼び，残り少ない時間を過ごすホスピスという専門施設もある．リビング・ウィルとは生前の意志という意味があり，自分の最期をどう迎えるかについて，たとえば「人として尊厳を持った死を迎えたいから，もしもの場合であっても無用な蘇生・延命措置を望まない」という希望や，死後の臓器提供の可否，葬儀の方法などが含まれる．特にがん終末期には，他にも輸液や栄養量，苦痛緩和・鎮静目的の麻薬使用，DNAR（Do Not Attempt Resuscitaion：救命の可能性がない場合に，心肺蘇生法を行わないこと）に関する決定などさまざまな意思決定が必要となり，倫理的な検討が必要となる．可能な限り本人の意思決定を支援することが必要となるが，場合によっては代理人に大事な決定権が委ねられる．いずれにしても多くの場合は決まった正解があるわけではなく，一人ひとりの状況に合わせる必要があろう．

がん患者にとって「よく死ぬ」ということには，「痛みや肉体的・精神的苦痛から開放する」ことが最も重要であると考えているようである[7]．終末期にできうるならば苦痛なく安らかに臨終の時を迎えたいと望む人はいるが，医療者がその意向を補助するために人間の生命を左右することの是非についてさまざまな議論が行われてきた．安楽死とは，助かる見込みの乏しい患者を苦痛から開放する目的で延命処置を中止することや，死期を早める処置のことを意味する．特に医師による積極的な安楽死への介入については，国や場所によって判断が分かれており，オランダなど一部の国に限られている．現在の日本では，1995年の横浜地裁の判決で4つの要件があげられたものの，安楽死は法的に認められていない．

安楽死の四要件……横浜地裁平成7年3月28日判決（判例時報1530号37頁）

①耐えがたい肉体的苦痛があること
②死が避けられずその死期が迫っていること
③肉体的苦痛を除去・緩和するために方法を尽くし他に代替手段がないこと
④生命の短縮を承諾する明示の意思表示があること

また，現代の日本では約75%が病院で亡くなったとされ，この割合はやや減少傾向にあるとはいえ，大多数は病院で亡くなっている[8]．一方，海外では終末期に緩和的化学療法を受けた患者の多くは，事前に望んでいなかった場所で亡くなったとの報告もあり，「望む場所での死」の実現は難しい．

以上，がん診療とかかわる代表的な倫理的事項を概説した．

予防・治療・緩和といったさまざまな側面でがん診療は進歩を続けている．いつか，がんは克服されるかもしれない．しかし，人間の肉体的限界や，時代・地域・経済的な背景による格差のため常に最善の診療を享受できるとは限らない．そのために当事者の気持ち，家族の気持ち，医療者の気持ちのそれぞれが乖離してしまうこともある．また，次は自分自身や近しい家族が当事者となり，やはり悩ましい決断を迫られるかもしれない．

死生観とも関連したがん診療にまつわる倫理的課題に正解はなく，先人は悩み続け，私たちに仮題を残した．日本では“終活”という言葉が生まれたように，よく死ぬことはよく生きることに包含される，という視点もあるだろう．がん診療にもこうした倫理的側面があることを知り，社会全体で答えて行く姿勢が今後も必要となるかもしれない．

文献

1) Ross EK：On Death and Dying, Macmillan Publishing, New York, p.264, 1969
2) Uchitomi Y, Yamawaki S：Truth-telling practice in cancer care in Japan. Ann N Y Acad Sci **809**：290-299, 1997
3) Degner LF, Sloan JA：Decision making during serious illness：what role do patients really want to play? J Clin Epidemiol **45**：941-950, 1992
4) Charles CA, Whelan T, Gafni A et al：Shared treatment decision making：what does it mean to physicians? J Clin Oncol **21**：932-936, 2003
5) Levinson W, Kao A, Kuby A et al：Not All Patients Want to Participate in Decision Making A National Study of Public Preferences. J Gen Intern Med **20**：

531-535, 2005
6）Fujimori M, Shirai Y, Asai M et al：Effect of communication skills training program for oncologists based on patient preferences for communication when receiving bad news：a randomized control trial. J Clin Oncol **32**：2166-2172, 2014
7）Hirai K, Miyashita M, Morita T et al：Good Death in Japanese Cancer Care：A Qualitative Study. J Pain Symptom Manage **31**：140-147, 2006
8）厚生労働省　〈http://www.mhlw.go.jp/toukei/list/81-1a.html〉

第4章

外科治療，放射線治療，薬物療法の特徴と集学的治療

(1) 化学療法の栄養面でのかかわり

田無病院
丸山　道生

A がん化学療法患者の栄養療法

化学療法を受けているがん患者への栄養療法には，①化学療法の増強効果を目的としたがん治療の一環である場合と，②化学療法を受けるがん患者自身の宿主生体の栄養状態維持・改善を目標とする場合の2方向がある．

化学療法の効果増強を目的としたがんの代謝栄養治療は一般的でないが，そのひとつとして，アミノ酸インバランス療法があげられる．

特定のアミノ酸を欠乏または過剰にすることで，がんの増殖を抑えようという試みは数多くなされてきた．わが国では1980年から90年代にかけて，がんに対するアミノ酸インバランス療法の研究が盛んに行われた．代表的なものでは，メチオニン欠乏，バリン欠乏，アルギニン過剰などのインバランスが試みられた．

特に臨床応用されたのは，メチオニン欠乏インバランスで，必須アミノ酸からメチオニンを抜いたアミノ酸製剤（AO-90）を用いた完全静脈栄養（TPN）を行うと，がん自体の縮小がみられ，また，化学療法の効果の増強も認められた．メチオニンは必須アミノ酸において唯一の硫酸基を持つもので，硫酸基を含まないAO-90のTPNにより，生体内のグルタチオン濃度が低下し，組織修復能が低下すること，また細胞回転が一時的に制御されることなどがその効果の発現に関与していると考えられている．AO-90は基礎実験，治験の段階にいたったが，がん治療用のアミノ酸製剤としていまだ承認はされていない．

現在，化学療法を受けるがん患者の栄養療法はもっぱら，患者の栄養状態の維持・改善，免疫力の改善，治療の継続，生活の質（QOL）の維持・改善などを目的として行われている．

B がん患者への栄養介入の正当性

がん患者へ栄養を投与すれば，がんの増殖を助長し，悪影響があるのではないかという根本的な疑問がある．多くのがん細胞は，Warburg効果で知られるようにグルコースを主に嫌気性解糖することによってエネルギーを得ており，酸化的リン酸化のトリカルボン酸サイクル（TCAサイクル）によるエネルギー産生に比較すると圧倒的に効率が悪い．そのため，大量のブドウ糖を消費していると考えられている．動物実験や細胞培養の実験では栄養療法で腫瘍の増殖や転移が認められるとの報告はあるが，ヒトを対象とした確実な検討はほとんどない．また，がん患者に栄養療法を行って，がんが異常増殖を起こし全身状態を悪化させたというデータはないため，本邦や欧米のガイドラインでも，低栄養やそのリスクがあるがん患者には積極的に栄養療法を行うことが推奨されている[1]．がんの治療を行うにあたっては，がんの宿主の栄養状態を維持することは非常に重要となり，その治療の成否を分ける結果ともなることは心得るべきである．

C がん化学療法時の栄養療法の重要性

化学療法の副作用は食欲不振や嘔吐などの消化器症状の頻度が高く，その副作用でより体重が減少し，栄養障害が引き起こされる．特に消

化器がん患者は，存在する腫瘍自体やその腹膜播種，腹腔内リンパ節転移などによる消化管の通過障害などで，食事摂取が制限される．いったん低栄養に陥ると，化学療法の効果は低下し，有害事象が容易に発生する．化学療法の中止を余儀なくされれば，がんの増殖を招くという悪性スパイラルに陥る．がん化学療法患者を扱った報告では体重減少した症例は化学療法の効果も低く，パフォーマンスステータス（PS）も低下し，予後も悪かった[2]．消化器がん患者の化学療法に関して，体重減少を示した群で口内炎や手足症候群などの有害事象が有意に多く，治療継続時間や予後も短いことも報告されている[3]．また，体重減少が抑えられた症例では，予後も改善したことも同時に報告されている．この悪性スパイラルを食い止め，治療を続行するためには，栄養状態の維持が欠かせない．最近，外来化学療法が推奨され，化学療法の安全性と持続性を外来で確保するために，ますます栄養状態が重要となっている．ASPEN ガイドラインでは栄養障害や 7～14 日間以上の消化管の吸収障害が起こりうる患者には化学療法のリスクを最小限に抑えるため，栄養療法が重要とされている[4]．ただし，化学療法患者に栄養療法を行ったからといって，必ずしも化学療法の有害事象の減少や，効果の増強，患者の予後改善が起こるわけではない．

最近は，栄養を与えるのではなく，化学療法前に絶食することで化学療法の有害事象が軽減することが，動物実験で確認され，臨床応用も試みられている[5]．

D　がん患者の代謝・栄養状態のアセスメントとがん悪液質

がん患者の代謝・栄養状態を的確に判断することは重要である．がん患者の栄養アセスメントは，論文上では PG-SGA（scored patient-generated subjective global assessment），mini nutritional assessment などが用いられている．

重要なのはがん患者が悪液質（cachexia）へと進行しているかを確認することである．がん悪液質はいくつもの要因で引き起こされる症候群であり，その本質は骨格筋の減少にある[6]．脂肪の減少の有無は問わない．患者の食欲不振，炎症反応による代謝の亢進や筋肉組織や脂肪組織の崩壊の亢進などが原因となる．

悪液質を判断するためには骨格筋量が最も重要となる．しかし骨格筋量は容易に測定できないため，定期的な体重測定が現実的である．がん患者のなかにはサルコペニア肥満（sarcopenic obesity）を呈する場合もある．このような患者は化学療法の抵抗性も弱く，予後も悪いといわれており，注意を要する．可能であれば，インピーダンス法や CT 検査などで筋肉量を測定することが望ましい[7]．また，アセスメントの際には食事摂取の状態の変化，消化器症状の出現なども考慮する．

血液生化学検査では，血清アルブミンやトランスサイレチンなどの血清蛋白質や，悪液質の代謝亢進を表す C 反応性蛋白（CRP）も重要となる．血清アルブミンと CRP によるグラスゴー予後スコア（Glasgow Prognostic Score：GPS）はがん患者の予後と相関するひとつの指標と考えられている[8]．

がん悪液質の進行度は前悪液質（precachexia），悪液質（cachexia），不可逆的悪液質（refractory cachexia）の 3 段階に分類されている（図 1）[7]．そのなかで悪液質の定義は，①6 ヵ月間の体重減少が 5％を超える，もしくは，②BMI が 20 未満で，体重減少が 2％を超える，もしくは，③サルコペニア（sarcopenia）が認められ，体重減少が 2％を超える，となっている．不可逆的悪液質は異化亢進が認められ，化学療法などのがん治療にも反応しない段階で，PS も低下し，余命が 3 ヵ月を切るような状態と定義された．このような悪液質の定義により，混とんとしていた治療や栄養療法にも，その段階によった方法が確立されていくと考えられる．

E　がん化学療法患者に対する栄養介入の手段

がん化学療法患者の栄養状態を維持・改善するための栄養介入の具体的な方法は，①経口摂

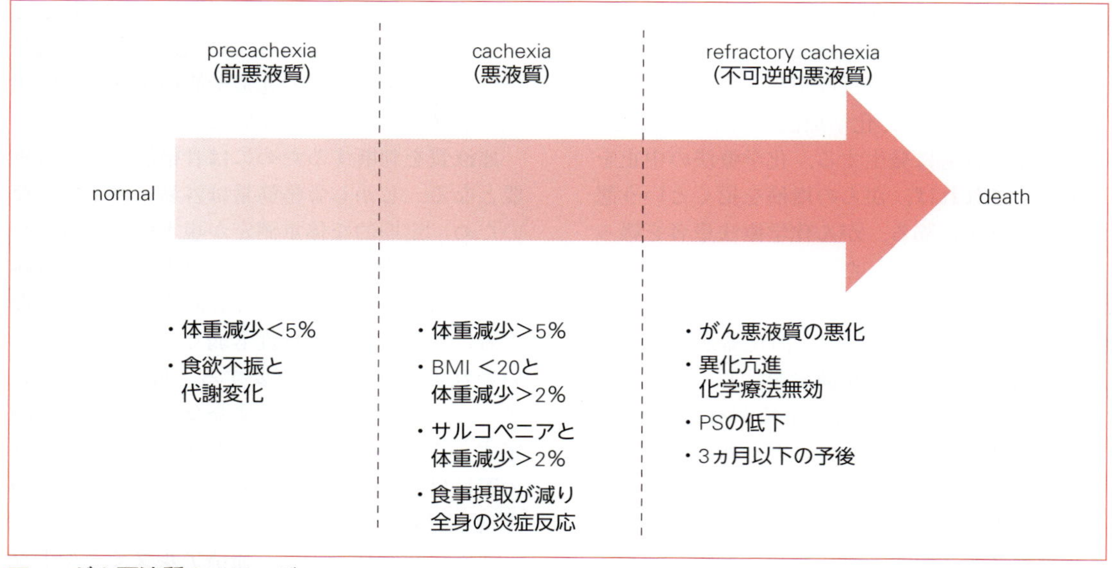

図 1　がん悪液質のステージ

［Fearon K, et al：Lancet Oncol **12**：489-495, 2011[7]を参考に作成］

取の維持・向上，低下した食欲を向上させる，②栄養剤を用いて栄養補助を行う，③化学療法患者に伴うがん悪液質の代謝亢進状態をコントロールする，などがあげられる．

①経口摂取の維持・向上と食欲増進には，(a)がん化学療法時の食欲低下に対する食事の工夫，(b)悪心・嘔吐に対する薬物療法，(c)食欲を増進させる薬物療法，(d)管理栄養士による「ダイエット・カウンセリング」，などがあげられる．

②栄養補助の方法としては，(a)経口補助栄養食品（oral nutritional supplement：ONS）の利用，(b)経管による経腸栄養（腸瘻による経腸栄養），(c)静脈栄養［末梢静脈栄養（peripheral parenteral nutrition：PPN），TPN］などがある．

悪液質の代謝をコントロールするためには，薬剤や特殊な栄養素を用いて対処する，特に全身の炎症反応が存在するときは，がん患者を蛋白同化状態に導くことは困難であると考えられている．そのため，栄養療法に加えて，炎症反応をコントロールする薬剤や栄養素が効果的となる．それには現在，ステロイドや抗炎症薬，エイコサペンタエン酸（EPA）などがあげられる．

F　がん化学療法時の食欲低下と食事の工夫

❶ がん化学療法時の味覚障害，臭覚の変化と食欲不振

化学療法時の味覚障害の原因には，抗がん薬による直接の作用，亜鉛の欠乏，化学療法に付随するものなどがある（図 2）．抗がん薬による直接作用としては，味を感じる味蕾や味細胞に障害を及ぼすことがあげられる．ヒトの味蕾や味細胞は細胞分裂が早く，抗がん薬による障害を受けやすい．また味覚を伝えるためにはさまざまな神経が関与しており，抗がん薬による末梢神経障害が味覚障害の一因となっていることも考えられる．亜鉛の欠乏が味細胞の新生時間を延長させ，味細胞が変性し味覚障害をもたらすことが知られている．フルオロウラシル系の抗がん薬は亜鉛の吸収を低下させる作用がある．経口摂取量が低下し，亜鉛の摂取量が低下して，味覚障害を引き起こすこともある．一方，化学療法を施行している患者では免疫力が低下し，感染が起こりやすくなり口腔内にカンジダ症や舌苔が発生することがある．これらが味蕾の入り口の味孔を塞いでしまい，味覚感受

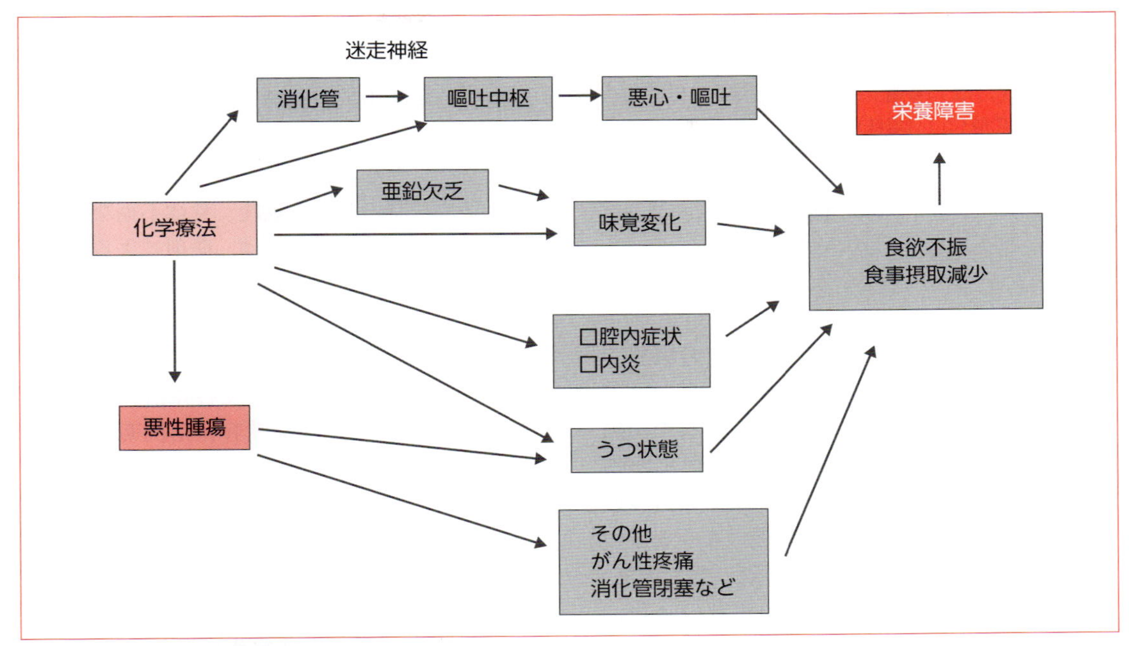

図２　化学療法時の栄養障害の発生機序

性が低下することも原因となる．

化学療法治療中の入院患者の味覚変化の出現率は，66～82％と高頻度であることが報告されている[9]．味覚変化が引き金となり，食欲低下，栄養状態の悪化を認めることがあり，化学療法中の食欲低下には，味覚の変化の及ぼす影響が大きいと考えられる．神田らは味覚変化の内容として塩味が鈍麻になると報告している[10]．木村らの報告のなかで，味覚変化の内容は「味が薄く感じる」が63％と最も多く，次いで「苦みがする」31％，「味がわからない」26％，「塩辛く感じる」16％，の順であった[11]．

味覚ばかりでなく臭覚も問題とされる．荒金らの報告では，食欲不振の主な原因は，臭い，味覚の鈍麻，悪心，飲み込めないなどが重要な原因であると述べており，多くの患者が「お米の炊いた臭い」「魚のだしの臭い」などが臭みと感じると述べている[12]．木村らの報告でも，臭覚の変化が食欲不振に及ぼす影響を注目しており，「臭いに対して敏感になる」66％，ついで，「不快な臭いを感じるようになる」50％の順になっている[11]．

❷ がん化学療法時の食事の工夫

化学療法による食嗜好の調査では，食べたくなくなったものは，肉類などの「脂っこいもの」が50％と最も多く，ついで，魚などの「臭いが強いもの」，コーヒーなどの「苦いもの」，お菓子などの「甘いもの」が17％ほどであった．食べやすいものとしては「甘いもの」が57％と最も多く，ついで「さっぱりしたもの」52％，「酸っぱいもの」が42％となっていた．具体的には，甘いものでは「アイスクリーム」，さっぱりしたものでは「そうめん，寿司」，酸っぱいものでは「梅酢，サラダ」などとなっており，「果物」は甘いもの，さっぱりしたもの，酸っぱいものに共通して含まれていたと報告している[11]．

味覚障害のある症例に対しては，塩味が鈍感になっていることが多いため，塩分制限がない場合には，一時的にやや濃い味付けの献立を取り入れる．味覚は体温に近い温度で最も感じやすくなるので，食べ物の温度は熱すぎず，少し冷ましたものがよいとされている．また，悪心や口内炎を伴っている患者も多いので，口あたりのよいゼリーやアイスクリーム，麺類などが

表 1　化学療法時の食事

1. 少量多品目の食事
2. のど越しのよい食事
3. 濃い目の味付け（塩味）の食事
4. 香辛料の使用，冷やした食事
5. 臭いに配慮した食事
6. 市販のゼリータイプの栄養剤

推奨される．

外科病棟の化学療法患者に対しての調査では，豆腐，果物，ゼリー，酢の物，麺類などの食品が好まれたと報告されている[13]．また，患者には食事を残すことに対しての罪悪感があり，食事量を少なめにする．また臭いがきつい献立や食材は食べにくいので，そのようなものを避けることを推奨している．そして，常食，特別食の献立のなかから個々の患者の嗜好にあった献立を2品〜3品を小鉢に1/3量盛りつけ，果物，麺類，酢の物，ゼリーなどを付加食として個別献立を作成，提供したところ，5〜10％の喫食率が約80％に改善したと報告している．

このようにさまざまな報告や経験から，化学療法での食事摂取を良好に保つには，栄養サポートチーム（nutrition support team：NST）を中心に看護師，栄養士などが介入し，精神的な支援も行いながら，患者個々のニーズに合わせた食事を提供する必要がある（表1）．

G　薬物療法

❶ がん化学療法時の悪心・嘔吐と薬物治療

悪心・嘔吐は中枢神経系の延髄にある嘔吐中枢の刺激で惹起される．抗がん薬による悪心と嘔吐に関してのさまざまな経路のなかで最も重要なのは，第4脳質の最後野にある chemoreceptor trigger zone（CTZ）が刺激され嘔吐中枢にいたるものである．CTZは血液脳関門に保護されておらず，抗がん薬や血中催吐物質に直接影響される可能性が指摘されている．次に重要なのが，消化管粘膜内に存在する一種の内分泌細胞が，抗がん薬の影響で刺激され，セロトニン（5-HT）を分泌し，これが消化管に分布する 5-HT_3 受容体を介して，迷走神経に伝わり，直接嘔吐中枢へと伝わる経路である．大脳皮質は嘔吐中枢を調節，制御しており，精神的要因によりこの経路でも嘔吐が起こるとされている．

化学療法時の悪心・嘔吐，食欲不振などで経口摂取ができない場合には，薬剤による治療が試みられる．化学療法時の悪心・嘔吐対策として，その治療もしくは予防に 5-HT_3 受容体拮抗薬（パロノセトロン，オンダンセトロン，グラニセトロンなど），NK_1 受容体拮抗薬（アプレピタント），ドパミン受容体拮抗薬（メトクロプラミド，ドンペリドン），コルチコステロイド（デキサメタゾンなど）などが用いられる．またこれらを併用し，効果を高める試みも行われている．特に食道がん，胃がん術後では迷走神経が切断されているため，主に迷走神経を介して作用する 5-HT_3 受容体拮抗薬は効果が変化すると考えられる．以前の筆者らの胃がん術後患者に対する検討では，5-HT_3 受容体拮抗薬の効果が減弱していた．

❷ がん患者の食欲不振に対する薬物治療

食欲不振には，古くからステロイドが使用されている．デキサメタゾン，プレドニゾロン，メチルプレドニゾロンなど，さまざまなステロイドが使用されており，食欲の増進が認められる．また，食欲増進ばかりでなくQOLの向上，精力増進，疲労感の軽減などの作用もあるとされる．がん悪液質は全体として異化が亢進した消耗状態であり，その発症にはサイトカインの異常産生がかかわっている．ステロイドは多くのサイトカインの産生を抑制し，悪液質も改善する可能性がある．ガイドラインでは「食欲のない，進行したがん患者に対して食欲を増進する」とされ，1〜3週間の使用期間を限定することを推奨している．それはステロイドによる筋肉消耗，耐糖能異常，感染などの有害事象を配慮してのことである．

ステロイド以外に食欲低下と低栄養に効果がある薬剤として，プロゲステロン製剤，n-3系不飽和脂肪酸，消化管運動機能改善薬などがあげられる[1]．また漢方薬の六君子湯，人参養栄湯なども使用される．最近，がん悪液質時の食欲不振に対し，グレリン様作用剤のアナモレリンが臨床的に使用できるようになった．

また，化学療法時の悪心・嘔吐，食欲不振には精神・心理的な作用も大きく，うつ病，うつ状態の治療薬も使用されている．

H 化学療法時の「ダイエット・カウンセリング（栄養指導）」

欧米では以前よりがん患者の，特にがん治療時のダイエット・カウンセリングの効果が報告され，管理栄養士の重要な役割と認識され，広く行われてきた．欧米のガイドラインにもがん治療時のダイエットカウンセリングは強く推奨されている[1]．わが国でもようやくその重要性が認識され，平成28（2016）年にはがん患者への栄養指導が保険収載された．

図3　ダイエット・カウンセリングで使用されている小冊子
フランスのラルシェ病院でがん化学療法時の患者のダイエット・カウンセリング時に使用されている小冊子の表紙．

❶ がん患者へのダイエット・カウンセリングの方法

欧米では，がん患者，特にがん治療時の患者に対し行うダイエット・カウンセリングは，管理栄養士が各患者への個人対応で行うのが原則となっている．患者を含め，家族や介護者と一緒にダイエット・カウンセリングを行う場合もある．その指導内容は以下のような事項があげられる．

①摂取熱量と蛋白質の摂取を維持，改善する目的で，患者の必要熱量と必要蛋白量を提示する．

②がん治療時のダイエット・カウンセリングの内容を記した小冊子を配布し，それを用いて概要を説明する（図3）．

③がん治療により副作用と，それが発生した場合の食事の摂り方（分割食など）のアドバイスをする．

④必要熱量，蛋白量とその具体的摂取方法を教示する．栄養価の高い食材・食事などの提案をする．

⑤ONSや経管栄養の提案などを行う．

がん患者へのダイエット・カウンセリング時の具体的なエネルギー必要量や蛋白必要量に関するエビデンスはないが，エネルギー量はBEEの1.5～1.7倍，体重あたり30 kcalなどと指導されているものがある．また蛋白量に関しても，0.8や1.0，1.2 kg/kg/日を目標とするものなどさまざまである．頻度は，報告によるとがん治療時においては1～2週間に1回と，頻回で，個人対応で集中的に行われている．

❷ ダイエット・カウンセリングの効果

海外ではすでに，数多くのがん治療時のダイエット・カウンセリングの効果に関する報告がみられる．特に，頭頸部がん患者の放射線および放射線化学療法時のダイエット・カウンセリングの体重減少抑制効果や，消化器および頭頸部がん患者に対しての放射線療法時のダイエット・カウンセリングの体重減少抑制と，栄養状態，QOLや身体機能の維持が報告されている[1]．

Ravascoらは，化学放射線療法を受ける111例の結腸直腸がん患者に対し，ダイエット・カウンセリングを受ける群，高蛋白のONSを処方する群，コントロール群の3群を設け，検討したところ，放射線療法中は，ダイエット・カウンセリング群，ONS群ともに1日摂取熱量，蛋白量，QOLはコントロール群に比較して良好であった．そして，この効果は放射線治療終了後3ヵ月には，ONS群では持続せず，1日摂取熱量，蛋白量，QOLが低下したのに対し，ダイエット・カウンセリング群ではそれが持続して，良好な状態を保ったことが報告されている[14]．これは，ダイエット・カウンセリングによる教育効果は長く持続するのに対し，ONSなどの処方は一時的であり，ダイエット・カウンセリングが勝っていることを示している．その後，さらにRavascoらは，報告症例を平均6.5年の長期経過を追い，早期の放射線化学療法中のダイエット・カウンセリングを受けた患者は，長期にエネルギー摂取，蛋白量摂取を維持した．さらに，生存率も他の群より有意に延長し，晩期放射線障害の発生率を低下させたことを報告している．がん治療の早期にダイエット・カウンセリングを行い，栄養摂取に関し患者を教育することがいかに重要かを物語っている．

しかし，肺がん患者の化学療法・放射線療法中のダイエット・カウンセリングでは，摂取エネルギー，蛋白量は増加するが，その他の臨床的な効果は認められなかったとする報告や，70歳以上の高齢者の低栄養リスクのある化学療法患者にダイエット・カウンセリングを行ったところ，エネルギー，蛋白摂取量は増加したものの，化学療法の効果と死亡率には差を認めなかったという報告，婦人科領域と胃がん・食道がん患者を対象にしたダイエット・カウンセリングでは，治療中の体重減少は抑制され，蛋白質摂取量も良好であったが，患者のQOLや化学療法の副作用などは改善しないという報告など，ダイエット・カウンセリングは経口摂取量を維持・増加させる効果はあるものの，臨床的なアウトカムを疑問視する報告も認められる．

I　がん患者へのONSの活用

患者の経口摂取が少ない場合に，サプリメント的に栄養剤の付加的な経口的投与が行われる．これをONSと呼び，臨床的には外来などで頻繁に利用されている．欧米の報告では，肺がん，乳がん，卵巣がんなどの患者で体重減少を抑制できたとされ，わが国の池田らの報告では，食道がん術後低栄養患者にONSを用いて，QOLの改善に役立ったとされている[15]．また，がん治療時のダイエット・カウンセリングにONSを加えることで，体重減少，栄養状態の悪化，QOLを改善することができると報告されている[15]．

がん患者は栄養剤がたくさん飲めないことも多く，低用量で高カロリーを投与できる高濃度タイプの栄養剤がONSとして推奨される．がん患者は体内の酸化ストレスが亢進しているため，抗酸化作用のあるビタミンや微量元素のバランスのよい栄養剤の投与が勧められる．がん患者では耐糖能が低下し，脂肪の酸化が正常もしくは亢進しているため，理論上は脂肪はがん患者の栄養素としてふさわしく，脂肪の割合の多い経腸栄養剤が好ましいと考えられるが，はっきりとした臨床データはない．

J　外来化学療法の安全性を維持する在宅経腸栄養法

がん化学療法患者に経口からのONSなどの栄養補助を勧めても，摂取ができないケースも多い．そのため，経口摂取の少ない上部消化器がん術後患者の外来化学療法を安全に継続するために在宅経腸栄養を併用することがある[16]．

手術後に経口摂取量の極端な減少や低栄養状態が予想される場合には，術中に経腸栄養のアクセスルートを作成することにより，術後早期経腸栄養管理ばかりではなく，在宅での栄養補助目的での栄養剤の投与が可能となる．特に化学療法を行う患者では，空腸瘻からの強制栄養により栄養状態を維持・向上させることで，化学療法を安全に継続できる．

空腸瘻はneedle catheter jejunostomy（NCJ）キットを用いて作成することが多い．食道がん手術（胸骨後再建時）は，胃管からカテーテルを挿入し，幽門輪を越えて，先端を十二指腸，空腸に留置する．胃全摘では，Roux-en Y吻合のY脚よりカテーテルを約20 cm挿入し，先端をY吻合を越えた空腸に留置する（図4）．経験的に多くの症例で体重や血清アルブミン値

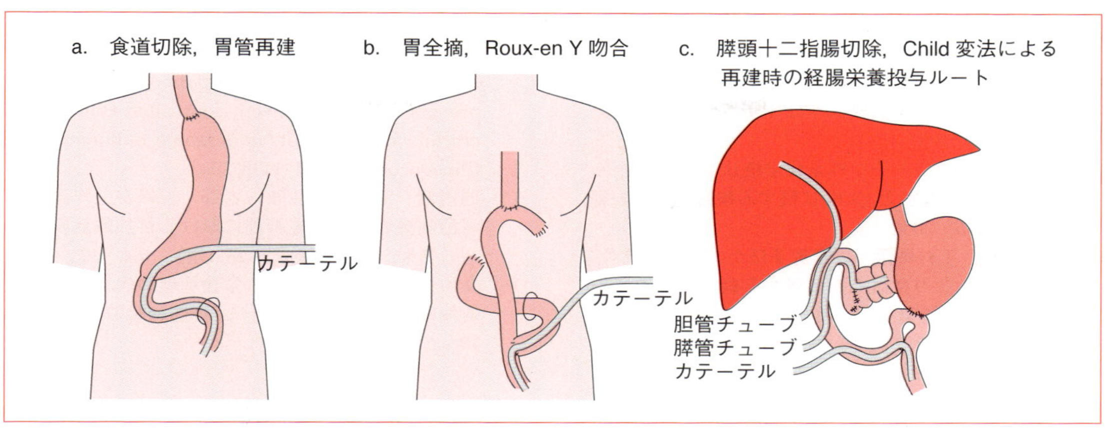

図 4　消化器がん手術時の経腸栄養カテーテル留置法

を維持しながら，外来化学療法を継続することができる．

上部消化管がんや膵臓がん患者で手術後に化学療法を行う可能性のある高齢や合併症のある症例，ステージⅣ症例などは，術中に空腸瘻を造設し，経管栄養を用いて栄養状態を維持し，術後化学療法を安全に施行することを考慮すべきである．

K　EPA とがん患者用経腸栄養剤

n-3 系脂肪酸の EPA ががん悪液質の促進因子であるサイトカインへ抑制的に働くことから，がん患者へ応用が期待されている．悪液質の代謝コントロールを目的として，EPA を取り入れた栄養サポートをすることで，がん患者の体重減少を抑制しようとするものである．ガイドラインにも n-3 系脂肪酸，魚油には進行がん患者の低栄養状態や体重減少のリスク，化学療法施行時の副作用などを軽減させる作用があると記載され，体重や除脂肪体重，食欲，食事摂取量の維持・改善の効果がある可能性が記載されている．EPA や魚油のサプリメント，EPA が強化された高蛋白・高エネルギー栄養剤の ONS などが臨床的に検討されてきた．がん患者の生存期間の延長や体重減少の抑制などの可能性が示されたが，まだ十分なエビデンスがあるとはいえないと考えられている．

現在，本邦ではがん患者用経腸栄養剤は市販されていないが，化学療法時の ONS として，今後のへの臨床応用が期待される．

文献

1）Muscaritoli, M, Arends J, Bachmann P, et al：ESPEN practical guideline：Clinical Nutrition in cancer, Clin Nutr **40**：2898–2913, 2021
2）Dewys WD, Begg C, Lavin PT et al：Prognostic effect of weight loss prior to chemotherapy in cancer patients. Am J Med **69**：491–497, 1980
3）Andreyev HJN, Norman AR, Oates J et al：Why do patients with weight loss have a worse outcome when undergoing chemotherapy for gastrointestinal malignancies? Eur J Cancer **34**：503–509, 1998
4）August DA, Huhmann MB；ASPEN Board Directors：A.S.P.E.N clinical guidelines：Nutrition support therapy during adult anticancer treatment and in hematopoietic cell transplantation. JPEN **33**：472–500, 2009
5）Huisman SA, de Bruijn P, Ghobadi Moghaddam-Helmantel IM et al：Fasting protects against the side effects of irinotecan treatment but does not affect anti-tumour activity in mice. Br J Pharmacol **173**：804–814, 2016
6）Tisdale MJ：Mechanism of cancer cachexia. Physiol Rev **89**：381–410, 2009
7）Fearon K, Strasser F, Bosaeus I et al：Definition and classification of cancer cachexia：an international consensus. Lancet Oncol **12**：489–495, 2011
8）Al Murri AM, Bartlett JMC, Canney PA et al：Evaluation of an inflammation-based prognostic score（GPS）in patients with metastatic breast cancer. Br J Cancer **94**：227–230, 2006
9）外崎明子，数間恵子，石黒義彦：癌化学療法によ

る患者の栄養状態の県下に関する検討．日看会誌 **13**：12-19，1993
10）神田清子，飯田苗恵，石田和子：がん化学療法が造血器患者の食事摂取に及ぼす影響．群馬保健紀 **19**：51-57，1998
11）木村安貴，砂川洋子：外来化学療法を受けるがん患者の副作用症状と QOL に関する検討．緩和医療学 **8**：63-75，2006
12）荒金英樹，下村雅律，片野智子ほか：終末期患者，化学療法患者の食欲不振に対する経口摂取改善の試み．静脈経腸栄養 **20**（増）：174，2005
13）熊谷琴美，安西真実子，多賀戸佳奈子ほか：外科病棟における化学療法患者に対しての個別対応食の試み．静脈経腸栄養 **21**（増）：118，2006
14）Ravasco P, Monteiro-Grillo I, Vidal PM et al：Dietary counseling improves patients outcome：a prospective, randomized, controlled trial in colorectal cancer patients undergoing radiotherapy. J Clin Oncol **23**：1431-1438, 2005
15）池田健一郎，木村祐輔，岩谷　岳ほか：胸部食道癌治療後の長期栄養管理における付加的経腸栄養剤の効果．静脈経腸栄養 **23**（増）：164，2008
16）丸山道生：外来における栄養管理の現状―外科手術後患者の外来栄養管理―．静脈経腸栄養 **20**：13-19，2005

(2) 放射線療法における栄養の意義

静岡県立静岡がんセンター放射線・陽子線治療センター
西村　哲夫

A 放射線治療の概要と特徴，栄養療法の意義

日本放射線腫瘍学会（JASTRO）の調査[1)]によると，2019年には日本国内に843ヵ所の放射線治療施設があり，新患数213,000人，実患者数251,000人が放射線治療を受けたと算定されている（図1）．患者数は年々増加の傾向にあり，今後さらに増加が見込まれている．2019年の原発部位別新患者数をみると放射線治療の対象となる疾患は，一部の良性疾患を除くと，乳がん，肺がんの順で全身のすべての領域の悪性腫瘍である（図2）．

放射線治療は手術と同じ局所療法であるが，手術と違い病巣を切り取らない治療法である．このため，放射線治療は形態と機能を温存できること，高齢者や内科的な合併症を持つ患者にも治療ができることなどの特徴がある．

近年QOL（生活の質）を保ったままで治療できるという放射線治療の特徴の認識が高まるなか，患者の高齢化が現実のものとなり，放射線治療の役割はさらに大きくなっていくものと考えられる．

がん治療においては，優れた治癒率を得ることに加えて，治療に伴う有害事象が最小限に保たれることが重要である．放射線治療の対象となる疾患のうち，頭頸部や消化管の腫瘍など，疾患そのものが嚥下，消化，吸収に直接かかわ

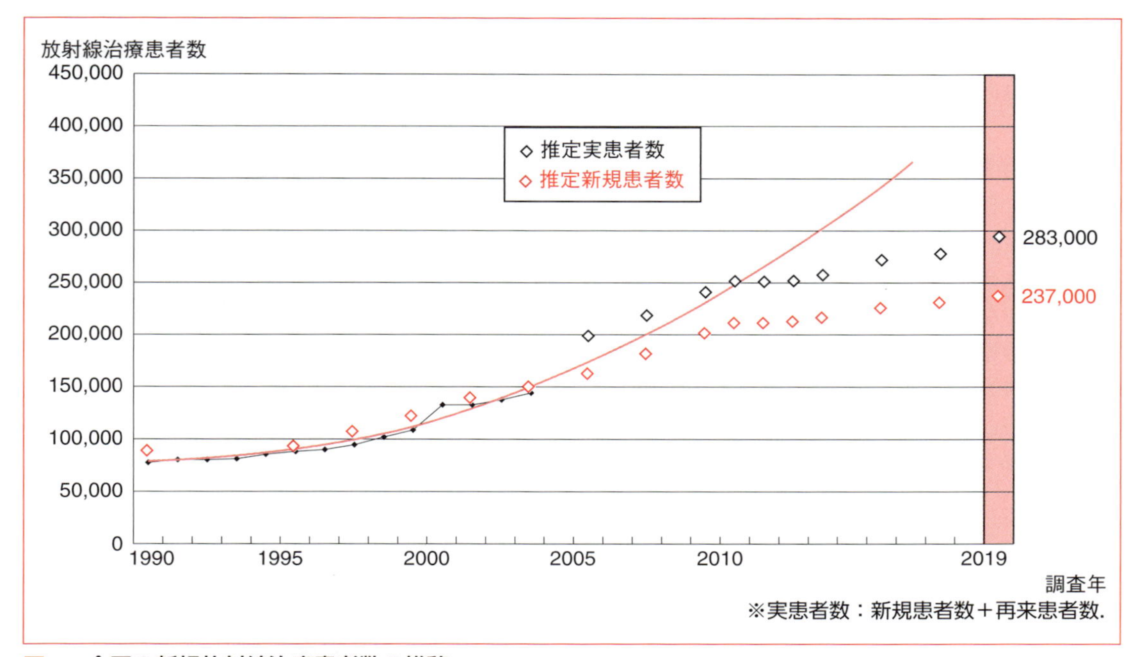

図1　全国の新規放射線治療患者数の推移
［日本放射線腫瘍学会：全国放射線治療施設の2019年定期構造調査報告（第1報） https://www.jastro.or.jp/medicalpersonnel/data_center/JASTRO_NSS_2019-01.pdf[1)]より引用］

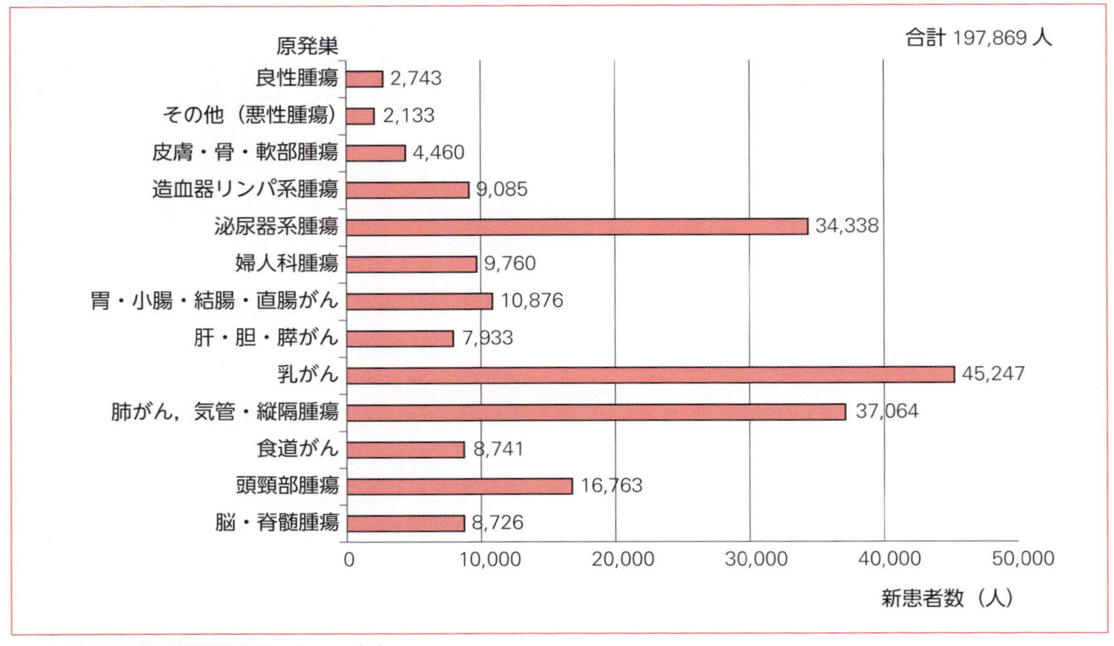

図 2　原発部位別新患者数（2019 年）
（注：調査において原発巣別新患者数が未記入の施設があったため，図 1 の新患者数の合計と異なっている）
［日本放射線腫瘍学会：全国放射線治療施設の 2019 年定期構造調査報告（第 1 報） http://www.jastro.or.jp/aboutus/datacenter.php より引用］

る臓器にあり，放射線治療の開始とともに急性反応としての有害事象の発生を伴いやすい．また，消化管以外の腫瘍でも胸部，腹部，骨盤部などの照射の際には栄養摂取にかかわる有害事象を伴う．

放射線治療を行うのに際して，十分な効果を得るには，目標となる線量の治療を完遂するばかりでなく，治療開始から完了までの総治療期間を延長させないことも重要である．この観点からも適切な栄養管理が必要となる．

また，治療が終了したのちも，晩期有害事象が発生して栄養摂取に支障をきたすことがある．したがって治療期間中から治療終了後においても，適切な栄養管理を行うことは患者の QOL の向上にきわめて重要である．

B　治療に用いられる放射線の種類と単位

放射線とは電離作用（原子の電子軌道から電子を弾き飛ばす作用）を持つエネルギーの高い電磁波と粒子の総称である．最も一般的な放射線治療装置はリニアック（図 3）で，電子を加速することにより発生する X 線と電子線が治療に用いられる．一方，近年は粒子線加速装置による陽子線，重粒子線治療，また中性子線捕捉療法も行われている．また，放射性同位元素（アイソトープ）から発生するアルファ線，ベータ線やガンマ線は密封小線源治療やアイソトー

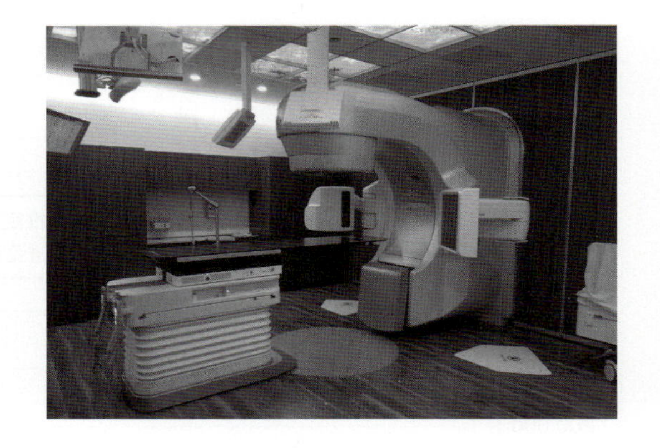

図 3　放射線治療装置（リニアック）

プ内用療法に用いられる．

放射線治療に用いられる線量は吸収線量と呼ばれその単位はグレイ（Gy）が用いられる．1 Gy＝1 J/kg と定義され，放射線により物質が吸収したエネルギー量を意味している．

C 放射線の生物効果

❶ 分子レベル

放射線の生物効果は主として，DNA の損傷によって起こる．放射線が DNA に当たると，電離作用により直接 DNA のらせんが断裂する直接作用と，電離によって発生したフリーラジカルにより二次的な化学作用によって DNA が断裂する間接作用がある．

❷ 細胞レベル

DNA の損傷が発生すると，二本鎖の一方が損傷を受けてもその多くは修復されるが，二本鎖の両方が損傷を受けると修復が困難となり細胞死にいたる．細胞の放射線感受性については，古くより Bergonie-Tribondeau（ベルゴニー・トリボンドー）の法則が知られている．すなわち①細胞分裂の頻度の高い細胞，②将来行う細胞分裂の数の多い細胞，③形態や機能において未分化な細胞ほど放射線の感受性が高いといわれている．また酸素が少ない環境では，酸素の十分ある環境に比べて放射線抵抗性となる．

❸ 組織レベル

組織の感受性の違いは以下の３つに分けることができる．

①細胞再生系では，常に分裂を繰り返し，新たに産生された細胞と同数の細胞が脱落している．放射線の感受性が最も高く，皮膚，粘膜，骨髄，腸上皮などがこれに該当する．放射線の急性反応は主として細胞再生系の組織の影響による．

②緊急的細胞再生系では通常は分裂していないが，何らかの障害が起きると分裂と再生を果たす組織で，肝・腎上皮，唾液腺，甲状腺の上皮などが該当する．

③非細胞再生系では分裂を停止していて再生しない組織で筋，脳，脊髄などが該当する．その細胞の感受性が低い線量でも周囲の血管，結合組織が障害されることで二次的に障害される．

D 放射線治療の線量分割

❶ ４つの R

放射線治療が始まった初期の頃より，１回で照射を完了するよりは分割（何回にも分けて照射を行うこと）して治療したほうが，副作用が少なく効果が高いことがわかってきた．分割の間に起こる生物現象はその頭文字を取って４つの R として知られている．すなわち①回復（Repair）：照射後細胞の回復が起きること，②再酸素化（Reoxygenation）：照射後低酸素で生き残った細胞が再酸素化して感受性が高まること，③再分布（Redistribution）：分割照射により細胞周期のうち感受性の低い周期で残った細胞の周期が同調し，放射線の感受性の高い周期に移行すること，④再増殖（Repopulation）：治療後一定の期間が経つと増殖速度の速まる現象である．回復，再酸素化，再分布は分割照射の利点の裏づけとなる現象である．一方，再増殖は分割照射において，長い治療休止が治療効果の低下に結びつく根拠となっている．わが国では長い連休の際には休日照射が行われている．また，放射線治療期間中の適切な栄養療法で休止による治療期間の延長を避けることにより，効果の低下を避けることにもなる．

❷ 線量分割法

線量は治療効果に大きく影響する因子である．一般的に晩期有害事象は１回線量に大きく影響され，腫瘍効果や急性反応はある治療期間中の線量に依存するといわれている．このため線量配分に工夫が行われている．

①通常分割照射：１日１回 1.8～2.0 Gy で週５回照射し，最も一般的である．

②加速過分割照射：増殖の速い小細胞肺がんでは標準的な方法である．１回 1.5 Gy を１日２回一定の時間を空けて照射するものである．１日の線量が多く照射できることから治療期

間の短縮によりがんの増殖を抑える．
③過分割照射法：1 回 1.0～1.2 Gy を 1 日 2 回照射するもので，通常分割照射と比べて，総治療期間を同じとして，晩期有害事象の発生頻度を同程度に減らして，線量を安全に増加して局所制御割合の向上を目的に行われる．
④寡分割照射法：1 回線量を増加させ治療回数を減らすもので，根治的な治療においても，乳がんや前立腺がんで適用されている．また緩和的照射では，30 Gy/10 回など治療期間を短縮することができ，一般的である．

E 放射線治療の臨床

❶ 放射線治療の目的

ⓐ 根治的治療

治癒を目指した治療であり，線量は 1 回 1.8～2.0 Gy で週 5 回，総計 60～70 Gy/6～7 週間を照射するのが一般的である．抗がん薬の併用など治療内容によって総線量に修正が加わる．頭頸部や食道の根治放射線治療のように，治療が長期間にわたる場合には，十分な栄養管理が必要となる．

一方，乳がんの温存術後照射のように微視的な病巣に対する再発予防の治療も根治治療のひとつである．この場合は線量を 50 Gy/25 回程度の線量が一般的であるが，近年は 42.56 Gy/16 回の寡分割照射も行われている．

近年は定位放射線照射など小病巣に対して，いわゆるピンポイント照射が行われる．この際は 1 回線量を高くして短期の照射も行われる．ちなみに肺がんの定位照射は 1 回 10.5 Gy で総計 42.0 Gy/4 回 /1.5 週が国内ではよく用いられる．

ⓑ 緩和的治療

根治は目指せないが，症状緩和など患者の QOL の改善を目的とした治療である．治癒不能な病期，再発転移巣に対して部分的な腫瘍の縮小効果などにより症状緩和を目指す．最も頻度の多い骨転移の照射は 30 Gy/10 回あるいは 20 Gy/5 回など短期の治療が一般的であるが，8 Gy/1 回の単回照射を行い 1 日で完了させることもある．Oncologic emergency（がん救急）はがんの経過のなかで，急激な病状の悪化があり緊急治療が必要になる状況をいう．放射線治療の適応には，脊髄圧迫，上大静脈症候群，気道狭窄，腫瘍からの出血などがある．

また，近年は遠隔転移であっても，個数が少ない（オリゴ転移）の場合は，局所制御を目的とした放射線治療が行われ，予後の延長が期待できることが報告されている．

❷ 集学的治療

ⓐ 薬物療法の併用

薬物療法併用の目的は，局所効果の増強と，照射野外の微小転移の抑制である．1990 年代から根治的な放射線治療において，頭頸部がん，食道がん，子宮頸がんに対しては薬物療法を併用する利点が報告され，多くの進行がんにおいて標準治療になっている．特に放射線治療に合わせて化学療法を行う同時化学放射線療法（concurrent chemoradiotherapy：CCRT）が一般的である．また化学療法を先行させる，導入化学療法（induction chemotherapy：ICT）を行い，縮小を得てから CCRT に移行することが頭頸部がんなどに適用されている．

ⓑ 手術との併用

手術と放射線治療の併用の目的は切除が困難な微視的な病変の制御と切除範囲を広範囲としないことにより，形態や機能の温存を図ることにある．タイミングで術前照射，術中照射，術後照射に分けられる．術前照射は直腸がんや軟部肉腫に行うことがある．術中照射は一部の施設を除くと行われていない．術後照射は乳房温存療法や悪性神経膠腫など予定治療として行う場合と，頭頸部がんなどにおいて手術所見，病理所見をもとにして実施する場合とがある．術後照射においても薬物療法を併用することも少なくない．

F 放射線治療の方法

❶ 外照射法

放射線治療の最も一般的な方法で，リニアック（直線加速器）が用いられる．体の外から X 線，電子線を照射する．放射線治療の実施まで

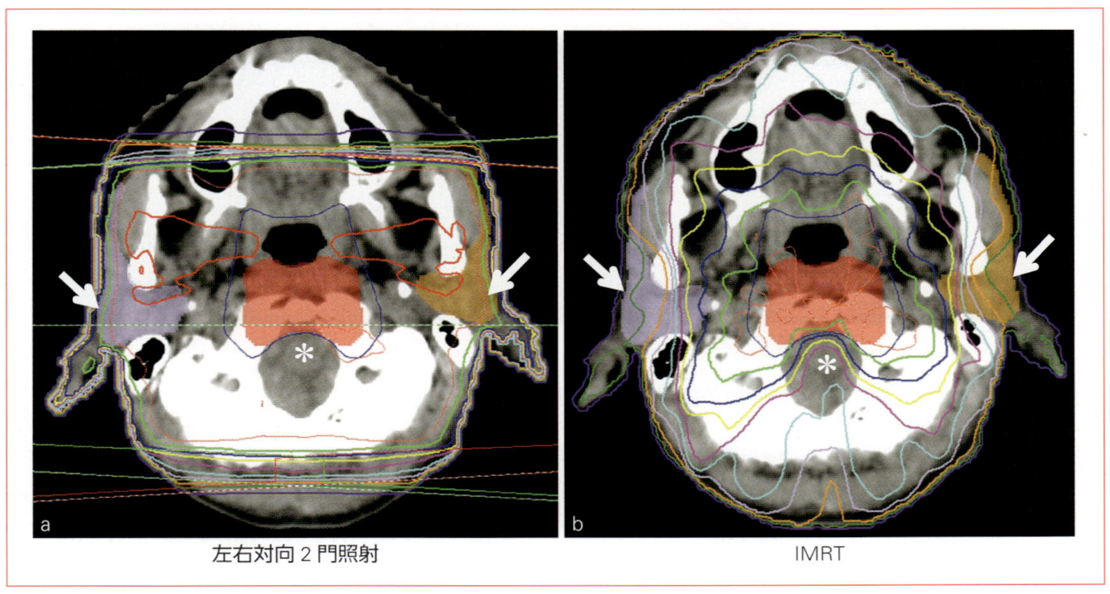

図 4　上咽頭がんに対する外照射の線量分布図の比較
a：左右対向 2 門照射
b：IMRT．耳下腺（→）や脊髄（＊）の線量分布が凹型となり線量の低減が達成される．

には，まず CT を撮影し，治療計画装置を用いて，腫瘍や周囲の正常組織の三次元的な線量分布の評価したうえで治療を行っている．近年の装置はコンピュータ制御の 3-DCRT（three-dimensional conformal radiotherapy：3 次元原体照射法）が標準的な治療法となっている．

❷ 新しい治療方法

ⓐ 強度変調放射線治療（intensity-modulated radiation therapy：IMRT）

通常の 3DCRT は，1 つの照射野からの放射線の強度は一定である．一方，IMRT ではビームの強度に強弱をつけることにより，多方向から照射された場合には，凹型の線量分をつくることができる．したがって，病巣に近い部位に重要臓器のある場合には，その線量を減らすことも可能となり，頭頸部の照射においては脊髄など重要な部位に加えて耳下腺や咽頭筋など，栄養摂取に直接かかわる臓器の線量を低減できる（図 4）．一方，腹部臓器にあっては腸管などの線量を低減できる（図 5）．

ⓑ 定位放射線治療

多方向から高い精度で病巣に放射線を集中させる技術であり，mm 単位の精度が求められている．頭部専用の装置にガンマナイフがある．リニアックによって頭部のみならず肺や肝臓などの体幹部の治療によく用いられるようになった．

ⓒ 粒子線治療

シンクロトロン，サイクロトロンなどの粒子線加速器を用いて陽子線，重粒子線の照射が行われる．体内の一定の深さでブラッグピークと呼ばれる線量の集中する部位をつくることができるのが特徴である．このうち重粒子線は生物学的な効果が大きく，従来放射線抵抗性と呼ばれた疾患にも適応が拡大されている．

❸ 小線源治療

小線源とは，アイソトープを針状，管状の金属に封入したもので，病巣に密着させることにより高い効果をあげることができる．管腔内に線源を入れる腔内照射，腫瘍に直接線源を挿入する組織内照射，表在性の病変に線源を密着させるモールド治療がある．近年婦人科がんには組織内照射併用腔内照射も普及してきた．国内では遠隔操作による装置（リモートアフター

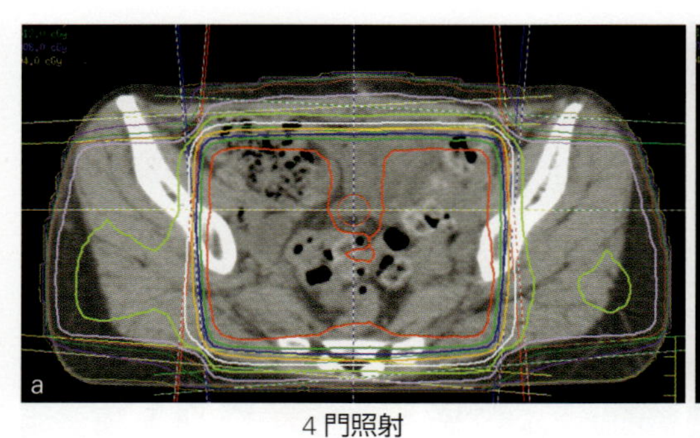

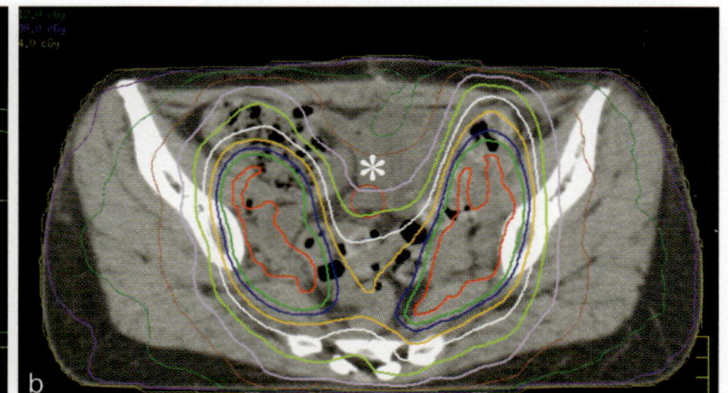

図 5　子宮頸がんに対する術後照射の線量分布図の比較
a：全骨盤 4 門照射
b：IMRT．線量分布が凹型となり腸管（*）の線量低減が達成される．

ローディングシステム）が，よく用いられている．また，前立腺がんには，シード線源を直接前立腺に挿入する永久挿入療法がよく行われている．

G 放射線治療による正常組織の反応

❶ 正常組織の耐容線量（表 1）

耐容線量（tolerance dose：TD）には最小耐容線量 TD5/5（5 年後に 5%の有害事象の発生率）と最大耐容線量 TD50/5（5 年後に 50%の有害事象の発生率）が用いられる．栄養摂取に関連した耐容線量を表 1 に示す[2]．耐容線量の値は固定したものではなく，1 回線量，分割回数，抗がん薬の併用などさまざまな因子で異なる．

❷ 直列臓器と並列臓器（図 6）

臓器には脊髄や腸管のように，その一部が不可逆的な障害を受けると臓器としての機能を失うものと，肺や肝臓や腎臓のようにその一部が障害を受けても，残りの部分がカバーして機能を維持できるものとがある．電池に例えて前者は直列臓器（serial organ），後者は並列臓器（parallel organ）と呼ばれている．

したがって，直列臓器である消化管では一部分であっても高線量領域があると穿孔などのリスクが高まるため，高線量を照射しない工夫が必要である．一方，並列臓器である肝臓は照射を受ける体積の割合が問題となり，臓器の平均線量が指標になってくる．

❸ 栄養摂取に関連する正常組織の反応の特徴（表 2）

ⓐ 脳

脳の照射後数時間して，頭痛，悪心・嘔吐などの症状が出現することがある．これらは脳浮腫によると考えられ，ステロイドなどの投与でコントロールできる．主な脳障害として晩発性のもので，6 ヵ月後に起こる一過性の脱髄やより重篤な白質脳症，2～3 年後に起こりやすい脳壊死が知られている．また，嗅神経部の照射に際して嗅覚の低下をきたすこともある．

ⓑ 口腔咽頭粘膜

細胞再生系にあって粘膜細胞の寿命は皮膚上皮よりも短く，放射線に対して急速な反応を示す．通常分割照射の場合，照射開始後 10 Gy 程度の線量で口腔乾燥，味覚異常が出現する．次いで 2～3 週以後になると，発赤，充血，紅斑，浮腫，びらん，出血，白苔付着などの粘膜炎になり，疼痛が増強し食事の摂取も困難になる（図 7）．粘膜炎は照射終了後も続き 2～3 週後にピークを迎えて，その後消褪する．味覚の回復には数ヵ月以上必要である．

頭頸部がんの放射線治療にあっては，歯や歯冠修復物の鋭縁削除，抜歯，補綴物の撤去，保存可能な歯牙の治療などの口腔内処置が治療前

表１　各臓器と耐容線量

臓器	有害事象	TD5/5（Gy）	TD50/5（Gy）	照射体積（面積）
脳	梗塞，壊死	40 60	60 75	Whole* 1/3**
唾液腺	口腔乾燥症	32	46	1/3 or 1/2
咽頭	粘膜潰瘍，粘膜炎	60	75	50 cm^2
食道	食道炎，潰瘍	55 60	60 70	Whole 1/3
胃	穿孔，潰瘍，出血	50 60	65 70	Whole 1/3
腸管	閉塞，穿孔，瘻孔	40 50	55 65	Whole 1/3 or 1/2
直腸	潰瘍，狭窄，瘻孔	60	80	体積効果なし
肝臓	急性，慢性肝炎	30 50	40 55	Whole 1/3

TD：Tolerance dose
TD5/5：５年後に５%の有害事象発生率（最小耐容線量）
TD50/5：５年後に55%に有害事象発生率（最大耐容線量）
Whole*：全臓器，1/3**：臓器の3/1を照射
［日本放射線腫瘍学会（編）：放射線治療計画ガイドライン2020年版，金原出版，p.48-58，2000[2]より引用］

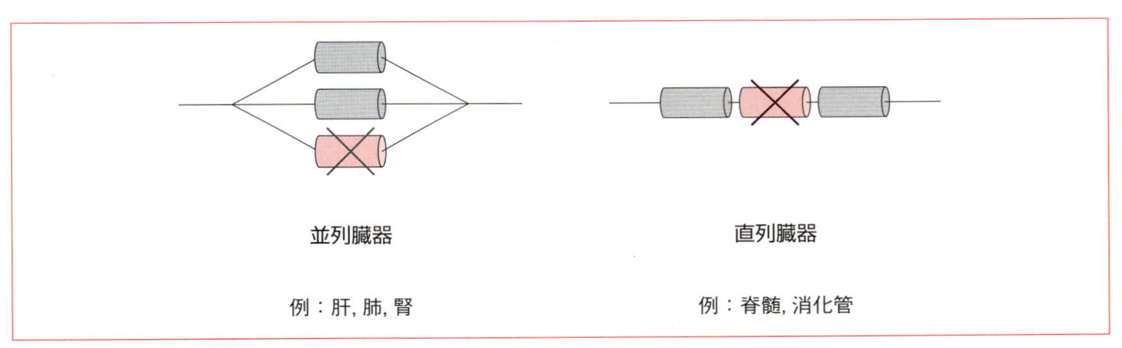

図６　直列臓器と並列臓器
正常組織にはその一部が不可逆的な障害を受けると機能を失うものと，その一部が不可逆的な障害を受けても，残りの部分がカバーして機能を維持できるものとがある．電池に例えて直列臓器（serial organ），並列臓器（parallel organ）と呼ばれている．

に必要である．晩期有害事象として線維化，瘢痕，潰瘍，口内乾燥症，味覚異常があげられる．下咽頭については浮腫の遷延化，咽頭収縮筋の線維化による嚥下障害をきたすことが知られている．嚥下障害を軽減する因子として治療後のリハビリテーション，経鼻栄養の適用（胃瘻ではなく），IMRTによる咽頭収縮筋への線量低減が有効といわれている[3]．

Ⓒ 唾液腺

唾液腺の機能低下は照射開始早期から出現し，長期にわたり持続する．症状の程度や持続期間は総線量に依存し，自覚症状が改善するまでに長期間を要する．唾液腺には粘液腺と漿液腺があるが漿液腺のほうが高感受性であり，唾液量の減少以上に患者は口内のねばねば感を訴える．唾液には物理作用として，口腔潤滑，粘膜保護，咀嚼補助，口腔洗浄などの作用があり，化学作用として消化，抗菌，緩衝（pHの維持），歯の再石灰化などの多彩な機能があるといわれている．

表2　栄養障害をもたらす放射線治療の有害事象

照射部位		早期有害事象	晩期有害事象
脳		• 悪心・嘔吐，脳浮腫，脳圧亢進 • 嗅覚低下（嗅神経部の照射）	• 白質脳症，脳壊死 • 嗅覚障害
頭頸部	口腔粘膜	• 充血，浮腫，びらん，白苔，潰瘍 • 味覚障害，	• 線維化，瘢痕，潰瘍 • 味覚異常
	唾液腺	• アミラーゼ上昇，粘調唾液，口腔乾燥	• 口腔乾燥症，齲歯
	咽頭	• 嚥下障害，咽頭炎	• 咽頭狭窄，咽頭潰瘍
胸部	食道	• 嚥下障害，食道炎	• 食道狭窄，食道潰瘍，穿孔
腹部・骨盤部	胃，小腸	• 食欲不振，悪心・嘔吐，腹痛	• 下痢，消化吸収不良，
	大腸，直腸	• 下痢	• 胃潰瘍，穿孔 • 腸管狭窄，潰瘍，穿孔，瘻孔形成
肝臓		• 肝酵素上昇，腹水	• うっ血，線維化，萎縮

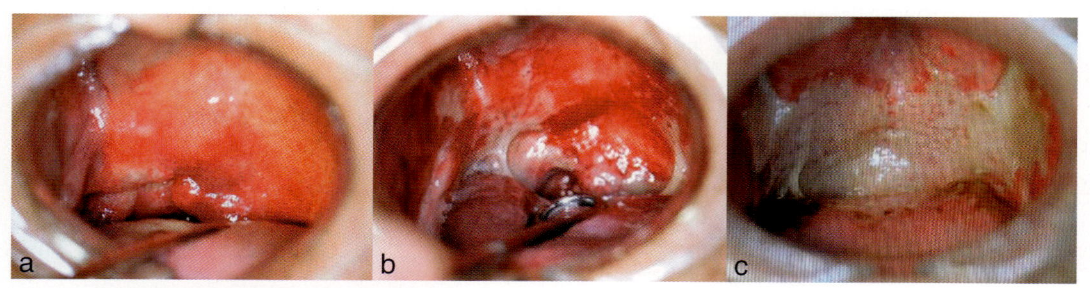

図7　放射線治療と急性粘膜反応（咽頭）
a：治療前
b：治療中（34 Gy の時点）．咽頭粘膜の発赤と斑状の白苔付着
c：治療終了時（70 Gy）．咽頭粘膜に一様の白苔付着

口腔乾燥は頭頸部がんの放射線治療後の患者を最も悩ませる症状である．唾液不足による口腔衛生維持機能の低下は，齲歯の進行，歯周病の要因となり，ひいては骨壊死にいたることもある．

ⓓ 食道

放射線治療中の食道炎は2〜3週後に咽頭違和感，嚥下時のつかえ感，心窩部違和感などの症状が出現する．線量の増加に伴い粘膜炎の増強とともに嚥下痛，悪心・嘔吐，経口摂取困難となる．

一方，晩発性の病変として，粘膜萎縮，毛細管拡張，線維化などの変化が生じ，食道狭窄を生じることがある．食道がんでもともと狭窄が強い場合には狭窄がそのまま残ることも多い．また，血流障害の強い場合には難治性の潰瘍を形成し，時に穿孔など致命的な状態に陥ることがある．特に食道は漿膜がないため，他の臓器に比べて穿孔を起こしやすい．

ⓔ 胃十二指腸

急性期に悪心・嘔吐などの症状として認められる．晩期有害事象としての潰瘍は難治性で出血や穿孔をきたすこともある．また，十二指腸では狭窄も問題になる．

ⓕ 小腸，大腸，直腸

腸管を広い範囲で照射した場合には，照射早期に放射線宿酔と呼ばれる二日酔いに似た症状が発生することがある．また，広範囲の照射では下痢をきたしやすい．消化管のなかで小腸の感受性が最も高い．

放射線治療後の腹部ならびに骨盤部の手術や炎症の既往があり，腸管の癒着がある患者では有害事象の頻度ならびに重症度が増加する．晩期有害事象は血管障害や線維化などによるもので，吸収不良，潰瘍形成，線維性狭窄による腸閉塞をきたすことがある．50 Gy を超えると有害事象の発生頻度が高くなる．小腸の有害事象は低栄養をきたしやすく積極的な栄養療法を必要とする[4]．

直腸は小腸に比べて感受性が低い．晩期有害事象としての直腸炎は子宮頸がんや前立腺がんの治療にはまれに直腸に瘻孔をつくり人工肛門が必要になることがある．

g 肝臓

肝細胞の放射線感受性は比較的高い．急性反応として肝酵素の上昇，肝のうっ血，浮腫などが起こる．しかし，肝は並列臓器であるため，肝門部が含まれない部分照射では高線量にも耐えうる．一方全肝照射ないしこれに近い場合には時に致死的な肝障害を起こすといわれている．肝硬変で有害事象のリスクが増加する．

H 放射線治療と栄養療法[5,6]

❶ 栄養障害をもたらす症状への対応

放射線治療の急性反応の多くは照射単独の場合は治療開始の 2～3 週後に始まる．また治療終了後 2～3 週後に軽減する．これらの期間に対症療法を適切に行うことは食事の摂取を円滑に行ううえで重要である．照射単独の場合は，粘膜保護薬や鎮痛薬の投与で対応できることが多いが，化学放射線療法を行う際には麻薬などのより強い薬剤を必要とすることが少なくない．

❷ 栄養相談と食事指導

放射線治療を受ける患者にとって十分なエネルギーと蛋白を摂取することは重要なことである．頭頸部や消化管の腫瘍に対して放射線治療を受ける患者が，早い段階で栄養指導を受けることの有用性が報告されている[5~8]．その際には担当医，担当看護師が栄養サポートチームとよく連携を取ることが大切である．

❸ 経腸栄養（enteral nutrition：EN）

放射線治療に際して，経口摂取が可能な場合は経口摂取が優先される．しかし，経口摂取量が不十分な場合や機械的な閉塞があり栄養障害を生じる場合には，体重減少，全身状態の低下，脱水など治療中断のリスクがあり経腸栄養の適応となる[5]．

化学療法の併用の場合は放射線治療単独療法の場合に比べて栄養摂取がより重要になる．特に頭頸部腫瘍では，十分な疼痛管理を行っても嚥下時痛の完全な制御は困難なことが多く，経鼻胃管（nasogastric tube：NGT）または経皮内視鏡的胃瘻造設術（percutaneous endoscopic gastrostomy：PEG）による栄養摂取が必要となる．

頭頸部がんに関して NCCN のガイドライン[9]では，全身状態が良好で，治療前に優位な体重減少がない場合には，予防的なチューブの留置は勧められていない．一方で治療前 1 ヵ月の 5% 以上の体重減少，脱水や嚥下困難の進行，嚥下の際の誤嚥，高線量の照射による嚥下障害の遷延の予想などの場合には積極的な経鼻胃管または PEG の留置が勧められている．また，予防的な留置を行わない場合にも，慎重な経過観察を行い，食事摂取量減少，嚥下痛，体重減少，高齢者の場合には経腸栄養の開始が勧められている[9]．

PEG と経鼻胃管の比較では体重維持や肺炎などの感染症は差がないが，PEG のほうがチューブ脱落のリスクが低く患者の QOL が優れているとされている[5]．一方で PEG では経鼻胃管に比較して経口摂取不能期間が遷延するという報告がある[10]．治療中の経口摂取を継続する工夫と治療後積極的なリハビリテーションが必要と考えられる．

❹ 完全静脈栄養

放射線治療を受ける患者のほとんどが経口か経腸栄養で管理されるため，中心静脈栄養（total parenteral nutrition：TPN）が使用されるのはまれである．化学療法の併用も含めて放射線治療の際にはじめから静脈栄養を行うことは推奨されていない[5]．しかし，経口摂取や何らかの理由で経腸栄養の困難な場合，または晩期有害事象としての慢性放射線腸炎[10]の場合はTPNが行われる．

文献

1) JASTROデータベース委員会：全国放射線治療施設の2019年定期構造調査報告（第1報）https://www.jastro.or.jp/medicalpersonnel/data_center/JASTRO_NSS_2019-01.pdf　2022/10/28
2) 日本放射線腫瘍学会（編）：正常組織反応．放射線治療計画ガイドライン2020年版，金原出版，東京，p.48-58，2020
3) Paleri V, Roe JW, Strojan P et al：Strategies to reduce long-term post chemoradiation dysphagia in patients with head and neck cancer：An evidence-based review. Head Neck **36**：431–443, 2014
4) Webb GJ, Briike R, DeSilva AN et al：Chronic radiation enteritis and malnutrition. J Dig Dis **14**：350–357, 2013
5) Muscaritoli M, Arends J, Bachmann P et al：ESPEN practical guideline：Clinical nutrition in cancer. Clin Nutr **40**：2898–2913, 2021
6) August DA, Huhmann MB, the American Society for Parenteral and Enteral Nutrition（A.S.P.E.N.）Board of Directors：A.S.P.E.N. clinical guidelines：Nutrition support therapy during adult anticancer treatment and in hematopoietic cell transplantation. J Parenter Enteral Nutr **33**：472–500, 2009
7) Langius JAE, Zandbergen MC, Eerenstein SEJ et al：Effect of nutritional interventions on nutritional status, quality of life and mortality in patients with head and neck cancer receiving（chemo）radiotherapy：a systematic review. Clin Nutr **32**：671–678, 2013
8) González-Rodríguez M, Villar-Taibo R, Fernández-Pombo A et al：Early versus conventional nutritional intervention in head and neck cancer patients before radiotherapy：benefits of a fast-track circuit. Eur J Clin Nutr **75**：748–753, 2021
9) NCCN（National Comprehensive Cancer Network）：Principles of nutrition：Management of supportive care. NCCN Guidelines Head and Neck Cancers, Version 1.2023. https://www.nccn.org/professionals/physician_gls/pdf/head-and-neck.pdf. 2023/03/02
10) Isenring EA , Zabel R, Bannister M et al：Updated evidence-based practice guidelines for the nutritional management of patients receiving radiation therapy and/or chemotherapy. Nutr Diet **70**：312–324, 2013

(3) 腫瘍外科治療における栄養介入

上尾中央総合病院外科・腫瘍内科
大村　健二

がんは，その存在自体がしばしば宿主に栄養障害をもたらす．がんと診断された時点ですでに栄養障害に陥っていることもまれではない．また，固形がんの根治的治療の主流である外科的切除の前に化学療法および/もしくは放射線療法が施行される症例も増加している．これらによってがん患者の栄養状態はさらに悪化する．

手術は，生体に加えられる最大の侵襲である．低栄養は，侵襲が生体に与える悪影響からの回復，創傷の順調な治癒を妨げる．そのため，術前には栄養状態の正確な把握と必要に応じた適切な栄養管理が要求される．特にがん患者では，低栄養が術後合併症を有意に増加させる．

消化器がんの手術では，臓器の切除と再建によって消化器系臓器の欠落と消化管内容の通過経路の修飾がもたらされる．その結果，手術の侵襲から回復した後も消化器がん患者はさまざまな低栄養のリスクに曝される．腫瘍外科領域では，術前から周術期，術後の遠隔期にいたるまで患者の栄養状態に注意を払い，適切に対処する必要がある．

A　がんの手術前に問題となる栄養学的異常

❶ がんの存在に起因する栄養障害

がんは遺伝子に異常をきたして発生した病的細胞の集団で，正常細胞・組織の秩序を守らずに増殖と死滅を繰り返して増大する．そのため，生体内では正常構造の修飾や破壊，血液や体液の喪失などが起こる．また，腫瘍によって食物の摂取がしばしば妨げられる．さらに，がん患者で分泌が亢進するある種のサイトカインが食思不振を引き起こす．そのためがん患者，とりわけ進行がん患者では術前に栄養学的異常がみられることが多い．がん患者にみられる栄養障害を表1に示す．

消化管は，いずれの部位に内腔の狭窄をきたしても内容の通過障害に起因する症状を呈する．消化管の閉塞をきたすと嘔吐を認め，栄養障害が急速に進行する．

固形の内容が通過する部位で閉塞症状をより

表1　がん患者にみられる栄養障害

Ⅰ．がんによって生じる栄養障害
1. 消化管の狭窄・閉塞に起因する栄養障害
2. 消化液の分泌が妨げられるために生じる栄養障害
3. 腫瘍からの出血・体液喪失がもたらす栄養障害
4. 腫瘍の腹膜転移，後腹膜浸潤に由来する栄養障害
5. 腫瘍によって形成された病的交通に起因する栄養障害
6. 腫瘍が原因で分泌が亢進する液性因子によって引き起こされる栄養障害
Ⅱ．がん治療によって生じる栄養障害
1. がんに対する手術に起因する栄養障害
2. がんに対する化学（放射線）療法に起因する栄養障害

［大村健二：がん看護 **15**：665-668，2010 より引用］

呈しやすい．食道がんの自覚症状として，嚥下時のつかえ感はよくみられる．胃がんの場合，内腔が狭い噴門や幽門にかかるがんで閉塞症状が現れやすい．大腸がんでは，内容が液状・泥状である右側大腸より固形である左側大腸のがんで閉塞症状が出やすい．

がんの腹膜播種性転移によって腸間膜が短縮し，腸管の蠕動が著しく障害されることがある．この場合，消化管の内腔は閉塞していなくても腸内容の移動が妨げられ，いわゆるイレウスを呈する．

膵頭部がんでは膵液と胆汁の流出が障害され，消化能が低下する．それも一因となって低栄養となり，体重が減少する．胆管がんも胆汁の流出を障害する．胆汁の流出障害が高度になれば脂肪の消化・吸収障害から脂肪便をきたしうる．

がん細胞は早い速度で増殖する一方で，壊死やアポトーシスによって死滅していく．そのため，胃がんや大腸がん，食道がんでは消化管内腔に面する腫瘍組織が脱落してクレーターを形成する．胃がんや大腸がんでは，クレーターからの出血でしばしば貧血を呈する．進行する貧血を認める患者では，胃がんと大腸がんの存在を除外しなくてはならない．また，がんからの出血では血球成分のみならず血漿も喪失される．そのため，貧血にあわせて低蛋白血症，低アルブミン血症も認められる．

がんは隣接する臓器・構造物を破壊しながら増殖するが，前述したごとくそれ自身も死滅していく．そのため，従来は認められない病的な交通（連絡，瘻）を形成する（表2）．これらの瘻の存在は，消化管利用の妨げとなる．また，瘻周囲の炎症や瘻自体からの体液の喪失も栄養状態の悪化を助長する．

がんの存在はさまざまなサイトカインの分泌を促す．近年，transforming growth factor-β（TGF-β）superfamily に属する macrophage inhibitory cytokine-1（MIC-1）が食欲を低下させ，がん患者の食欲低下と体重減少に関与することが明らかになった．

❷ がん患者の骨格筋量の減少，体重の減少がもたらす悪影響

がんが引き起こす体重の減少は，骨格筋量の減少を伴う．胃がんや膵臓がんでは，術前に骨格筋量の減少を認める症例の予後は不良である．また胃がん症例では，骨格筋量が少ないと術後の重篤な合併症の発生率が高まる．さらに，サルコペニア肥満症例は，肝細胞がんに対する肝切除術後の有意な予後不良因子であると報告されている[1)]．生体肝移植術においても，骨格筋量が減少している症例は術後の予後が不良である[2)]．

胃がんに対する胃切除術後に体重や骨格筋量の減少を認める症例では，TS-1®を用いた術後補助化学療法が中止となる率が高い．なお，術後の体重減少率が15％以上の症例は，術後補助化学療法のコンプライアンスの低さから予後が不良である[3)]．

表2　がんが形成する病的交通・連絡（瘻）とその症状

病的交通	原因となるがん種	症状
気管食道瘻	食道がん	肺炎，喀血
食道大動脈瘻	食道がん	吐血，突然死
胆囊結腸瘻	大腸がん	化膿性胆管炎
消化管皮膚瘻	大腸がん	皮膚からの糞便漏出
直腸腟瘻	直腸がん 子宮がん（放射線照射後）	腟からの糞便漏出
直腸膀胱瘻	直腸がん	尿中への糞便混入 尿路感染症
直腸皮膚瘻	直腸がん	肛門周囲膿瘍，痔瘻

さらに，切除不能進行・再発がんに対する化学療法でも，サルコペニア症例では用量制限毒性の出現率が上昇する．化学療法の用量削減，あるいは中止は，切除不能進行・再発がんの生存期間を短縮する可能性があると考えられる．

体重や骨格筋量の減少は患者の QOL（生活の質＝幸福度）を損ね，予後を不良にし，ひいては医療行為の価値を著しく損ねる．腫瘍外科領域では，治療のより安全な施行，完全な遂行，さらにはその価値の向上のため，適切に施行する栄養管理がきわめて重要である．なお，術後早期，遠隔期における目標とするため，術前に身体組成や身体機能を測定しておく．

B　がん患者の術前術後の栄養管理

❶ がんに対する術前化学（放射線）療法の有害事象とその対策

食道がんや胃がん，頭頸部がんなどでは，しばしば術前に抗腫瘍薬を用いた化学療法が施行される．使用される主な薬剤にはフルオロウラシル（5-FU）系抗腫瘍薬やシスプラチンがある．これらはいずれも消化管毒性が強く，下痢や悪心・嘔吐，食思不振が高頻度に出現する．また，口腔の粘膜炎に伴う疼痛も経口摂取の妨げとなる．これらには適切な薬理学的支持療法の施行が肝要である．

ⓐ 悪心・嘔吐，食思不振

悪心のなかには，食品の臭いで増強するものがある．そのような場合，食事を冷やして提供することがときに有効である．悪心や食思不振による経口摂取量の減少には，経口的栄養補助（oral nutritional supplement：ONS）を施行するなどして栄養状態の維持を図る．しかし，経口摂取が不可能である場合や経口摂取量が推定必要エネルギー量の 60％に満たない場合には，早期に静脈栄養（parenteral nutrition：PN）を施行する．

頻回の嘔吐を認める場合には，絶飲食で栄養の全量を末梢静脈栄養（peripheral parenteral nutrition：PPN）によって投与する．なお，PPN と呼べるのは，グルコースに加えてアミノ酸と脂肪を投与する輸液管理である．グルコースのみを含む，いわゆる維持液を単独投与する輸液管理は PPN ではない．いくつかの学会から出されているガイドラインで示されている PPN とは，末梢静脈から可能な限りの栄養素を投与する栄養管理である．

手術や化学療法などの積極的ながん治療は，すべて生体にとって侵襲である．侵襲が加わった生体ではアドレナリン優位なホルモン環境となり，リポ蛋白リパーゼが活性化されて中性脂肪（TG）の利用が亢進する．また，侵襲下ではインスリン抵抗性が増すため，燃料としての TG の重要性は増すといえる．これらの観点から，脂肪乳剤を含む正規の静脈栄養を施行すべきである．

なお，脂肪乳剤の使用頻度については，内科に入院して 10 日間以上の絶食となり PN のみを受けた 18 歳以上の 61,437 人を対象とした研究がある．第 4 病日から第 10 病日の間に脂肪乳座の投与を受けた症例は 19,618 例（31.9％），受けなかったのは 41,819 例（68.1％）であったと報告されている[4]．脂肪乳剤を併用した正規の PPN の普及が望まれる．

抗がん薬の投与によって悪心や食思不振が出現しても，次の投与までにしばしば食欲の回復をみる．その際には肉や魚，米，油物など栄養価の高い食品の摂取と適切な運動を促し，可及的に骨格筋量と体重の維持・回復を図る．

ⓑ 下痢

下痢があっても，強い腹痛や血便などの腸炎症状を伴わなければ絶食の必要はない．しかし，質的および量的に適切な栄養摂取ができているか留意するとともに，失われた水分と電解質の補充を行う．経口的に補う場合は，下痢便に含まれているナトリウムやクロールの濃度に近い組成である OS-1 などの経口補水液（oral rehydration solution：ORS）を用いる．また経口摂取が不十分であれば，腸炎症状を伴わなくても補助的な PPN を考慮する．その際は，経静脈的に水分と電解質も補充される．なお，消化液の電解質濃度はさまざまである（表 3）．喪失された水分とともに電解質を補う場合，電解質喪失量のおおむねを推測して輸液処方を考える．

表3　消化液の分泌量と電解質組成

	唾液	胃液	膵液	胆汁	腸液
液量　(L/日)	1〜1.5	2〜2.5	1〜2	0.5〜1	1〜3
Na^{+}　(mEq/L)	8〜15	20〜120	110〜160	120〜160	80〜150
K^{+}　(mEq/L)	0〜20	5〜20	4〜15	3〜12	2〜8
Cl^{-}　(mEq/L)	10〜20	90〜160	30〜95	70〜130	50〜125
HCO_3^{-}　(mEq/L)	10〜40	0	80〜120	20〜50	20〜40

［朝倉　均ほか：臨と研 **72**：1613-1617, 1995 を参考に作成］

ⓒ 粘膜炎

口腔内の粘膜炎は強い疼痛を伴うため，経口摂取の妨げとなる．塩や酢の刺激は疼痛を増強させる．出汁（うまみ）をきかせると，塩味の代わりになることもある．また，温度の高いものも刺激になるため，体温に近い温度で食事を提供する．

抗腫瘍薬によって形成された口内炎は難治性である．また，放射線照射の照射野に発生した粘膜炎はさらに難治性である．口腔や咽頭の疼痛で経口摂取が妨げられる場合，食道より肛門側の消化管には問題がないので経管栄養を施行する．なお，疼痛が激しく経鼻栄養チューブの留置も困難な場合がある．その場合には PN の適応となる．

ⓓ 体重減少，骨格筋量減少

術前化学（放射線）療法を受けているがん患者では，手術を前にしての体重減少は極力回避されなくてはならない．日々の栄養摂取量のみならず定期的に体重を測定して，その推移に注意を払う．体重の減少が明らかであったら，ONS を用いるなどして体重の維持・回復を図る．有害事象共通用語基準 v5.0［common terminology criteria for adverse events（CTCAE）Version 5.0］では，5％以上 10％未満の体重減少はグレード 1 とされている．グレード 1 の有害事象とは臨床上問題のない程度のものである．これは明らかに過小評価であり，化学（放射線）療法を開始してから 5％の体重減少を認めた場合には栄養管理を開始すべきである．

骨格筋は，侵襲時に糖新生の基質としてのアミノ酸を放出する．そのため，手術からの円滑な回復と退院後の身体機能の維持の双方の観点で，術前には骨格筋量を維持することが肝要である．栄養管理に加えて理学療法を併施する．理学療法の適応がない症例や外来患者には，セルフリハビリテーションのパンフレットをわたしている．

化学療法の有害事象として消化管毒性や倦怠感が高度に出現する症例では，術前に骨格筋量を増加させることはしばしば困難である．その場合は，体重や骨格筋量，身体機能の維持に努める．

術前に化学療法を施行しない消化器がんの手術では，術前の待機期間が体重や骨格筋量を増加させるのに十分でないこともまれではない．一方，生体肝移植術は待機期間が長いことが多く，栄養管理に理学療法を組み合わせた術前治療を確実に施行することが可能である．肝臓の機能を勘案した栄養管理と理学療法が肝移植後の予後を改善させると考えられる．

❷ 術直前の栄養管理

受診後手術までの待機期間が短くても，主観的包括的評価（subjective global assessment：SGA）で中等度以上の低栄養と判定された場合には 14 日間程度の栄養管理を施行する[5)]．この際の栄養投与ルートの決定や必要栄養量の算出は通常の方法に従う．特に傷害係数を大きく設定する必要はない．また，この短期間の術前栄養管理は生理的な機能や体蛋白の合成を可及的に回復させるためのものであり，体重の増加を目的としてはいない．

術前の骨格筋量が手術の安全性や予後に影響

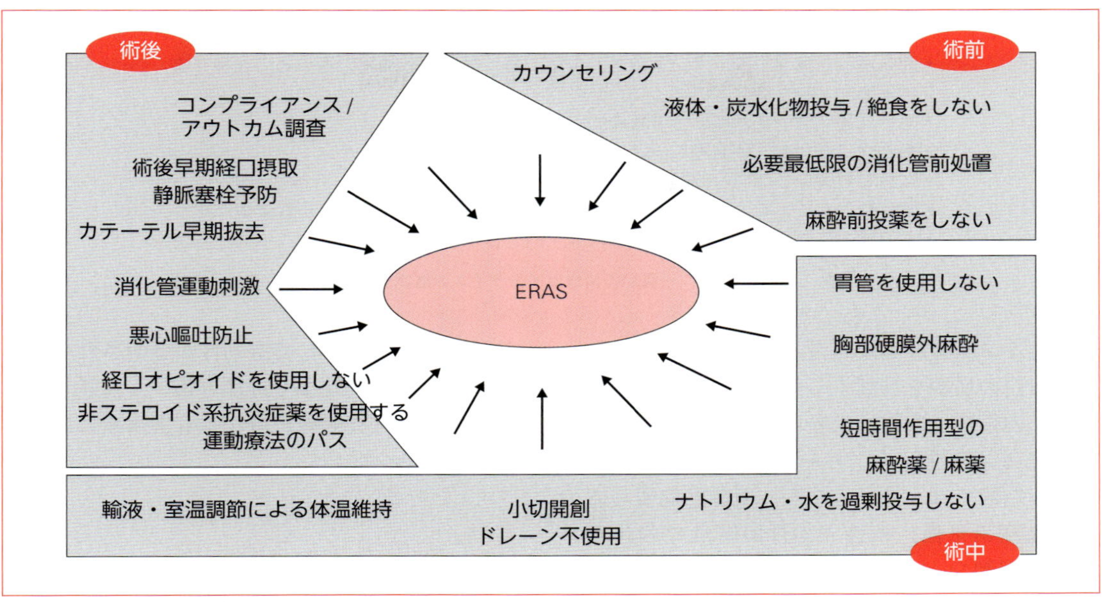

図１　術後早期回復プログラム（ERAS を例に）

［谷口英喜：外科と代謝・栄 **45**：21–27，2011 より引用］

を及ぼすことから，術前の栄養管理に併施するリハビリテーションの効果が検討されている[6]．術前に施行するリハビリテーションであるのでプレハビリテーション（prehabilitation）という名称が造られた．

❸ 周術期栄養管理

高リスク症例や高度侵襲手術では，術前に immunonutrition を投与することにより術後の感染栄合併症の発生率が低下することがメタ解析で明らかにされている[7]．

北欧で生まれた術後の回復を促進する周術期管理法に術後早期回復プログラム（enhanced recovery after surgery：ERAS）がある．ERAS は，米国で fast track surgery と呼ばれているものとほぼ同一である．これらは，周術期管理に有用であるというエビデンスが示されたさまざまな要素を組み合わせた周術期管理のプログラムである（図１）．栄養管理に関する要素としては術前の絶食時間の短縮，術直前の水分・炭水化物負荷，胃管の不使用と術後早期の経口摂取開始がある．ERAS は，当初は大腸がん手術症例を対象として開発されたものであったが，その後は他のさまざまな臓器の手術，小児の手術にも応用されている．

術直前の水分・炭水化物負荷に関しては，欧米では 12.5％の糖質を含有する飲料が用いられている．しかし，同様の飲料は国内では近年まで市販されていなかった．現在では欧米で用いられている飲料と同じ 12.5％の糖質濃度の飲料（アクアファン®MD100）が市販され，それを用いることが可能になっている．

わが国で行われた OS–1 を用いた検討では，術直前に OS–1 を投与しても良好な周術期管理が行えると報告されている[8]．

消化器に無関係のがん手術では，麻酔から覚醒して嚥下が安全に行えることを確認したら経口摂取を開始する．その際，水分や流動食から開始する意義についてのエビデンスはない．特に高齢者では，誤嚥しにくい食形態のものから開始すべきである．液体は誤嚥をきたしやすい食形態であるので十分注意する．また肝臓切除術では，早期の経口摂取の開始は門脈経由の栄養素の供給をもたらし，肝再生に有利である．

何らかの理由で経口摂取の開始が遅れた場合はもちろん，短期間であっても絶食中はアミノ酸を欠かさず投与する．侵襲が加わった生体では骨格筋蛋白を中心とした体蛋白の崩壊，血中

表4　胃がん手術後の食事（胃がん治療ガイドラインの解説　一般用，要約）

- 油を使った食品や肉，米，芋など，少量で多くの栄養を補給できるものを食べましょう．
- 肉や乳製品は消化が良いので積極的に摂りましょう．
- お酒やコーヒー，刺激物もほどほどなら問題ありません．
- 刺身も新鮮ならば何も問題ありません．
- 野菜やこんにゃく，海藻などは大きな塊で飲み込まないようにしましょう．
- よく噛んでゆっくり少量ずつ食べれば，何を食べてもよいです．

［胃がん治療ガイドラインの解説〔一般用〕より要約し作成］

へのアミノ酸の放出が起こる．アミノ酸の投与は体蛋白の崩壊を抑制する効果がある．胸部食道がんの術後に空腸瘻栄養に上乗せしてブドウ糖加アミノ酸注射液（ビーフリード®など）を投与した群では，投与しなかった群と比較して良好な窒素平衡，術後3ヵ月の時点での体重減少の抑制などが認められたと報告されている[9]．なお，術後早期に脂肪乳剤を静脈内に投与することにも何ら問題はないが，特に重要なのはアミノ酸，加えて過不足のない糖質（グルコース）の投与である．

体重や骨格筋量の減少が術後補助化学療法の忍容性を低下させることは前述した．周術期の栄養管理では，過不足のない栄養投与量（摂取量）の設定と早期の理学療法の開始に努める．体重や握力などを定期的に測定，体重減少や身体機能の低下を早期に察知し，適切に対処する．

ERASにimmunonutritionとプレハビリテーションを組み込むことも有効な方策である可能性がある[7]．

C　術後補助化学療法における栄養管理

固形がんの根治が得られる可能性が最も高いのは腫瘍の完全切除である．一方，さまざまながん種において術後補助化学療法の予後上乗せ効果が明らかにされている．

以前はがん，とりわけ胃がんや大腸がんの術後補助化学療法には，比較的有害事象の少ない抗腫瘍薬が長期間用いられていた．しかし，術後に遺残した微小な腫瘍集団を免疫系で排除できるまでさらに縮小させるには，抗腫瘍効果が大きい抗腫瘍薬を投与する必要がある．現在術後補助化学療法として有効性が証明されているレジメンは，例外なく毒性も強い．前述したように，化学（放射線）療法の有害事象には適切に対処する．

D　消化器がん手術後の臓器欠落症状とその対策

従来わが国では，特にエビデンスもなく消化管手術後の患者に食物の制限を中心とした栄養指導が行われていた．たとえば，胃の全摘術後には胃酸による食物の殺菌が行われなくなることを根拠に生物の摂取を制限することがあった．また，食餌イレウスの原因となるとの理由でしらたきや昆布の摂取が禁止されることもあった．しかし，このような禁止と制限を中心とした栄養指導・食事指導の妥当性を裏付けるデータはない．実際，ほとんど無酸となるプロトンポンプ阻害薬服用中に生物の摂取制限は行われていない．

表4に「胃がん治療ガイドライン」の一般用に記されている胃切除術後に望まれる食事の摂取の要約を示す[10]．よく噛んで，ゆっくり時間をかけて食事を摂取すれば何を食べてもよいのである．なお，少量で栄養価の高い油物や肉類が勧められている．

❶ 摂食量の減少

術後に摂食量が減少する代表的な術式は胃切除術である．体重の減少がほとんどなく，むしろ増加することもまれではない結腸切除術後とは大きく異なる．胃切除によって摂食量が減少することを小胃症状とも呼び，胃全摘術ではいっそう顕著となる．術後の体重減少は幽門側胃切除術でおおよそ 10%，胃全摘術では 15% に及ぶ．個人差はあるものの，ひとたび減少した体重が増加して前値に復することは比較的まれである．体重の減少を抑制するため，三度の食事以外にも食物や ONS を頻回に摂取することを勧める．また，特に高度の体重減少が予想される場合には術中に空腸瘻を造設し，退院後も経腸栄養を継続するという選択肢もある．

胸部食道切除術では，術中に空腸瘻が造設されることが多く，術後の栄養管理は空腸瘻栄養によって行われる．また，縫合不全や肺炎など術後合併症発生の危険性がなくなっても，空腸瘻からの栄養剤の投与を継続するという選択肢もある．十分な説明を行ったうえで，在宅経腸栄養を継続するか否かを選択する．なお，不要と判断された場合の栄養チューブの抜去は瘻孔が形成された後はいつでも可能で，抜去後の瘻孔は通常速やかに閉鎖する．

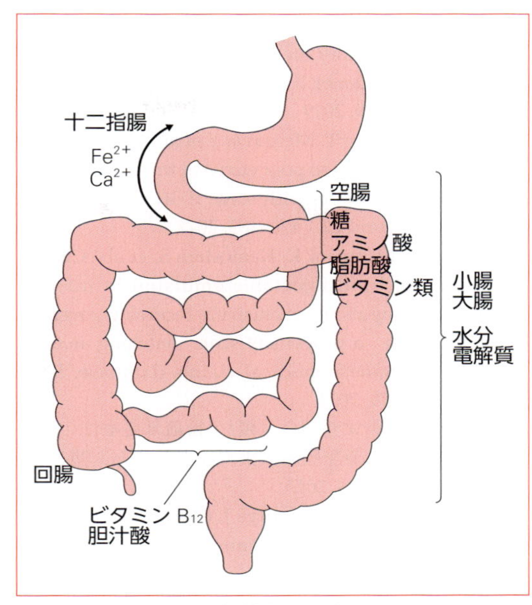

図 2　小腸における栄養素の吸収
［菅野健太郎：機能と構造を学ぶ 消化管．講義録 消化器学，上西紀夫ほか（編），メジカルビュー社，p.2-24，2005 より引用］

❷ 消化・吸収能の低下

消化器の切除による消化・吸収能の低下が出現した場合には，薬物を用いた支持療法によって対処する．胃切除術後の食欲不振に効果があると考えられる漢方薬（六君子湯）や，膵切除術後の外分泌能低下を補う高力価の消化酵素薬（リパクレオチン®）が市販されている．摂取する食物を制限するのではなく，術前と同様の食物を摂取できるように尽力するのが医師，医療スタッフの務めである．

小腸における栄養素の吸収部位は，各栄養素によって異なる（図 2）．そのため，消化管の特定部位の切除や消化管内容の通過経路の変更によって栄養素の欠乏をきたす可能性がある．いずれの栄養素も，欠乏症状が出現する前に適切に補充することが望ましい．そのために，切除された消化管の部位や消化管の再建方法から起こりうる栄養素の欠乏を推測する．

ビタミン B_{12} の吸収を助ける内因子は，胃の壁細胞から分泌される．したがって，胃全摘術には内因子の胃からの分泌がなくなり，ビタミン B_{12} の吸収は障害される．しかし，胃全摘術後の患者にビタミン B_{12} 製剤を経口投与しても十分な補充効果が認められる．内因子はビタミン B_{12} の吸収を助けるものの，その吸収に必須ではないと考えられる．

葉酸の主な吸収部位は空腸である．また，吸収される至適な pH は 5.0～6.0 とされている．そのため，空腸内がアルカリ性に傾く胃切除術後には葉酸の吸収障害から葉酸欠乏をきたしやすいと考えられる．なお，葉酸欠乏とビタミン B_{12} 欠乏ではともに巨赤芽球性貧血を呈し，血液像からの判別は困難である．

ビタミン B_{12} 欠乏には特徴的な末梢神経症状があるが，その出現より血液学的な異常が先行することもある．ビタミン B_{12} 欠乏に対しビタミン B_{12} を補充することなく葉酸を大量に投与すると神経症状が悪化，難治化する．したがって，これらを補充する際には必ずビタミン B_{12} を先行させる必要がある．

文献

1) Kobayashi A, Kaido T, Hamaguchi Y et al：Impact of Sarcopenic Obesity on Outcomes in Patients Undergoing Hepatectomy for Hepatocellular Carcinoma. Ann Surg **269**：924-931, 2019

2）Kamo N, Kaido T, Hamaguchi Y et al：Impact of sarcopenic obesity on outcomes in patients undergoing living donor liver transplantation Clin Nutr **38**：2202–2209, 2019

3）Aoyama T, Sato T, Maezawa Y et al：Postoperative weight loss leads to poor survival through poor S–1 efficacy in patients with stage II/III gastric cancer. Int J Clin Oncol **22**：476–483, 2017

4）Takagi K, Murotani K, Kamoshita S, et al：Clinical impact of lipid injectable emulsion in internal medicine inpatients exclusively receiving parenteral nutrition：a propensity score matching analysis from a Japanese medical claims database. BMC Med **20**：371, 2022

5）日本静脈経腸栄養学会（編）：術前栄養療法の適応と効果は？．静脈経腸栄養ガイドライン，照林社，東京，p.222–223, 2013

6）Daniels SL, Lee MJ, George J, et al：Prehabilitation in elective abdominal cancer surgery in older patients：systematic review and meta-analysis. BJS Open **4**：1022–1041, 2020

7）Shen J, Dai S, Li Z et al：Effect of Enteral Immunonutrition in Patients Undergoing Surgery for Gastrointestinal Cancer：An Updated Systematic Review and Meta-Analysis. Front Nutr **9**：941975, 2022

8）Taniguchi H, Sasaki T, Fujita H, et al：Preoperative fluid and electrolyte management with oral rehydration therapy. J Anesth **23**：222–229, 2009

9）Konosu M, Iwaya T, Kimura Y, et al：Peripheral vein Infusions of amino acids facilitate recovery after esophagectomy for esophageal cancer：Retrospective cohort analysis. Ann Med Surg **14**：29–35, 2017

10）胃がん手術後の食事について．胃がん治療ガイドラインの解説　胃がんの治療を理解しようとするすべての方のために，第2版（2004年12月改訂），金原出版，東京，p.64–70, 2004

(4) 造血幹細胞移植における栄養療法

関西電力病院腫瘍内科
柳原　一広

造血幹細胞移植（hematopoietic stem cell transplantation：HSCT）時の栄養療法においてその治療の時期によって，栄養管理方法を考慮する必要がある．HSCT 前処置のための強力な抗がん薬治療を行っている時期とその後の易感染性の時期で，可能であれば前処置を行う2週間前からの介入が望ましいとされている[1)]．

また，移植後も自家移植なら少なくとも3ヵ月間の低病原体食が勧められる．同種移植なら免疫抑制薬を終了するまで継続することが勧められる．これは生ワクチンの接種の目安と同じである．長期間に及ぶために栄養療法は非常に重要な治療の一環である．

なお，通常の抗がん薬治療の際の易感染性に対処する時期の栄養管理方法はHSCTにおける栄養療法に準じることで対処できるが，HSCTの際の無菌食についてですら定まった方法がないので，特に固形がんでの抗がん薬治療中の無菌食の利用に関しては十分な議論が必要である．

A　造血幹細胞移植前処置に関する栄養管理

骨髄移植前の前処置として強力な抗がん薬治療を行う．固形がんの抗がん薬治療にも共通することであるが，ドパミン受容体拮抗薬に加えてコルチコステロイドの使用や，5-HT_3 受容体拮抗薬や NK_1 受容体拮抗薬の登場などにより制吐療法はこの数年で飛躍的に発展した．しかし悪心・嘔吐をきたしやすい高用量の抗がん薬を使用する時期，全身放射線治療を使用する時期には高度の悪心・嘔吐が出現する危険性が高く，それに起因する食欲不振が発生する．食欲不振に対する栄養療法として患者が欲するものを供給することが必要で栄養価にこだわらない栄養管理も必要となってくる．患者の嗜好にもよるが，食品の調理方法の工夫を行うことで対処できる場合もあり，患者と向き合い栄養指導を行うことが必要となる．

急性期あるいは抗がん薬使用後数日間の遅発性の悪心・嘔吐をきたしやすい時期以外にも栄養摂取に関連する重大な事項として抗がん薬使用に伴う合併症としての口腔鼻腔粘膜の障害がある．舌粘膜炎を含んだ口腔内粘膜炎症状により味覚の低下，食道粘膜炎による嚥下困難，胃粘膜炎に伴う心窩部痛，曖気，悪心，腸粘膜炎に伴う下痢などをきたすこともあり，これらが食欲の低下につながる．食欲低下に伴い栄養状態が悪化した場合，予後も悪化するので，抗がん薬使用に際して粘膜炎症状が出現する時期の栄養療法は非常に重要である．味覚低下によってもたらされる食欲不振も重要な問題であり，粘膜障害の増悪となりうる刺激性の強い食品が，逆に味覚を刺激する場合もあり，慎重に検討する必要がある．

さらに抗がん薬使用に伴う骨髄抑制をきたした状態では，白血球減少に伴う感染のリスクや血小板減少に伴い易出血になるため栄養摂取に関して注意を要するが，後述する無菌食に関しては賛否両論あって一定の見解がないのが現状である．しかしながらHSCT前後の時期が最も感染のリスクが高く合併症や治療関連死亡の要因となるため，HSCTで最も大切なことは感染症のコントロールであり，その栄養療法も感染症をいかに防ぐことができるのかで議論される．

なお，好中球減少時に食事以外に同時に介入を要することとしてHEPA（high-efficiency particulate air）フィルターを用いて感染に対する予防的環境を使用すること，予防的に抗菌薬を使用すること，すべての治療を始める前から中心静脈カテーテル（central venous catheter：CVC）を用いること，適切なオーラルケア[2]を行うこと，清潔操作を行うこと，顆粒球コロニー刺激因子製剤を使用することなどがあり，さまざまな因子が関連するため感染に関して無菌食の評価はまだ定まったものがない．CVC を用いることで上記の口腔粘膜炎などが発症した際に中心静脈栄養も可能となるので中心静脈栄養を用いた栄養管理も併せて考えておく必要がある．

B 無菌食について

果物や野菜に付着する *Escherichia coli*（大腸菌）や *Pseudomonas aeruginosa*（緑膿菌）やグラム陰性 bacilli が致死的な敗血症や肺炎の原因になるとされてきた[3,4]ため，好中球減少をきたした患者に生野菜などを食べないように推奨されてきた[5]．好中球減少をきたした患者において感染をきたす病原菌のおよそ 80％が皮膚や呼吸器，泌尿器，消化器の管腔内にコロニー形成する内因性の微生物叢から起きる[6]とされている．

HSCT 前後の期間に感染をきたすと重大な合併となり，致死的となりうる．そのため抗がん薬治療や放射線治療に伴うような消化管粘膜の損傷は，バクテリアル・トランスロケーション[7]という消化管粘膜の防御能がなくなり，HSCT 後の細菌が侵入する経路になって同部位から細菌が浸潤し敗血症などの HSCT 後の感染源になると考えられていた[8]．そのために未調理の果物や野菜を摂取することが，病原体を摂取することにつながると考えられて，これらを排除することが一般的になり[9,10]，無菌食についての研究が進んできた．水にも注意が必要で，*Cryptosporidium*（クリプトスポリジウム）の感染を防御するために 1 分以上煮沸した水が望ましいとされるが，ボトル入りの市販の飲用水であれば問題ないとされている．ただ無菌食の定義もさまざまであり[11〜14]，確かなエビデンスはないもののさまざまな施設で使用されている[15]．また HSCT 時の食事について北米の造血器疾患を治療している代表的な 10 施設で調査しても各施設で一定していない[16]．

なお，前述の敗血症の起因菌に関しては，*Pseudomonas aeruginosa*（緑膿菌）や *Escherichia coli*（大腸菌），*Klebsiella*（クレブシエラ菌），*Proteus*（プロテウス菌）などのグラム陰性桿菌が生野菜や冷たい食事でよく分離される[3,17]が，敗血症をきたした患者の血液検査ではコアグラーゼ陰性 *Staphylococcus*（ブドウ球菌）が最も検出される一般的な細菌であることがわかってきた[18]．また，併用する抗生物質の影響で真菌感染も多い．

また，生野菜やジュースを避けても感染症が少なくなるわけではなく[15]，食品内に免疫不全状態の患者において原因となるような病原菌が認められないことから，食事制限を行うことで生活の質につながるだけで制限は行わないでよいとする報告が出てきている[19]．さらに HSCT 726 例の後方視的研究で無菌食を行った 363 例と通常の食事を行った 363 例で移植中と移植後の感染症のインシデントを検証したところ無菌食を行ったグループのほうが感染の割合が高かったという報告[20]もある．

無菌食が標準的と思われていたが，無菌食を継続し過度の食事制限を行うことで栄養状態を悪化させ，QOL を損なってしまい[19]．栄養状態が骨髄の回復状況と関連があるという報告もある[21]．無菌食の実際の効果もランダム化比較試験などでの検証は困難であり，まだ解明はされていない[22,23]．高い質での臨床試験で検証されていない以上，推奨すべき食事の摂り方を記載できるわけではないが，少なくとも無菌食が標準的というわけではない．がん患者はそもそも低栄養状態にあり食事を摂取することで補うことができるものであり，食事は楽しみのひとつでもあり，過度の制限が情緒不安定につながる．

さらに過度の食事の制限を行うと栄養状態の悪化が懸念され，栄養補助食品がより重要になる．がん患者ではビタミン A，レチノール，ビタミン E，ビタミン C，βカロテン，亜鉛，ビタミン B 類などさまざまな栄養素が不足している[24~28]．また，これらの栄養素は加熱処理や大量の水での洗浄により損なわれる．

このように HSCT など免疫抑制を行う際に食事の制限を厳密に行わないのが現在のトレンドだが，ブラジルの研究では免疫抑制状態に特に注意を要する期間には特に施設間差があることがわかっており，低温殺菌のヨーグルトやチーズ，薄く皮をむいた果物，チョコレートは問題ないといわれているが，ブラジルの 88％施設では行っていなかった[29]．

食品への病原体の付着が認められることから考えて食品が免疫不全状態の患者に対して感染源となるのではないかという確固としたエビデンスはない．また，食事が感染の原因とならない論文[19]は出ている．しかしながら HCT のレシピエントには安全な食品を推奨することはよいことであろうと思われるのでガイドラインが発刊されている[8]．

C 栄養支援療法のガイドライン

American Society for Parenteral and Enteral Nutrition（A.S.P.E.N.）から HSCT における栄養支援療法のガイドライン[1]が 2009 年に発刊されており，それによれば

①骨髄破壊的前処置を用いて HSCT を受けるすべての患者は，栄養の点で危機に直面しており，栄養ケア計画を伴うような正式な栄養アセスメントを必要とするか否かを識別するために，栄養スクリーニングを受けるべきである．

②栄養失調状態であったり，1～2 週間十分な栄養素を摂取や吸収することができないことが予想されていたりする HSCT を受ける患者に栄養支援療法は，適している．非経口栄養が使用されている場合には，幹細胞の生着後に毒性が解決したらすぐに中止すべきである．

③経腸栄養は，経口摂取が栄養要件を満たすには不十分であるが，消化管が機能している患者に使用されるべきである．

④非経口グルタミンの薬理学的用量は，HSCT を受けた患者に有益利益であるかもしれない．

⑤患者は，好中球減少症の期間中，感染のリスクをもたらす可能性のある食品に関する栄養カウンセリングおよび安全な食品取り扱いの方法を享受するべきである．

⑥不良な経口摂取や重篤な吸収不良に伴い発生する中等症から重症の移植片対宿主病（graft-vs-host disease：GVHD）をもたらすような HSCT を受けた患者に栄養支援療法は適している．

D 本邦のガイドライン

生魚や生肉などを食べる習慣のない欧米の研究では生野菜や果物，ジュース，チーズなどが問題となるだけであり，豆腐や納豆，味噌などの発酵食品を使用する本邦の現状とは若干異なるところが多い．

本邦では日本造血・免疫細胞療法学会による造血細胞移植ガイドラインが発刊されており，食事に関しての記載もある[30]．その中には HACCP（Hazard Analysis Critical Control Point）に基づいた「大量調理施設衛生管理マニュアル（最終改正：平成 29 年 6 月 16 日付け生食発 0616 第 1 号）」[31]を遵守することで幹細胞移植患者にも安全な食事の提供が行うことができる，と記載されており，後述するような調理の方法は通常の病院食を提供する様な方法で良いことが示されている．

また調理の方法および食品を選択に際しての注意点としては 2012 年 WHO より出版された「Five Keys to Safer Food Manual」[32]を参考にするべきであり，2006 年版は 2007 年に日本語版も出版されている[33]．ここでいう「5 つの鍵」とは（1）清潔に保つ，（2）生の食品と加熱済みの食品とを分ける，（3）よく加熱する，（4）安全な温度に保つ，（5）安全な水と原材料を使う，ということであり，食品の衛生に関する記載がなされている．

❶ 調理の方法

造血細胞移植ガイドラインでは具体的に調理の方法として以下の 11 の点をあげている[30]．

①手荒れや手に可能症のある人は食品に直接触れない.
②下痢・嘔吐のある人は症状のある間できるだけ調理しない.
③調理器具, 食器は衛生管理された物を使用する.
④調理前に石鹸流水で手洗いを行う.
⑤生肉, 生卵, 生魚介類に触れたあとは石鹸流水で手洗いを行う.
⑥生肉, 生魚介などは他の食品と異なるまな板で取り扱う.
⑦加熱済み食品と生の食品はまな板など調理器具をわけて取り扱う.
⑧魚介類は新鮮なものでも水でよく洗う.
⑨食品媒介感染症予防のために加熱時間と温度に留意する.
⑩調理済み食品は, 2時間以上常温保管されたものは破棄する.
⑪調理後2時間以内であれば, 除菌を目的とした再加熱の必要はない.

❷ 食品の選択

また食品の選択として以下の20項目をあげている[30]. 表1に造血幹細胞移植後患者が摂取時に注意する食品とそのリスク, 安全な代用品を示す.

①賞味期限・治療期限の切れた食品は食べない.
②賞味期限・消費期限内の物でも冷凍・冷蔵など表示された適正な保管方法のものを選択する.
③外食の際や調理済み食品を選択する際は, 調理製造過程と保管状態の安全性が確認できるものを選択する.
④サルモネラ・カンピロバクター・病原性大腸菌・腸炎ビブリオ・ノロウイルスなどに食品汚染の可能性があるので食肉類・魚介類・卵の生食は禁止する.
⑤生野菜は, 生産・収穫・搬送・保管・調理などの途上で動物の糞尿による汚染・土壌中の真菌付着・腸管出血性大腸菌などで汚染された水・ノロウイルス・サルモネラなどによる食品汚染の可能性あるため, 次亜塩素酸ナトリウム（100 ppm）に10分浸漬後, 飲料に適した水での流水洗浄後, 皮をむくか加熱調理を行う.
⑥殺菌されていない乳製品は, サルモネラ・カンピロバクター・リステリアなどによる食品汚染の可能性があるので殺菌表示のあるものを選択する.
⑦カマンベールチーズやブルーチーズなど, カビが生えているチーズは, 免疫力の状態によっては真菌の摂取や吸収による感染も危惧されるために避ける.
⑧味噌は, 自家製味噌などの容器に付着した他の真菌の摂取や吸収などによる感染が免疫力の状態によっては危惧されるので加熱調理後に摂取する.
⑨納豆は, 芽胞を形成し100℃以上の熱にも耐えるので納豆は加熱しても菌は死滅しない. 病原性は低いといわれているが, 十分に検討されていないため摂取にあたっては免疫状況など慎重に対応する.
⑩豆腐は, 殺菌表示のある豆腐または充填製法の豆腐を選択する. 調理途上で大腸菌やノロウイルスなどによる食品汚染の可能性があるため, 慎重に調理する.
⑪生の木の実・ドライフルーツは, 水分を含有していることより真菌の発生や収穫・製造・搬送などの途上において, 土壌や植物の糞便などによる食品汚染の可能性があるため避ける.
⑫漬物・梅干は, 調理工程の衛生管理が確認できない場合は避ける.
⑬缶・ペットボトル, ブリックパックなどに入った清涼飲料は, 包装に破損のない賞味期限内の物を選択する. 開封後は冷蔵保存し24時間過ぎたら破棄する.
⑭水は賞味期限表示のある物を選択し, 開封後はコップなどにうつして飲み, 容器に直接口をつけない. 開封後は冷蔵保存し24時間過ぎたら破棄する.
⑮水道水は, 1分以上沸騰後飲用とする. 水道水は塩素が含まれており, 大腸菌などの一般細菌は安全なレベルまでコントロールされているが, すべての微生物が完全に除去されて

表１　造血幹細胞移植後患者が摂取時注意する食品とそのリスク，安全な代用品

注意すべき食品	リスク	安全な代用品
食肉類・魚介類の生食	サルモネラ・カンピロバクター・病原性大腸菌・腸炎ビブリオ・ノロウイルスなどに食品汚染の可能性あり.	食材の中心部まで加熱する.
生卵・半生卵およびそれを含む食物	サルモネラによる汚染の可能性あり	75℃以上の加熱または低温殺菌の表示のある食品
野菜・果物の生食	生産・収穫・搬送・保管・調理などの途上で動物の糞尿による汚染・土壌中の真菌付着・腸管出血性大腸菌などで汚染された水・ノロウイルス・サルモネラなどによる食品汚染の可能性あり.	次亜塩素酸ナトリウム（100 ppm）に 10 分浸漬後飲料に適した水での流水洗浄後，皮をむいて食べるまたは加熱処理
手作り野菜・果物ジュース		低温殺菌したジュース
野菜の新芽（もやし・アルファルファなど）		75℃以上の加熱
殺菌されていない乳製品(クリーム，バター，ヨーグルト，チーズ，濃縮ホエイ，濃縮乳，乳酸菌飲料など)	サルモネラ・カンピロバクター・リステリアなどによる食品汚染の可能性あり.	殺菌表示のある食品
カビの生えているチーズ	カマンベール*やブルーチーズなどは *Penicillium* 属による製造. *Penicillium* は元来病原性のないものであるが，食品に付着したカビが肉眼だけでは病原性の有無の判断は困難なためカビの生えたチーズの摂取は避けた方が良い.免疫力の状態によっては摂食や吸入による感染も危惧される.	避ける
味噌	真菌の一種アスペルギルス・オリゼによる製造. 自家製味噌などの容器に付着した他の真菌の摂取や吸入などによる感染が免疫力の状態によっては危惧される.	加熱調理
納豆	納豆菌（*Bacillus subtillus var. natto*）による製造. 納豆菌は芽胞を形成し 100℃以上の熱にも耐える. *Bacillus subtillus* は，病原性は低いといわれているが重度の免疫不全患者の敗血症の報告もある. 生微生物を大量摂取となる納豆の摂取は免疫状態を考慮する.	慎重に摂取
豆腐	調理途上の大腸菌やノロウイルスなどによる食品汚染の可能性あり.	殺菌表示のある豆腐または充填製法の豆腐 85℃で１分以上の加熱. 生食時は，調理過程の菌の付着に厳重注意
生の木の実・ドライフルーツ	アスペルギルス・フラバス *Aspergillus flavus* が産生するカビ菌（アフラトキシン）による食中毒のおそれあり. その他水分を含有していることにより真菌の発生や収穫・製造・搬送などの途上に土壌や動物の糞便などによる食品汚染の可能性あり	避ける

（次頁へ続く）

表1　(続き)

注意すべき食品	リスク	安全な代用品
漬物・梅干	腸炎ビブリオによる食中毒例あり．まな板で漬物を切る際，まな板などに付着していた腸炎ビブリオが漬物の塩分濃度が最適環境であったことにより増殖．その他の菌も調理過程で付着する可能性あり．調理具や調理者の衛生状態に影響される．	調理工程の衛生管理が確認できない場合は避ける
缶・ペットボトル・ブリックパックなどに入った清涼飲料	製造工程では，清涼飲料水規格基準に従い殺菌処理などが義務づけられている．開封後容器に直接口をつけて飲用することで口内や手などに付着している微生物が混入増殖し汚染の可能性あり．	開封後はコップなど容器にとり飲用する．開封後は冷蔵保存し，24時間を過ぎたら破棄する．
飲料水	家畜の糞尿処理施設から排水される汚水や野生動物の糞便に汚染された地表水・原水などを水源とする水の不十分な浄化や管理されていない貯水槽を経由した水はクリプトスポリジウムによって汚染された水による感染．腸管出血性大腸菌・赤痢菌によって汚染された井戸水などの飲用による感染．	井戸水・湧水は避ける．衛生管理されている水道水は，必ずしも煮沸をする必要はないが，共同住宅などで貯水槽を経由して供給されている場合には，1分煮沸をして飲用することを推奨する．賞味期限表示のある水は飲用可であるがコップなど容器に取り飲用する．
氷		上記の飲用可能な水を使用し，他の食品が付着しないように製氷したものを摂取．製氷工程の衛生管理が確認できない場合は避ける．
缶詰・レトルト食品	嫌気環境でのボツリヌス菌の増殖の可能性あり．	容器の破損・変形・膨張していない製品を摂取．開封後は24時間過ぎたら破棄する．
アイスクリーム・シャーベット・ゼリー・プリン	未殺菌乳を使用したアイスクリームはリステリアなどによる汚染の可能性あり．自家製シャーベット・ゼリー・プリンは調理工程での汚染の可能性あり．	個別密閉されている製品．一度溶解したものは避ける．
蜂蜜	ボツリヌス菌に汚染されている可能性あり．	殺菌表示のある製品．

(文献30) p42-43より)

いない．特に，クリプトスポリジウムは塩素に耐性を持っているため，まれに水道水の汚染報告がある．

⑯氷は，上記飲用可能な水を使用し，他の食品が付着しないように製氷したものを摂取する．製氷工程の衛生管理が確認できない場合は避ける．

⑰缶詰・レトルト食品は，容器の破損・変形・膨張していない製品を選択する．

⑱アイスクリーム・シャーベット・ゼリー・プリンは，個別密封されている製品を選択する．一度溶解した物は避ける．

⑲蜂蜜は，殺菌表示のある製品を選択する．

⑳焼菓子，チョコレート，ガムなど市販菓子類は，少量個別包装を選択する．「するめ」によるサルモネラ食中毒例があるため魚介類を材料とする製品の安全性は十分に検討されていないため慎重に選択する．

野菜や果物の衛生管理を適切に行い，肉や魚や卵は生で食することを避け，不十分な調理は避け，無殺菌乳製品を避け，非衛生的な管理で調理されたかもしれない食品を避けるのが現在のpracticeと思われる．有機農法でつくられたものも微生物を多く含む可能性があり気をつけておく必要があり，自家製のものは使用せず殺菌表示のあるものを使用することが必要である．

また，調理をする際はまな板や包丁も食品ごとに別個にして使用するごとに洗浄してから使用するようにしてコンタミネーションを防ぐことが重要である．

ただ骨髄細胞移植時には通常の抗がん薬治療以上に厳格に行うほうがよいと考えられ，事前の調理に加えて殺菌の難しい生の野菜や果実を避けるべきである．ただ無理強いしてはいけない．

文献

1）August DA, Huhmann MB：A.S.P.E.N. clinical guidelines：nutrition support therapy during adult anticancer treatment and in hematopoietic cell transplantation. J Parenter Enteral Nutr **33**：472–500, 2009

2）別所和久（監修）：これからはじめる 周術期口腔機能管理マニュアル，第２版，永末書店，京都，2020

3）Casewell M, Phillips I：Food as a source of *Klebsiella* species for colonization and infection of intensive care patients. J Clin Pathol **31**：845–849, 1978

4）Wright C, Kominoa SD, Yee RB：Enterobacteriaceae and *Pseudomonas aeruginosa* recovered from vegetable salads. Appl Environ Microbiol **31**：453–454, 1976

5）Remington JS, Schimpff SC：Occasional notes：please don't eat the salads. N Engl J Med **304**：433–435, 1981

6）Barber FD：Management of fever in neutropenic patients with cancer. Nursing Clinics of North America **36**：631–644, 2001

7）Berg RD：Bacterial translocation from the gastrointestinal tract. Adv Exp Med Biol **473**：11–30, 1999

8）Tomblyn M, Chiller T Einsele H et al：Guidelines for preventing infectious complications among hematopoietic cell transplant recipients：a global perspective. Biol Blood Marrow Transplant **15**：1143–1238, 2009

9）Mukherjee A, Speh D, Dyck E et al：Preharvest evaluation of coliforms, *Escherichia coli*, *Salmonella*, and *Escherichia coli* O157：H7 in organic and conventional produce grown by Minnesota farmers. J Food Prot **67**：894–900, 2004

10）Johnston LM, Jaykus l, Moll D et al：A field study of the microbiolobical quality of fresh produce. J Food Prot **68**：1840–1847, 2005

11）DeMille D, Deming P, Lupinacci P et al：The effect of the neutropenic diet in the outpatient setting：a pilot study. Oncol Nurs Forum **33**：337–343, 2006

12）Smith LH, Besser SG：Dietary restrictions for patients with neutropenia：a survey of institutional practices. Oncol Nurs Forum **27**：515–520, 2000

13）Moody K, Charlson ME, Finlay J：The neutropenic diet：what's the evidence? J Pediatr Hematol Oncol **24**：717–721, 2002

14）Todd J, Schoride M, Christain J et al：The low bacteria diet for immunocompromised patients：reasonable prudence or clinical superstition? Cancer Pract **7**：205–207, 1979

15）Wilson BJ：Dietary recommendations for neutropenic patients. Semin Oncol Nurs **18**：44–49, 2002

16）French MR, Levy-Milane R, Zibrik D：A survey of the use of low microbial diets in pediatric bone marrow transplant programs. J Am Diet Assoc **101**：1194–1198, 2001

17）Pizzo PA, Purvis DS, Waters C：Microbiologic evaluation of food items. J Am Diet Assoc **81**：272–279, 1982

18）Freifeld AG, Bow EJ, Sepkowitz KA, et al：Clinical practice guideline for the use of antimicrobial agents in neutropenic patients with cancer：2010 update by the Infectious Diseases Society of America. Clin Infect Dis **52**：e56–e93, 2011

19）Gardner A, Mattiuzzi G, Faderl S et al：Randomized comparison of cooked and noncooked diets in patients undergoing remission induction therapy for acute myeloid leukemia. J Clin Oncol **26**：5684–5688, 2008

20）Trifilio S, Helenowski I, Giel M et al：Questioning the role of a neutropenic diet following hematopoetic stem cell transplantation. Biol Blood Marrow Transplant **18**：1385–1390, 2012 Comment in：Biol Blood Marrow Transplant **18**：1318–1319, 2012

21）Yokoyama S, Fujimoto T, Mitomi T et al：Use of total parenteral nutrition in pediatric bone marrow transplantation. Nutrition **5**：27–30, 1989

22）Jubelirer SJ：The Benefit of the neutropenic diet：fact or fiction? The Oncologist **16**：704–707, 2011

23）Zitella LJ, Friese CR, Hauser J et al：Putting evidence into practice：prevention of infection. Clin J Oncol Nurs **10**：739–750, 2006. Comment in：Clin J Oncol Nurs **11**：185–186, 2007

24）Fukuzawa K, Ikebata W, Sohmi K：Location, antioxidant and recycling dynamics of tocoferol in liposome membranes. J Nutr Sci Vitaminol（Tokyo）**39**（Suppl）：S9–S22, 1993

25）Olson JA：Vitamin A and carotenoids as antioxidants in a physiological context. J Nutr Sci Vitaminol **39**（Suppl）：S57–S65, 1993

26）Lima de Ara?jo L, Maciel Barbosa J, Gomes Ribeiro AP et al：Nutritional status, dietary intake and serum levels of vitamin C upon diagnosis of cancer

in children and adolescents. Nutr Hosp **27**：496-503, 2012
27）Vollbracht C, Schneider B, Leendert V et al：Intravenous vitamin C administration improves quality of life in breast cancer patients during chemo-/radiotherapy and aftercare：results of a retrospective, multicentre, epidemiological cohort study in Germany. In vivo. **25**：983-990, 2011
28）Melichar B, Krcmová L, Kalábová H, et al：Serum retinol, alpha tocoferol and systemic inflammatory response in metastatic colorectal carcinoma patients treated with combination chemotherapy and cetuximab. J Nutr Sci Vitaminol **56**：222-226, 2010
29）Vicenski PP, P Alberti, Amaral DJ：Dietary recommendations for immunosuppressed patients of 17 hematopoietic stem cell transplantation centers in Brazil. Rev Bras Hematol Hemoter **34**：86-93, 2012
30）造血細胞移植ガイドライン　造血移植後の感染管理（第4版）https://www.jstct.or.jp/uploads/files/guideline/01_01_kansenkanri_ver04.pdf（2023年3月1日アクセス）
31）厚生労働省医薬食品局食品安全部：大量調理施設衛生管理マニュアル https://www.mhlw.go.jp/file/06-Seisakujouhou-11130500-Shokuhinanzenbu/0000168026.pdf（2023年3月1日アクセス）
32）World Health Organization：Five Keys to Safer Food Manual　https://www.who.int/publications/i/item/five-keys-to-safer-food-manual（2023年3月1日アクセス）
33）国立保健医療科学院食品安全部編 / 豊福肇　翻訳 2007.3：食品をより安全にするための5つの鍵マニュアル
https://www.niph.go.jp/soshiki/ekigaku/Five_keys_manual_Japanese.pdf（2023年3月1日アクセス）

(5) がんに伴う栄養関連症候群に対する薬理学的な管理法

*1 岩手医科大学附属病院薬剤部
*2 岩手医科大学薬学部臨床薬学講座
二瓶　哲*1，工藤賢三*1,2

がんにおける栄養障害は，がん細胞による宿主への攻撃ばかりでなく，抗がん薬の副作用によっても引き起こされる．本項では，がんにおける栄養障害と薬剤，特に抗がん薬の副作用によって引き起こされる栄養障害について概説する．

A　がん治療時の栄養障害因子

図1にがん治療時の栄養障害因子をまとめた．高齢者は蛋白同化抵抗性により，アミノ酸が供給されたとしても成人に比し，筋肉蛋白質の同化作用が弱い可能性がある．加えて，骨格筋蛋白質の合成を促す栄養と運動の不足はサルコペニアへとつながる．また，加齢に伴う舌の萎縮が認められ，舌の機能低下が嚥下障害につながる局所的なサルコペニア状態になっている場合もある．このような低栄養状態の高齢者の入院は，基礎代謝の減少，身体機能の低下，活動性の低下および食欲摂取量の減少に伴う低栄養というフレイルティサイクルが構築されやすい．

食欲不振は，腫瘍が引き起こす消化管通過障害により生じることもある．さらに炎症性サイトカインが，食欲を調節する視床下部のメラノコルチンシステムを刺激して食欲不振を引き起

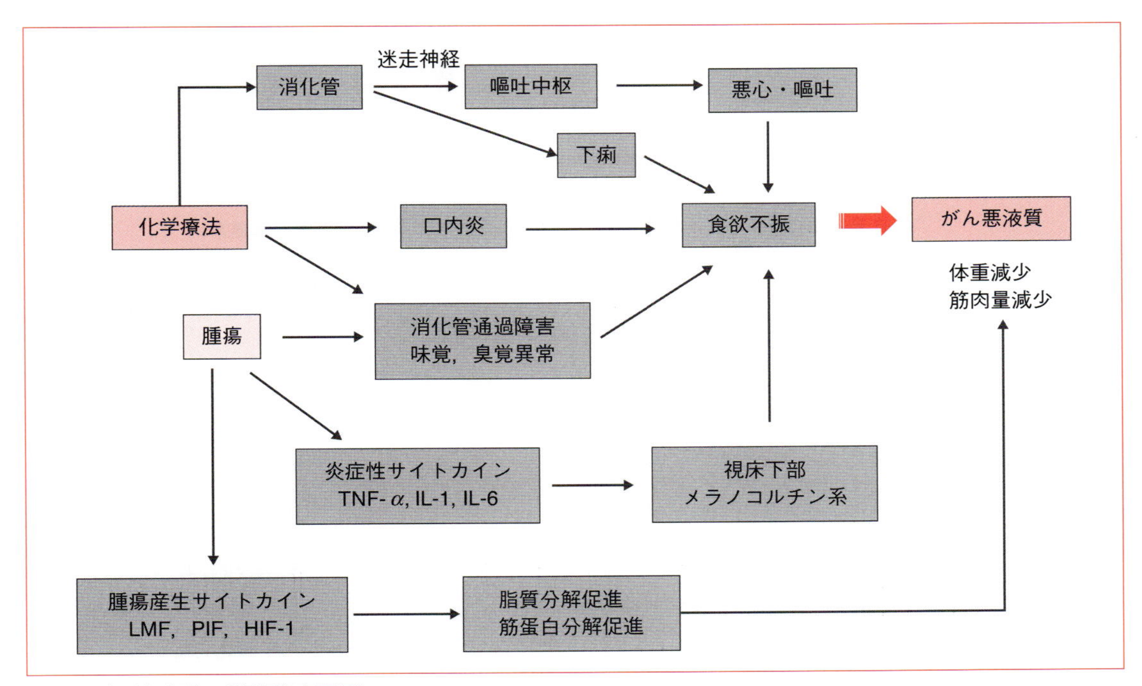

図1　がん治療時の栄養障害因子
LMF：脂質動員因子，PIF：蛋白質分解誘発因子，HIF-1：低酸素誘導因子-1，TNF-α：腫瘍壊死因子-α，IL：インターロイキン

こすこともある．そして，がん細胞が産生するサイトカインは，患者に食欲不振を引き起こすばかりでなく，筋蛋白質の分解を亢進して患者を栄養障害からがん悪液質へと導く．悪液質に陥ると体細胞量の回復は望むことができず，それは余命の減少につながる．

一方，化学療法における副作用，悪心・嘔吐，下痢，口内炎などによる栄養障害は，患者の生活の質（QOL）を著しく低下させる．これらの副作用は，可逆的で抗がん薬の投与中止によって回復することが多いものの，化学療法の中止は治療の中断を意味する．したがって，抗がん薬の副作用を軽減する方法を講じる必要がある．

B 腫瘍細胞が産生するサイトカイン

腫瘍細胞が産生するサイトカインには，脂質動員因子（lipid-mobilizing factor：LMF），蛋白質分解誘発因子（proteolysis-inducing factor：PIF），低酸素誘導因子（hypoxia-inducible transcription factor：HIF-1）および炎症性サイトカインである腫瘍壊死因子（tumor necrosis factor-α：TNF-α），インターロイキン（IL）などがある．全身性炎症は，食欲を低下させ，体重減少を引き起こし，さらにがん細胞増殖を促進させる．図2にMechanism of Cancer Cachexia[1)]をもとに，腫瘍細胞が産生するサイトカインのエネルギー代謝に及ぼす影響を示した．

がん細胞は微小血管からの低酸素供給状態でも活動が可能である．このような嫌気的環境下でエネルギーを得るためにはトリカルボン酸サイクル（TCAサイクル）を利用し，40倍以上のブドウ糖を必要とする（Warburg効果）．このようにがん細胞は嫌気的な環境下でCoriサイクルの活性により，また宿主の脂肪と蛋白質の異化により産生されるブドウ糖を最大限に利用する．さらにTNF-αおよびIL-6などの炎症性

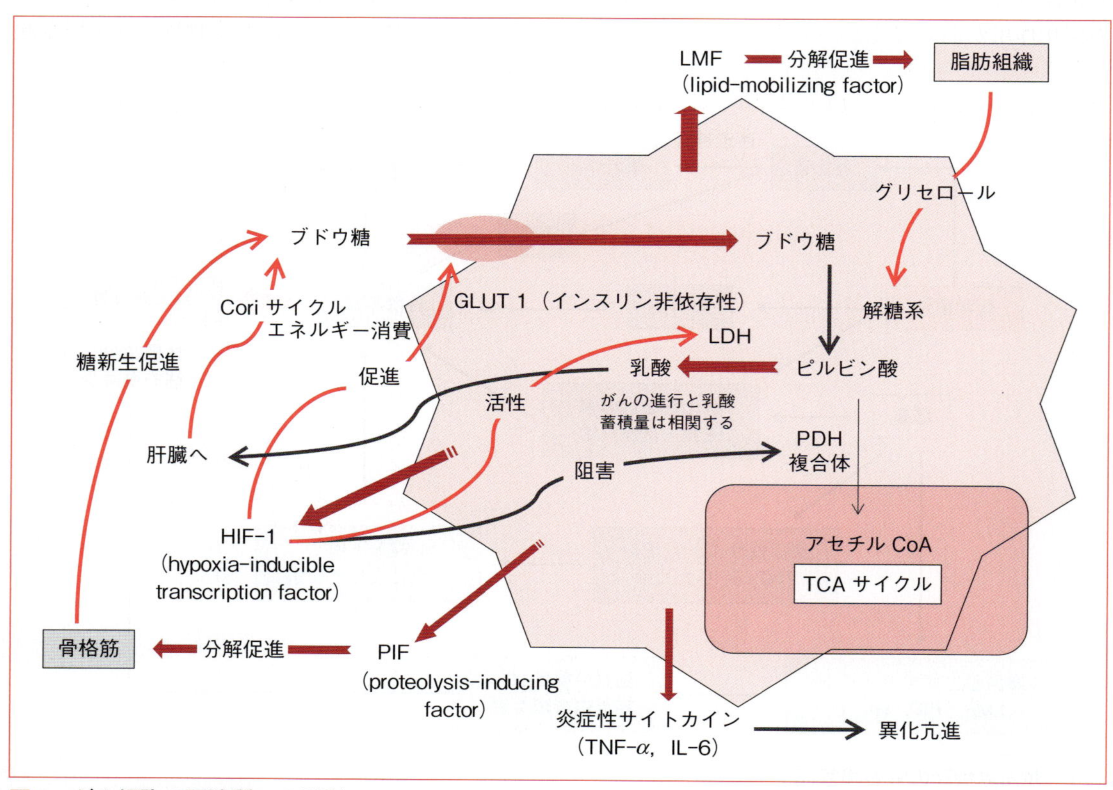

図2　がん細胞の悪液質への代謝

サイトカインは宿主の異化を亢進する．すなわちがん細胞は宿主を炎症状態，異化亢進状態に陥らせ，宿主は次第に悪液質へといたる．

C 抗がん薬による悪心・嘔吐とその対策

抗がん薬による副作用で悪心・嘔吐は，患者に耐え難い苦痛を与える一方，食欲不振の主たる原因になるとともに，ときには治療を拒む原因にもなる．したがって，悪心・嘔吐を未然に防ぐ対策は栄養障害ばかりでなく，治療の継続でも重要である．抗がん薬による悪心・嘔吐は急性期，遅発性，予測性，突発性の４つに分類される．急性期は抗がん薬投与24時間以内，遅発性は１日後から約１週間程度持続する．予測性とは，過去の抗がん薬投与でつらい経験をしたことで，新たな抗がん薬投与前から悪心・嘔吐が出現する場合をいう．突発性は予防投与を十分に行っても起こる悪心・嘔吐を指す．

悪心・嘔吐のメカニズムについて**図３**に示す．体内全身のセロトニン（5-HT）の80%以上が腸管粘膜内に存在する．抗がん薬はこの腸管の腸クロム親和性細胞を刺激して5-HTを遊離させ，遊離した5-HTは迷走神経求心性線維終末にある$5\text{-}HT_3$受容体を刺激する．また，腸クロム親和性細胞からはサブスタンスPも抗がん薬によって遊離され，迷走神経求心性線維終末にあるニューロキニン（NK1）受容体を刺激することが知られている．迷走神経求心性線維は延髄最後野に投射しており，刺激が伝導される．延髄最後野は，嘔吐の化学受容器（chemoreceptor trigger zone：CTZ）であり，血液脳関門外に存在する．このCTZには$5\text{-}HT_3$，NK_1，ドパミンD_2受容体が存在し，抗がん薬は直接$5\text{-}HT_3$，NK_1受容体をも刺激する．CTZへの刺激は延髄孤束核周辺の嘔吐中枢を興奮させ，遠心性の刺激として嘔吐が引き起こされる．$5\text{-}HT_3$受容体は急性嘔吐，NK_1受容体は遅発性嘔吐に関連している．ドパミンD_2受容体は，オピオイドによる嘔吐に関連している．

抗がん薬の催吐性のリスクは次のように分類される．高度催吐性リスク；90%を超える患者に発現する場合，中等度催吐性リスク；30〜90%，軽度催吐性リスク；10〜30%の患者に発現する．主な抗がん薬の催吐性リスクや悪心・嘔吐の予防対策は，国内外の学会が提示しており，ここでは日本癌治療学会「がん診療ガイド

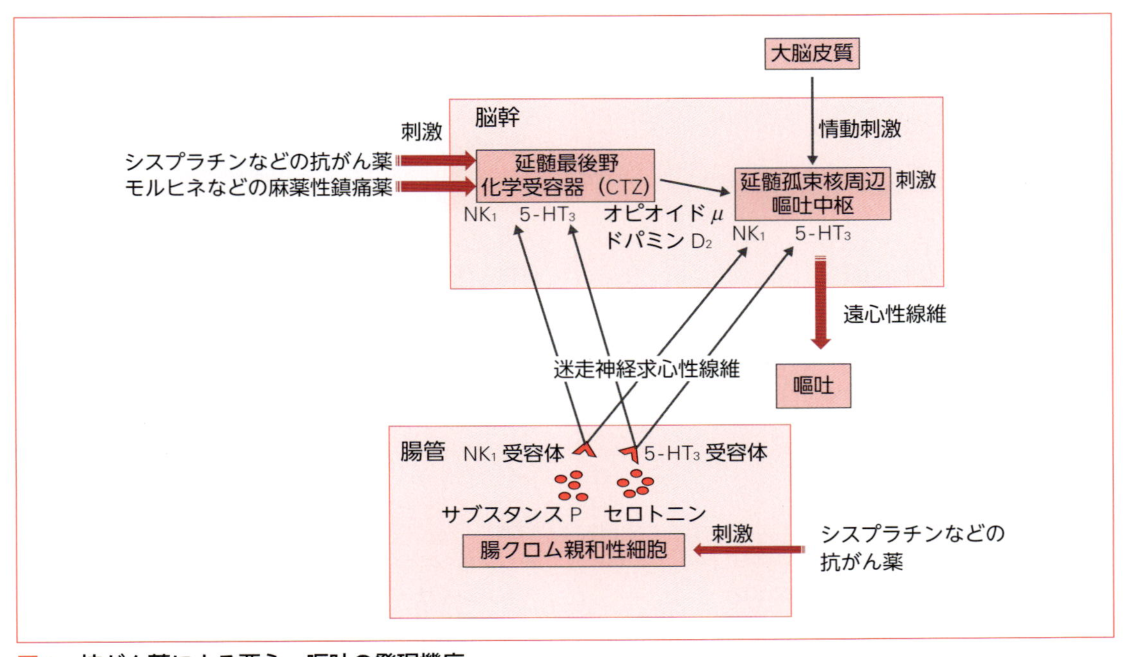

図３　抗がん薬による悪心・嘔吐の発現機序

ライン：制吐療法」[2)]に基づき表1・表2にまとめた．悪心嘔吐の予防対策の基本は，アスレピタントなどを含む NK_1 受容体拮抗薬，パロノセトロンなどを含む5-HT_3 受容体拮抗薬およびデキサメタゾン9.9 mg静注投与する．ドパミン，セロトニン，ヒスタミン，アドレナリン，アセチルコリンといったさまざまな神経伝達物質の受容体をブロックする抗精神病薬のオランザピンに制吐薬としての適応が追加された．オランザピンは，他の制吐薬との併用において5 mgを1日1回経口投与（最大1日10 mgまで増量可能），最大6日間を目安として使用が可能である．海外の制吐療法ガイドラインではアプレピタント（またはホスアプレピタント），パロノセトロン，デキサメタゾンの3剤併用にオランザピンを加えるレジメンが推奨療法として追加されている．これらは，高度催吐性リスクに分類されるレジメンにおいて，オ

表1　主な抗がん薬の催吐性リスク

【高度（催吐性）リスク】
注射
イホスファミド（≧2 g/m²/回） エピルビシン（≧90 mg/m²） シクロホスファミド（≧1,500 mg/m²） シスプラチン ストレプトゾシン ダカルバジン ドキソルビシン（≧60 mg/m²）
内服
プロカルバジン
【中等度（催吐性）リスク】
注射
カルボプラチン（高度催吐性リスクに準じた扱い） アザシチジン アムルビシン イダルビシン イホスファミド（<2 g/m²/回） イリノテカン エピルビシン（<90 mg/m²） オキサリプラチン シクロホスファミド（<1,500 mg/m²） シタラビン（>200 mg/m²） テモゾロミド ドキソルビシン（<60 mg/m²） ベンダムスチン メトトレキサート（≧250 mg/m²）
内服
イマチニブ クリゾチニブ シクロホスファミド テモゾロミド トリフルリジン・チピラシル（TAS-102） レンバチニブ

【軽度（催吐性）リスク】
注射
エトポシド エリブリン カバジタキセル ゲムシタビン シタラビン（100～200 mg/m²） ドセタキセル パクリタキセル フルオロウラシル ペメトレキセド メトトレキサート（50～250 mg/m² 未満）
内服
エトポシド エベロリムス オラパリブ カペシタビン テガフール・ウラシル（UFT） テガフール・ギメラシル・オテラシル（S-1） パルボシクリブ
【最小度（催吐性）リスク】
注射
L-アスパラギナーゼ シタラビン（<100 mg/m²） トラスツズマブ ニボルマブ ビノレルビン ビンクリスチン ブレオマイシン メトトレキサート（≦50 mg/m²）
内服
オシメルシニブ メトトレキサート メルカプトプリン

［日本癌治療学会：がん診療ガイドライン，制吐療法を参考に作成］

表２　がん化学療法後の悪心嘔吐の予防対策

高度催吐性リスク（催吐頻度＞90％）	1	2	3	4	5日
アプレピタントカプセル（mg）	125	80	80		
もしくは					
ホスアプレピタント点滴静注（mg）	150 DIV				
5-HT$_3$受容体拮抗薬	内服				
デキサメタゾン（mg）	9.9 IV, DIV	8内服	8内服	8内服	(8内服)

注：アプレピタントを使用しない場合には，1日目のデキサメタゾン注射液は13.2〜16.5 mgとする．
5日目のデキサメタゾンは，状況に応じて投与の可否を選択する．

中等度催吐性リスク（催吐頻度30〜90％）	1	2	3	4	5日
5-HT$_3$受容体拮抗薬	内服				
デキサメタゾン（mg）	9.9 (6.6) IV, DIV	8内服	8内服	(8内服)	

注：デキサメタゾン注射液の一般的推奨用量は9.9 mg，（6.6 mg）は代替用量．
2〜4日目のデキサメタゾンを積極的に利用できない場合は，5-HT$_3$受容体拮抗薬2〜4日間を追加する．
4日目のデキサメタゾンは，状況に応じて投与の可否を選択する．

※カルボプラチン使用時は高度催吐性リスクに準じた扱い
オプション（イホスファミド，イリノテカン，メトトレキサートなど）

	1	2	3	4	5日
アプレピタントカプセル（mg）	125	80	80		
もしくは					
ホスアプレピタント点滴静注（mg）	150 DIV				
5-HT$_3$受容体拮抗薬	内服				
デキサメタゾン（mg）	4.95 (3.3) IV, DIV	(4内服)	(4内服)	(4内服)	

注：デキサメタゾン注射液の一般的推奨用量は4.95 mg，（3.3 mg）は代替用量．
2日目以降のデキサメタゾンは，状況に応じて投与の可否を選択する．

軽度催吐性リスク（催吐頻度10〜30％）	1	2	3	4	5日
デキサメタゾン（mg）	6.6 (3.3) IV, DIV				

注：状況に応じてプロクロルペラジン5〜20 mg（分1〜4），メトクロプラミド10〜30 mg（分2〜3，食前）デキサメタゾン注射液の一般的推奨用量6.6 mgは，（3.3 mg）は代替用量．

※抗がん薬投与24時間以内：急性期
抗がん薬投与2日以降：遅発性

［日本癌治療学会：がん診療ガイドライン，制吐療法を参考に作成］

ランザピンがパロノセトロンとデキサメタゾン併用下でアプレピタントと同等であることが示された第Ⅲ相ランダム化比較試験[3]や，アプレピタント（またはホスアプレピタント），パロノセトロン，デキサメタゾンの３剤併用にオランザピンを加える有用性が示された第Ⅲ相ランダム化比較試験の結果を受けている[4]．ただし，慎重に投与すべき患者としては，糖尿病患者ならびに高血糖あるいは肥満などの糖尿病の危険因子を有する患者，高齢の患者であり，使用に際しては副作用の傾眠や血糖上昇に十分注意する．また，作用点が重複するドパミンD$_2$受容体拮抗薬のドンペリドン，メトクロプラミド，ハロペリドール，リスペリドンなどとの併用は勧められず，また，睡眠薬との併用には注意を要する．デキサメタゾンによる有害事象（血糖上昇，不眠，消化性潰瘍，骨量低下など）を軽減するために２日目以降の内服ステロイド（デキサメタゾン）を省略するステロイドスペアリングの有用性について多くの検討がなされている．中等度催吐性リスクに分類されるレジメンにおいて，5-HT_3受容体拮抗薬のパロノセトロンを用いて，デキサメタゾンを1〜3日目に投与した場合と1日目のみに投与した場合（ステロイドスペアリング）を比較したところ，ほぼ同等の効果が示されている[5]．また，一部の高度催吐性リスクに分類されるレジメンにおいてもステロイドスペアリングが可能であったとの報告もある[6]．

軽度催吐性リスクの場合，デキサメタゾンを抗がん薬投与当日に単独投与する．状況に応じては，プロクロルペラジン（5〜20 mg，分1〜4）もしくはメトクロプラミド（10〜30 mg，分2〜3，食前）を内服させる．10％以下の最小度リスクには，制吐薬は基本的に不要である．

突出性悪心・嘔吐は制吐薬の予防的投与にもかかわらず悪心・嘔吐が発現し，治療が困難である．「がん診療ガイドライン：制吐療法」では，作用機序の異なる制吐薬を追加投与すること，5-HT_3受容体拮抗薬を予防に使用した場合，異なる5-HT_3受容体拮抗薬の使用を推奨している．またガイドラインでは，予期性悪心・嘔吐にはベンゾジアゼピン系抗不安薬が有効であるものの，悪心・嘔吐を経験させないことが重要であると推奨している．

D 抗がん薬による重度の下痢とその対策

抗がん薬あるいは放射線照射による下痢の発生機序は，投与直後に発現する急性期と抗がん薬投与1〜14日ほど経過してから発現する遅発性に分けられる（表3）．急性期下痢は副交感神経の活性化により発現する．一方，遅発性下痢は消化管上皮組織のなかで，細胞増殖旺盛な腺窩部細胞の器質障害による絨毛部細胞の形態的および機能的障害が二次的に生じるために発現する．ニボルマブなどのICIには免疫関連有害事象（immune-related adverse events：irAE）が認められることがあり，特に下痢や大腸炎は発生頻度が高い．ICI投与により自己抗原特異的なT細胞が活性化されることで，自己の細胞や組織を破壊してしまう可能性があり，これがirAEのメカニズムのひとつと推察されている．

下痢の管理ポイントは，下痢の回数，排便量，性状（水様便，血便など）を評価することである．また，感染症，好中球減少，出血傾向，脱水・電解質異常の有無を把握することも重要である．irAE大腸炎では，下痢，腹痛，血便，発熱を伴うことが多いが，これらの症状を必ずしも伴わないこともあるので，評価には注意する．

治療方針の多くは安静，食事内容の変更，水分・電解質の補充を含む対症療法である．薬物療法としては，収斂薬（タンニン酸アルブミン），

表3　抗がん薬，放射線治療における下痢の発生機序と治療薬

1. 急性期下痢
投与後早期に持続的に発現 抗がん薬により消化管の副交感神経が活性化され，腸管蠕動が亢進する [治療薬] アトロピンなどの抗コリン薬（コリン様症状の場合）
2. 遅発性下痢
投与後数日〜14日ほど経ってから発現 抗がん薬やその代謝物が腸粘膜上皮の絨毛を萎縮，脱落するため腸管粘膜障害に基づく下痢 [治療薬] ロペラミド（感染症がない場合），重度の場合は入院管理による抗菌薬投与や電解質輸液投与を検討

吸着薬（天然ケイ酸アルミニウム），腸管運動抑制薬（ロペラミド，ブチルスコポラミン，コデイン，アヘンアルカロイド）が用いられる．抗がん薬による下痢対策として，腸内環境を整える作用のあるプロバイオティクス（整腸薬など）の補助投与が期待できる[7]．

急性期下痢は，発汗・鼻汁・流涎・流涙・かすみ眼・腹痛などのコリン様症状を伴うこともあり，これらに対してはアトロピンなどの抗コリン薬が用いられる．遅発性下痢に対しては，感染症などの危険因子がない場合は主にロペラミドが用いられる．重度の場合は，入院管理による抗菌薬投与，電解質輸液投与を検討する．またirAE大腸炎に対しては，薬剤の中止・休薬とステロイドの投与を基本とし，有害事象の評価を誤らせる恐れがあるロペラミドなどの止痢薬を安易に使用しない．

E 抗がん薬による口内炎とその対策

発生機序は，抗がん薬によるDNA合成阻害，フリーラジカルによる口腔粘膜の損傷，口腔細菌感染，低栄養，骨髄抑制などによる免疫低下による二次的感染が考えられている．口腔外科領域のがんでは抗がん薬と放射線療法との併用で口内炎は必至である．

口内炎は，予防，治療ともに確立された対処法がないのが現状である．口腔内の保清・保湿，鎮痛，栄養補充のような対症療法が主に行われる．口内炎の予防の基本は口腔ケアであり，海外のガイドラインにおいて，歯科の早期介入，ブラッシング(柔らかいブラシ)，含嗽(アルコールを含まない含嗽液）などが推奨されている．含嗽は口腔内の保清・保湿をもたらすために頻回に実施することが推奨され，浸透圧が粘膜に近く痛みが少ない生理食塩水やアズレンスルホン酸による含嗽液などが用いられる．疼痛を伴う場合，疼痛はできる限り制御していくべきとの考えから，局所麻酔薬（リドカイン）を含んだ含嗽液，アセトアミノフェン，NSAIDs，オピオイドの鎮痛薬を併用することがある．食事を工夫して疼痛を和らげることも検討する．また，市販化されていない製剤ではあるが，粘膜保護・組織修復作用を有するP-AG（ポラプレジンク＋アルギン酸ナトリウム）が院内製剤として調製され，口内炎や食道炎に対して一般的に使用されている．

一方で，ポビドンヨード液は組織の上皮化の阻害をきたす可能性があるため，口内炎対策として用いるべきではない．また，ステロイド口腔用軟膏が処方されることがあるが，抗がん薬による口内炎は通常のアフタ性口内炎と異なり，ステロイドの創傷治癒遅延作用により悪影響をきたす可能性や，免疫抑制作用によりカンジダ性口内炎の誘因もしくは悪化の原因となる可能性があるため好ましくない．

F 抗がん薬による味覚異常とその対策

抗がん薬や放射線治療に伴う味覚異常は，多くは味の受容を行う味蕾（味細胞）の減少・萎縮により生じる．また，亜鉛不足，唾液分泌の低下，さらには唾液中の非生理的物質が排泄され，それが異常な味物質として働くことにより生じることもある．抗がん薬のなかには亜鉛の吸収を低下させるものがあるので，亜鉛不足にならないよう注意する必要がある．

G がん悪液質とその対策

がん悪液質は，多くの進行がん患者にみられ，さまざまな要因による骨格筋量の減少を特徴とする複合的な代謝異常症候群である．主な症状は，体重減少，食欲不振，倦怠感などで，がん化学療法への忍容性の低下，QOLの低下，予後不良の要因となる．近年，がん悪液質の病態解明が進み，薬物療法の開発が進められるなど，大きく注目されるようになっている．2021年には，本邦でがん悪液質を適応とした初の薬剤であるアナモレリンが上市された（表４）．アナモレリンはグレリン受容体を作動させて作用する．グレリンは胃から分泌される内因性ホルモンであり，食欲促進作用に加えて，抗炎症作用，筋蛋白質分解の抑制作用，脂肪貯蔵の増加

表 4　アナモレリン適応患者の選択基準

がん種	切除不能な進行・再発の非小細胞肺がん，胃がん，膵がん，大腸がんのがん悪液質患者
治療の位置づけ	栄養療法などで効果不十分ながん悪液質の患者に使用すること
悪液質の状態	6 ヵ月以内に 5%以上の体重減少と食欲不振があり，かつ以下の①～③のうち 2 つ以上を認める患者に使用すること ①疲労または倦怠感 ②全身の筋力低下 ③CRP 値 0.5 mg/dL 超，ヘモグロビン値 12 g/dL 未満またはアルブミン値 3.2 g/dL 未満のいずれか 1 つ以上

［エドルミズ錠 50 mg 添付文書：小野薬品工業株式会社，2023 年 2 月改訂（第 2 版）を参考に作成］

作用なども併せ持つ．グレリン様作用を有するアナモレリンは，国内でがん悪液質患者を対象に実施した 3 つの臨床試験で，がん悪液質の患者における体重および筋肉量の増加ならびに食欲の改善傾向を示している[8～10]．

文献

1）Tisdale MJ：Mechanism of Cancer Cachexia. Physiol Rev **89**：381–410, 2008
2）日本癌治療学会：がん診療ガイドライン，制吐療法 〈http://www.jsco-cpg.jp/guideline/29.html〉
3）Navari RM, Gray SE, Kerr AC：Olanzapine versus aprepitant for the prevention of chemotherapy-induced nausea and vomiting：a randomized phase III trial. J Support Oncol **9**：188–195, 2011
4）Hashimoto H, Abe M, Tokuyama O et al：Olanzapine 5 mg plus standard antiemetic therapy for the prevention of chemotherapy-induced nausea and vomiting（J-FORCE）：a multicentre, randomised, double-blind, placebo-controlled, phase 3 trial. Lancet Oncol **21**：242–249, 2020
5）Komatsu Y, Okita K, Yuki S et al：Open-label, randomized, comparative, phase III study on effects of reducing steroid use in combination with Palonosetron. Cancer Sci **106**：891–895, 2015
6）Ito Y, Tsuda T, Minatogawa H, Kano S et al：Placebo-Controlled, Double-Blinded Phase III Study Comparing Dexamethasone on Day 1 With Dexamethasone on Days 1 to 3 With Combined Neurokinin-1 Receptor Antagonist and Palonosetron in High-Emetogenic Chemotherapy. J Clin Oncol **36**：1000–1006, 2018
7）鶴川百合，伊勢雄也，殿塚早百合ほか：がん治療と緩和ケア（2），医療現場で期待されるプロバイオティクスの役割．日医大会誌 **8**：174–178，2012
8）Takayama K, Katakami N, Yokoyama T et al：Anamorelin（ONO-7643）in Japanese patients with non-small cell lung cancer and cachexia：results of a randomized phase 2 trial. Support Care Cancer **24**：3495–3505, 2016
9）Katakami N, Uchino J, Yokoyama T et al：Anamorelin（ONO-7643）for the treatment of patients with non-small cell lung cancer and cachexia：Results from a randomized, double-blind, placebo-controlled, multicenter study of Japanese patients（ONO-7643-04）. Cancer **124**：606–616, 2018
10）Hamauchi S, Furuse J, Takano T et al：A multicenter, open-label, single-arm study of anamorelin（ONO-7643）in advanced gastrointestinal cancer patients with cancer cachexia. Cancer **125**：4294–4302, 2019

第5章

がん治療法における副作用とその対応

*1：愛媛大学大学院医学系研究科地域生活習慣病・内分泌学
*2：愛媛大学医学部附属病院栄養部
松浦　文三*1　　利光久美子*2

A 担がん例の病態栄養

担がん状態では，栄養状態の悪化が出現する．消化器系のがんでは，栄養素の摂取，移動，消化，吸収部位ががんにより障害されるため栄養障害は必然的に出現してくるが，その他の部位のがんにおいても栄養障害は出現する．この機序として，がん細胞そのものが分泌する腫瘍由来因子とともに担がん宿主の反応としての炎症性サイトカイン，また神経内分泌異常が考えられている[1]．がん細胞が分泌する腫瘍由来因子としては，蛋白分解誘導因子（proteolysis-inducing factor：PIF）や脂肪動員因子（lipid mobilizing factor：LMF）などがあり，宿主の筋肉量や脂肪量を減少させる．宿主反応としての炎症性サイトカインには，インターロイキン（IL）-1β, IL-6, 腫瘍壊死因子（TNF）-α, インターフェロン（IFN）-γ などがあり，基礎代謝および骨格筋，脂肪組織の異化を亢進させたり，食欲不振を惹起させたりする．またがんの経過中，外科療法，化学療法，放射線療法，がんの進行に伴っても，食事摂取の低下，栄養状態の悪化が出現する．

本項では，種々のがん治療における栄養摂取の低下の機序と，その対応について概説する．

B 外科療法

咽頭がんなどの頭頸部領域のがん，また食道がん，胃がんなどの上部消化管がんにおいては，術前に経口摂取障害から体重減少をきたしている場合が多い．また近年では，術前化学療法や放射線療法を行うこともあり，栄養障害が増悪している場合がある．術後は，嚥下障害による栄養素摂取量の低下，胃の欠落症状や再建法に伴うダンピング症候群，ビタミンB_{12}，ビタミンD，鉄，カルシウムなどの吸収障害の合併症に留意する必要がある[2]．

大腸がん術後は，一般には臓器欠落症状を呈することは少ない．しかし，回腸が切除されている場合はビタミンB群や脂溶性ビタミンの吸収障害に留意する必要がある．

正常肝に合併した転移性肝がんの肝切除術は，術後大きな栄養障害をきたすことは少ないが，肝硬変に合併した原発性肝がんに対する肝切除術後は，総エネルギーや炭水化物の摂取不足による肝グリコーゲン貯蔵の低下，分岐鎖アミノ酸（BCAA）不足によるアンモニア処理能の低下や筋蛋白の崩壊，蛋白合成不足による胸腹水や浮腫など，肝不全の進行に注意を要する．

胆膵がんに対して膵頭十二指腸切除術を行った場合は，あらゆる栄養素の消化吸収障害の発生する可能性があり，こまめに栄養評価を行い，栄養治療の計画を立てる必要がある．膵切除の場合は，脂肪消化吸収低下や，インスリンの絶対的不足による糖尿病の発症，増悪に注意する必要がある．

C 化学療法

化学療法薬は，①細胞毒性化学療法薬，②ホルモン療法薬，③分子標的治療薬や生物学的反応修飾物質を含む生物学的療法薬の3つに分類される．また，細胞周期との関係により，細胞周

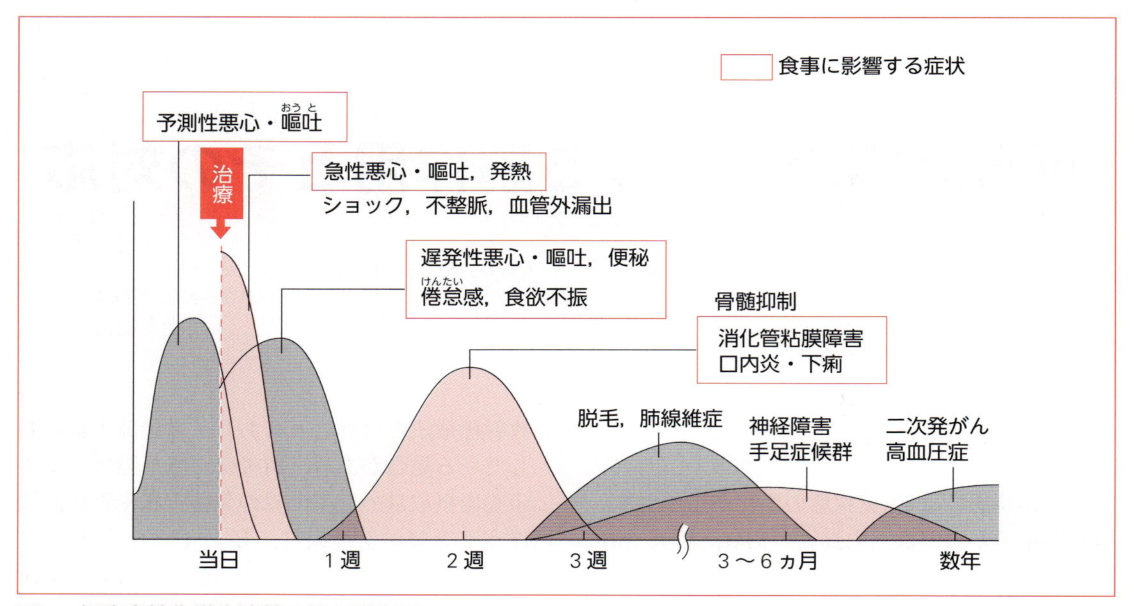

図 1　細胞毒性化学療法薬に伴う副作用
［岡元るみ子：改訂版 がん化学療法副作用対策ハンドブック，岡元るみ子，佐々木常雄（編），羊土社，p.35，2015 を参考に作成］

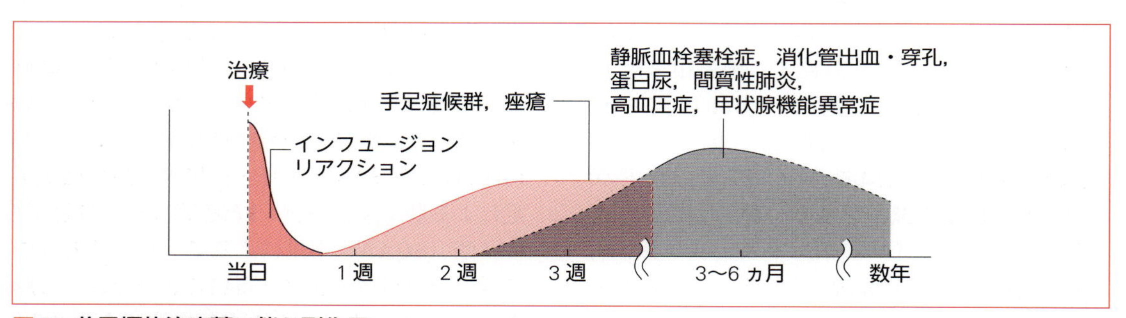

図 2　分子標的治療薬に伴う副作用
［岡元るみ子：改訂版 がん化学療法副作用対策ハンドブック，岡元るみ子，佐々木常雄（編），羊土社，p.35，2015 より引用］

期特異性薬と細胞周期非特異性薬に分類される．

細胞毒性薬には，アルキル化薬，抗菌薬，代謝拮抗薬，その他の薬剤および植物アルカロイドが含まれる．これらは，それぞれ特異的な作用機序を有しており，悪性腫瘍細胞と細胞周期の早い正常細胞に毒性を持つ[3]．

ホルモン療法薬は，前立腺がん，乳がん，子宮体がんなど，ホルモン感受性の高い腫瘍に対して用いる．体のホルモン環境を変化させて腫瘍増殖刺激を抑制したり，腫瘍に直接作用して，抗腫瘍効果を持つ．

生物学的療法薬は，生体の腫瘍に対する免疫反応を変化させるもので，造血細胞増殖因子などのサイトカインやインターロイキン，インターフェロンなどの免疫療法薬，PD-1/PD-L1 抗体，CTLA4 抗体などの免疫チェックポイント阻害薬，分子標的治療薬などが含まれる．

細胞毒性薬に伴う食事摂取低下の要因は，悪心・嘔吐，味覚障害，口内炎，下痢，便秘，などがある（図 1）[4]．分子標的治療薬による消化器系副作用は，血管障害性の消化管出血・穿孔があり（図 2）[4]，免疫チェックポイント阻害薬

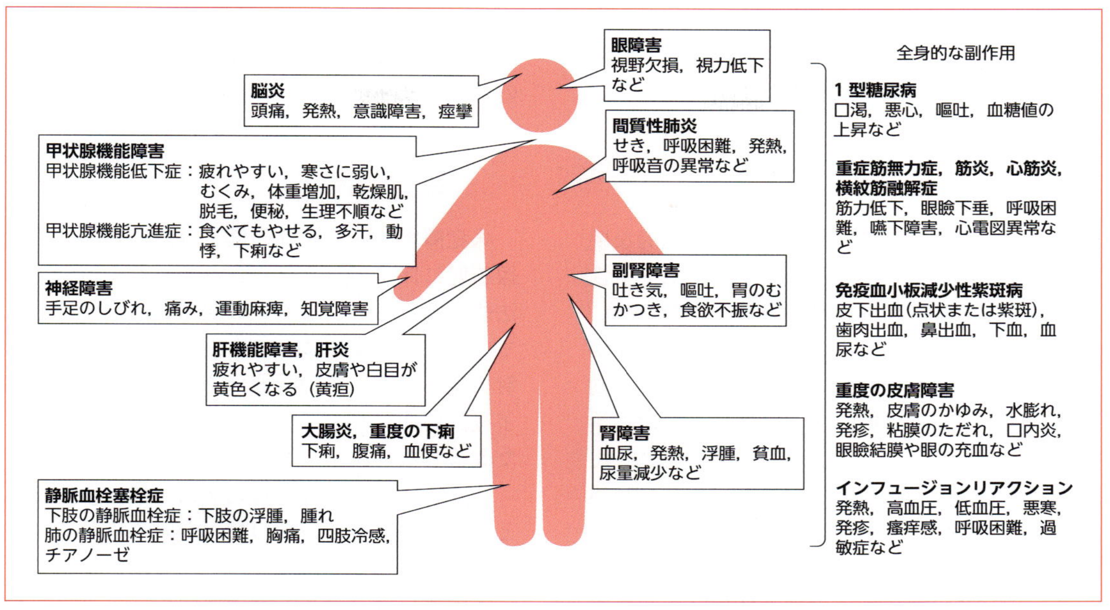

図 3　免疫チェックポイント阻害薬に伴う副作用

による消化器系副作用は，免疫関連性の胃炎・大腸炎がある（図 3）．

D　放射線療法

放射線療法は，電離放射線エネルギーを利用し治療範囲にある細胞の遺伝子に傷害を与え，細胞増殖を停止させる．治療範囲にある細胞は，がん細胞あるいは正常細胞を問わず影響を受けるが，正常細胞はより速やかに回復する．したがって，多分割，小線量で治療することにより正常細胞の回復を促し，がん細胞には最大限の総線量が投与可能となる[5]．

放射線療法には，大きく分けて①遠隔照射療法，②内照射療法，③定位放射線療法の３つに分類される．遠隔照射療法は，体外から腫瘍あるいは腫瘍床に直接照射するもので，毎日で6～8 週間の照射期間となる．治療が進むにつれて照射野の正常細胞の障害が大きくなり，しばしば栄養関連の有害事象が生じる．内照射療法は，線源をできるだけ腫瘍の近くに挿入することにより行う．この方法はがん細胞に放射線を集中するため，正常細胞への障害が少なく，栄養関連の副作用も一般には起こらない．定位放射線療法は脳腫瘍の治療によく用いられ，ガンマナイフやサイバーナイフなどがある．この方法も，一般には栄養関連の副作用は起こらない．

放射線療法の副作用は，放射線照射部位，総線量，治療期間，化学療法など他の治療法との併用により異なる．副作用の多くは急性に起こり，照射開始後 2～3 週で出現し，照射終了後2～3 週で軽減する．照射部位には関係なく，放射線宿酔による全身倦怠感や食欲不振，また頭頸部の照射野の場合は口内炎・口腔内乾燥，味覚障害，嚥下痛・嚥下困難など，胸部の照射野では放射線肺臓炎に伴う呼吸困難，腹部の照射野では腸管粘膜細胞障害による粘膜びらん・潰瘍，下痢などが栄養関連の副作用である．

E　消化器がんの進行，がん性腹膜炎

消化器系のがんの場合は，がんの増大，浸潤による消化管の狭窄，屈曲，癒着などにより消化管の通過障害が起こり，便秘や腹満感とともに摂食障害を生じ，場合によっては腸閉塞を生じる．またがん性腹膜炎をきたした場合は，消化管に分布し消化管運動に関与する迷走神経

系，セロトニン系，ドパミン系，モチリン系，グレリン系の受容体障害により，消化管運動低下，便秘，麻痺性腸閉塞をきたす[6)]．

F 食欲不振

食欲は，食物を摂取したいという生理的な要求であり，血糖や各種ホルモンを介して中枢性あるいは末梢性に制御されている．また，嗅覚，視覚，味覚，さらに過去の記憶など高次機能からも大きく影響を受けている．したがって，食欲不振は，担がん状態，あるいは種々のがん治療により容易に引き起こされる．食欲不振では，通常は消化管運動障害を伴うことが多く，後述の制吐薬や消化管運動促進薬の投与で改善する場合がある．

グレリンは，消化管運動促進作用と成長ホルモン分泌促進作用を持つホルモンであるが，摂食促進作用を持つホルモンでもある．漢方薬の六君子湯はグレリン分泌促進作用を持つため，食欲不振時に使用される．グレリンアゴニストであるアナモレリンが2021年から非小細胞肺がん，胃がん，大腸がん，膵がんの悪液質に使用できるようになり，これらのがん症例の食欲不振のコントロールが大きく改善した．

G 悪心・嘔吐

悪心・嘔吐は，特に細胞毒性の化学療法薬により引き起こされるが，その機序はセロトニン（5-HT_3）受容体やニューロキニン（NK_1）受容体を介して，嘔吐中枢を刺激するものである．したがって，化学療法のレジメンに最初から，5-HT_3受容体拮抗薬，ステロイド薬，NK_1受容体拮抗薬の使用を組み込んだ治療が標準的である．その他，メジャートランキライザーも使用される．これにより，化学療法時に長期間摂食不可能となることはほとんどなくなっている．

放射線療法時の悪心・嘔吐は比較的軽度のことが多く，メトクロプラミドやドンペリドンなどの従来の制吐薬で十分なことが多い．

がん性腹膜炎による消化管運動低下に伴うものではオクトレオチドなどのソマトスタチンアナログを使用し，場合によっては経鼻胃管からのガスや液体の排液を行う．

H 味覚障害

味覚障害や唾液分泌の低下は，頭頸部の放射線照射に伴って多くみられるが，その他化学療法薬によるもの，あるいは緩和目的で使用されている抗うつ薬によってもみられる．放射線照射に伴う味覚障害や唾液分泌の低下は，照射終了後長期間にわたって持続することが多く，また改善しない場合もある．

味覚障害への優れた対処法は，残念ながらほとんどない．亜鉛製剤の使用が試みられているが，あまり有効ではない．唾液分泌低下による嚥下困難には，できるだけ水分の多い食事（おかゆ，スープ，牛乳やヨーグルトなど）を勧める．口腔内乾燥に対しては，頻回の水分摂取，うがい，人工唾液の使用を勧める．口腔内の乾燥に伴い齲蝕になりやすいため，口腔ケアも行うように指導する．

I 口内炎

口腔粘膜細胞は，細胞回転の速い細胞である．したがって，化学療法薬や放射線療法による口腔粘膜細胞の脱落により口内炎が生じる．また，骨髄抑制に伴う好中球の減少により，カンジダなどの感染症を併発して口内炎が生じる．化学療法による場合も，また頭頸部への放射線療法による場合も，多くの場合，回復まで2～3週間を要する．

対策としては，アズレン含有含嗽剤による含嗽やステロイド含有軟膏の塗布により，粘膜の保護・消炎を開始する．痛みの強い場合は局所麻酔薬含有の含嗽により，口腔粘膜を一時的に麻酔して除痛を図ることで，摂食が可能となる場合もある．口腔内の二次的感染による場合は，食後のブラッシングやヨード剤による含嗽により，口腔内を清潔に保つことが重要である．化学療法による口内炎の多くは，腸管粘膜細胞障害を伴っているので，経腸（管）栄養に固執せず，積極的に経静脈的な栄養へ移行すべきである．

J 下　痢

腸管粘膜細胞も口腔粘膜細胞と同様に，細胞回転の速い細胞である．したがって，化学療法や放射線療法による腸粘膜細胞の脱落により，びらん，潰瘍を生じ，下痢をきたす．また，白血球減少に伴う全身性感染症に対する抗菌薬使用による腸管内菌交代現象のためのクロストリジウム感染で下痢をきたすことがある．一方，腸管粘膜の障害部位に感染を合併し，障害粘膜から細菌が体内に侵入し敗血症をきたす場合もある．多くの場合，口内炎と同様に回復まで2〜3週間を要する．

下痢が高度の場合は，脱水や循環不全を生じるため，必要十分な補液を行う必要がある．下痢の対症療法として，ロペラミドやタンニン酸アルブミン，次硝酸ビスマスなどの止痢剤を用いる．また非吸収性の抗菌薬を用いることもある．

K 便　秘

担がん例に対するオピオイド系鎮痛薬による便秘は，日常的によくみられる．化学療法薬のうち，ビンカアルカロイド系の副作用として便秘が頻発する．また，消化器がんでは，腸管癒着やがん性腹膜炎に伴って，便秘が生じる．

便秘は患者にとって苦痛であり，また摂食障害の原因になるため，酸化マグネシウムやClチャネル賦活薬などの緩下薬とともに，センナ製剤や大黄含有漢方薬などの大腸刺激性下剤，パントテン酸やドンペリドン，メトクロプラミド，プロスタグランジン製剤などの腸管運動促進薬の使用も考慮する．がん性腹膜炎に伴う腸管運動低下例にはソマトスタチンアナログ製剤の持続投与が有用である．経過は便秘の原因にもよるが，通常長期間続く．

L 症　例

症例を図4に提示する．症例は70歳，女性．診断はS状結腸がん（s, circ, type 4, SE, N2, H0, P2, M0, fStage Ⅳ）．身体計測値は身長152 cm，体重43 kg（3ヵ月で0.8 kgの減少あり），BMI 18.6 kg/m^2，上腕周囲長26.4 cm，上腕三頭筋部皮脂厚19 mm，上腕筋囲20.1 cm．Harris-Benedict式による基礎エネルギー消費量は標準体重あたり1,105 kcal．左半結腸切除術および術後の化学療法の方針で，栄養設定量を1,600 kcalとした．左半結腸切除後は，経口および経静脈栄養を合わせて1,600 kcalのエネルギーは確保できていたが，化学療法施行後は経口摂取が大きく低下した．施行した翌朝から悪心・嘔吐が出現．食べやすく，のど越しのよいもの，および臭いに配慮した食事内容とした．食事提供量は，エネルギー1,000 kcal/日程度とし，蛋白質，微量栄養素の確保，また抗炎症作用を期待して経腸栄養剤（n-3系を含む栄養剤など）の併用とした．経腸栄養剤は，確保しにくいビタミン，ミネラル類を確保することが可能である．化学療法2日後から下痢が出現．食事から，乳酸菌によるプロバイオティクスと水溶性食物繊維，オリゴ糖によるプレバイオティクス療法を併用した．また，化学療法2日後から手足や口周囲のしびれ感が出現．冷たいものに触れることによりしびれ感が誘発されるため，食事についても冷たすぎるものの提供を避けた．

化学療法に伴う副作用は患者によりまちまちであるため，事前に患者の嗜好を詳細に調査し，患者に栄養組成の内容や必要性について十分な説明を行ったうえで提供することが重要である．

がんの治療中は，さまざまな要因により，容易に食事摂取低下，栄養状態の悪化をきたすため，栄養士，看護師，薬剤師を含めた栄養サポートチーム（NST）による専門的かつ総合的なチーム医療での栄養管理が，入院中のみならず外来においても必要である．栄養摂取量のこま

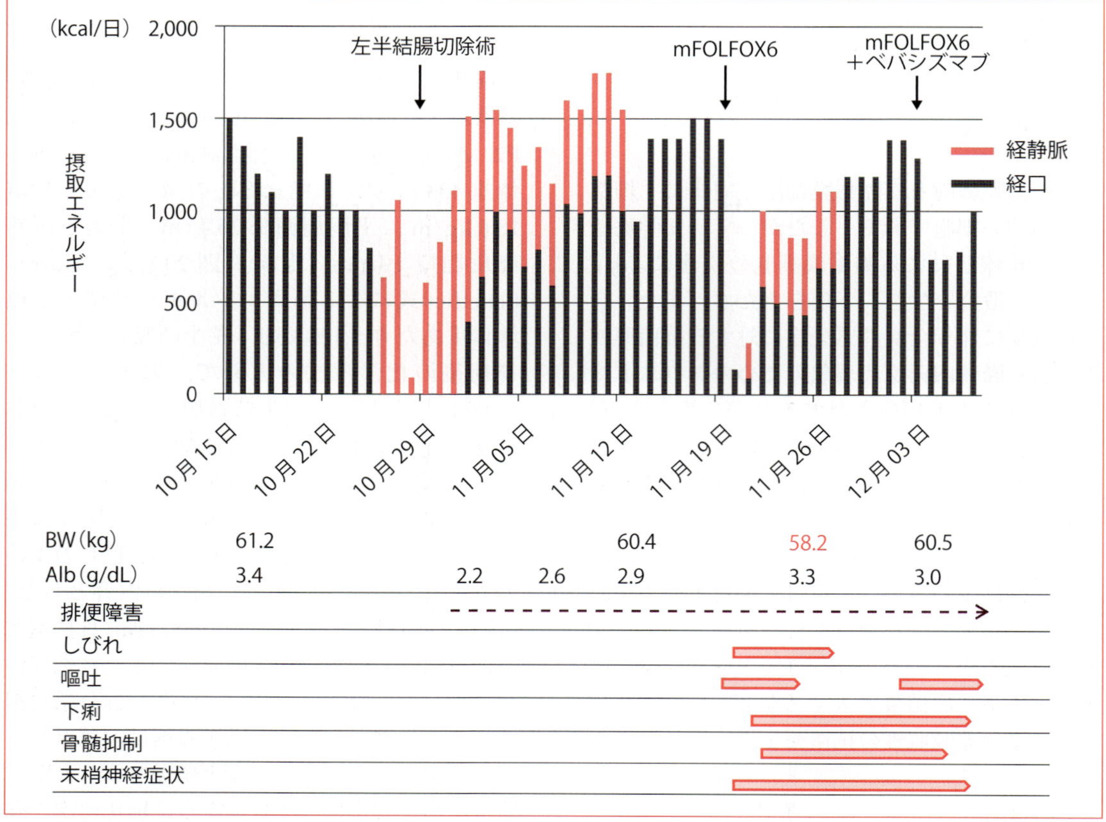

図4　症例提示

めなチェックとともに，治療に伴う副作用に対処しつつ，食事内容を調整し，不足分は積極的に経腸（管）的にあるいは経静脈的に補充する必要がある．

文献

1）東口高志：終末期がん患者のエネルギー代謝動態とその管理．静脈経腸栄養 **24**：1071–1075，2009
2）比企直樹，土師誠二，向山雄人：NST・緩和ケアチームのためのがん栄養管理完全ガイド．文光堂，東京，2014
3）Brown KA, Esper P, Kelleher LO et al：Chemotherapy and Biotherapy. Oncology Nursing Press, Pittsburgh, PA, 2001
4）岡元るみ子，佐々木常雄（編）：改訂版 がん化学療法副作用対策ハンドブック．羊土社，東京，2015
5）National Cancer Institute. Radiation Therapy and You 〈http://www.cancer.gov/cancertopics/coping/radiation-therapy-and-you/page1〉
6）松浦文三，上田晃久，宇都宮幸子ほか：消化管ホルモン研究の再来．愛媛医学 **29**：7–13，2010

第6章

がんの栄養代謝

(1) がんにおける糖質，脂質，蛋白質代謝

*1 国立病院機構京都医療センター糖尿病内科
*2 京都大学医学部附属病院疾患栄養治療部/武庫川女子大学食物栄養科学部
*3 医学研究所北野病院
小倉　雅仁*1，幣　憲一郎*2，稲垣　暢也*3

がん患者では多くの例で体重減少を認めるが，がん患者の体重減少は「がん関連性体重減少」(cancer-associated weight loss：CAWL)と，「がん誘発性体重減少」(cancer-induced weight loss：CIWL）の２つの機序があると考えられる．CAWLは消化管の通過障害や，化学療法・放射線療法の影響による味覚障害や消化器症状のための体重減少であり，原因の評価と適切な治療介入により，栄養学的な改善も得やすい．

一方，CIWLはがんによって引き起こされる代謝異常に起因するものであり，がん治療における栄養療法にかかわる医療者は，この病態を理解しておく必要がある．CIWLは宿主の自然免疫による慢性炎症や，がん細胞が産生するサイトカインなどの液性因子の作用により，がん宿主の代謝が影響を受けることによって生じるものであり，基本的にがん患者は異化亢進状態にあるため，骨格筋蛋白質の異化亢進によるサルコペニア（sarcopenia）を呈し，また，脂質の異化も亢進するため体脂肪も喪失する[1〜3]．

これらのがん患者における代謝異常はまた，悪液質（cachexia，カヘキシア）と呼ばれ，がん患者の栄養管理を困難なものとしている．European Palliative Care Research Collaborative（EPCRC）のガイドラインでは，悪液質を前悪液質（precachexia），悪液質，不可逆的悪液質（refractory cachexia）と分類しており[4]，臨床的には軽微な体重減少の段階（前悪液質）からがん患者においては代謝異常が存在することを理解し，適切な栄養介入を行うことが必要である[3,5,6]．

A　がんにおける糖質代謝

がん細胞ではグルコースが主要なエネルギー源となっている．そのため，がん患者はグルコースの代謝回転が亢進している．このことから，がん患者では肝臓での糖産生が亢進しており，筋肉由来のアラニンなどのアミノ酸や脂肪組織由来のグリセロールが糖新生の基質として用いられる．その結果，筋肉量の減少や脂肪量減少がもたらされる[2,7]．

がん細胞では特に嫌気性解糖が亢進しているため，がん細胞からは多くの乳酸が産生される．乳酸は肝臓においてCori回路（図1）によりグルコースに変換される．Cori回路の活性化はがん患者における代謝変化の特徴のひとつである．Cori回路の活性化はATPの消費を伴い，がん患者の体組成消耗の一因となる．

また，がん患者は耐糖能の悪化を呈する．耐糖能が悪化し，血糖値が高値となることはがん細胞にとっては合目的的であり，グルコースを利用しやすくなる環境が得られると考えられ

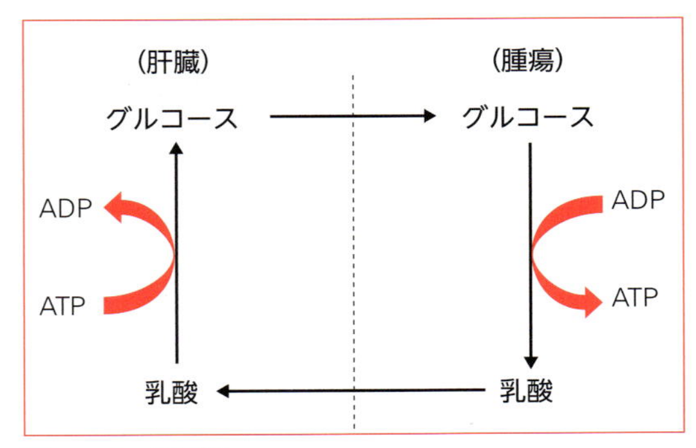

図1　Cori回路

る．がん患者の耐糖能悪化の原因の多くは慢性炎症によるインスリン抵抗性の増大である[3]．一方，膵がんでは膵β細胞からのインスリン分泌が障害されることで，耐糖能が悪化する．

B がんにおける脂質代謝

がん患者においては脂質分解が亢進し，全身の脂肪量の減少が認められる．その機序としては摂食不良による摂取エネルギーの減少，また腫瘍に由来するTNF-α，IL-6，IL-1などの炎症性サイトカインや脂肪動員因子（lipid-mobilizing factor：LMF）などの液性因子による脂肪分解亢進と合成抑制のためと考えられる[1,2,8,9]．脂肪分解により生じたグリセロールは前項で述べたように糖新生の基質となってがん細胞の栄養源となると考えられ，糖質代謝におけるCori回路と同様にがん患者の消耗の一因となる．

C がんにおける蛋白質代謝

がん患者では，骨格筋の蛋白質分解が亢進し，除脂肪体重の減少が認められる．単なる飢餓状態では骨格筋蛋白質は除脂肪体重を維持しつつ緩徐に減少するが，がん患者では早期より減少が認められることが特徴的で，崩壊した骨格筋蛋白質に由来するアラニンなどのアミノ酸は糖新生の基質となり，がん患者の消耗の一因となる．

骨格筋蛋白質分解の機序としては，脂質と同様に摂食不良による摂取エネルギーの減少，また腫瘍に由来するTNF-α，IL-6などの炎症性サイトカインやPTHrPなどの液性因子による蛋白質分解促進と合成抑制が考えられている[1,2,10]．

がん患者ではIL-6など炎症性サイトカインの上昇により血清アルブミン値は減少し，逆に血清C反応蛋白（CRP）の合成はむしろ亢進している．このことを利用して血清アルブミン値とCRP値を組み合わせ，がん患者の予後判定を試みた指標がGlasgow prognostic score（GPS）や，その改良版のmodified GPS（mGPS）である[2,5]．

文献

1）日本病態栄養学会（編）：病態栄養専門管理栄養師のための病態栄養ガイドブック，第7版，南江堂，東京，2022
2）日本臨床栄養代謝学会（JSPEN）（編）：日本臨床栄養代謝学会JSPENコンセンサスブック①がん，医学書院，東京，2022
3）Muscaritoli M, Arends J, Bachmann P et al：ESPEN practical guideline：Clinical Nutrition in cancer. Clin Nutr **40**：2898–2913, 2021
4）Fearon K, Strasser F, Anker SD et al：Definition and classification of cancer cachexia：an international consensus. Lancet Oncol **12**：489–495, 2011
5）Arends J, Strasser F, Gonella S et al：Cancer cachexia in adult patients：ESMO Clinical Practice Guidelines. ESMO Open **6**：100092, 2021
6）Roeland EJ, Bohlke K, Baracos VE et al：Management of Cancer Cachexia：ASCO Guideline. J Clin Oncol **38**：2438–2453, 2020
7）Baig MH, Adil M, Khan R et al：Enzyme targeting strategies for prevention and treatment of cancer：Implications for cancer therapy. Semin Cancer Biol **56**：1–11, 2019
8）Todorov PT, McDevitt TM, Meyer DJ et al：Purification and characterization of a tumor lipid-mobilizing factor. Cancer Res **58**：2353–2358, 1998
9）Hirai K, Hussey HJ, Barber MD et al：Biological evaluation of a lipid-mobilizing factor isolated from the urine of cancer patients. Cancer Res **58**：2359–2365, 1998
10）Siddiqui JA, Pothuraju R, Jain M et al：Advances in cancer cachexia：Intersection between affected organs, mediators, and pharmacological interventions. Biochim Biophys Acta Rev Cancer **1873**：188359, 2020

(2) エネルギー・三大栄養素・微量栄養素・水の必要量

*1 国立病院機構京都医療センター糖尿病内科
*2 京都大学医学部附属病院疾患栄養治療部/武庫川女子大学食物栄養科学部
*3 医学研究所北野病院
小倉 雅仁*1，幣 憲一郎*2，稲垣 暢也*3

A エネルギー必要量

がん患者の50％では安静時エネルギー消費量（resting energy expenditure：REE）が基礎エネルギー消費量（basal energy expenditure：BEE）と比べて高いという報告があるが，膵がんや肺がんで特に亢進を認め，胃がんや大腸がんではBEEとほぼ同様であるとも報告されるなど，病態によって差が大きいことが示唆される．このため，がん患者の必要栄養量については，個々の症例ごとに決定する必要がある[1,2]．

そして前述のように，がん患者では糖新生が亢進しており，蛋白質の分解は特に骨格筋において亢進し，脂質の分解も亢進している．また，インスリン感受性が低下している．このように，がん患者では代謝が健常人や非がん患者に比べて大きく異なっており，必要栄養量の設定は容易ではない．

エネルギー必要量に関しては間接熱量計により実測のREEを求めることが最も望ましいが，がん患者の全例において実測することは現実的ではない．このため，実臨床ではREEをHarris-Benedict式（表1）などの計算式を用いて推定するが[3]，総エネルギー消費量（total energy expenditure：TEE）を25～30 kcal/kg/日として計算するなどの方法で推定する例も多い．しかし，これらはあくまで推論であり，初期の設定には用いるとしても，症例の経過をよく観察しながら種々の再評価に基づく修正を加えていく必要がある．病態が複雑な症例では計算式によるエネルギー量の算出はさらに困難であり，やはり間接熱量計による実測から必要栄養量を算出することが望ましい[2,4]．

医療者，患者，介護者で相談しながら個々の例において適切な栄養治療を選択することは重要であるが，特に終末期においては食欲の低下も著しく，患者にとっては摂食そのものが苦痛となり，食事の強制は患者のQOLを低下させることにつながる．不可逆的悪液質（refractory cachexia）では栄養療法を積極的に行ったとしても，栄養状態の改善が認められないことも多い．予後が1ヵ月に満たないような場合に積極的な栄養療法を行っても予後やQOLは改善しないと報告されており，ECOGのperformance state（表2）が3以上の場合に経静脈的栄養投与を行うことも一般には推奨されない．終末期においては，より個別性をもって対応していくことが必要となる[1～4]．

B 三大栄養素の必要量

❶ 糖質の必要量

糖質はエネルギーの供給源として重要な栄養素である．脳や神経組織などはグルコースをエ

表1 Harris-Benedictの式

男性：
66.5＋13.75×体重(kg)＋5.0×身長(cm)－6.75×年齢(歳)
女性：
655.1＋9.56×体重(kg)＋1.84×身長(cm)－4.67×年齢(歳)

表2　ECOG の performance state

0	全く問題なく活動できる. 発病前と同じ日常生活が制限なく行える.
1	肉体的に激しい活動は制限されるが, 歩行可能で, 軽作業や座っての作業は行うことができる. 例：軽い家事, 事務作業
2	歩行可能で自分の身の回りのことはすべて可能だが作業はできない. 日中の 50%以上はベッド外で過ごす.
3	限られた自分の身の回りのことしかできない. 日中の 50%以上をベッドか椅子で過ごす.
4	全く動けない. 自分の身の回りのことは全くできない. 完全にベッドか椅子で過ごす.

[Common Toxicity Criteria, Version2.0 Publish Date April 30, 1999
http://ctep.cancer.gov/protocolDevelopment/electronic_applications/docs/ctcv20_4-30-992.pdf
JCOG ホームページ http://www.jcog.jp/ より]

ネルギー源としているため, 最低 100 g/日が必要とされる. 健常人では炭水化物摂取量は 1 日の総エネルギー量の 50%以上が望ましいとされ, 50〜65%が目標量とされている[3].

がん患者では, インスリン抵抗性が亢進し耐糖能が悪化していることが多く, また脂質の分解が亢進していることから, 欧州臨床栄養代謝学会（The European Society for Clinical Nutrition and Metabolism：ESPEN）では体重が減少しインスリン抵抗性が高い患者においては炭水化物に対する脂質の比率を高くすることが推奨されている[2].

❷ 蛋白質の必要量

蛋白質の必要量は, 健常人においては, 窒素出納（表3）を算出することによって摂取している蛋白質が十分かどうかを評価することが一般的である. 窒素出納の目標値はプラス 1〜3 g であり, マイナスであれば体蛋白質の崩壊を意味する[3]. ただ, 窒素出納の算出には 24 時間の蓄尿が必要であり, また, 蛋白質摂取量の正確な把握が必要なこと, 腎機能が正常なことなどが条件であり, 実地臨床, 特にがん患者の臨床においては窒素出納の算出が困難な場合も少なくない.

窒素出納の実測が難しい場合は非蛋白質エネルギー/窒素（NPC/N）比から窒素出納維持量を算出し, 表4 の式を用いて算出する方法もある. 非蛋白質エネルギー量を概算し, 表5 に示すように健常成人での NPC/N 比は 150〜200 であることから, 窒素出納維持量が計算される[3].

表3　窒素出納

窒素出納＝
蛋白質摂取量 (g) ÷6.25－尿中尿素窒素 (g/日) ＋4

表4　必要蛋白質量

必要蛋白質量＝
{推定投与エネルギー (kcal) ÷NPC/N} ×6.25

表5　NPC/N 比

	エネルギー/窒素（NPC/N）
健常成人	225
内科的病態（発熱・外傷なし）	165
外科的病態（合併症なし）	175〜185
異化亢進の病態	120〜250

[日本病態栄養学会（編）：病態栄養専門管理栄養師のための病態栄養ガイドブック, 第 7 版, 南江堂, 2022[3] より引用]

がん患者においては蛋白質の異化は亢進しており, 骨格筋蛋白質の崩壊が特徴的である[1,3]. 筋量を維持するための十分な蛋白質の補給が必要であり, ESPEN のガイドラインでは最低 1 g/kg/日, 可能であれば 1.5 g/kg/日までの増量が推奨されている[2]. また, 欧州臨床腫瘍学会（European Society for Medical Oncology：ESMO）のガイドラインでは, 高齢者や慢性疾患を有する場合など同化障害のある例では, 最低 1.2 g/kg/日, 可能であれば 2 g/kg/日までの増量が推奨されている. がん患者の栄養管理には体重のみならず, 骨格筋量など体組成にも配慮して, 投与エネルギー量や蛋白質量を決めていくことが望ましい[4].

なお, がん細胞ではグルタミン代謝が亢進しているので, グルタミンを積極的に補充することで予後が改善することが予測され, 実際にいくつかの検討がなされたが, グルタミンの積極的投与の有用性を支持する結果は得られていない[2]．なお，分岐鎖アミノ酸についても，同様に投与の有用性を支持する結果は得られていない[2]のが現状である．

❸ 脂質の必要量

脂質エネルギー比率は成人（18〜64歳未満）では30％が上限，20％が下限とされている[3]．がん患者は脂質の異化が亢進しているため，前項に述べたように体重減少が生じているような悪液質の状況では脂質を多めに投与することが推奨されている[2,4]．

悪液質の病態に炎症が重要であることから，抗炎症作用を有するとされるn-3系の不飽和脂肪酸のがん患者への投与の有効性に関心がもたれている．化学療法中や放射線療法中の進行がんで体重減少や低栄養のリスクが高い患者では，体重やQOLへの効果が認められる報告もあるので，ESPENやESMOのガイドラインにおいては，そのような場合には使用を勧めている[2,4]．

C 微量栄養素の必要量

ビタミンやミネラルなどの微量栄養素は，それ自体が生体での栄養となるわけではないが，代謝にかかわる酵素反応での補酵素としての働きや，酵素活性に必須な物質として重要である．微量栄養素は体内での合成が困難であり，体外からの補充が必要となる．

脂溶性ビタミンにはビタミンA, D, E, Kなどがある．健常人での摂取目安量はビタミンAは2,700 μgRAE/日（成人），ビタミンDは8.5 μg/日，ビタミンEは5.0〜7.0 mg/日，ビタミンKは150 μg/日である[3]．

脂溶性ビタミンにはビタミンB_1，ビタミンB_2，ナイアシン，ビタミンB_6，ビタミンB_{12}，葉酸，ニコチン酸，ビタミンCなどがある．健常人での摂取目安量はビタミンB_1は0.60 mg/1,000 kcal（1〜69歳），ビタミンB_6では男性1.4 mg/日・女性1.2 mg/日，ビタミンB_{12}は2.4 mg/日，葉酸は240 μg日，ビタミンCは100 mg/日である[3]．

ミネラルには鉄，銅，ヨウ素，マンガン，セレン，亜鉛，クロム，コバルト，モリブデンなどがあげられる[3]．

がん患者のおよそ50％がビタミンやミネラルなどの微量栄養素をサプリメントとして摂取しているという報告があるが[5]，ビタミンやミネラルの一般的推奨量以上の摂取によって骨格筋量の増加など，何らかの効果をもたらしたエビデンスはなく，ビタミンや微量元素の一般的推奨量以上の摂取は推奨されていない[2,6]．

しかし，たとえば，がん患者が摂食量の低下によって亜鉛欠乏に陥り，味覚障害を発症することで，さらに食思不振をきたして摂食量が低下するといったことなども考えられるため，がん患者においてビタミンやミネラルの摂取不足がないかを確認することは非常に重要である．

D 水の必要量

水分の適正補充は重要であり，脱水は生命の維持に危機をもたらす．健常人において，1日に必要とされる水分量は体重1 kgあたり21〜43 mLと簡易的に算出でき，蓄尿が可能であれば，1日尿量に15 mL/kg/日の不感蒸泄を加えるという方法もある[3]．

しかし，がん患者は低アルブミン血症を伴うことも多く，浮腫をきたしやすい病態となっており，注意する必要がある．胸水や腹水の貯留を認める，または気道分泌物が増加している状態では1日の補液量は1,000 mL程度が目安と考えられ，終末期で予後が数週間程度と予測される場合には，定期的な水分補給は患者にとってあまり有益性がないので，水分の摂取においても，医療者は介護者ともよく話し合い，患者にとっての苦痛とならないよう配慮することが望ましい[1,2]．

文献

1）日本臨床栄養代謝学会（JSPEN）（編）：日本臨床栄養代謝学会JSPENコンセンサスブック①がん，医学書院，東京，2022
2）Muscaritoli M, Arends J, Bachmann P et al：ESPEN practical guideline：Clinical Nutrition in cancer.

Clin Nutr **40**：2898-2913, 2021
3）日本病態栄養学会（編）：病態栄養専門管理栄養師のための病態栄養ガイドブック，第７版，南江堂，東京，2022
4）Arends J, Strasser F, Gonella S et al：Cancer cachexia in adult patients：ESMO Clinical Practice Guidelines. ESMO Open **6**：100092, 2021
5）Horneber M, Bueschel G, Dennert G et al：How many cancer patients use complementary and alternative medicine：a systematic review and metaanalysis. Integr Cancer Ther **11**：187-203, 2012
6）Roeland EJ, Bohlke K, Baracos VE et al：Management of Cancer Cachexia：ASCO Guideline. J Clin Oncol **38**：2438-2453, 2020

第7章

栄養アセスメント・モニタリング：臨床腫瘍学における栄養スクリーニングとアセスメント

盛岡市立病院／岩手医科大学内科学講座消化器内科
加藤　章信

積極的な栄養評価のもとに栄養介入を行うことは，がんに関連する悪液質，栄養不良およびがん治療に伴うさまざまな症状に対するマネジメントの第一歩となる．本章では一般的な栄養スクリーニングとアセスメントについて解説し，さらにがん患者に対する栄養アセスメントについても解説する．わが国ではSGAと臨床所見で評価するのが一般的で，さらに外科領域ではいくつかの予後予測指数が開発されてきた．また，SGAを発展させ，近年多くの施設で使用されるPG-SGA評価方法についてもあわせて解説する．

A 栄養スクリーニングとアセスメント

❶ 栄養スクリーニング

栄養スクリーニングは栄養不良状態にある者，あるいは栄養不良に陥る危険性のある者をふるいにかけて拾い上げることである．多数の対象のなかから見落とすことなく栄養スクリーニングを行うには感度の高い方法を用いて的確に判断することが大切である．詳細な客観的栄養アセスメントが必要かどうか判定する方法であり，簡易栄養状態評価表（mini nutritional assessment：MNA）やそれを簡便にしたMNA-SF（Short form）[1]がある．

ⓐ MNA-SF（表1）

高齢者の栄養スクリーニングを目的としてMNAが開発されているが，さらに簡便化したものがMNA-SFである．MNA-SFの特徴として，①単独で栄養スクリーニング法として使用できる，② body mass index（BMI）の代わりにふくらはぎの周囲長を使用できる，③高齢者の栄養状態を正常・栄養不良の危険性あり・栄養不良の3段階で診断できるものである．

さらに詳細な栄養評価を行う場合には以下の栄養アセスメントを行う．

❷ 栄養アセスメント

MNA-SFなどで栄養不良者あるいは栄養不良に陥る危険性のある者として拾い上げた患者が真に栄養不良の状態にあるのか，栄養不良はどのようなタイプか，その程度はどうか，どのような栄養療法が適当かといった判断には客観的な方法による栄養アセスメントを行う必要がある．

したがって，栄養アセスメントとは患者の栄養状態を把握して評価することであり，栄養管理を進めていくうえで重要な過程となる．

栄養状態は，①エネルギー基質（糖質・脂質・蛋白質），②水分，③電解質，④ビタミン，⑤微量元素，⑥これらを代謝・合成・貯蔵する身体構成組織，⑦代謝動態を制御する生体反応物質（各種ホルモンやサイトカインなど）により規定される．

栄養状態を把握する方法には，①主観的な方法と，②客観的な方法がある．
主観的方法には後述する主観的包括的評価（subjective global assessment：SGA）がある[2]．

客観的な方法は栄養指標を測定して得られたデータに基づいて客観的に栄養評価を行う方法

表 1　簡易栄養状態評価法

氏名：
性別：　　年齢：　　体重：　　kg　　身長：　　cm　　調査日：

スクリーニング欄の□に適切な数値を記入する．合計点がスクリーニングスコアである．

スクリーニング

A　過去 3 ヵ月間で食欲不振，消化器系の問題，咀嚼，嚥下困難などで食事量が減少しましたか？ 0＝著しい食事量の減少 1＝中等度の食事量の減少 2＝食事量の減少なし	□
B　過去 3 ヵ月間に体重の減少がありましたか？ 0＝3 kg 以上の減少 1＝わからない 2＝1〜3 kg の減少 3＝体重減少なし	□
C　自力で歩けますか？ 0＝寝たきりまたは車椅子を常時使用 1＝ベッドや車椅子を離れられるが，歩いて外出はできない 2＝自由に歩いて外出できる	□
D　過去 3 ヵ月間で精神的ストレスや急性疾患を経験しましたか？ 0＝はい　　2＝いいえ	□
E　神経・精神的問題の有無 0＝強度の認知症またはうつ状態 1＝中程度の認知症 2＝精神的問題なし	□
F1　BMI (kg/m^2)：体重 (kg) ÷ 身長 (m)^2 0＝BMI が 19 未満 1＝BMI が 19 以上，21 未満 2＝BMI が 21 以上，23 未満 3＝BMI が 23 以上	□
BMI が不明の場合は F2 を記入する．F1 を記入後は F2 に答えないこと．	
F2　ふくらはぎ周囲長（calf circumference：CC）(cm) 0＝CC が 31 未満 3＝CC が 31 以上	□
スクリーニングスコア（最大　14 点）	□□
12〜14 点：栄養状態良好，8〜11 点：栄養不良のおそれ，0〜7 点：栄養不良	

［Kaiser MJ, et al：J Nutr Health Aging **13**：782-788, 2009[1] を参考に作成］

であり後述する，①静的栄養評価，②動的栄養評価，③予後栄養評価の 3 つの方法がある．

B　栄養評価の実際

❶ 主観的栄養評価

ⓐ 主観的包括的評価（subjective global assessment; SGA）（表 2）

患者の主観的な情報を聴取して栄養状態を評価する方法でありスクリーニングを一歩進めた初期評価の方法として用いられる．簡便である一方，熟練しなければ判断の難しい点があり，客観的な評価と比べ合わせながら習熟する必要がある．

体重，食物摂取パターンの変化，消化器症状，身体機能，疾患の程度と影響，身体所見の 6 項目から評価する簡便な栄養評価指標である．

主観的に評価された項目から総合的に栄養状態を評価する．A は栄養状態良好，B は中等度の栄養不良もしくはリスクがあり，C は高度の栄養不良と評価する．SGA は効率的で費用対効果に優れるとの評価がある．他の方法では見落とされてしまうような患者，栄養リスクのある患者や栄養不良との境界線にあるような患者を見出すことができるとされている．

表2　主観的包括的評価（SGA）

A. 病歴
1. 体重の変化 過去6ヵ月間における体重喪失：＿＿＿＿　喪失率＿＿＿＿ 過去2週間における変化　増加＿＿＿＿　無変化＿＿＿＿　減少＿＿＿＿ 2. 食物摂取における変化（平常時との比較） 無変化＿＿＿＿ 変化：(期間)＿＿＿＿週＿＿＿＿ タイプ：不十分な固形食＿○＿　完全液体食＿＿＿ 低エネルギー液体食＿＿＿　絶食＿＿＿ 3. 消化器症状 なし＿＿＿　悪心＿＿＿　嘔吐＿＿＿　下痢＿＿＿　食欲不振＿＿＿ 4. 身体機能性 機能不全無し＿＿＿ 機能不全：(期間)＿＿＿週＿＿＿ヵ月 タイプ：制限つき労働＿＿＿　歩行可能＿＿＿　寝たきり＿＿＿ 5. 疾患と栄養必要量との関係 初期診断：＿＿＿＿＿＿＿＿＿＿＿＿ 代謝亢進に伴う必要量／ストレス：なし＿＿＿軽度＿＿＿中等度＿＿＿ 高度＿＿＿
B. 身体状況（スコアで表示：0＝正常，1＋＝経度，2＋＝中等度，3＋＝高度）
皮下脂肪の喪失（三頭筋，胸部）＿＿＿筋肉喪失（四頭筋，三角筋）＿＿＿ くるぶし部浮腫＿＿＿仙骨浮腫＿＿＿腹水＿＿＿
C. 主観的包括的評価
栄養状態良好　A＿＿＿ 中等度の栄養不良　B＿＿＿ 高度の栄養不良　C＿＿＿

［Detsky AS, et al：J Parenteral Enteral Nutrition **11**：8-13, 1987[2]を参考に作成］

ⓑ 患者参加による点数化主観的包括的評価（patient-generated subjective global assessment：PG-SGA）（表3・表4）

がん患者の栄養評価を意識したSGAであり，通常のSGAに比べ消化器症状の項目を増やしており，さらに病歴については患者自身が作成する形式で，医療従事者の評価と合わせて点数化して判定される[3]．

近年PG-SGAの短縮版が日本語版として公開されている[4]．国立がん研究センター東病院緩和医療科を中心として，ハンザ応用科学大学・フローニンゲン大学・聖隷三方原病院・大阪市立総合医療センターと共同で，栄養評価の指標として海外で広く用いられているPG-SGAの日本語版の開発に取り組み，PG-SGAの事務局のホームページであるPt-Globalにて，PG-SGA日本語版が公開されURL（https://pt-global.org/page_id13）からJapaneseを選択するとPDFファイルをダウンロードすることができる．PG-SGAは患者が記入する表面と医療者が記入する裏面に分かれており，患者が記入する表面のみのスコアでも栄養状態を反映することが報告され外来・入院を問わず，患者さんの栄養状態を把握する際に役立つ指標であると考えられ，近年さまざまな領域での評価とその有用性が報告されている[5,6]．

❷ 客観的栄養評価

ⓐ 静的栄養評価（表5）

栄養指標としては慢性疾患や代謝変動の遅い症例に適応される[7]．評価項目としては体重，皮下脂肪厚，上腕筋面積などの身体計測項目，比較的長期間の蛋白質代謝を反映するアルブミンなどの血液生化学検査項目が用いられる．

表 3　患者参加による点数化主観的包括的評価（PG-SGA）簡易版

患者自記式による主観的包括的評価（PG-SGA）

第 1～4 欄の合計点（1 枚目を参照） □ A

ワークシート 1　体重減少のスコア判定

第 1 欄の点数の決定には、可能ならば過去 1 ヶ月間の体重データを使用する。過去 1 ヶ月間の体重データがない場合に限り、過去 6 ヶ月間の体重データを使用する。体重変動の採点には、以下の点数を使用し、患者の体重がこの 2 週間で減少している場合はもう 1 点加算する。合計点を PG-SGA の第 1 欄に記入する。

1 ヵ月間の体重減少	点数	6 カ月間の体重減少
10% 以上	4	20% 以上
5-9.9%	3	10 - 19.9%
3-4.9%	2	6 - 9.9%
2-2.9%	1	2 - 5.9%
0-1.9%	0	0 - 1.9%

ワークシート 1 のスコア □

5. ワークシート 2 – 疾患とその栄養必要量との関係：

スコアは以下の各項目に該当する毎に 1 点加算して求める：

□ がん　　□ 褥瘡、開放創または瘻孔あり
□ AIDS　　□ 外傷あり
□ 呼吸器疾患または心疾患による悪液質　　□ 65 歳以上
□ 慢性腎不全

その他の関連する診断（具体的に）＿＿＿＿＿＿＿＿

原疾患の病期（分かっている場合、あるいは適切なものを〇で囲んでください）
I、II、III、IV、その他 ＿＿

ワークシート 2 のスコア □ B

6. ワークシート 3 – 代謝による必要量の増加

タンパク質やエネルギーの必要量を増やすことがわかっている要因の数によって、代謝ストレスのスコアを計算する。**注意点：熱の高さか持続期間のスコアの高い方を採用する。**スコアは加算制で、例えば 72 時間未満の（1 点）38.8℃の発熱（3 点）、プレドニゾン 10mg の長期投与を受けている（2 点）患者は、この項の合計点は 5 点となる。

代謝ストレス	なし（0）	軽度（1）	中等度（2）	重度（3）
発熱の高さ	なし	> 37.2 and < 38.3	≥ 38.3 and < 38.8	≥ 38.8 ° C
発熱の持続時間	なし	< 72 hours	72 hours	> 72 hours
コルチコステロイド	なし	低用量（< 10 mg プレドニゾン換算量／日）	中等用量（≥ 10 and < 30 mg プレドニゾン換算量／日）	高用量（≥ 30 mg プレドニゾン換算量／日）

ワークシート 3 のスコア □ C

7. ワークシート 4 – 身体所見

身体所見は、体組成の 3 要素：体脂肪、筋肉、体液の主観的評価を行う。主観的評価であるため、所見の各領域は程度によって評価される。筋肉量の減少は脂肪量の減少よりもスコアに大きく影響する。カテゴリーの定義：0＝異常なし、1+＝軽度、2+＝中等度、3+＝重度。これらのカテゴリーの（筋肉量・体脂肪量の）減少のスコアは加算式ではなく、（筋肉量・体脂肪量の）減少（または過剰な体液貯留）の程度を臨床的に評価するために用いる。

筋肉の状態				
側頭部（側頭筋）	0	1+	2+	3+
鎖骨下部（胸筋＆三角筋）	0	1+	2+	3+
肩（三角筋）	0	1+	2+	3+
手骨間筋	0	1+	2+	3+
肩甲骨（広背筋、僧帽筋、三角筋）	0	1+	2+	3+
大腿（大腿四頭筋）	0	1+	2+	3+
ふくらはぎ（腓腹筋）	0	1+	2+	3+
筋肉の状態の総合評価	**0**	**1+**	**2+**	**3+**

体脂肪の蓄積				
眼窩脂肪体	0	1+	2+	3+
上腕三頭筋皮下脂肪	0	1+	2+	3+
下部肋骨を覆う脂肪	0	1+	2+	3+
体脂肪の減少の総合評価	**0**	**1+**	**2+**	**3+**
体液の状態				
くるぶしの浮腫	0	1+	2+	3+
仙骨部の浮腫	0	1+	2+	3+
腹水	0	1+	2+	3+
体液の状態の総合評価	**0**	**1+**	**2+**	**3+**

体組成の悪化（筋肉や脂肪の減少や体液の貯留）に対する全体的な程度を主観的に評価して、身体所見のスコアを計算する。

低下なし	score = 0 points
軽度の低下	score = 1 point
中程度の低下	score = 2 points
重度の低下	score = 3 points

前述のように、筋肉量の低下は体脂肪の減少または過剰な体液貯留よりも重視される。

ワークシート 4 のスコア □ D

PG-SGA 合計スコア（A+B+C+D の合計スコア）□

Clinician Signature ＿＿＿＿＿＿ RD RN PA MD DO Other ＿＿＿＿ Date ＿＿＿＿　**PG-SGA カテゴリー総合評価**（ステージ A、B、または C）□

ワークシート 5 PG-SGA 総合評価カテゴリー

カテゴリー	Stage A 栄養状態良好	Stage B 中等度の栄養障害／栄養障害の疑い	Stage C 高度の栄養障害
体重	体重減少なし	1 か月間の体重減少率≤5%（6 か月間で≤10%）、または、体重減少の進行	1 か月間 体重減少率>5% 6 か月間で>10%）、または、体重減少の進行
栄養摂取	不足なし、または最近著明な改善あり	栄養摂取量の明らかな減少	栄養摂取量の重度の不足
栄養状態に影響する症状（NIS）	なし、または最近著明な改善があり十分な栄養摂取が可能になった	NIS あり（PG-SGA の第 3 欄）	NIS あり（PG-SGA の第 3 欄）
機能	低下なしまたは最近著明な改善あり	中等度の機能低下、または最近悪化	重度の機能低下、または最近著しく悪化
身体所見	低下なし、または慢性的に低下しているが、最近臨床的に改善	筋肉量、かつ/または、触診時の筋緊張、かつ/または、皮下脂肪の軽度～中等度の減少	低栄養状態の明らかな所見（例：重度の筋肉量、または脂肪量の低下 また、浮腫も認める可能性あり）

栄養トリアージの推奨：患者および家族への教育をはじめとする栄養学的介入や、薬物治療を含む症状管理、適切な栄養介入（食品、栄養補助食品、経腸栄養または静脈栄養などの選択）を決定するために、全体の合計点を使用する。

はじめに行われる栄養介入には、症状マネジメントを最大限行うことを含む。

PG-SGA スコアに基づくトリアージ

- **0–1**　現時点で介入は不要。治療中は日常的におよび定期的に再評価を行う。
- **2–3**　症状の調査（第 3 欄）および検査値に基づいて、薬物療法とともに、栄養士、看護師、またはその他の医療者が、患者および家族への教育を必要があれば行う。
- **4–8**　症状の調査（第 3 欄）に基づき、看護師または医師と連携して栄養士が介入する必要がある。
- **≥ 9**　症状マネジメントの改善および／または栄養介入の選択が緊急に必要である。

email: faithotterymdphd@gmail.com or info@pt-global.org

［栄養評価の指標 PG-SGA 日本語版[4]より引用］

ⓑ 動的栄養評価（表 6）

病態の推移や栄養療法試行中の栄養状態の変化を経時的に測定しその変動を代謝（安静時エネルギー代謝量，呼吸商）や筋力（握力など）などの生理学的検査項目や短期間の蛋白質代謝を鋭敏に反映するプレアルブミン（トランスサイレチン）やレチノール結合蛋白質などの血液検査項目が用いられる[7]．

ⓒ 予後栄養評価（表 7）

複数の栄養指標から高リスク群を予測して治療効果を推測する．特に外科領域で用いられることが多く，手術との関連で術前栄養状態と術後合併症の発生率，術後の回復過程を推測する場合などに用いる[8,9]．

文献

1) Kaiser MJ, Bauer JM, Ramsch C et al：Validation of the Mini Nutritional Assessment Short-Form (MNA®-SF)：A practical tool for identification of nutritional status. J Nutr Health Aging **13**：782-788, 2009
2) Detsky AS, McLaughkin JR, baker JP et al：What is subjective global assessment of nutrition status? J Parenteral Enteral Nutrition **11**：8-13, 1987
3) Ottery FD：Definition of standardized nutritional assessment and interventional pathways in oncology. Nutrition **12** (suppl 1)：S15-S19, 1996
4) https://pt-global.org/pt-global/ 栄養評価の指標 PG-SGA (Patient Generated Subjective Global Assessment) 日本語版
5) Arends J, Strasser F, Gonella S et al：Cancer Cachexia in Adult Patients：ESMO Clinical Practice Guidelines. Review Nutrients **13**：1196, 2021
6) Aprile G, Basile D, Giaretta R et al：The Clinical Value of Nutritional Care before and during Active

表４　患者参加による点数化主観的包括的評価（PG-SGA）簡易版（続き）

患者自記式による主観的包括的評価（PG-SGA）
1～4欄は患者さんが記入してください。
［第1～4欄でPG-SGA短縮版(SF)と呼ばれます］

患者ID番号

1. 体重（ワークシート1を参照）

私の現在および最近の体重についてまとめると：
私の現在の体重は約＿＿＿＿ kgです。
私の身長は＿＿＿＿ cmです。

1ヶ月前の私の体重は約　　kgでした。
6ヶ月前の私の体重は約　　kgでした。

この2週間に私の体重は：
☐減りました (1)　☐変わっていません (0)　☐増えました (0)

第1欄 ☐

2. 食事の摂取：私の普段の食事量と比べて、この1ヵ月間の食事量は：
☐ 変わっていない (0)
☐ 普段より多い (0)
☐ 普段より少ない (1)
　私の今の食事は：
　☐ 普通の食事だが、通常の量よりは少ない (1)
　☐ 固形物をほんの少し (2)
　☐ 重湯など流動食のみ (3)
　☐ 栄養剤のみ (3)
　☐ ほとんど何も食べられない (4)
　☐ チューブや点滴による栄養のみ (0)

第2欄 ☐

3. 症状：私は以下のような問題があって、この2週間十分に食べられない状況が続いています（当てはまるものすべてをチェック）：
☐ 問題なく食べられた (0)
☐ 食欲がなかった、または食べようという気にならなかった (3)　☐ 嘔吐 (3)
☐ 吐き気 (1)　☐ 下痢 (3)
☐ 便秘 (1)　☐ 口の渇き (1)
☐ 口の中の痛み (2)　☐ においが気になる (1)
☐ 味がおかしい、または味がしない (1)　☐ すぐに満腹になる (1)
☐ 飲み込みにくい (2)　☐ だるさ (1)
☐ 痛み；どこですか？(3)＿＿＿＿＿＿
☐ その他 (1) ** ＿＿＿＿＿＿
**例：気分の落ち込み、経済的な問題、歯の問題"

第3欄 ☐

4. 活動と機能：
この1ヵ月間の私の活動を全般的に評価すると：
☐ 何の制限もなく普通に活動できた (0)
☐ 普段通りではないが、起き上がっておおむね普通に近い活動ができた (1)
☐ ほとんどのことができないと思われたが、ベッドや布団、または椅子で過ごすのは半日以下だった (2)
☐ ほとんど活動できず、一日の大半をベッドや布団、または椅子で過ごした (3)
☐ ほとんど横になっていてベッドや布団から出ることはまれだった (3)

第4欄 ☐

ここからは担当医、看護師、栄養士またはセラピストが記入します。ありがとうございました。

第1～4欄の合計点 ☐ A

［栄養評価の指標PG-SGA日本語版[4]より引用］

表５　静的栄養指標

1. 身体計測指標
1）身長・体重 ①体重変化率，②%平常時体重，③身長体重比 ④%標準体重，⑤body mass index（BMI） 2）皮厚：上腕三頭筋部皮厚（TSF） 3）筋囲：上腕筋囲（AMC），上腕筋面積（AMA） 4）体脂肪率
2. 血液・生化学的指標
1）総蛋白，アルブミン，コレステロール コリンエステラーゼ 2）クレアチニン身長係数（尿中クレアチニン） 3）血中ビタミン，微量元素 4）末梢血中総リンパ球数
3. 皮内反応
遅延型皮膚過敏反応

［栄養評価の指標PG-SGA日本語版[4]を参考に作成］

表６　動的栄養指標

1. 血液・生化学的指標
1）rapid turnover protein ①トランスフェリン ②レチノール結合蛋白 ③トランスサイレチン（プレアルブミン） ④ヘパプラスチンテスト 2）蛋白代謝動態 ①窒素出納 ②尿中3-メチルヒスチジン 3）アミノ酸代謝動態 ①アミノグラム（血漿アミノ酸分析） ②Fischer比（分岐鎖アミノ酸/芳香族アミノ酸） ③BTR（分岐鎖アミノ酸/チロシン）
2. 間接熱量計
1）安静時エネルギー消費量（REE） 2）呼吸商 3）糖利用率

［栄養評価の指標PG-SGA日本語版[4]を参考に作成］

表 7　総合的栄養指標

1. 消化器手術の予後予測指数
(prognostic nutritional index：PNI)＝Buzby，1980 年 PNI (%)＝158－(16.6×Alb)－(0.78×TSF)－(0.20×TFN)－(5.8×DCH) 50＜PNI：high risk 40＜PNI＜50：intermediate PNI＜40：low risk
2. 胃がん患者に対する栄養学的手術危険指数
(nutritional risk index：NRI)＝佐藤　真，1982 年 NRI＝(10.7×Alb)＋(0.0039×TLC)＋(0.11×Zn)－(0.044×Age) NRI＜55：high risk 60＜NRI：low risk
3. 食道がん患者に対する栄養評価指数
(nutritional assessment index：NAI)＝岩佐正人，1983 年 NAI＝(2.64×AC)＋(0.6×PA)＋(3.7×RBP)＋(0.017×PPD)－53.8 NAI＜40：poor 40＜NAI＜60：intermediate 60＜NAI：good
4. ステージⅣ消化器がん患者に対する PNI＝小野寺時夫ほか，1984 年
PNI＝(10×Alb)＋(0.005×TLC) PNI＜40：切除・吻合禁忌 40＜PNI：切除・吻合可能
5. 肝障害合併例に対する PNIS (prognostic nutritional index for surgery)＝東口高志ほか，1986 年
PNIS＝－0.147×体重減少率＋0.046×身長体重比＋0.010×TSF 比＋0.051×ヘパプラスチンテスト PNIS＜5：合併症あり 5＜PNIS＜10：移行帯 10＜PNIS：合併症なし

(凡例)

Alb：アルブミン値 (g/dL)
TSF：上腕三頭筋皮脂厚 (mm)
TFN：トランスフェリン値 (mg/dL)
DCH：遅延型皮膚過敏反応 (0, 1, 2)
　0　反応なし
　1　＜0.5 mm の硬結
　2　＜0.5 mm の硬結
TLC：総リンパ球数 (/mm^3)
Zn：亜鉛 (μg/dL)
Age：年齢
AC：上腕周囲 (cm)
PA：プレアルブミン値 (mg/dL)
RBP：レチノール結合蛋白 (g/dL)
PPD：ツベルクリン皮膚反応 (長径×短径，mm^3)

［文献 8,9 を参考に作成］

Cancer Treatment. Nutrients **13**：1196, 2021
7) 東口高志ほか：栄養パラメーター測定の意義．臨床検査 **48**：935-943, 2004
8) Kudsk KA, Scheldon GF：Nutritional assessment. Surgical Nutrition, Fischer JE (Ed), Little, Brown, Boston, 1983
9) 岡田　正 (監修)：最新栄養アセスメント・治療マニュアル，医学芸術社，東京，2002

第8章

がんの栄養療法

(1) がんの栄養療法の概要

淑徳大学看護栄養学部栄養学科
桑原　節子

A 日本におけるがん栄養療法の取り組み

がんの栄養管理では，日本人の死因別粗死亡率が脳血管疾患を抜いて1位になった1981年頃から疫学の分野でコホート研究（JPHC Study）を中心に進められてきた．しかし「栄養療法」については，特定の栄養素の効果が動物実験のレベルで細々と実施されてきたが，化学療法，放射線療法，外科治療に比べ，確実視されるものが少なく，発展途上にある．

並行してがん治療の柱となる化学療法，放射線療法，外科治療の安全な治療遂行支援のための栄養管理は，近年理解が深まり低栄養の改善，経腸栄養の見直し，緩和医療における生活の質（QOL）の向上など直接患者の生活を支える支持療法としての役割が注目されている．かつてのがん治療の多くの研究は，被験者のQOLを軽視し評価指標を生存率においていたが，全人的医療においては重要な評価指標となるため，軽視してはならない評価項目となってきている．栄養療法は薬物のような即効性がない代わりに，正しく実施されれば副作用がなく，きわめて安全な治療といえる．現在の断片的な情報をしっかりとした臨床試験につなげ，早期に確立していくことが望まれている．米国栄養士会（American Dietetic Association：ADA）の腫瘍学栄養診断グループ（Oncology Dietetics Practice Group：ONDPG）もがん栄養ケアに登録栄養士の診療基準を策定中である．内容は，がん栄養治療における専門的な訓練が必要とされ，教育プログラムと材料における質の確保，アウトカム研究の実施，がん栄養認定の達成が必要とされている[1)]．このように世界的にも，がん栄養療法の重要性と必要性は認識され，構築を急いでいる．

日本のがん病態栄養専門管理栄養士も，各国との連携を行い専門家としての能力基準として，求められる活動内容を**表1**に示す．

B 栄養療法の目的

がん患者の栄養状態を適切に保つことは，がん治療前，治療中，治療後さらにがんサバイバーとしての人生を通して重要である．特に回復が期待される場合は，全身の栄養状態を整え，外科治療，化学療法，放射線治療などの治療に耐えうるよう支援することが望まれる．

がん患者の栄養不良は，悪液質前の担がん状態において，不適切な投与栄養量の不足などにより起きている場合も少なくない．この状況を放置することは，飢餓状況を招き適切な治療効果を期待できないばかりか，QOLを極端に低下させ，家族の精神状況の悪化までも起こすことがある．逆に投与栄養量を維持しても体重減少を招く悪液質の状況では，基礎代謝量も減少し，消費量に見合った投与量にコントロールしなければ，QOLを落としかねないため，正しい栄養評価が重要となる．

直接的コントロール目標は，個々の病態に合わせて，エネルギーや栄養素を必要量摂取させ，除脂肪体重を維持させ，感染症を含む合併症をできるだけ抑えることである．また，適切な栄養状態の維持は，がん患者のQOLを向上させる．

さらに回復を望めない場合においても，副作

表 1　がん病態栄養専門管理栄養士の活動内容

項目	内容
1	がん患者の栄養障害の評価・予測をし，各種治療法の有害事象の軽減を行う.
2	がん患者のすべてのステージに対して，生活療養の指導を行う.
3	がん病態の代謝を理解し，輸液・経腸栄養などの提案調整を行う.
4	がん患者の摂食嚥下障害に関する知識を有し食形態の提案と調整を行う.
5	緩和ケアに関する知識を有し，全人的な視点に立った支援を行う.
6	最新の栄養情報・ガイドライン・研究成果などを実践に活用する.
7	がんの予防・診断・治療における問題に対して情報発信をする.
8	高度な知識及び技術を有し，がん栄養療法の向上に貢献する.

［日本病態栄養学会・ホームページ「がん病態栄養専門管理栄養士とは」より抜粋要約］

用の緩和やQOLの低下を防ぐこと，精神的な支えとなることが期待される．がんサバイバーが適切な栄養管理を行うことで，再発防止はもとより，将来心配される生活習慣病の予防にも寄与することで，大きなメリットとなる．

C 医学的栄養療法の考え方

がん患者の栄養評価を正しく行い，包括的評価を通して栄養不良の早期発見することは，がん患者の治療を支援し，QOLを安定させる．ここでは栄養療法を正しく進めるために，すべての患者の栄養療法のプロセスを理解することとし，そのうえで特異的に異なるがん患者の栄養療法を実施することとする．

個々の患者の栄養療法をマニュアル化するだけでなく，その過程もマニュアル化することで，一定レベルの結果を得ることができる．そこで，栄養ケアプロセスの概念を理解する必要がある．この概念は，2002年米国栄養士会の栄養療法モデルワーキンググループにより提案され，日本においても広まりつつある．栄養ケアプロセスとモデルの概念を図1[2]に示す．

栄養ケアプロセスは4つの段階があり，①栄養アセスメント→②栄養診断→③栄養介入→④栄養モニタリングと評価で構成されている．そして，この4段階は繰り返し実施されることで，さらに質の高い効果をもたらすと考えられる．

栄養ケアプロセスの外輪のひとつは，科学的根拠に基づく実践，倫理規定の適用，および栄養の知識，スキルとコンピテンシー（高いレベルの業務成果を生み出す，特徴的な行動特性），批判的思考，連携やコミュニケーション能力など管理栄養士・栄養士のスキルを表している．

外輪の第二は，対象者が受ける栄養ケアに影響を与える医療制度，社会経済学，実践設定などの環境要因を表しており，がん患者を取り巻く社会情勢は複雑に変化しているので，関心をもってみていく必要がある．

栄養スクリーニングの目的は，栄養学的リスクのある対象者を抽出するために行い，効果的であり，効率がよいことが理想とされる．がん患者では，低栄養の問題が大きく占めるが，それ以外にも過栄養，代謝異常なども存在するので，注意が必要である．栄養スクリーニングで抽出された患者は，さらに詳細なアセスメントを実施することとなる．特に栄養スクリーニングの場合は，簡便で患者にとっても非侵襲的な方法が望まれる．栄養不良の可能性のある患者を漏れなく抽出でき，感度の高いもの，栄養状態良好な対象者を正しく「栄養状態良好」と判定できる特異度の高いものがよいとされている．

栄養状態をあらわす大分類で6区分を示す．

①適切な栄養状態（健康），②数種類の栄養素の欠乏状態，③数種類の栄養素の過剰状態，④特定の栄養素の欠乏状態，⑤特定の栄養素の過剰状態，⑥栄養素相互のバランス不良であり，

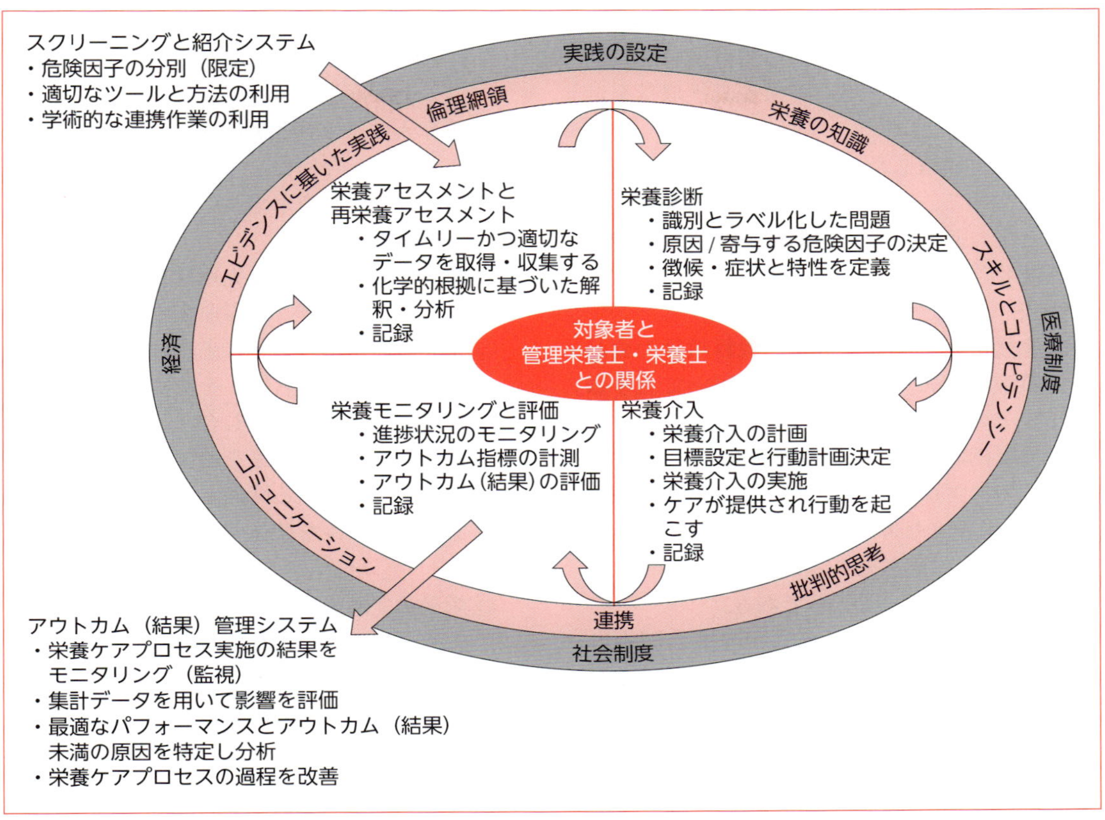

図 1　栄養ケアプロセスとモデル

［日本栄養士会（監訳）：国際標準化のための栄養ケアプロセス用語マニュアル，第一出版，p.9，2012 より引用］

特定の栄養素の過不足や相互バランスの不均衡については，さらに詳細に評価することが必要である．

栄養スクリーニングツールについては，総論 7 章参照．

現在の栄養状態を評価・判定し，因果関係を明らかにすることで適切な「栄養診断」につなげていく．がん患者の栄養評価として，栄養指標・パラメータより身体構成成分を推測するが，低栄養状態のタイプは，マラスムス型とクワシオルコル型に代表されている．がん患者の低栄養状態は，悪液質の進行状態によって複合的に現れることに注意する．

栄養診断をするために，重要な要素は，以下の 5 項目である．

①栄養素などの摂取量（食物/栄養関連の履歴），②身体計測，③臨床検査（生化学データ），④臨床審査（身体所見），⑤既往歴（栄養関連項目に関与する項目）

①の栄養素摂取量は，経口による食事量，経腸栄養などによる栄養剤，静脈栄養実施量の合計となる．経管栄養や計静脈栄養は，強制栄養法として投与量が明らかであるが，食事量は患者自身の意思が大きく左右する．食事摂取量から栄養素摂取量を分析することは，きわめて重要である．また，がん患者の病態特性上変化があり，調査日が日々を表しているか，詳細を確認する．食事調査法の主なものを述べる．

(1) 食事記録法：摂取した食物を調査対象者が自分で調査票に記入する方法．重量を測定する場合（秤量法）と目安量を記入する場合（目安量法）とがあり，対象者の能力によって使い分けをする．食品成分表から栄養素など摂取量を計量することになる．

(2) 24 時間思い出し法：前日の食事または，調査時点からさかのぼって 24 時間分の食事摂取について調査員が対象者に問診する方法．フードモデルや写真を使って目安量をたずね，食品成分表を用いて栄養素摂取量を計算してゆく．

(3) 陰膳法：摂取した食物の実物と同じものを同量集める．食材の調理過程も同様とすることで，正しい分析が期待できる．食物試料を化学分析して栄養素摂取量を測定する方法．

(4) 食物摂取頻度調査：数十～数百項目の食品の摂取頻度について調査票を用いてたずねて，その回答をもとに食品成分表を用いて栄養素摂取量を計算する方法．

栄養ケアプロセス（NCP）において，栄養診断は「栄養アセスメント」と「栄養介入」の間の段階で，栄養アセスメントをもとに対象者の栄養状態を診断することである．

栄養アセスメントが，「栄養が関係する問題，その原因，さらに栄養管理の意義を識別するために必要な各種のデータを取得，解明，さらに検証するためのシステマチックな方法」であるのに対して，栄養診断は，「栄養介入により解決，改善すべき栄養に関する特異的な課題を明確化して，標準的な方法で記録すること」になる．

栄養ケアの情報と記録の文書が明確化されれば，将来，研究のためのデータや共通の基礎データを提供することが可能となり，期待される．

栄養診断は，栄養の介入により問題を完全に解決できるのか，あるいは少なくとも徴候と症状を改善するのかを明らかにすることにつながる．

PESの内容を検討し，記録します．

1. （P：Problem or Nutrition Diagnosis Label）問題や栄養診断の表示
   患者やクライエントの栄養状態のなかで修正すべき問題点
2. （E：Etiology）要因
   原因／関係しているリスクファクター：「～に原因（関係）した」
3. （S：Sign/Symptoms ）症状／徴候
   対象者に対して栄養診断を決定したデータ：「～の根拠により」

記述方法については，「栄養診断：Sの根拠により，Eが原因となった（関係した），Pの栄養状態と診断できる」

栄養介入は，栄養ケア計画と栄養ケア実施に分けられるが，今回は，栄養ケア計画から実施までの一連の流れを示す．

［栄養介入計画］

①栄養診断の内容の優先順位を決める
②各種ガイドラインを参照する
③栄養診断の項目ごとに患者にとって期待される介入成果（目標）を決める
④対象者，介護者と話し合う
⑤栄養ケア計画と方策を明確にする
⑥栄養ケアに要する時間と頻度を明確にする
⑦必要なツールを確認する

［栄養介入実施］

①栄養ケア計画を伝える
②栄養ケア計画を実行する

［栄養ケアの実施における重要な考え方］

①目標と優先順位を決める
②栄養処方や基本計画を決定する
③学術的根拠に基づく
④行動介入，栄養介入を開始する
⑤栄養介入の方法・内容を対象者のニーズ，栄養状態の診断，価値観と適合させる
⑥実行行程を決定する際には多くの選択肢の中から選ぶ（押し付けない）
⑦ケアに要する時間と頻度（対象者の負担）を明確にする

栄養ケアプロセスを医学的栄養療法に照らし合わせ実践することは，将来の臨床研究を活発化させることに期待が寄せられる．特にエビデンスが乏しいとされる，がん患者のQOLの向上の意味と必要性について検証することを可能にすると考えられる．

D がんの栄養療法の実践活動としてのNST

NST（nutrition support team）は，栄養療法を効果的に実施する医療専門チームである．わが国でも2000年頃から広まり，2010年には診療報酬でNST加算が認められるようになり，

その必要性と効果が認識されるようになった．がんの栄養管理は，治療の影響，薬剤の影響，食事摂取にかかわる要素の変化や QOL など多職種で多面的に対応しなければ難しい内容の栄養療法が求められるため，特に NST は必須の分野として捉えられている．多くの施設が NST 症例として取り組んでいるものは，がん患者の低栄養，経口摂取量の低下，副作用対策である．

NST が行う栄養療法は，本項「c. 医学的栄養療法の考え方」で述べた栄養アセスメント→栄養診断→栄養介入→栄養モニタリングと評価をチームの目で検証し繰り返す．参加する職種は医師，歯科医師，看護師，管理栄養士，薬剤師，臨床検査技師，理学療法士，言語聴覚士などさまざまであり，各職種が専門性を発揮することで，患者利益を追求する提案が作られていく．

NST は，可能な限り経口摂取，経腸栄養を推進し，静脈栄養からの離脱や嚥下訓練による摂食改善に取り組む．その適切な栄養管理は，感染合併症の予防から早期回復・在院日数の短縮も可能とし医療経済へのメリットも大きい．

周術期における術後回復力強化プロトコール（enforced recovery after surgery：ERAS）では，麻酔導入数時間前までの炭水化物含有飲料の摂取で術前の口渇予防，空腹感の軽減，術後のインスリン抵抗性の改善などを可能にしている．

NST 活動は，入院期間に限定されるのではなく，入院前，入院中，退院後またその後の生活を含めて地域連携を強め，がん患者を常に支援するチームでなければならない．

文献

1）中屋　豊，渡邊　昌，阪上　浩（監修），日本病態栄養学会（編）：がん栄養療法ガイドブック，第 2 版，メディカルレビュー社，大阪，p.51，2011
2）日本栄養士会（監訳）：国際標準化のための栄養ケアプロセス用語マニュアル，第一出版，東京，p.9，2012

(2) 成人がん患者における経腸栄養

淑徳大学看護栄養学部栄養学科
桑原　節子

A 経腸栄養の利点

がん患者の多くは，病態の進行による経口摂取の低下やがん治療による上部消化管の使用不能を経験する．担がん患者の栄養サポートを効果的に行ううえで，経腸栄養は重要である．特に経口摂取が不十分で体重減少した患者では，栄養状態の改善に加え，生活の質（QOL）の改善も期待できる[1]．経腸栄養は静脈栄養に比較して生理的で安全性が高く，腸粘膜萎縮によるバクテリアル・トランスロケーションを予防する可能性が高い．栄養不良のがん患者の術後合併症を低下させ，術後の入院日数を短縮させる効果も期待されるため，経済的にも優れている経腸栄養は可能な限り優先的に選択されるべきである．

B 経腸栄養の適応と禁忌

経腸栄養は，消化管機能が維持されており，経腸投与ルートが確保できる場合で経口摂取が十分にできない時に適応となる．NST（nutrition support team）の栄養法の決定基準「腸が機能している場合には腸を使う」に表現されている．欧州臨床栄養代謝学会（The European Society for Clinical Nutrition and Metabolism：ESPEN）のガイドラインでは，経口摂取が不可能な状況が7日以上続くか，推定必要エネルギー量の60％未満の経口摂取量へ低下し体重減少が起きている場合は経腸栄養が推奨されるとしている[2]．経腸栄養の適応疾患は**表1**に示す．

経腸栄養の禁忌は，消化管機能不全，吸収不良状態，機械的閉塞，重度の出血，重度の下痢，難治性嘔吐，経腸チューブではバイパスが困難な部位の消化管瘻，長期の腸閉塞や重度の腸炎

表1　経腸栄養の適応疾患

1. 経口摂取が不可能または不十分な場合
   ①上部消化管の通過障害：口唇裂，食道狭窄，食道がん，胃がんなど
   ②手術後
   ③意識障害患者
   ④化学療法・放射線治療中の患者
   ⑤神経性食欲不振症，重症うつ病
2. 消化管の安静が必要な場合
   ①上部消化管術後
   ②上部消化管縫合不全
   ③急性膵炎
3. 炎症性腸疾患：Crohn 病，潰瘍性大腸炎など
4. 吸収不良症候群：短腸症候群，盲管症候群，慢性膵炎，放射線腸炎など
5. 代謝亢進状態：重症外傷，重症熱傷など
6. 周術期
7. 肝障害，腎障害
8. 呼吸不全，糖尿病
9. その他の疾患：蛋白漏出性胃腸症，アレルギー性腸炎
10. 術前，検査前の管理：colon preparation

［日本病態栄養学会（編）：病態栄養療法認定管理栄養士のための病態栄養ガイドブック，第5版，p.116，2016より引用］

表2　経腸栄養の禁忌

1. 栄養投与する腸管より肛門側の腸管の閉塞
2. 汎発性腹膜炎
3. 治療困難な嘔吐
4. 麻痺性イレウス
5. 重症消化管出血
6. 代謝異常を伴う難治性の下痢
7. 1日800 mL以上の腸瘻からの排泄
8. 腸管虚血
9. 不安定な循環動態
10. 強力な栄養サポートにても予後が望めない例

［中屋　豊ほか（監修），日本病態栄養学会（編）：がん栄養療法ガイドブック，第2版，メディカルレビュー社，大阪，p.140，2011を参考に作成］

表３　栄養剤の各栄養素の形態

	成分栄養剤	消化態栄養剤	半消化態栄養剤
窒素源	アミノ酸	ジペプチド トリペプチド	ポリペプチド
糖質	デキストリン	デキストリン	デキストリン
脂質	LCT，MCT	LCT，MCT	LCT，MCT
脂質量	含まない	少ない	比較的多い
他の栄養素	不十分	不十分	不十分
食物繊維	添加せず	添加せず	添加したものも多い
消化	不要	ほとんど不要	ある程度必要

LCT：長鎖脂肪酸，MCT：中鎖脂肪酸

を示す腸の経過，および積極的な栄養療法と呼応しない総合的な健康予後がある[1]．さらに経腸栄養の投与の安全性が確保できない場合，腸管の安静が優先される場合である．具体的禁忌は**表２**に示す．

C 経腸栄養剤の選択

経腸栄養剤は，原料から天然濃厚流動食と人工濃厚流動食に分けられる．製品として販売されている濃厚流動食は，ほとんどが人工濃厚流動食である．濃厚流動食はその組成から，成分栄養剤，消化態栄養剤，半消化態栄養剤に分類される．医薬品扱いと食品扱いがあるが，現在食品扱いの栄養剤は開発が盛んに行われている．また，糖尿病や腎不全，肝疾患などの病態別の栄養剤もあり，個々の患者の状態に合わせて選択する必要がある．また，免疫賦活栄養剤（immune enhancing diet：IED）としてグルタミン，アルギニン，n-3系脂肪酸，核酸などの成分を強化した栄養剤も利用される．

栄養剤の選択については，患者の消化吸収能，臓器障害の程度，必要投与栄養量，経済的評価を行い，実施後の合併症の観察と改善のために栄養剤の変更も検討する．

組成別栄養剤の区分を**表３**に示す．

D 栄養投与ルートと投与法

経腸栄養のルート選択については，経腸栄養が予定される継続期間によって検討される．おおむね4～6週で経腸栄養が離脱できる場合は経鼻経腸栄養が選択される．経鼻チューブは，留置2週程度で閉塞や屈曲，移動のため再留置する必要がある．誤嚥リスクがある場合は，経鼻十二指腸チューブ，経鼻空腸チューブの適応となる．経腸栄養の継続期間が4～6週を超える場合は，胃・腸瘻造設術による経管栄養が選択される．特に経皮内視鏡的胃瘻造設術（percutaneous endoscopic gastrostomy：PEG）の利用が高まっており，頭頸部腫瘍，上部消化管悪性腫瘍で経口摂取困難例，遷延性意識障害，嚥下障害などによる長期経腸栄養管理などに適応となる．また，PEG造設ができない場合は，外科的空腸瘻造設術や経皮経食道胃管挿入術なども検討される．

経腸栄養の投与方法は，持続投与と間欠投与がある．持続投与は，24時間または一定時間をかけて緩徐に投与する．投与開始は20 mL/時間程度から開始し，腹部膨満や下痢などの症状のないことを確認し，速度を増してゆく．間欠投与は投与時間と投与時間の間を空けて投与する方法で，1回200～500 mLを60～120分程度をかけて投与する．

投与位置が十二指腸や空腸の場合は，持続投与とし，80 mL/時間程度までは経腸ポンプの使用が必要である．

また，栄養剤は細菌汚染を避けるため，イルリガートルへの詰め替えを必要としないバッグ形状が第一選択肢となり，経腸栄養チューブも

表4　経腸栄養の合併症

	合併症	対策・処置
機械的	チューブ位置異常，チューブ閉塞，抜去，逆流性食道炎，食道びらん	チューブ先端の空腸内留置 位置確認，素材の検討
感染性	誤嚥性肺炎	注入時半坐位 注入量の調整
消化管系	嘔吐，下痢，腹部膨満，腹痛，急性消化管拡張症	注入速度，濃度，量の調整 急速注入の改善
代謝性	高血糖， 脱水，電解質異常，微量元素欠乏	栄養剤の変更 速度，濃度の調節 インスリンの投与 補正用電解質の投与

［本田佳子（編）：新臨床栄養学栄養ケアマネジメント，第5版，p.79，2023を参考に作成］

使い捨てが原則である．したがって，持続投与の場合にも栄養剤のバッグへの継ぎ足しは厳禁である．

E　経腸栄養に関する合併症

経腸栄養は，経静脈栄養に比べ感染のリスクは低いが，合併症への配慮も必要である．経腸栄養の合併症は，誤嚥性肺炎などの感染性のものが注目されるが，その他に栄養チューブなど機械的なもの，嘔吐や下痢などの消化管系のもの，高血糖などの代謝性のものがある．合併症の内容と対策については**表4**に示す．

特に経腸栄養の合併症で多いのは，下痢や腹部膨満によるものである．患者がこれまでの長期に静脈栄養で腸管粘膜が萎縮していたり，過敏性腸症候群や細菌性腸炎であったり，化学療法や放射線治療で消化器障害を併発している場合もある．また，栄養剤に由来するものとして，投与速度や栄養剤の汚染，浸透圧が高いもの，食物繊維が含まれていないなど，原因を検証し改善していく．

文献

1）Arends J, Bodoky G, Bozzetti F et al：ESPEN Guidelines on Enteral Nutrition：Nonsurgical oncology. Clin Nutr **25**：245–259, 2006
2）Piazza-Barnett R, Matarese LE：Enteral nutrition in adult medical/surgical oncolory. In：McCallum PD, polisena CG (eds), The Clinical Guide to Oncology Nutrition, Chicago, Ⅲ, The American Dietetic Association, p.106–118, 2000

(3) 静脈栄養療法
A. 腫瘍内科学における静脈栄養療法

国立がん研究センター中央病院頭頸部・食道内科
本間　義崇

腫瘍内科の主な治療対象は，切除不能/再発症例といった「根治が期待できない」病態である．主たる治療は化学療法であり，その目的は「病勢の制御」である．そのため継続的な治療が必要となり，副作用に耐えうる体力・気力の充実と保持が必須である．ゆえに，安定した治療を行っていくうえで，栄養管理は不可欠の要素である．

栄養療法の基本は「経口・経腸的な栄養摂取」，これは周知のところである．しかし腫瘍内科の領域では，治療導入による重篤な有害事象の発症，原発巣・転移巣による悪性消化管狭窄や大量腹水貯留，そして観血的処置が困難な易出血状態などさまざまな要因により，経口・経腸的な栄養療法が困難な状況にしばしば遭遇する．こうした症例は経静脈的に栄養状態の改善を図るほかなく，腫瘍内科学における静脈栄養療法のよい適応といえる．

患者が脱水・電解質異常に陥っている状態と認識せずに化学療法を継続した場合，重篤な状態に陥いる可能性が高まる．切除不能/再発症例は脆弱な身体状況にあり，いったん体調を崩すと回復に長期間を要する．治療再開可能な体力に回復するまでに病勢悪化をきたし，十分な治療ができないままに最期を迎えてしまうというケースも少なくない．栄養療法をはじめとする支持療法に関する十分な知識をもって実地診療に臨むことが，効果的かつ安全な化学療法に結びつくということを，まずはご理解いただきたい．

A 輸液療法前のチェック項目

輸液の量や組成を決定する際に把握しておくべき項目として，①アウトバランスの評価（尿量，便の回数や性状，排液の組成や量など），②併存疾患（糖尿病・心不全・呼吸不全など）の評価，③採血によるアルブミン値や電解質値の評価，④患者の身体活動性と発熱の有無の評価，⑤浮腫や胸腹水の有無の評価，などがあげられる．①②③の評価は輸液療法の基本である．④は不感蒸泄にかかわる項目に該当しアウトバランスに加味すべき要素であり，適切な評価が必要である．⑤はいわゆる3rd spaceへの体液貯留の評価であり，高度なリンパ浮腫例や大量胸腹水貯留例への過度の輸液は余分な体液貯留を増長させ体調悪化をきたしてしまうため，事前に十分な評価を行う必要がある．

なお当然のことではあるが，これらの情報はベッドサイドでの入念な診察や患者とのコミュニケーションがあってはじめて正しく評価されるものであり，「カルテや検査結果とのにらめっこ」だけでは，十分に把握できないバロメーターである．

B 化学（放射線）療法中の症例における静脈栄養療法

化学療法の導入によって，消化器毒性（食欲低下・悪心・嘔吐）や粘膜炎（口腔粘膜炎・下痢）などの副作用が起こる．症状の出現時期や程度は個人差が大きく，通常は一過性で数日のうちに軽快するが，ときに重篤化し経口摂取不能な状態となりうる．

消化器毒性については，制吐剤ガイドライン[1]に沿った選択的セロトニン（5-HT_3）受容体拮抗薬や副腎皮質ステロイドの使用によって，24時間以内に生じる急性期症状は良好にコントロールされるようになり，臨床現場では化学療法開始から24時間以降に生じる遅発期症状が問題となっている．近年，選択的ニューロキニン（NK_1）受容体拮抗薬であるアプレピタントや，新規の5-HT_3受容体拮抗薬であるパロノセトロン，オランザピンなどの登場により，従来に比べ遅発期症状の管理がしやすくなってきている．消化器毒性の強い症例では，上記薬剤の積極的な併用による体調管理が望ましい．粘膜障害は化学療法開始7日目前後より生じてくる．口腔粘膜炎については，口腔内の清潔保持（積極的なうがい処置や歯科医師の介入による口腔内清掃）による症状緩和に努め，経口摂取能を保持することが大切である．下痢症状に対しては，脱水を防ぐべく十分な水分摂取と腸管粘膜への負担の少ない食事内容の検討が必要である．頻回な下痢症状を呈する場合には，脱水状態に陥らぬよう積極的な止痢薬（ロペラミドなど）による排便コントロールが必要となる．特にイリノテカンによる重篤な下痢症状に対しては，ロペラミド大量療法が推奨されている[2)]．

経口摂取量の低下や下痢などによって血管内脱水が生じると，特に腎排泄性の薬剤（シスプラチンなど）投与例では，薬剤排泄遅延により血中濃度が上昇し有害事象が遷延・重篤化する．また高度な粘膜炎がある場合，経口栄養補助剤や経腸栄養剤は消化管粘膜への負荷が大きく，かえって浸透圧性の口腔内の疼痛や下痢を惹起し脱水を助長させ事態を悪化させてしまう恐れがあり，望ましくない．こうした重篤な有害事象の出現時には栄養療法に加え水分バランスの管理が必要であり，静脈栄養療法のよい適応と考えられる．この場合は，血管内脱水を補正すべく生理食塩水や1号液などの細胞外液に近い組成の輸液を主体に，身体状況や採血結果を参考に必要カロリーや電解質の追加・補正をする．

一方で放射線治療でも，口腔・咽頭・食道・消化管など，照射部位に応じた臓器の粘膜炎が起こる．重篤化した場合，放射線治療中止から回復までに週単位の期間を要する．放射線治療は休止することにより治療効果が減弱することが知られている[3)]ため，余程重篤な状態とならない限り治療は中断せずに予定された治療プランの完遂を目指すことが望ましい．よって放射線治療期間中，特に治療後半では，経口摂取不能状態での放射線治療継続を余儀なくされ，長期間の栄養・水分管理が必要となることから，静脈栄養療法（特に中心静脈栄養）のよい適応と考えられる．

また白血病に代表される血液腫瘍では，強力な多剤併用化学療法による有害事象や骨髄移植例における移植片対宿主病（graft versus host disease：GVHD）により，長期間にわたって経口摂取不能な状態に陥ることが多い．血液腫瘍では，その背景に「易感染・易出血状態」があり治療導入中はさらにそのリスクが高まることから，経腸栄養のための経鼻胃管留置や胃瘻造設といった観血的な処置は不可能であることが多く，静脈栄養療法（特に中心静脈栄養）主体の栄養管理となることが多い．本対象に対する栄養管理の詳細については，後出の各論に委ねる．

C　悪性消化管狭窄に対する輸液療法の注意点

悪性消化管狭窄を有する症例において輸液療法を行う際には，必要カロリー量の計算のみならず，頻回の嘔吐・下痢やドレナージチューブからの消化液の排出（**表1**）といった「慢性的な体液喪失状態」が背景にあることを念頭において，こまめな水分・電解質管理を行う必要がある．腫瘍内科の治療対象となる患者ではさまざまな腫瘍関連合併症を有していることが多く，上記のドレナージ療法の併用下に化学（放射線）療法の実施が必要となる症例は少なくない．そして喪失する体液の種類によって，含まれる電解質組成が異なることを知っておかなくてはならない（**表2**）[4)]．輸液療法開始後は安定期に入るまでは定期的に全身状態や電解質異常をチェックし，体調維持に最適な輸液組成を導き出す必要がある．たとえば，がん性腹膜炎で小腸狭窄がありlong tubeを留置している症例では，1日の腸液排液量を1,500 mLとすると，中心静脈栄養に加えNa^+を豊富に含む生理食塩水での水分・電解質補充をベースとして，経

表１　悪性消化管狭窄に対し用いる，代表的なドレナージチューブ

種類	主な適応症	主な排液
PTEG（経皮経食道胃管挿入術）	食道／胃狭窄・胃切後小腸狭窄	唾液・胃液
PEG（経皮内視鏡的胃瘻造設術）	十二指腸狭窄・近位小腸狭窄	胃液・腸液
long tube（イレウスチューブ）	遠位小腸狭窄・大腸狭窄	腸液
PTCD（経皮経肝胆道ドレナージ）	閉塞性黄疸	胆汁・膵液

表２　各体液の分泌量と電解質組成

体液	分泌量（mL/日）	HCO_3^-（mEq/L）			
		Na^+	K^+	Cl^-	HCO_3^-
唾液	1,500	10	25	10	15
胃液	2,500	70	10	100	0
胆汁	500	140	5	100	30
膵液	700	140	5	100	70
腸液	3,000	140	10	100	25
血漿	—	140	5	100	27

［日本緩和医療学会（編）：終末期がん患者の輸液療法に関するガイドライン 2013 年版，金原出版，2013 を参考に作成］

過中の採血結果を参考に補液内の電解質補正を行う．長い経過となる場合は低カリウム血症にも注意が必要である．

また化学（放射線）療法の導入を行うことで，特に初回治療例については，治療効果により経口摂取能の改善が期待できる．改善の際には極力経口での栄養摂取を促し，輸液を徐々に減らしていき退院に向けて患者の生活の質（QOL）の改善を図ることが大切である．また悪性消化管狭窄があっても，手術により経口摂取可能となることが期待される症例（例：進行食道がんに対する術前化学療法中の患者）では，中心静脈ポート留置や胃瘻造設などは手術操作の妨げや周術期の感染の温床となる可能性があるため，中心静脈カテーテル留置による一時的な静脈栄養療法で急場をしのぐという方法も選択肢となる．

D　高度浮腫・胸腹水貯留例に対する輸液療法の注意点

先の項目でも触れたが，こうした 3rd space への体液貯留のある症例では，少ない輸液量で必要なカロリー・電解質が投与できる輸液の組成を導き出す必要がある．本対象でも，化学療法の治療効果により腹水が減少し経口摂取能が改善した際には，経口的な栄養摂取にシフトしていく．

しかしながらこのような対象では，輸液の量や組成に注意を払い利尿薬などの支持療法を十分に行ったとしても体液貯留が進行し，頻回の腹水ドレナージをせざるを得ないケースが少なくない．こうした症例に対しては，デンバーシャント（腹腔–静脈シャント）や腹水濾過濃縮再静注法（cell free and concentrated ascites reinfusion therapy：CART）による腹水コントロールが試みられている．CART とは，採取した腹水からがん細胞・細菌などの細胞成分と余分な水分・電解質を除き，体に必要な蛋白質成分（アルブミン・グロブリン）を回収して経静脈的に体内に還元する方法である．従来の CART は，細胞や粘液成分の多いがん性腹水では容易に濾過膜が閉塞し処理能力に乏しいこと，そして腹水中の白血球やがん細胞に過度の機械的なストレスが加わることで生じたがん細胞細片やサイトカインが体内に還元されることによる発熱が必発で，ときに重篤な反応が生じるため安全性に問題があるとみなされ一時期行われなくなった手法であったが，KM-CARTは，従来のCARTより簡便・効率的かつ重篤な反応の原因となる物質が除去されるため安全に投与できる手法として注目されている[5)]．本法では，一気に大量の腹水の排液を行うために急な血圧低下や血管内脱水に陥る可能性があり，腹水穿刺中に細胞外液に近い組成の輸液投与下に手技がなされる．一部の症例では本法の導入により体液貯留や電解質異常が著しく改善したという報告もあり，コントロール不良な腹水貯留例への有効なアプローチのひとつとして実地臨床でも広く用いられている．

E　その他，輸液療法の注意点

在宅での輸液療法を目指す場合には，自宅でのトラブルを避けるべく，入院中に極力シンプルな輸液組成に調整することも大切である．また，経口摂取不能例への静脈栄養療法の導入で最も注意すべき合併症として，ビタミンB_1欠乏によって引き起こされるWernicke脳症がある．本症では，脳内の乳頭体・中脳水道周囲・視床などといった特異的な部分に不完全壊死が起こり，眼筋麻痺・失調に加えて記銘障害・作話・空間と時間に対する失見当識などの特徴的な症状が出現する．最近ではあらかじめビタミンB_1が含有されている輸液製剤も増えてきているが，ときに不可逆的な状態となりうる疾患であり，訴訟となった事例も報告されているため，確実な投与を心がける必要がある．

文献

1）日本癌治療学会（編）：制吐薬適正使用ガイドライン2015年5月（第2版），金原出版，東京，2015
2）Abigerges D, Armand JP, Chabot GG et al：Irinotecan（CPT-11）high-dose escalation using intensive high-dose loperamide to control diarrhea. J Natl Cancer Inst **86**：446-449, 1994
3）早川和重：放射線腫瘍学．日本臨床腫瘍学会（編）：新臨床腫瘍学，第2版，南江堂，東京，p. 236-245, 2009
4）日本緩和医療学会（編）：終末期がん患者の輸液療法に関するガイドライン2013年版，2-3．輸液の生理作用，金原出版，東京，p.23-25，2013
5）Japanese CART Study Group, Matsusaki K, Ohta K, Yoshizawa A et al：Novel cell-free and concentrated ascites reinfusion therapy（KM-CART）for refractory ascites associated with cancerous peritonitis：its effect and future perspectives. Int J Clin Oncol **16**：395-400, 2011

(3) 静脈栄養療法 B. 腫瘍外科学における静脈栄養療法

*1 千葉県がんセンター 食道・胃腸外科/NST
*2 帝京大学ちば総合医療センター 外科/NST
鍋谷 圭宏*1 首藤 潔彦*2

がん治療における経腸栄養 (enteral nutrition : EN) と静脈栄養 (parenteral nutrition : PN) は両輪であり, 特に外科治療においては周術期に両者をいかに適切に併用するかが栄養管理の腕の見せ所である[1-3]. 近年は, より生理的である EN の重要性が強調される傾向にあるが, 適時適切な PN は良好な外科治療成績を得るためには欠かせない[2,3].

A 腫瘍外科学における栄養療法とくに静脈栄養の意義

❶ がん治療における栄養療法の考え方

がん治療においても栄養療法の原則に従い, 可能な限りまず経口摂取/EN での「腸を使った栄養管理を優先する」[2,3]が, これが「PN を使わない」と理解されることがしばしばある. しかし, Omura らの実験的検討では, 全投与エネルギー量の 10〜15% を EN で投与して中心静脈栄養 (total PN : TPN, 完全静脈栄養とは訳さない) と併用する combined nutritional therapy : CNT) で, 小腸粘膜の萎縮や透過性亢進すなわち bacterial translocation の予防が可能であることが示唆されている[1,4,5]. 東口らも動物実験で, TPN 施行時に prebiotics の GFO® enteral formula (グルタミン・食物繊維・オリゴ糖を含有) を経腸的に併用投与して, 同様の結果を報告した[6]. 実臨床では, TPN に加えて 200〜300 kcal/日程度の脂肪を含む半消化態栄養剤の摂取が可能であれば, 実験的に有効とされた CNT[4,5]に近く[1], 腸管機能を維持した栄養管理が可能と思われる. これは, 無脂肪での TPN 管理を回避できる点でも有益であろう. つまり,「PN を使わない EN 単独での管理」に固執するのではなく, 必要な栄養投与のために適時適切な CNT を用いて「PN 単独での管理を回避する」ことががん治療でも肝要である.

❷ 腫瘍外科学における栄養療法の必要性と静脈栄養の役割

がん患者とくに消化器がん手術患者では, 初診時に栄養状態が不良であったり術前治療を行う症例も多い. 近年, 消化器がん患者を中心に術後感染性合併症発症が長期予後を悪化させることが示されている[7]. そのため, 周術期の適切な栄養療法は, 術後合併症予防を介して腫瘍外科学の最終目標である長期予後向上のために必須であり, その重要性は支持療法という位置付けではなくなりつつある. そのため, 経口摂取/EN での栄養摂取が不十分 (必要エネルギーの 50% 未満[3]など) ながん手術患者では,「EN 単独」に固執しない CNT (欧州臨床栄養代謝学会では "dual nutrition" と表現している[3]) の一部としての適切な PN 管理が周術期を通して欠かせない. 治療内容や術前治療中・術後早期など治療の phase によって経口摂取/EN に併用すべき PN の必要性は経時的に変わるべきものである[8]. たとえば, 術後短期間での体重減少を抑制したい胃がん術後患者では, 術後早期の PN による栄養投与の有用性が報告されており[9], 予後向上のための積極的な「攻め」の PN も状況に応じて検討する必要がある[8].

また,「がん患者に積極的に栄養を投与するとがんも増殖するのではないか？」という疑問も生じる. しかし, 人体に投与された栄養ががん細胞に優先的に取り込まれて臨床転帰に直結するほどがんが増殖するというエビデンスはない[10]. 治療を完遂すべく全身状態を改善するための栄養療法とくにPNの必要性は高い．

B 周術期栄養管理における静脈栄養療法

❶ 栄養評価と周術期管理の考え方

がん患者では初診時から栄養評価が必要で，決定された治療計画（術前治療の有無など）にあわせて栄養療法の必要性や今後の計画を立てる必要がある．特に外科手術患者では，体重減少（≧10％など）やBMI（＜18.5 kg/m^2 など）が簡便な指標として，他にもMNA-SF，MUST，NRS2002などの評価ツールが使われている[2,3,11]．血清アルブミン値は半減期も長く，単独では必ずしも適切な栄養指標とはならないことがあり[11]，炎症指標として理解することも重要である．腫瘍外科学でよく用いられる複数の項目からなる予後推測指標（CONUTなど）は，もともと栄養評価指標ではないことを理解する．また近年では，サルコペニアが多くのがん外科治療後の予後不良因子となることが示され，CT検査や近年普及した体組成計による筋肉量測定，筋力・身体機能測定などが行われる[11]．これらの栄養指標を「一点の値」として評価するか，あるいは術前治療中など「一定期間での値の推移（変化）」として評価するか，臨床研究を行う上では注意する必要がある．

腫瘍外科学における周術期栄養管理は，初診時から各phaseにおいて「患者ごとに上記の栄養評価を行い，経口摂取/ENを優先して，必要とされるエネルギーや栄養成分の不足分をPNで投与するCNTを行う」のが基本である[1〜3]．ERAS®や日本外科代謝栄養学会のESSENSEなど術後回復促進プログラムの普及もあって，早期経口摂取/ENの重要性や入院期間の短縮が強調されがちである[3,12]．しかし腫瘍外科学では，短期間の補完的な栄養投与（守り）に加えて，低栄養状態を改善する/栄養状態低下を抑制する「攻め」の栄養管理がPNで必要な場合も多い[8,9]（表1）．適切な管理とリスクマネジメント[13,14]の下でPNとくにTPNを安全に行えることは，がんの外科治療では重要である．一方で，術前・術後の低栄養やサルコペニアにはがんの悪液質も関与しており，これを改善して予後を向上させうる栄養療法介入のエビデンスはまだ少ない．今後の研究成果を期待したい．

術後合併症予防（短期予後向上）とがんの長期予後向上のために適切な周術期栄養管理を行うには，医師だけでなく多職種でのチーム医療とくに栄養サポートチーム（nutritional support team：NST）の関与は必須である[2,8,11,13,14]．

表1　腫瘍外科学における周術期の静脈栄養療法

Phase	適応・目的	意義	静脈栄養の内容	期間
術前	経口摂取不十分/ENが困難な中等度〜高度栄養障害のある進行がん患者	積極的な栄養投与（攻め）	TPN（高エネルギー）	術前2週間程度
	栄養状態が比較的良好ながん患者の経口摂取不足の補完や水分管理	補完的な栄養投与（守り）	PPN（中等度エネルギー）	術前1週間程度
術後	経口摂取/ENでの栄養摂取の不足を補う，短期間の栄養状態維持，軽度の術後合併症発症時	補完的な栄養投与（守り）	PPN（中等度エネルギー）	術翌日〜1週間程度
	術後1週間以上のPPN施行または経口摂取/ENが開始不可能	積極的な栄養投与（攻め）	SPN/TPN（高エネルギー）	術後1週間以後〜
	胃・食道切除術後の体重減少など栄養状態低下の抑制	積極的栄養投与（攻め）	PPN（中等度エネルギー）またはSPN（高エネルギー）（経口摂取/ENと併用）	術翌日〜1〜2週間程度

EN：enteral nutrition, TPN：total parenteral nutrition, PPN：peripheral parenteral nutrition, SPN：supplemental parenteral nutrition

適時適切なPNの施行についても，多職種での検討が望ましい．

❷ 周術期の静脈栄養療法

まず，主に水分電解質を静脈内投与する輸液とは区別してPNを考え，末梢静脈栄養（peripheral PN：PPN）とTPNそれぞれの適応と正しい管理法を理解せねばならない[2,8,13,14]．

PPNは，低浸透圧（血漿浸透圧比で3以下）でアミノ酸を含む糖電解質液（ブドウ糖濃度7.5％の製剤が代表的）を基本とし，ビタミンを加え，脂肪乳剤も別途投与して，1,000～1,300 kcal/日の中等度エネルギーを末梢静脈から投与するPNである[2,8,13]．最近では，アミノ酸・糖・電解質・脂肪・水溶性ビタミンまでセットになったPPNキット製剤（エネフリード®輸液）も市販されている．しかし，PPNでは投与可能なエネルギー・栄養素そして期間に限界があり，栄養状態の改善は難しい．したがって，「中等度以上の栄養障害がなく，術前後を含め1～2週間程度（この間に経口摂取/ENが可能になると予測される場合）」がPPNの適応になる[2,8,13]（表1）．

一方で，中心静脈カテーテル（central venous catheter：CVC）から高浸透圧の高カロリー輸液（糖濃度12％以上で，アミノ酸，脂肪，ビタミン，微量元素を含むtotal nutrient admixture）[2]を投与するTPNは，非生理的だが，高いエネルギーを計画的に継続投与可能であり，栄養状態を改善できる「攻め」の栄養療法の手段である[2,8,13]（表1）．わが国では以前は頻用されたが，近年では腸を使う栄養管理の重要性が認識され，カテーテル関連血流感染症（catheter-related bloodstream infection：CRBSI）など合併症の懸念もあり，TPNが必要以上に回避されていることが懸念される．「2週間までのPNはPPNが適応」とされるが，2週間経過してからTPNの適応を検討するのでは遅く，栄養障害に陥る可能性もある．腫瘍外科学とくに消化器がん患者では「攻め」の栄養管理が重要であり，栄養状態を低下させないように「1週間以上のPPN施行後は，TPNへの移行を考慮する」ことが推奨される[2,13]．デバイスとして，末梢挿入式CVC（peripherally inserted central venous catheter：PICC）の選択が挿入および管理の点で安全である[2,8,13,14,15]．

C 腫瘍外科学を支える周術期の静脈栄養療法の実際

がんの手術でも術直前・術中・術直後は水分・電解質補給が主たる目的となる[8]ため，本項では，一般的な術前・術後の栄養療法におけるPNの実際について述べたい．

❶ 術前の静脈栄養療法（表1）

術前に栄養障害があれば進行がん患者でも，2週間程度の栄養管理をしてから手術を行うことが推奨されている[2,3]．経口摂取は困難/不十分な場合が多いので，経鼻でカテーテルを留置してENを行うのも一手だが，高度栄養障害症例ではTPNによる「攻め」の術前栄養療法（CNTは常に考慮する）が術後合併症を減少させうる[2,3]．術前TPN管理症例は，術直前は投与エネルギーを下げて電解質を正常化する．

一方で，中等度以上の栄養障害がなくても精神的な理由などで術前に食欲低下をきたすがん患者も多く，経口摂取不足や水分管理を補うための「守り」のPPNが術前1週間程度の短期間で適応となる．PPNキット製剤はこうした用途には適しているが，キットの隔壁開通を忘れない注意と，末梢輸液ラインでも起こりうるCRBSIには常に注意して，側注や混注をせず24時間以内にラインを交換するなどのリスクマネジメントを感染対策チーム（infection control team：ICT）と共有して施設で徹底すべきである．

❷ 術後の静脈栄養療法（表1）

かつては胃全摘術や直腸低位前方切除術の術後経口摂取再開は遅く，安定した栄養投与を目的として術後にTPNが頻用されていた．近年は，高度侵襲手術である食道切除再建術や膵頭十二指腸切除術でも術後にTPN中心の管理を要することは少なくなり，必要に応じて術中に空腸瘻など腸管アクセスを作成して術後早期

EN を行うことが多くなった[2,3,16]．

さらに，術後回復促進プログラムの普及で，胃・大腸切除など一般的な消化器外科手術後は術後早期の経口摂取再開を念頭に置き，栄養投与よりも水分・電解質補給を目的とした末梢輸液管理のみで組まれたクリニカルパス（clinical pathway：CP）で早期に退院が予定されていることが多い．しかし，術後早期に経口摂取だけでは十分なエネルギーが摂取できないことも多く，胃がん手術後患者などでは体重や筋肉量が術後早期に大きく減少して予後にも影響する[17,18]．その対策として，術後経口摂取/EN での栄養摂取の不足分を補う，短期間の栄養状態維持のための補完的な「守り」の PPN が適応となる．軽度の合併症で経口摂取再開が遅れる場合も適応となろう．しかし，こうした状況では PPN の長期化が患者の栄養状態を悪化させることもあり，術後 1 週間以上の PPN を要する場合は（2 週間で改善できないことも多く），CVC 留置のうえで TPN または不十分な経口摂取/EN を補う「補完的中心静脈栄養（supplemental parenteral nutrition：SPN）」（CNT 施行時に中心静脈栄養での投与エネルギー量が総投与エネルギー量の 60％未満の場合の PN）を考慮したい[1,2,8,13]．消化器外科医が術後の低栄養の進行に関心が低いことも多く，PPN 施行時は常に SPN/TPN への移行を躊躇しない判断が求められる．

また，合併症発症時を含めて「術後 1 週間以上経口摂取および EN が開始できない症例では，代謝性/感染性合併症に十分注意しながら TPN を実施する」ことが GL で推奨されている[2]．ただし，「腸を使った栄養管理」は経時的に検討する必要があり，縫合不全発症時も，施行可能な範囲の EN を開始（移行）または併用した SPN での CNT を行う[19]．術前も術後も不必要な TPN は慎むべきだが，PICC で必要十分な栄養投与を目指すべき場合は多い[2,13,15]．

体重や筋肉量が術後早期に大きく減少する胃がん手術患者では，術後 1 ヵ月間の体重や筋肉量の減少が長期予後不良因子であると報告された[17,18]．その対策のひとつとして，術後早期から PN で高エネルギーを投与する「攻め」の CP が，術後早期の体重減少を抑制すると報告されている[9]．術直後の 1 週間という短い期間に早期経口摂取ならびに oral nutritional supplement（間食）使用と併せて，脂肪乳剤を積極的に用いた比較的高エネルギーの PPN を行うという管理である[9]．食道がん術後でも，早期 EN に加えて，術翌日から安静時エネルギー消費量が充足されるように SPN で補う栄養管理を行うと，術後早期の体重・除脂肪体重の減少が有意に抑制されたとの報告がある[16]．こうした積極的な栄養（エネルギー）投与目的の「攻め」の PN は，腫瘍外科学の治療成績向上のためにこれからますます考慮されるべき管理であろう．

D　静脈栄養療法のリスクマネジメント

外科周術期の TPN 施行に際しては，CVC 挿入時の機械的合併症やさまざまな代謝性合併症，CRBSI などのリスクに注意する必要がある[2,8,13〜15]．PPN 施行中に CRBSI が起こりうることも忘れてはならない[2,8,13〜15]．周術期の PN 管理では，NST や ICT など多職種による横断的なチーム医療の重要性は高い[2,8,13,14]．

近年の腫瘍外科学とくに周術期では術後回復促進プログラムの導入が拡がり，腸を使った経口摂取/EN での栄養摂取の意義が強調され，水分・電解質補給のみの輸液管理が多くなった．結果，「静脈から栄養を投与する」適応や必要性が正しく認識されないことが問題となっている．しかし，周術期に必要な栄養投与手段としての PN は，がん患者の予後向上のために適時適切に行われるべき重要な栄養療法である．合併症対策も含めて多職種による横断的なチーム医療体制を整え，適切な PN 管理を症例ごとに行いたい．

文献

1）鍋谷圭宏，大村健二：combined nutritional thera-

py. 外科と代謝・栄 **52**：191–194, 2018
2) 日本静脈経腸栄養学会（編）：静脈経腸栄養ガイドライン，第３版，照林社，東京，2013
3) Weimann A, Braga M, Carli F et al：ESPEN practical guideline：Clinical nutrition in surgery. Clin Nutr **40**：4745–4761, 2021
4) Omura K, Hirano K, Kanehira E et al：Small amount of low-residue diet with parenteral nutrition can prevent decreases in intestinal mucosal integrity. Ann Surg **231**：112–118, 2000
5) Ohta K, Omura K, Hirano K et al：The effects of an additive small amount of a low residual diet against total parenteral nutrition-induced gut mucosal barrier. Am J Surg **185**：79–85, 2003
6) 東口髙志，伊藤彰博，二村昭彦ほか：Glutamine-Fiber-Oligosaccharide（GFO）enteral formula の経静脈栄養施行時における腸粘膜の形態的・機能的変化に対する効果の実験的研究．外科と代謝・栄 **43**：51–60, 2009
7) Shimada H, Fukagawa T, Haga Y et al：Does postoperative morbidity worsen the oncological outcome after radical surgery for gastrointestinal cancers? A systematic review of the literature. Ann Gastroenterol Surg **1**：11–23, 2017
8) 鍋谷圭宏，坂本昭雄：輸液療法．臨外 2019 年増刊号 **74**：15–18, 2019
9) 田中友理，比企直樹，小菅敏幸ほか：胃癌周術期における脂肪乳剤・アミノ酸・糖を含む末梢静脈栄養を活用した新しい栄養関連クリニカルパスの有用性と安全性に関する検討．日本静脈経腸栄養学会雑誌 **30**：1137–1144, 2015
10) 佐藤　弘：静脈栄養はがんの増殖を促進させるか？　日本臨床栄養代謝学会（JSPEN）（編）：JSPEN コンセンサスブック①：がん，医学書院，東京，p.107, 2022
11) 鍋谷圭宏，今西俊介，坂本昭雄ほか：術前栄養アセスメント．外科 **78**：799–804, 2016
12) Kaibori M, Miyata G, Yoshii K et al：Perioperative management for gastrointestinal surgery after instituting interventions initiated by the Japanese Society of Surgical Metabolism and Nutrition. Asian J Surg **43**：124–129, 2020
13) 鍋谷圭宏：IV 静脈栄養法　C. 静脈栄養法の管理．日本臨床栄養代謝学会（編），日本臨床栄養代謝学会 JSPEN テキストブック，南江堂，東京，p.295–309, 2021
14) 鍋谷圭宏：IV 静脈栄養法　G. 静脈栄養法の合併症と対策—静脈栄養法におけるリスクマネジメント．日本臨床栄養代謝学会（編），日本臨床栄養代謝学会 JSPEN テキストブック，南江堂，東京，p.337–345, 2021
15) 日本 VAD コンソーシアム（編）：輸液カテーテル管理の実践基準—輸液治療の穿刺部位・デバイス選択とカテーテル管理ガイドライン—，南山堂，東京，2016
16) Wu W, Zhong M, Zhu DM et al：Effect of early full-calorie nutrition support following esophagectomy：a randomized controlled trial. JPEN J Parenter Enteral Nutr **41**：1146–1154, 2017
17) Aoyama T, Kawabe, T, Fujikawa H et al：Loss of lean body mass as an independent risk factor for continuation of S-1 adjuvant chemotherapy for gastric cancer. Ann Surg Oncol **22**：2560–2066, 2015
18) AoyamaT, Sato T, Maezawa Y et al：Postoperative weight loss leads to poor survival through poor S-1 efficacy in patients with stage II/III gastric cancer. Int J Clin Oncol **22**：476–483, 2017
19) 鍋谷圭宏：消化器術後の縫合不全発症時に経腸栄養は必要か？　日本臨床栄養代謝学会編，JSPEN コンセンサスブック①：がん，医学書院，東京，p.152–153, 2022

(4) 栄養とがん生存者

聖路加国際病院消化器・一般外科
海道　利実

がん生存者とは，「がんが治癒した人だけを意味するのではなく，がんの診断を受けたときから死を迎えるまでのすべての段階にある人」と定義される．わが国においては，2人に1人が一生のうちにがんと診断され，男性は4人に1人，女性は6人に1人ががんで死亡する．これは2つのことを意味する．ひとつは，日本人にとってがんは誰でも罹患しうる卑近な疾患であるということ，もうひとつは，がんに罹患しても治癒するもしくは長期生存する人が多いということである．平成31年全国がん登録では，20～69歳の就労層の罹患数割合は全年齢の約40%であり，就労可能な罹患者も多いことが推定される[1]．これはわが国に限ったことではない．米国においても，あらゆるがん患者全体の5年生存率は68%であり[2]，1,690万人のがん生存者が生活を送っているとの報告がある[3]．したがって，がんに罹患しても長期生存する患者が増えているため，がんサバイバーシップ，すなわち，診断時から命の終わりまで，がんとともに自分らしく生きることに対するケアがますます重要になってくる．

折しも，厚生労働省により2019年に「健康寿命延伸プラン」が策定され，健康寿命を延伸するためのさまざまな方策が推進されつつある．一般的に健康寿命の延伸というと，疾病予防，すなわち，がんなどの病気に罹患しない，というイメージを抱くが，がん生存者の増加に伴い，がんに罹患しても長生き，がんサバイバーシップのケアという観点も重要になってくる．我々，がん患者を診療する医師にとっては，後者の視点で健康寿命の延伸に貢献することができる．

したがって，近年増加しつつあるがん生存者に対する栄養や身体活動についての指針が非常に重要であるとの観点から，米国がん協会(American Cancer Society)は，2006年にがん生存者を対象としたガイドラインの初版を発行し，2012年に改訂版を発行した[4]．さらに2022年に2012年以降のエビデンスを反映した最新版が出版された[5]．

またわが国からは，がん予防の観点より，2011年に国立がん研究センターがん予防・検診研究センターがまとめた「がんを防ぐための新12か条」ががん研究振興財団から公開された[6]．さらに，2022年8月，同センターのがん対策研究所予防関連プロジェクトが，科学的根拠に基づくがん予防ガイドライン「日本人のためのがん予防法(5+1)」を提示した[7]．

そこで本章では，それらの要点ならびに栄養と消化器外科術後がん生存率に関するわれわれのデータや，がんサバイバーシップにおける漢方の果たす役割などを中心に概説する．

A　米国がん協会が推奨する「がん生存者の食事と身体活動に関するガイドライン」

最新版である2022年版では，特にがんの再発や死亡のリスクを下げ，無再発生存率を上げることが証明されたエビデンスに焦点を当てている．本項では，がん生存者の食事と身体活動に関する米国がん協会のガイドラインを紹介する[5]．

がん生存者関連の一般的な推奨事項は，以下のとおりである．

①栄養素不足を予防または解決し，筋肉量を維持し，栄養状態に悪影響を与える可能性のある治療の副作用をコントロールすることを目的に，診断後のできるだけ早期に栄養評価とカウンセリングを開始するべきである．

②患者が治療を開始する準備を整え，治療に耐え，継続でき，がん関連症状および治療関連副作用のコントロールを可能とすることを目的に，診断後のできるだけ早期に身体活動の評価とカウンセリングを開始するべきである．

健康状態を長期間にわたって改善し，生存率を高めるための推奨事項は以下のとおりである．

①肥満を避け，食事療法や身体活動を通じて筋肉量を維持または増加させる．
②がんの種類，患者の健康，治療法，症状と副作用を考慮した身体活動を習慣的に行う．
③栄養素のニーズを満たし，慢性疾患を予防するための推奨事項と一致した健康的な食生活を維持する．
④新たな発がんリスクを抑えるため，がん予防のための食事療法と身体活動に関する米国がん協会ガイドラインの一般的なアドバイスに従う．

B 「がんを防ぐための新 12 か条」

1978 年に提唱された「がんを防ぐための 12 か条」との主な違いは，①禁煙に加えて受動喫煙を避けることを加え，最初に掲げたこと，②定期的ながん検診と早期受診による早期発見をあげたこと，③正しいがん情報でがんを知ることを加えたことである．なお，この新 12 ヵ条は，がんの予防のみならず，聖路加国際病院名誉院長の日野原重明先生が提唱した高血圧や肥満，糖尿病など生活習慣病の予防にも効果が期待できる．日野原先生は，予防医療の概念をもいち早く提唱されたため，この新 12 ヵ条は，日野原先生のフィロソフィーを具現化したものと言えよう．

表 1 に新 12 ヵ条を紹介する．

C 科学的根拠に根ざしたがん予防ガイドライン「日本人のためのがん予防法（5＋1）」（表 2）

基本は新 12 ヵ条と同じで，項目を 12 から 6 つにまとめて簡潔になった．

表 1　新 12 ヵ条

1. たばこは吸わない
2. 他人のたばこの煙を避ける
3. お酒はほどほどに
4. バランスのとれた食生活を
5. 塩辛い食品は控えめに
6. 野菜や果物は不足にならないように
7. 適度に運動
8. 適切な体重維持
9. ウイルスや細菌の感染予防と治療
10. 定期的ながん検診を
11. 身体の異常に気がついたら，すぐに受診を
12. 正しいがん情報でがんを知ること

表 2　科学的根拠に根ざしたがん予防ガイドライン「日本人のためのがん予防法（5＋1）」

1. 禁煙する
2. 節酒する
3. 食生活を見直す
4. 身体を動かす
5. 適正体重を維持する
6. 感染症の検査を受ける

❶ 喫煙：たばこは吸わない．他人のたばこの煙を避ける

［目標］たばこを吸っている人は禁煙をしましょう．吸わない人も他人のたばこの煙を避けましょう．

［能動喫煙についての解説］International Agency for Research on Cancer（IARC）は，喫煙は肺がんだけでなく，口腔，咽頭，喉頭，食道，胃，大腸，膵臓，肝臓，胆道，腎臓，尿路，膀胱，子宮頸部，鼻腔，副鼻腔，卵巣のがんおよび骨髄性白血病に対して，発がん性があることについて十分なエビデンスがあると評価している[8]．また，禁煙した人では，吸い続けた人と比べて，口腔，喉頭，食道，胃，肺，膀胱，子宮頸部のがんのリスクが低いことが確実と評価され，これらのほとんどで禁煙期間が長くなるほどがんのリスクが低くなる．

日本人においても，喫煙によりがん全体のリスクを上げ[9]，食道，肺，肝臓，胃，膵臓，子宮頸部，大腸などのがんのリスクが確実に上がる．非喫煙者に対する喫煙者のがん全体のリス

クは，男性1.6倍，女性1.3倍[9]，がん死亡のリスクは，男性2倍，女性1.6倍程度と推計されている[10]．このリスクと喫煙者の割合などを考慮すると，喫煙者は禁煙により何らかのがんになるリスクが2/3〜1/2に低下すると期待される．さらに，多くの生活習慣病のリスクが減少し，健康の維持・増進において大きな効果が期待できる．

［受動喫煙についての解説］：受動喫煙は，肺がんの“確実”なリスク因子とされている[11]．受動喫煙と肺がんとの関係を調べた55の研究のメタ解析によると，非喫煙女性の肺がんのリスクは夫からの受動喫煙がない場合に比べて，ある場合では1.3倍に高まる[12]．

日本人非喫煙女性を対象としたコホート研究で，肺腺がんのリスクは，夫が喫煙者である場合に，非喫煙者である場合と比べて，約2倍（肺がんのリスクは約1.3倍）高いことが示された[13]．また，受動喫煙と肺がんの関連を報告した9研究（4件がコホート研究，5件が症例対照研究）を合わせて解析するメタ解析では，受動喫煙と肺がんに有意な関連が示され，受動喫煙のある人はない人と比較して，肺がんのリスクが1.3倍であると推定された[14]．したがって，非喫煙者において，受動喫煙を避けることにより，がんのリスクが低下することが期待できる．さらに，心臓病，呼吸器疾患，副鼻腔がん，胎児発育（低出生体重児など）のリスクが低下する効果もある．

❷ 飲酒：飲むなら，節度のある飲酒をする

［目標］飲む場合はアルコール換算で1日あたり約23g程度まで．

日本酒なら1合，ビールなら大瓶1本，焼酎や泡盛なら1合の2/3，ウィスキーやブランデーならダブル1杯，ワインならグラス2杯程度．飲まない人，飲めない人は無理に飲まないようにしましょう．

［解説］飲酒は口腔，咽頭，喉頭，食道（腺がん），肝臓，大腸，乳房（閉経後）のがんのリスクを上げることが“確実”とされている[15]．さらに，胃，乳房（閉経前）のがんのリスクを上げることも“ほぼ確実”とされている．また，IARCの評価では，口腔，咽頭，喉頭，食道，肝臓，大腸，乳房（女性）の発がんについての“十分”なエビデンスがあると評価されている[8]．

日本人を対象とした研究に基づいて，飲酒によりがん全体のリスクが上がることは“確実”と評価した[16]．部位別には，肝臓，大腸，食道のがんにおいてその影響が“確実”，男性の胃，閉経前女性の乳房を“ほぼ確実”とした．その他，多くのがんについては，いまだに“データ不十分”と判定されている．

日本の6コホートを統合して飲酒と全死亡，死因別死亡との関連を見たところ，男性の全死亡，全がん，循環器疾患死亡において，また女性の全死亡，心疾患死亡において，1週間あたり46g未満，あるいは，23g未満の飲酒では，リスクの上昇が認められないJ字型，あるいは，リスクの低下が認められるU字形の関連がみられている[17]．したがって，節度のある飲酒が大切である．飲む場合は1日あたりアルコール量に換算して約23g程度（日本酒なら1合，ビールなら大瓶1本，焼酎や泡盛なら1合の2/3，ウィスキーやブランデーならダブル1杯，ワインならグラス2杯程度），すなわち，週150g程度の量にとどめるのがよい．飲まない人や飲めない人の飲酒は勧めない．

❸ 食事：偏らずバランス良くとる

- 塩蔵食品，食塩の摂取は最小限に
- 野菜や果物不足にならない
- 飲食物を熱い状態でとらない

［目標］食塩は1日あたり男性7.5g，女性6.5g未満，特に，高塩分食品（たとえば塩辛，練りうになど）は週に1回未満に控えましょう．

［解説］塩蔵食品が胃がんのリスクを上げることは，“ほぼ確実”とされている[15]．塩分濃度の高い食品を控えるとともに，食品の加工・保存に食塩を使わない工夫も必要である．食塩は高血圧の主要な原因であることは国際的な研究（INTERSALT, EPIC-Norfork）で示されてきた[18]．そのため，減塩は血圧の関連する心疾患のリスクを低下することが知られており，さらに，脳卒中，左室肥大，腎疾患などにも関連することが示唆されている．

野菜・果物については主に消化器系のがんと肺がんでの関連が指摘されている．野菜を多く摂ることは，口腔，咽頭，喉頭，食道，肺，および乳房（閉経前・閉経後ともに）のがんに，果物は食道および肺のがんに，それぞれ限定的ではあるが予防的に働くと報告されている．なお，この場合の野菜には穀物やイモ類は含まない．また，食物繊維を含む食品は“ほぼ確実”にリスクを下げると評価されている[15]．また，食習慣とがんおよび循環器疾患リスクとの関連についての観察研究をレビューした結果によると，地中海式食事や，野菜・果物が豊富な食事は心疾患および一部のがんに予防的な効果を示すことがわかった[19]．

また，ハム・ソーセージ・ベーコンなどの加工肉は大腸がんのリスクを上げることが“確実”，赤肉（牛・豚・羊など．鶏肉・魚は含まない）は大腸がんのリスクを上げることが“ほぼ確実”と評価された．また，加工肉は胃がんについて“限定的”ではあるが，リスクを上げると評価されている[15]．赤肉や加工肉は鶏肉などに比べて動物性脂肪含有量が高く，がんの発生にかかわる化合物や成分も含むことが知られている．2018 年，IARC によると加工肉は Group 1（ヒトへの発がん性あり），赤肉は Group 2A（ほぼ確実にヒトへの発がん性あり）との評価であった．一方，赤肉には鉄，亜鉛，ビタミン B_{12} など，必要な栄養素も多く含まれており，赤肉でも脂肪の少ないものの摂取や，バランスの取れた食生活における摂取などといった視点も今後必要であろう．

❹ 身体活動：日常生活を活動的に

［目標］たとえば，歩行またはそれと同等以上の強度の身体活動を１日 60 分行いましょう．また，息がはずみ汗をかく程度の運動を１週間に 60 分程度行いましょう．

［解説］中等度から強度の身体活動が，大腸（結腸）がんのリスクを下げることは“確実”，また，閉経後乳がん，子宮体がんのリスクを下げることは“ほぼ確実”，強度の身体活動により閉経前乳がんのリスクが下がることは“ほぼ確実”と評価されている[15]．近年はがん罹患後のがん死亡に対して予防的であるとの報告も蓄積されつつある．また，アメリカ心臓協会は，中等度から活発な身体活動は血圧の管理に適しているとし，心疾患予防のために週あたり 150 分の中等度の身体活動，または 75 分の活発な身体活動を推奨している．

本研究班では，日本人を対象とした８研究に基づいて，身体活動は，大腸（結腸）がんのリスクを下げることは“ほぼ確実”と評価した[20]．

日本人を対象としたコホート研究では，仕事や運動などからの身体活動量が高くなるほど，がん全体の発生リスクは低くなることが示されている[21]．さらに，身体活動量が高いとがんのみならず心疾患の死亡のリスクも低くなることから，死亡全体のリスクも低まることがわかった[22]．したがって，身体活動量を保つことは，健康で長生きするための鍵になろう．

❺ 体形：適正な範囲内に

［目標］中高年期男性の BMI 値（Body Mass Index 肥満度）は 21～27，中高年期女性では 21～25 です．この範囲内になるように体重を管理しましょう．

BMI の求め方 BMI 値＝体重（kg）/身長（m）^{2}

［解説］肥満は，食道（腺がん），膵臓，肝臓，大腸，乳房（閉経後），子宮体部，腎臓の各部位のがんのリスクを上げることは“確実”と評価されている[15]．主に西ヨーロッパと北米の 57 の前向き研究を統合した 90 万人規模の研究では，BMI 22.5～25 を底とする U 字形の関連が全死亡においてみられている．これによると，BMI 25 以上の過体重が脈管系疾患，がんに寄与する割合はそれぞれ米国で 29%，8%，英国 23% と 6% と試算された[23]．アジアの 11 の前向き研究を統合した 100 万人規模の研究では，日本，中国，韓国を含む東アジアにおいて BMI 22.6～27.5 を底とする U 字形の関連が全死亡においてみられている[24]．がん死亡，心血管系疾患死亡，その他の死因による死亡でも同様の関連であった．

本研究班では，日本人を対象とした研究に基づいて，肥満は，閉経後乳がん[25]および肝がん[26]のリスクを上げることは“確実”と評価した．また，大腸がんに対しては“ほぼ確実”，膵がん（男性 BMI 30 以上），子宮内膜がん，閉経前乳がんでは“可能性あり”と評価した．がん全体では，男性において BMI 18.5 未満のやせについて，また，女性において BMI 30 以上の肥満においてリスクが上昇することは“可能性あり”と評価した．

国内の 8 コホート研究を統合した結果によると，肥満度の指標である Body Mass Index（BMI）が 1 増加するごとに大腸がんのリスクは男性で 1.03 倍，女性で 1.02 倍[27]，閉経前・閉経後乳がんはそれぞれ 1.03 倍，1.06 倍上がることがわかった[25]．女性においては 30 以上の肥満でのみがん死亡のリスク上昇がみられ，男女とも BMI 21〜27 あたりが最も全死亡のリスクが低い範囲であることが示された．

このように，肥満とがん全体との関係は，欧米とは異なり，日本人においてはそれほど強い関連がないことが示されている．むしろ，やせによる栄養不足は免疫力を弱めて感染症を引き起こしたり，血管を構成する壁がもろくなり，脳出血を起こしやすくしたりすることも知られています．その一方，糖尿病，高血圧，高脂血症など，やせればやせる程リスクが低下する病気もあるため，このような疾患のある人は，その治療の一環として，太っていれば痩せることが効果的であろう．

日本人の男女の各年代における平均 BMI は 25 未満のため，世界基準である BMI 25 以上を体重過多（過体重および肥満）とすると，体重過多に起因するがん罹患・死亡に寄与する割合は男女とも 0%となってしまう．そこで，WHO に提案されているアジア人の過体重（BMI 23 以上）・肥満（BMI 25 以上）の基準を使用した試算では，日本におけるがん罹患・死亡に寄与する割合はそれぞれ男性で 1.0%，1.0%，女性で 0.3%, 0.3% となった[28]．2019 年の国民健康・栄養調査によると，20 歳以上で BMI が 25 以上である割合は，男性 33.0%，女性 22.3%，一方，18.5 未満のやせの割合は，男性 3.9%，女性 11.5%と推定されている．肥満については，BMI が 30 を超えないと明らかなリスクの増加が認められないが，日本人において 20 歳以上で BMI が 30 以上である人の割合は，男性 5.5%，女性 3.8%にすぎないため，肥満対策によるがん予防効果は小さいと思われる．むしろ，日本人中高年においては，BMI が 21 未満のやせにおけるがんのリスクの増加も示され，その割合も 20%を上回っているため，やせ対策によるがん予防効果の方が大きい可能性があることに留意する必要がある．同調査では，65 歳以上の高齢者で BMI が 21 未満である割合は，男性で 12.4%，女性で 20.7%と推定されている．肥満対策は，糖尿病や高血圧などの予防に有効である一方，やせ対策は，感染症や脳出血の予防にも効果があるので，肥満，および，やせの割合を減少させることが重要な課題である．

❻ 感染

- 肝炎ウイルス感染の有無を知り，感染している場合は治療を受ける．
- ピロリ菌感染の有無を知り，感染している場合は除菌を検討する．
- 該当する年齢の人は，子宮頸がんワクチンの定期接種を受ける．

［目標］

①地域の保健所や医療機関で，一度は肝炎ウイルスの検査を受けましょう．感染している場合は専門医に相談し，特に C 型肝炎の場合は積極的に治療を受けましょう．

②機会があればピロリ菌の検査を受けましょう．定期的に胃がんの検診を受けるとともに，除菌については利益と不利益を考えたうえで主治医と相談し決めましょう．

③肝炎ウイルスやピロリ菌に感染している場合は，肝がんや胃がんに関係の深い生活習慣に注意しましょう．

④子宮頸がんの検診を定期的に受け，該当する年齢の人は子宮頸がんワクチンの定期接種を受けましょう．

［感染とがんに関する解説］IARC により，B 型・C 型肝炎ウイルスの持続感染は，肝がんおよび非ホジキンリンパ腫（C 型肝炎ウイルス）について，またヒトパピローマウイルス 16 型は，子宮頸，外陰，膣，陰茎，肛門，口腔，中咽頭，扁桃のがんについて，ヘリコバクター・

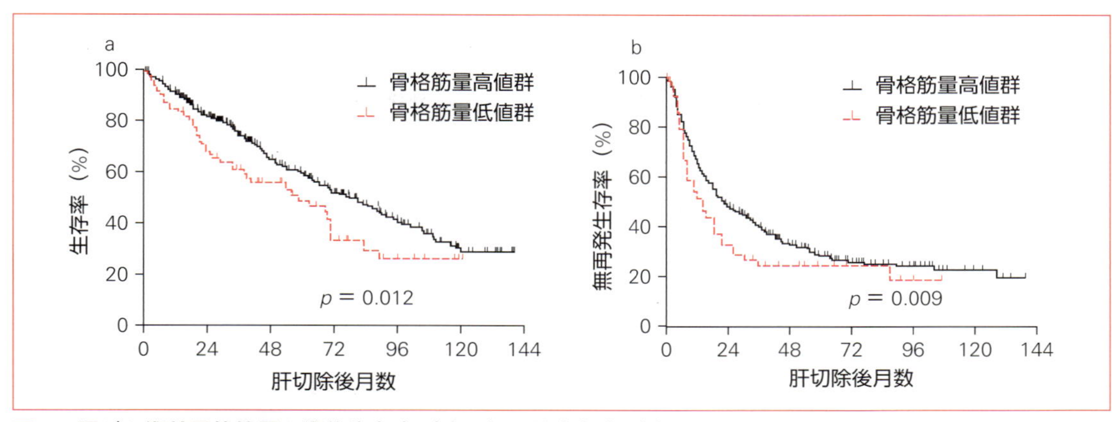

図１　肝がん術前骨格筋量と術後生存率（a），無再発生存率（b）

［Hamaguchi Y, et al：Liver Cancer **8**：92–109, 2019[29]を参考に作成］

ピロリ菌は非噴門部胃がん，胃 MALT リンパ腫について，発がん要因であるのは“確実”（Group 1 発がん要因）と評価されている．その他に Epstein-Barr virus, Kaposi's sarcoma herpes virus, Human immunodeficiency virus type 1, Human T-cell lymphotrophic virus type 1, Clonorchis sinensis, Opisthorchis viverrini, Schistosoma haematobium が，Group 1 発がん要因として位置づけられている．

感染に起因するがんは，先進国全体では 9% と比較的低いのに対し，発展途上国では 23% となっており，日本では胃がんや肝がんが多いため，B 型・C 型肝炎ウイルス，ヘリコバクター・ピロリ菌，ヒトパピローマウイルス感染に起因するがんは 20% と推計されていて，先進国の中では高いほうである．

D　術前体組成とがん術後生存率

近年，さまざまながんにおいて，術前栄養状態が術後生存率に影響を与えるとの報告がなされている．我々は，肝胆膵がんにおける術前栄養状態の予後に与える影響を検討したので，簡単に紹介する．

ただ，一口に栄養状態と言っても，その評価法には SGA や PNI，GLIM などのアセスメントツール，骨格筋量などの体組成，トランスサイレチンなどの血液生化学パラメーターなど数多くある．われわれは，できるだけ客観的な指標を用いるべく，術前 CT を用いて体組成，すなわち骨格筋量，筋肉の質，内臓脂肪/皮下脂肪比（内臓脂肪肥満の程度）を計測し，肝がん，胆道がん，膵がん術後生存率との関係を検討した．

その結果，肝細胞がんにおいて術前骨格筋量低値群は同高値群に比べ，有意に肝切除後生存率（$p = 0.012$）ならびに無再発生存率（$p = 0.009$）が低値であった（**図１**）[29]．多変量解析において，術前筋肉量低下は死亡，再発ともに独立危険因子であり，そのオッズ比は，腫瘍マーカー高値や高度ステージ，微小血管浸潤などの既知の危険因子より高値であった．さらに低骨格筋量と内臓脂肪肥満の合併，すなわちサルコペニア肥満はサルコペニア症例よりもさらに予後不良であった[30]．膵がん患者においても，術前骨格筋量低値群は，同高値群に比べ，膵切除後生存率・無再発生存率とも有意に不良であった（ともに $p < 0.001$）[31]．興味深いことに，術前骨格筋量低値群と同高値群間でがんのステージには有意差はなかった．つまり，がんが進行するから筋肉量が低下するのではなく，がんの進行度とは関係なく筋肉量が減少している群は予後が悪いのである．また肝細胞がん同様，膵がんにおいても，サルコペニア肥満は単なるサルコペニア症例よりもさらに予後不良であった[32]．このほか，肝内胆管がん，肝外胆管がんにおいても，術前低骨格筋量が術後死亡や再発に関する予後不良因子であった[33,34]．

さらに，これら体組成異常因子数が術後生存

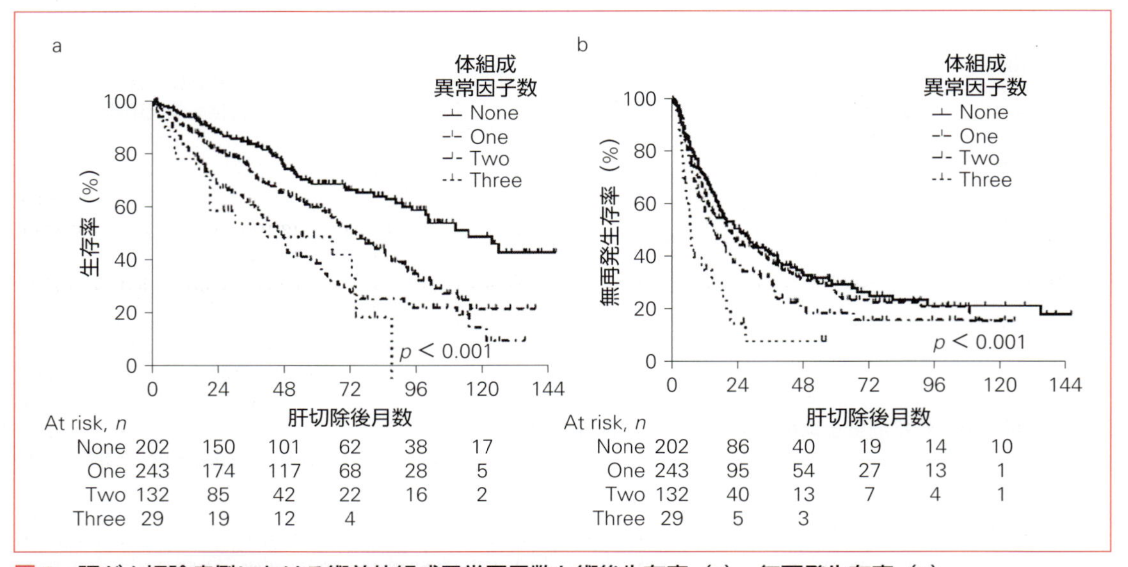

図 2　肝がん切除症例における術前体組成異常因子数と術後生存率（a），無再発生存率（b）

［Hamaguchi Y, et al：Liver Cancer **8**：92–109, 2019[29] を参考に作成］

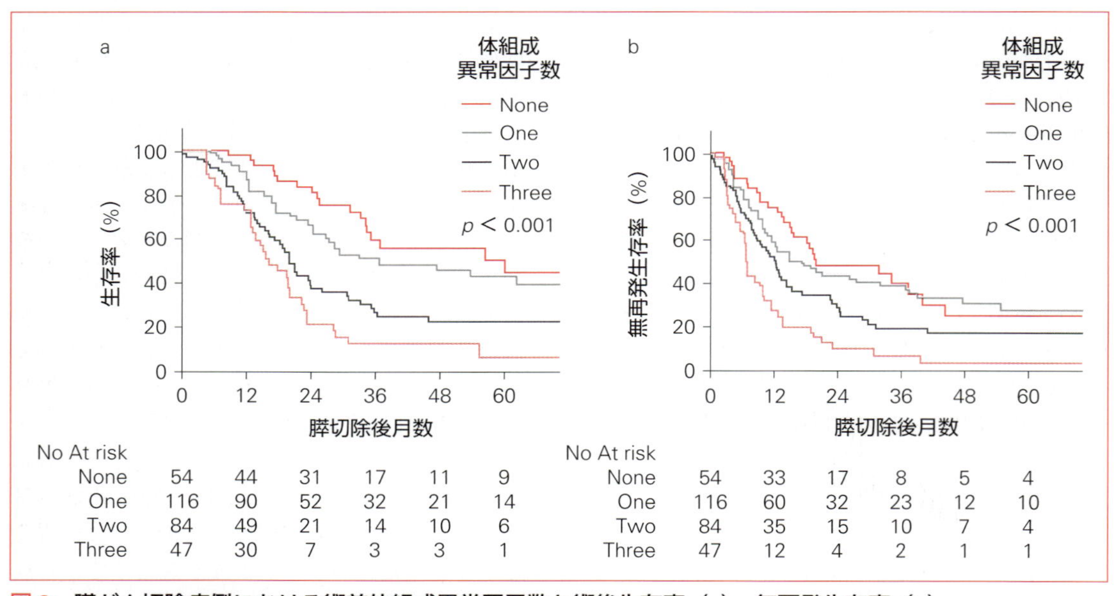

図 3　膵がん切除症例における術前体組成異常因子数と術後生存率（a），無再発生存率（b）

［Okumura S, et al：Ann Surg Oncol **24**：3732–3740, 2017[32] を参考に作成］

率に与える影響を検討した．その結果，肝がん切除症例においても，膵がん切除症例においても，体組成異常因子が多くなればなるほど，全生存率も無再発生存率も低値であった（図 2・図 3）[29,32]．したがって，体組成で評価したがん患者の術前栄養状態が，術後生存に大きな影響を与えることが明らかになった．

前述のように聖路加国際病院名誉院長の日野原重明先生は，予防医療の重要性を説き，肥満や高血圧，糖尿病など生活習慣から引き起こされる慢性の病気を生活習慣病と提唱した．上記の検討結果から，普段から運動し，筋肉量を増やし，筋肉の質を高め，内臓脂肪肥満を避けることで，がん手術後の生存率が向上するであろうことが容易に想像される．まさしく，がんに備えた予防医療である．実際，日野原先生は，生前，病院ではなるべくエレベーターを使わずに階段を歩いて登り，空港でも動く歩道を使わず，動く歩道の人よりも早く着くことを喜びにしておられたようである．さらに，食事も前述の米国のガイドラインやわが国の推奨に沿った質素な食事を摂っておられたそうだ．日野原先生が 100 歳を超えても医師を続け，執筆活動や講演をこなしておられたことは有名であり，これらの生活習慣を続けておられたためかも知れない．

E　がんサバイバーシップを支える漢方の役割

がんサバイバーシップとは，診断時から命の終わりまで，がんとともに自分らしく生きることである．がん患者の経過は，診断期，治療期，終末期に大別されるが，特に手術や化学療法，放射線療法などの治療期や，緩和ケアである終末期においては，さまざまな症状が出現する．たとえば，がんによる身体症状としてがん性疼痛，呼吸困難，全身倦怠感など，術後症状として食思不振，便秘，疼痛など，化学療法の副作用として末梢神経障害，口内炎，下痢，消化器症状など，放射線治療の副作用として粘膜障害，咳嗽，皮膚症状など，精神症状として不眠，不安など，枚挙にいとまがない．これらの結果，栄養状態の悪化や QOL の低下をきたし，がんサバイバーシップとはかけ離れた状態となっていく．したがって，がん治療における支持療法や緩和ケアにおける症状緩和は，がんサバイバーシップにとって非常に重要な役割を果たす．

近年，支持療法や緩和ケアにおいて，全人的医療である漢方が注目されている．特に，本稿のテーマである栄養関連でいえば，術後の体力低下や食欲不振などに効能を有する人参養栄湯や補中益気湯，十全大補湯などを上手に併用することで，より良きがんサバイバーシップに貢献することができるであろう．

文献

1）厚生労働省：平成 31 年　全国がん登録　罹患数・率　報告
2）Siegel RL, Miller KD, Fuchs HE et al：Cancer statistics, 2022. CA Cancer J Clin **72**：7–33, 2022
3）American Cancer Society. Cancer Treatment & Survivorship Facts & Figures 2019–2021. American Cancer Society; 2019
4）Rock CL, Doyle C, Demark-Wahnefried W et al：Nutrition and physical activity for cancer survivors. CA Cancer J Clin **62**：242–274, 2012
5）Rock CL, Thomson CA, Sullivan KR et al：American Cancer Society nutrition and physical activity guideline for cancer survivors. CA Cancer J Clin **72**：230–262, 2022
6）がん研究振興財団：がんを防ぐための新 12 か条
7）科学的根拠に基づくがんリスク評価とがん予防ガイドライン提言に関する研究　がん予防法の提示　日本人のためのがん予防法．国立がん研究センター　がん対策研究所　予防関連プロジェクト 2022
8）List of Classification by cancer site, IARC Monographs, 2022
9）Inoue M, Tsuji I, Wakai K et al：Evaluation based on systematic review of epidemiological evidence among Japanese populations：tobacco smoking and total cancer risk. Jpn J Clin Oncol **35**：404–411, 2005
10）Oze I, Matsuo K, Ito H et al：Cigarette smoking and esophageal cancer risk：an evaluation based on a systematic review of epidemiologic evidence among the Japanese population. Jpn J Clin Oncol **42**：63–73, 2012
11）Wakai K, Inoue M, Mizoue T et al：Tobacco smoking and lung cancer risk：an evaluation based on a systematic review of epidemiological evidence among the Japanese population. Jpn J Clin Oncol **36**：309–324, 2006
12）Taylor R, Najafi F, Dobson A. Meta-analysis of studies of passive smoking and lung cancer：effects of study type and continent. Int J Epidemiol **36**：1048–1059, 2007
13）Kurahashi N, Inoue M, Liu Y et al：Passive smoking and lung cancer in Japanese non-smoking women：a prospective study. Int J Cancer **122**：653–657, 2008
14）Hori M, Tanaka H, Wakai K et al：Secondhand smoke exposure and risk of lung cancer in Japan：a systematic review and meta-analysis of epidemiologic studies. Jpn J Clin Oncol **46**：942–951, 2016
15）Interactive cancer risk matrix, WCRF International/AIRC 2022
16）Inoue M, Wakai K, Nagata C et al：Alcohol drink-

ing and total cancer risk : an evaluation based on a systematic review of epidemiologic evidence among the Japanese population. Jpn J Clin Oncol **37** : 692-700, 2007
17) Inoue M, Nagata C, Tsuji I et al : Impact of alcohol intake on total mortality and mortality from major causes in Japan : a pooled analysis of six large-scale cohort studies. J Epidemiol Community Health **66** : 448-456, 2012
18) Khaw KT, Bingham S, Welch A et al : Blood pressure and urinary sodium in men and women : the Norfolk Cohort of the European Prospective Investigation into Cancer (EPIC-Norfolk). Am J Clin Nutr **80** : 1397-1403, 2004
19) Tyrovolas S, Panagiotakos DB. The role of Mediterranean type of diet on the development of cancer and cardiovascular disease, in the elderly : a systematic review. Maturitas **65** : 122-130, 2010
20) Pham NM, Mizoue T, Tanaka K et al : Physical activity and colorectal cancer risk : an evaluation based on a systematic review of epidemiologic evidence among the Japanese population. Jpn J Clin Oncol **42** : 2-13, 2012
21) Inoue M, Yamamoto S, Kurahashi N et al : Daily total physical activity level and total cancer risk in men and women : results from a large-scale population-based cohort study in Japan. Am J Epidemiol **168** : 391-403, 2008
22) Inoue M, Iso H, Yamamoto S et al : Daily total physical activity level and premature death in men and women : results from a large-scale population-based cohort study in Japan (JPHC study). Ann Epidemiol **18** : 522-530, 2008
23) Prospective Studies Collaboration; Whitlock G, Lewington S, Sherliker P et al : Body-mass index and cause-specific mortality in 900 000 adults : collaborativeanalyses of 57 prospective studies. Lancet **373** : 1083-1096, 2009
24) Zheng W, McLerran DF, Rolland B et al : Association between body-mass index and risk of death in more than 1 million Asians. N Engl J Med **364** : 719-729, 2011
25) Wada K, Nagata C, Tamakoshi A et al : Body mass index and breast cancer risk in Japan : a pooled analysis of eight population-based cohort studies. Ann Oncol **25** : 519-524, 2014
26) Tanaka K, Tsuji I, Tamakoshi A et al : Obesity and liver cancer risk : an evaluation based on a systematic review of epidemiologic evidence among the Japanese population. Jpn J Clin Oncol **42** : 212-221, 2012
27) Matsuo K, Mizoue T, Tanaka K et al : Association between body mass index and the colorectal cancer risk in Japan : pooled analysis of population-based cohort studies in Japan. Ann Oncol **23** : 479-490, 2012
28) Inoue M, Hirabayashi M, Abe SK et al : Burden of cancer attributable to modifiable factors in Japan in 2015. Glob Health Med **4** : 26-36, 2022
29) Hamaguchi Y, Kaido T, Okumura S, et al : Preoperative visceral adiposity and muscularity predict poor outcomes after hepatectomy for hepatocellular carcinoma. Liver Cancer **8** : 92-109, 2019
30) Kobayashi A, Kaido T, Hamaguchi Y, et al : Impact of sarcopenic obesity on outcomes in patients undergoing hepatectomy for hepatocellular carcinoma. Ann Surg **269** : 924-931, 2019
31) Okumura S, Kaido T, Hamaguchi Y, et al : Impact of preoperative quality as well as quantity of skeletal muscle on survival after resection of pancreatic cancer. Surgery **157** : 1088-1098, 2015
32) Okumura S, Kaido T, Hamaguchi Y, et al : Visceral adiposity and sarcopenic visceral obesity are associated with poor prognosis after resection of pancreatic cancer. Ann Surg Oncol **24** : 3732-3740, 2017
33) Okumura S, Kaido T, Hamaguchi Y, et al : Impact of skeletal muscle mass, muscle quality, and visceral adiposity on outcomes following resection of intrahepatic cholangiocarcinoma. Ann Surg Oncol **24** : 1037-1045, 2017
34) Okumura S, Kaido T, Hamaguchi Y, et al : Impact of preoperative quality and quantity of skeletal muscle on outcomes after resection of extrahepatic biliary malignancies. Surgery **159** : 821-833, 2016

第9章

がん治療と代謝異常，その栄養管理

吉野川病院
中屋　豊

がん患者では種々の代謝の異常がみられる．がんの特徴は分裂と増殖であり，がんは宿主代謝を変え，宿主から栄養素を奪い増殖し続ける．この代謝異常は，がん細胞から分泌されるサイトカインや蛋白質分解誘発因子（proteolysis-inducing factor：PIF），さらにはがんの存在による生体の反応（サイトカインや神経内分泌因子）などによって起こる．さらに経口からの摂取量の不足，化学療法や外科治療による侵襲などのさまざまな要因によって栄養障害が進行し，がん悪液質といった状態を呈するようになる（図1）．

表1に悪液質をきたす物質を示す．炎症性サイトカインは，がんに対して宿主の免疫担当細胞（マクロファージなど）から生体免疫反応として産生される．がんの増殖を促進するだけでなく，糖や蛋白質などの栄養素の代謝にも影響を与える．腫瘍壊死因子（tumor necrosis factor：TNF）-αやインターロイキン（IL）-1などの炎症性サイトカインは視床下部・下垂体・副腎に直接作用し，ホルモン分泌異常を起こし，さまざまな代謝異常を引き起こす．これらのサイトカインは，食欲や消化管の運動にも影響し，食事摂取量の減少となる．

PIFは筋蛋白質をアミノ酸に，脂質運搬因子（lipid mobilizing factor：LMF）は脂肪の脂肪酸への分解を促進し，最終的にがんの栄養源（glucose trap）となる糖新生を促進する．

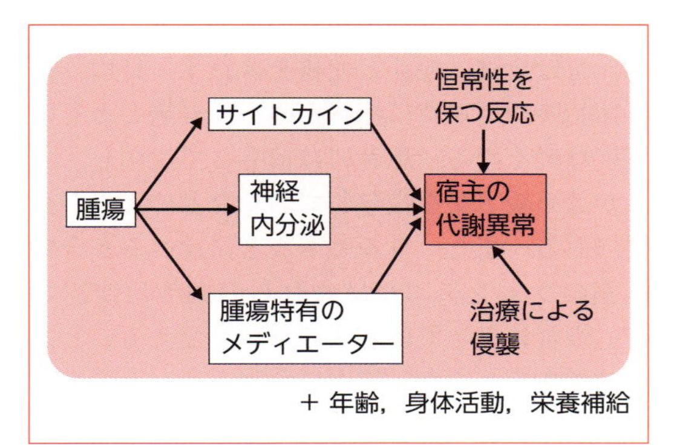

図1　腫瘍の生体に及ぼす影響
腫瘍自身が出す体液因子あるいは腫瘍が存在することによる生体の反応による神経内分泌因子や炎症性のサイトカインが宿主の代謝に影響を及ぼす．またこれらに，治療，栄養補給などが影響する．

A　がん患者のエネルギー消費量

がん患者のエネルギー消費量は亢進しているという報告が多かったが，実際に測定すると非常に多様であることがわかってきた．たとえば，消化器がんの安静時エネルギー消費量（REE）は36％が低く，22％が高く，42％が正常であった．Harris-Benedictなどを用いてもREEの誤差が10％以内のものは半数以下しかいないことになる．さらに，活動係数，ストレス係数を

表1　悪液質誘発物質

❶炎症性サイトカイン
• 腫瘍壊死因子（TNF-α） • インターロイキン1（IL-1） • インターロイキン6（IL-6） • インターフェロンγ（IFN-γ） • 白血病阻止因子（LIF）　など
❷トキソホルモン
• 蛋白質分解誘発因子（PIF） • 脂質運搬因子（LMF） • がん貧血誘発物質（AIS）　など

かけると，より誤差が大きくなる．いずれにしろ，計算で求めたエネルギー消費量はあくまで推測値であることを理解して，体重の変動など臨床的に評価を行い投与量を決めるべきである．また，活動量が低下するために，総エネルギー消費量は以前考えられていたほど増大しないことが多い．

REE の差は，がんの大きさ，栄養状態，罹病期間などの差では説明できない．しかしながら，がんの種類によってある程度の傾向がみられる．胃，膵臓，胆道のがんでは亢進し，また白血病はリンパ腫よりも高いことが知られている．さらに，肺がんの切除により亢進していたREE が正常化することより，エネルギー消費量の亢進は腫瘍によると考えられる[1]．

エネルギー消費量は時間とともに変化する．動物実験では，最初の代謝亢進の時期に引き続き，正常の時期がある．その後，最終的に代謝が低下する時期になる．しかしながら，ヒトにおいては不明で，がん患者各個人で大きく異なることが予想される．ヒトにおいても，末期の緩和ケアにおいては，栄養投与が過剰にならないことが患者に苦痛を与えないことになる場合も多い．

B　食欲不振─消化管運動

サイトカインによる消化管の運動低下，食欲中枢への作用により，食欲低下や，少量の食事でも満腹感が起こる（早期満腹感）．これらに対して最も有効な方法は，一度に多くを摂るのではなく，栄養密度の高い食品を少量ずつ頻回に投与する方法がとられている．表2にがん患者の食欲不振時の食事の工夫を示す．1日3回食という概念を捨て，手元にすぐに口にできる食品を置いて，少量を頻回に摂取してもらうようにする．また，極端な高脂肪食は満腹感をきたしやすいので，避けるようにする．その他，臭いにも敏感になるので，食事の温度を下げるなどの工夫が必要である．

食欲低下の患者に対しては，表3に示す種々の薬剤が使用される．メトクロプラミド（プリンペラン®），モサプリド（ガスモチン®）は消化管の運動を亢進させ，胃からの排泄を促進する．最近では，漢方薬も多く使用されるようになった．大建中湯は消化管の運動を亢進し，食欲を増す．また，六君子湯はグレリンの分泌を亢進し，食欲を増す作用が知られている．ステロイドは効果が認められるが，その効果は経過とともに小さくなる．また，重篤な副作用があるため使用期間を限定する必要があり，通常緩和医療の際に用いられる．

表2　がん悪液質の食事の工夫

- 食事指導
- 少量頻回食
- 高エネルギー食品
- 脂肪の制限
- 味の極端に濃いものを避ける
- 臭いの強いものを避ける
- 快適な環境で食事を
- 食事の見栄をよくする
- 経口のサプリメント

表3　食欲不振時の薬物治療

- 消化管運動改善薬
  メトクロプラミド（プリンペラン®），ドンペリドン（ナウゼリン®），モサプリド（ガスモチン®）
  六君子湯，大建中湯
- プロゲステロン製剤
  メドロキシプロゲステロン
  コルチコステロイド
- ベタメタゾン（リンデロン®）

がん患者では鎮痛の目的で麻薬を使用することが多いが，麻薬は消化管の運動を強力に抑制し，ほぼ全例に悪心と便秘をきたす．特に，投与開始時や増量時に症状が強く，経過とともに程度は軽くなる．患者には前もって説明し，あらかじめ緩下薬を投与しておくなどの工夫が必要である．また，モルヒネなどに比べると合成麻薬のフェンタニルはこれらの副作用が少なく，場合によっては麻薬の種類を変えることも有効である．また，胃内に食物が多いと悪心も強くなるため，食事も薬物の作用がピークになるときを避けるなどの工夫をする．スポーツ飲料，ジュースなどは胃からの排泄速度が速いため，悪心が強いとき，あるいは嘔吐の後などは，これらの飲料から開始する．

C 蛋白質代謝

がん悪液質による筋肉の喪失は，がん細胞へのアミノ酸の供給源となり，腫瘍の増殖に貢献する．グルタミンは腫瘍の増殖に必要なアミノ酸で，グルタミンの必要量が増すに従い，蛋白質の代謝が変化する．このことは腫瘍の増殖に好都合である．他方，グルタミンの投与はメトトレキサートの薬効を改善し，化学療法による副作用の軽減をもたらすことも知られている[2]．がん貧血誘発物質（anemia inducing substance：AIS）は貧血の進行のほか，細胞性免疫の低下にも影響を及ぼす．

単純な飢餓では，除脂肪組織を維持するために蛋白質代謝は緩徐になる．この適応過程はがん患者で失われている．蛋白質の代謝回転と筋肉蛋白質合成および異化の速度は亢進する．肝臓蛋白質の合成の亢進と蛋白質の分解の亢進，および蛋白質合成の障害により生じる．これらの異常は，静脈栄養によっても改善されず，栄養不良を示すがん患者においては完全静脈栄養（total parenteral nutrition：TPN）の効果は限られている．

図 2 に示すように，n–3 脂肪酸（EPA）は PIF や LMF の作用を抑制し，異化の軽減をもたらすことが知られている．欧米の研究で，n–3 脂肪酸を含んだ栄養サプリメントにより，がん患者の体重減少，筋肉減少の抑制効果が報告されている[3,4]．わが国においては，欧米人に比べるともともと n–3 系の脂肪酸の摂取が多く，欧米人と同様の作用があるかどうかについてはまだ十分な検討が行われていない．その他，分岐鎖アミノ酸（branched chain amino acid：BCAA）が蛋白分解の抑制に効果があるとの報告もある．しかしながら，これらの栄養素の効果には限界があり，完全に正常化は難しい．

D 糖代謝

がん細胞のおける代謝の変化のひとつは，Warburg 効果と呼ばれるものがある．これは酸素を必要としない解糖が亢進しており，急激に増殖している細胞にとって酸素供給が追いつかない環境でも生存，増殖できるという特徴をもつ．また，解糖により得られたピルビン酸はミトコンドリアにおけるトリカルボン酸サイクル（TCA サイクル）に入らず，乳酸となる．この乳酸は肝臓に送られ，再びブドウ糖へと変換される．この回路は Cori 回路と呼ばれ，多くのエネルギーを消費する．がん患者では 1 日数 100 kcal に相当する場合もある．

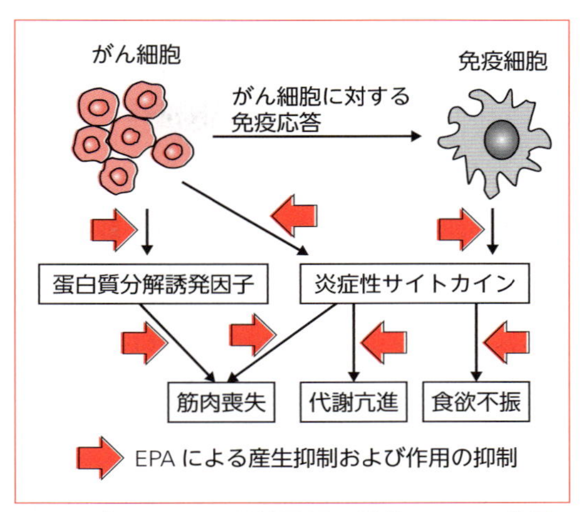

図 2　がんにおける体液因子と栄養—EPA の効果
炎症性サイトカインや蛋白質分解誘発因子（PIF）は体蛋白質の分解を促進し，栄養摂取にも影響を及ぼす．EPA はサイトカインや PIF の分泌を抑制するだけでなく，作用も抑制し，代謝の改善をもたらす．

がん細胞は正常細胞の約 10 倍のブドウ糖を取り込んで増殖のエネルギー源にしている．がん細胞がブドウ糖を好んで使用することより，エネルギー源として脂肪の割合を増やすという試みもなされている．たとえば，中鎖脂肪酸の濃度が高い栄養源を投与することにより，貯蔵体成分の異化を減らし，同時に腫瘍が利用できるグルコース基質を減らし，腫瘍の増殖を抑えることができる可能性がある[5]．また，中鎖脂肪酸は食欲を増すペプチドのグレリンの活性化に必須であり，グレリンを介した食欲の改善も期待される．

E 電解質およびその他の代謝異常

がん患者の代謝異常で緊急の処置を必要とする代謝異常には，腫瘍崩壊症候群，高カルシウム血症，SIADH，リフィーディング症候群などがある．これらの病態は生命に危険を及ぼすこともあり，緊急に対応が必要である．

❶ 腫瘍崩壊症候群

腫瘍崩壊症候群は，増殖速度が速く腫瘍量が大きく，化学療法に高感受性の白血病などに対する化学療法の開始後にみられる．腫瘍細胞の急速な崩壊によって，細胞内成分が大量に血液中に放出されることにより生じる．高カリウム血症，高尿酸血症，高リン酸血症，低カルシウム血症などの代謝異常をきたし，腎不全にいたることもある．臨床症状は，悪心・嘔吐，下痢，食欲不振，心不全，重篤な不整脈，神経筋過敏症，痙攣発作，失神などがあり，突然死をきたすこともある．腫瘍崩壊症候群の予防は，起こりうる副作用として本症候群があるということを認識し，高リスクの患者（高尿酸血症，腎機能障害，急激に増大する腫瘍，化学療法に対する高感受性，血液量の減少）を同定し，代謝異常や臓器障害を頻回にモニターし，予防することである．少なくとも化学療法開始 24 時間前より体液の状態や電解質，尿素窒素，クレアチニン，尿酸，リン，カルシウム，乳酸脱水素酵素（LDH）を評価し，ナトリウムが 70 mM/L 程度の輸液を用いた強制補液により尿量を多めに維持する．その他，アロプリノールの投与により，尿酸の産生を抑えておくことが重要である．これらの処置は尿酸の正常化，白血球数などが低リスクレベルに回復するまで継続する必要がある．

❷ リフィーディング症候群

がん患者で長期間の低栄養にある患者に対して，急激に栄養補給を行うときに起こる．飢餓状態で脂肪分解による代謝が中心であったものが，急激に糖，アミノ酸が体内に入ってくることにより，種々の代謝異常が起こる（表 4）．糖，アミノ酸により，インスリンが分泌され，リンの消費が亢進し，低リン血症となる．低リン血症では，ヘモグロビンと酸素の結合が変化し，末梢組織での酸素の利用ができなくなり，乳酸アシドーシスを生じる．また，リンの不足により アデノシン三リン酸（ATP）の産生が低下し，ATP を大量必要とする組織（心，脳）の異常が起こる．このために，意識障害，心不全などが起こり，ときには致死的となる．

表 4　リフィーディング症候群にみられる主な代謝異常

- 体液量の異常
- 糖代謝の異常
- ビタミンの欠乏症，特に B_1
- 低リン血症
- 低カリウム血症
- 低マグネシウム血症

本症候群の予防は，常に飢餓状態の患者ではこの症候群が起こりうることを念頭に入れ，栄養補給を開始し，血清の電解質（リン，カリウム，マグネシウムなど）のモニターを頻回に行うことである．極端な飢餓状態にある患者に対しては，まず栄養補給の前にビタミン B_1 を 100 mg 筋注あるいは静注して，少ない量（必要量の半分）から栄養補給を開始する．ビタミン B_1 は糖質が利用されると急激に枯渇するため，再栄養開始の最初の 1 週間は毎日 100 mg を 2 回投与するようにする．栄養補給は徐々に量を増やし，7～10 日で必要量までに増量する．その間，リンを含めた血清電解質は毎日測定するようにする．

低リン血症がみられた場合には，血清リン値が正常になるまでリンを補給する（カルシウムと反応し沈殿を生じるため，リン酸ナトリウムあるいはリン酸カリウム液を，カルシウムを含まない点滴に入れる）．静脈からの過剰のリンの投与は体内でカルシウムと結合し組織に沈殿を生じるため，血清リン値が正常になれば中止する．また，リンは食品には多く含まれ，消化管からの吸収もよいため，できるだけ栄養補給は経口，経腸栄養を用いるようにする．低カリウム血症も急激な栄養補給後に起こりやすい．低カリウム血症では不整脈による突然死の危険があるだけでなく，腸管の運動の低下などをきたし栄養補給にも影響を及ぼす．カリウムも頻回にモニターし，異常があれば補正することが必要である．

❸ 抗利尿ホルモン不適合分泌症候群（SIADH）

抗利尿ホルモン（ADH）は血漿浸透圧が上昇した際に分泌され，浸透圧が低下したときには分泌が抑制される．抗利尿ホルモン不適合分泌症候群（syndrome of inappropriate secretion of ADH：SIADH）では，血漿浸透圧が低いにもかかわらずADHが分泌され続け，腎尿細管での水の再吸収が促進されている．水の再吸収が増えるため，血液では逆に低ナトリウム血症を呈する．そのため，浸透圧の高い，そしてナトリウム濃度の高い尿が排泄される．

低ナトリウム血症による臨床症状には，消化器症状，脱力，意識障害などがある．本症では，低ナトリウム血症があるが浮腫はないのが特徴である．診断には，循環血漿量の減少がなく（浮腫，脱水がない），血漿浸透圧の低下，低ナトリウム血症と，尿浸透圧が血漿浸透圧に比して高いのが特徴である．また，ADHの測定値の解釈には注意が必要である．ADHは血漿浸透圧が低い場合には本来は低下しているが，本症では浸透圧の低下にもかかわらず，正常値または高値を示す．治療には水分制限を行う．効果がない場合，高張食塩水と利尿薬を併用する．特に，脱水を伴う低ナトリウム血症はsalt wasting syndrome（ナトリウム喪失症候群）を考え，高張ナトリウム溶液（2～3%）の点滴を行う．

❹ 悪性腫瘍に伴う高カルシウム血症

腫瘍で産生される副甲状腺ホルモン関連蛋白質（PTHrP）が産生され，高カルシウム血症を示す場合と，骨転移や骨浸潤による機械的骨破壊による場合の2つの機序が考えられている．がん患者で低アルブミン血症がある場合が多いので，高カルシウム血症を見逃しやすい．アルブミン値が低値の場合には，カルシウム値の補正を行う．

補正カルシウム値＝
　血清カルシウム値＋(4－血清アルブミン値)

高カルシウム血症の臨床症状は食欲不振，悪心嘔吐，口渇，多尿などである．特に，悪性疾患において悪心・嘔吐の強い場合にはこの病態を念頭に入れて血清カルシウムの検査を行うことが必要である．本症の悪心・嘔吐は高カルシウム血症を補正することにより治療可能である．治療には生理食塩水の大量輸液，利尿薬投与（フロセミド）を行う．また，持続する高カルシウム血症に対してはビスホスホネート薬が有効である．

❺ がん治療による骨代謝異常

乳がん，前立腺がんは性ホルモン依存性で，これらがんの内分泌療法により性腺機能の異常をきたし，骨代謝障害（cancer treatment–induced bone loss：CTIBL）をきたすことがある．乳がん患者におけるLH–RHアゴニストあるいはアロマターゼ阻害薬，また前立腺がん患者におけるLH–RHアゴニスト（＋抗アンドロゲン薬）は骨密度低下をきたし，骨粗鬆症のリスクを高める．骨密度を定期的にモニターし，骨粗鬆症によるQOL悪化を防ぐことが必要である．カルシウムの十分な補充に注意する．予防には，ビスホスホネートの有効性が報告されている．

❻ がん治療における心血管副作用

がん治療に用いる薬剤により心血管系の重大な合併症を生じることがある．アントラサイクリン系薬が心毒性をきたし，心不全を起こし，ときには死にいたることが古くから知られている．この心筋傷害は非可逆性で，投与量が多くなればなるほど発症のリスクは増大する．また，投与してから数ヵ月後に発症することもある．基礎に心疾患を有し，心機能の低下した例や高齢者では発症しやすい．分子標的治療薬のトラスツズマブ（HER2阻害薬）も心不全を発症する．この場合にはある程度可逆性で，回復することもある．これらの薬剤を使用するときには，心エコー検査などで心機能の経過を追う必要がある．

血管内皮増殖因子（VEGF）に対する抗体薬やチロシンキナーゼ阻害薬などでは高頻度に高血圧がみられる．放置すると腎障害などもきたすことがある．適切な降圧薬の投与により管理できることが多い．

がんでは静脈血栓症が生じやすい．長期臥床，腫瘍の静脈内浸潤などにより血栓が誘発されやすいうえに，がん細胞由来の凝固促進因子が分泌される．特にムチン産生腫瘍である膵がんや胃がんで多いとされており，化学療法によりさらにリスクが増大する．抗凝固薬の投与などにより予防または治療が行われる．

文献

1）Laviano A, Meguid MM, Inui A et al：Therapy Insight：cancer anorexia-cachexia syndrome-when all you can eat is yourself. Nat Clin Pract Oncol **2**：158-165, 2005

2）Argilés JM, Meijsing SH, Pallarés-Trujillo J et al：Cancer cachexia：a therapeutic approach. Med Res Rev **21**：83-101, 2001

3）Read JA, Beale PJ, Volker DH et al：Nutrition intervention using an eicosapentaenoic acid（EPA）-containing supplement in patients with advanced colorectal cancer. Effects on nutritional and inflammatory status：a phase Ⅱ trial. Support Care Cancer **15**：301-307, 2007

4）Barber MD, Ross JA, Voss AC et al：The effect of an oral nutritional supplement enriched with fish oil on weight-loss in patients with pancreatic cancer. Br J Cancer **81**：80-86, 1999

5）Nebeling LC, Miraldi F, Shurin SB et al：Effects of a ketogenic diet on tumor metabolism and nutritional status in pediatric oncology patients：two case reports. J Am Coll Nutr **14**：202-208, 1995

第10章

がんの在宅ケアの動向：在宅栄養

医療法人ソレイユ　ひまわり在宅クリニック
後藤　慶次

A 在宅医療の最近の動向

厚生労働省・第1回在宅医療及び医療・介護連携に関するワーキンググループの参考資料「在宅医療の現状について」（図1）によると，在宅医療のうち医療計画に沿って定期的に治療を行う訪問診療の2020年の件数は約83万1,000件で，2006年の約19万8,000件と比べて大幅に増加している．さらに，2020年の件数において，訪問診療を受ける患者の約9割が75歳以上となっている．日本では，2025年に団塊の世代が75歳以上になることで，75歳以上が全人口の18%を占めるとされており，高齢者による在宅医療の需要は，今後ますます増えていくことになる．同じく厚生労働省の中央社会保険医療協議会 総会（第486回）の資料「在宅（その1）在宅医療について」[1]によれば，国民の約3割が自宅で最期を迎えたいと希望しているにもかかわらず，がん患者での在宅死亡は全国平均で12.3%（2019年）にとどまっている（図2）．がんの場合，特に終末期ケアにおける生活の質を重視した医療が求められてお

在宅患者訪問診療料などの件数の推移

○ 訪問診療料の件数は，大幅に増加．往診料の件数は横ばい．
○ 訪問診療を受ける患者の大半は75歳以上の高齢者であるが，小児や成人についても一定程度存在し，その数は増加傾向．

訪問診療：患者宅に計画的，定期的に訪問し，診療を行うもの
往診：患者の要請に応じ，都度，患者宅を訪問し，診療を行うもの

在宅患者訪問診療料，往診料の件数の推移

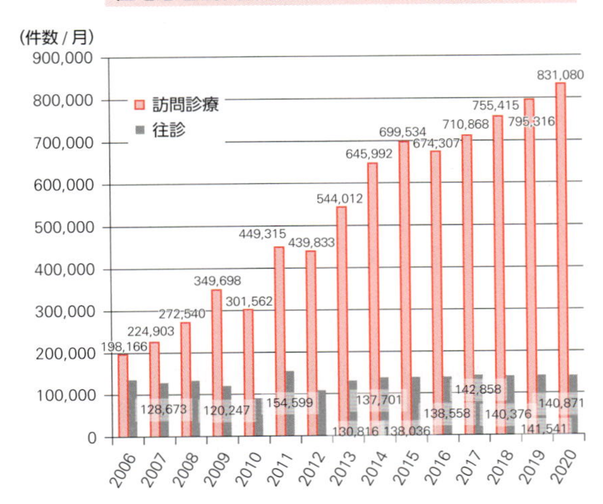

在宅患者訪問診療の年齢階級別の構成比

（件数／月，%）

	2009 (H21)	2012 (H24)	2015 (H27)	2018 (H30)
計	349,698	439,833	699,534	755,415
0-4歳	0 (0.00%)	50 (0.01%)	598 (0.09%)	883 (0.12%)
5-19歳	0 (0.00%)	174 (0.04%)	1,165 (0.17%)	1,841 (0.24%)
20-39歳	3,421 (0.98%)	3,077 (0.70%)	3,909 (0.56%)	4,954 (0.66%)
40-64歳	16,352 (4.68%)	19,711 (4.48%)	19,542 (2.94%)	21,921 (2.90%)
65-74歳	36,424 (10.42%)	36,019 (8.19%)	49,719 (7.11%)	51,353 (6.80%)
75-84歳	121,358 (34.70%)	134,861 (30.66%)	200,606 (28.68%)	192,621 (25.50%)
85歳以上	172,143 (49.23%)	245,941 (55.92%)	423,995 (60.61%)	481,842 (63,79%)

図1　在宅患者訪問診療料などの件数の推移

［第1回在宅医療・介護連携に関するワーキンググループ，参考資料より］

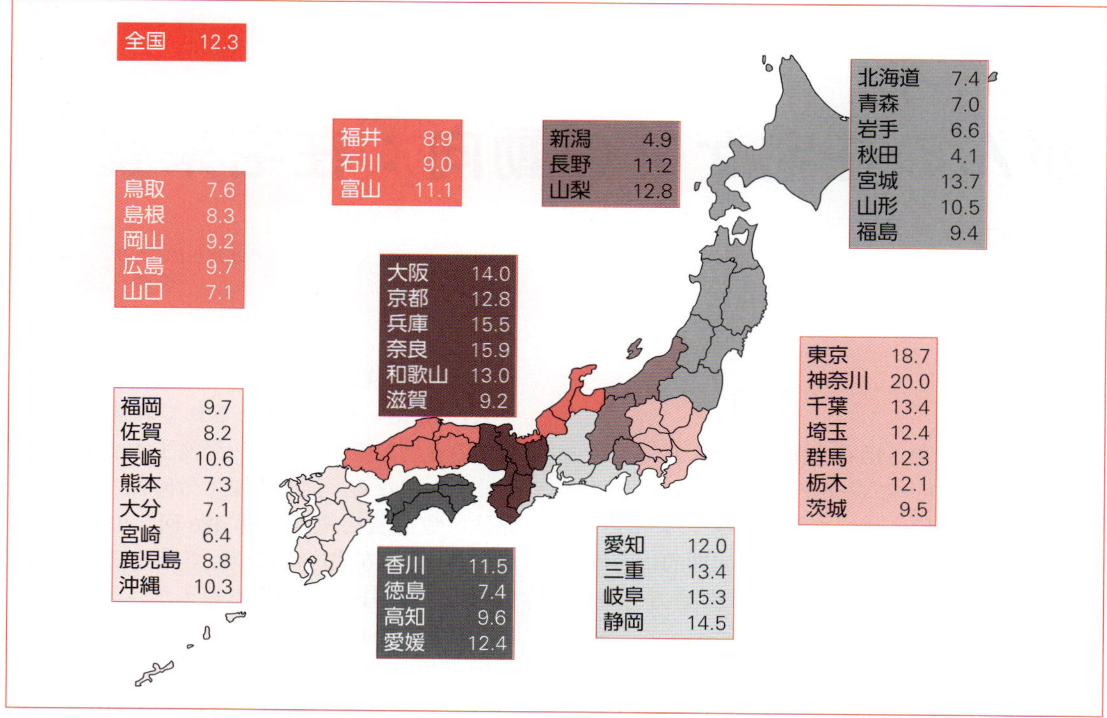

図 2　自宅におけるがんの死亡率（2019 年）
単位：%
［志真泰夫ほか（編）：ホスピス緩和ケア白書 2016―緩和デイケア・がん患者サロン・デイホスピス．青海社，2016 より引用］

り，質の高い在宅医療をいかに提供するかが問われている．

B　がん対策基本法をもとにした国によるがん医療の整備

超高齢社会を迎え，がん罹患数が増加の一途をたどるわが国においてがん対策を推進していく目的で，2007 年 4 月 1 日がん対策基本計画法が施行された[2]．この基本法に基づき 2007 年 6 月 15 日ががん対策推進基本計画法が施行された[3]．そのなかで，緩和ケアの重要性や在宅緩和ケアを推進することが明記され，重要な施策として位置づけられた．「すべてのがん患者およびその家族の苦痛の軽減ならびに療養生活の質の向上」と謳われている．その目的のため，がん診療連携拠点病院，緩和ケアチーム，在宅療養支援診療所，訪問看護ステーションなど，現在整備が進められている各種医療施設やがん診療体制を以下に紹介する．

❶ がん診療連携拠点病院

専門的ながん医療の提供，地域とのがん診療連携協力体制の構築，がんの相談支援および情報提供などを充実させ，全国どこでも質の高いがん医療を提供することができるよう，全国 456 ヵ所（2023 年 4 月 1 日現在）の病院が整備された[4]．今後，がん医療の中核となり地域における在宅医療などとの連携を推進していくことが期待されている．

❷ 緩和ケア病棟

1990 年の診療報酬に緩和ケア病棟入院料が新設されたことにより，わが国に緩和ケア病棟が制度化された．診療報酬の増加とともに緩和ケア病棟数，病床数ともに増加し，1990 年 5 病棟（117 床）から 2022 年には 463 病棟（9,579 床）となった．緩和ケア病棟は，最期の場所として過ごすだけでなく，患者の容態が悪化した場合や患者が入院療養を希望した場合のバックベッドとして，在宅医療を支える重要な役割を担っている．緩和ケア病棟で死亡したがん患者の都道府県別割合を表1に示す．福岡県，高知県，熊本県が高い傾向にあった．

❸ 緩和ケアチーム

2002年の診療報酬に緩和ケア診療加算が新設されたことにより，緩和ケアチームが制度化された．がん診療連携拠点病院の指定要件に緩和ケアチームの設置が含まれるようになり緩和ケア診療加算の算定施設は2002年の22施設から2020年には498施設に増加した．緩和ケアチームは日本緩和医療学会に登録制度があり2020年11月時点で528施設の緩和ケアチームが登録されている．外来や退院時に緩和ケアチームが中心となって在宅療養計画を支援している．

❹ 在宅緩和ケア

都道府県別の人口，がん死亡者数，自宅死亡割合を表1に示す．2019年の全死因とがんの自宅死亡の割合は．それぞれ13.6%と12.3%であり，2014年の12.8%と9.9%より上昇傾向となった．2014年と2019年のがんの都道府県別の自宅死亡割合を図2に示す．

2019年の死亡割合が高い都道府県は神奈川県20.0%，東京都18.7%，奈良県15.9%，兵庫県15.5%の順であり，低い都道府県は秋田県4.1%，新潟県4.9%，宮崎県6.4%の順であった．この5年間の在宅緩和ケアに取り組む医療機関の努力により全国平均死亡率は上昇していた．また，東京，大阪など大都市及びその近隣の府県の自宅死亡割合は，中国，四国，九州，沖縄に比較して高い傾向がみられた．

❺ 在宅療養支援診療所（在宅療養支援病院）

在宅療養支援診療所とは，訪問看護ステーションや緊急入院可能な後方病院などと連携して患者の求めに応じて24時間往診可能な体制を確保した診療所のことを指す．図3に示す通り，在宅療養支援診療所の数は徐々に増加して2006年9,434施設（届出数）であったが2020年は14,615施設(届出数)と増えているが，この5年ほどはほぼ横ばいとなっている．一方で在宅療養支援病院は2016年の1,135施設から2020年1,546施設と増えている．しかし，在宅看取りを行う在宅療養支援診療所は2014年には届け出数の約21%にとどまっており，24時間緊急対応必要などの負担が影響しているものと思われ，連携による負担の軽減が求められている．

❻ 訪問看護ステーション

訪問看護ステーション24時間対応加算届出事業所の数は急激に増加している（図4）．2011年3,971件から2019年10,238件と倍以上に増えた．人口10万人対届出事業所が多かった都道府県は大阪12.5，和歌山県12.4，島根県11.9であり，少なかった都道府県は埼玉県5.2，新潟県5.2，栃木県5.4であった．通常は訪問看護は介護保険から支給されるが，末期がんにおいては，医療保険から支給され，毎日，1日3回まで入ることが可能になっている．

❼ 末期がんに対する介護保険

2006年4月より末期がんが介護保険の第2号被保険者（40～64歳）の対象となる特定疾病に加えられたことにより介護保険の申請が可能となった．厚生労働省からの通達で末期がんの場合は，要介護認定のスピードが通常よりも速く行われサービスの利用が円滑になった[5)]．在宅サービスとして福祉用具，訪問介護，訪問入浴などを利用することがおおい．

C　がんの病態と在宅栄養管理

がんの進行とそれに対する治療選択，終末期のステージ，症状の出現時期，悪液質状態の推移について図5に表す．診断が行われた時点から始まるがんの治療は，手術療法，放射線療法，化学療法，緩和ケアなどを主軸に，病状や治療目標に応じて栄養療法を含めてがんの治療が提供される．

がんの診療は，手術の1～3週間入院する時

表1　都道府県別の人口，がん死亡者数，自宅死亡割合

都道府県	人口（単位　千人）	がん死亡者数	緩和ケア病棟で死亡したがん患者の割合	自宅死亡割合（全死因）	自宅死亡割合（がん患者）	在宅療養支援診療所届出数（人口10万対）	一般診療所在宅看取り実施施設数（人口10万対）
年次	2019	2019	2019	2019	2019	2017	2017
総数	123731.176	376425	13.3%	13.6%	12.3%	10.6	3.8
北海道	5211	19425	15.2%	10.3%	7.4%	5.3	2.1
青森	1240	5125	6.3%	10.5%	7.0%	6.3	3.3
岩手	1219	4471	13.1%	11.6%	6.6%	5.0	2.8
宮城	2283	6822	12.9%	14.3%	13.7%	5.4	2.8
秋田	963	4158	12.4%	9.0%	4.1%	7.1	3.8
山形	1070	3952	5.5%	10.8%	10.5%	7.4	5.2
福島	1831	6233	9.4%	13.4%	9.4%	8.2	4.3
茨城	2810	8874	12.6%	12.2%	9.5%	6.3	2.7
栃木	1906	5732	11.0%	14.4%	12.1%	7.3	4.3
群馬	1886	5998	13.0%	11.8%	12.3%	11.8	5.1
埼玉	7174	19791	10.6%	13.9%	12.4%	6.0	2.2
千葉	6141	17440	11.4%	15.7%	13.4%	5.5	2.5
東京都	13405	34082	10.1%	18.9%	18.7%	10.0	3.5
神奈川	8997	23974	11.2%	18.0%	20.0%	8.5	3.8
新潟	2206	7957	5.9%	9.5%	4.9%	5.5	4.1
富山	1026	3492	3.6%	11.3%	11.1%	5.7	4.1
石川	1123	3525	7.7%	10.3%	9.0%	12.6	4.0
福井	756	2350	19.1%	12.1%	8.9%	6.3	4.8
山梨	798	2547	6.2%	12.8%	12.8%	7.2	3.9
長野	2016	6302	14.2%	12.2%	11.2%	12.2	5.2
岐阜	1940	6171	14.7%	13.8%	15.3%	12.0	6.1
静岡	3557	10880	2.9%	14.4%	14.5%	9.1	4.1
愛知	7316	19549	16.7%	13.5%	12.0%	9.9	3.2
三重	1736	5266	19.8%	13.3%	13.4%	9.6	4.7
滋賀	1385	3646	21.1%	13.3%	9.2%	9.9	4.5
京都	2527	7669	8.8%	14.3%	12.8%	12.5	4.9
大阪	8623	26438	11.7%	16.4%	14.0%	18.1	4.3
兵庫	5369	16494	17.7%	16.6%	15.5%	15.2	5.4
奈良	1319	4124	11.3%	15.8%	15.9%	11.1	5.4
和歌山	918	3305	2.0%	13.2%	13.0%	17.1	6.6
鳥取	551	2056	21.4%	11.8%	7.6%	13.3	5.8
島根	665	2481	10.0%	10.2%	8.3%	17.1	5.9
岡山	1866	5691	15.7%	11.3%	9.2%	15.8	3.4
広島	2761	8292	16.4%	12.4%	9.7%	19.2	5.3
山口	1340	4907	13.6%	10.7%	7.1%	10.3	4.4
徳島	723	2489	15.7%	9.9%	7.4%	19.1	4.7
香川	945	2968	10.6%	13.9%	11.5%	13.0	5.3
愛媛	1328	4549	11.8%	13.1%	12.4%	14.0	6.3
高知	693	2561	26.4%	10.9%	9.6%	5.0	1.7
福岡	5039	15705	30.8%	10.7%	9.7%	14.9	3.5
佐賀	808	2721	17.1%	9.2%	8.2%	15.3	4.1
長崎	1318	4770	14.2%	10.3%	10.6%	21.1	4.7
熊本	1731	5543	26.2%	9.5%	7.3%	11.7	2.7
大分	1123	3666	13.6%	7.8%	7.1%	16.0	4.5
宮崎	1065	3593	15.5%	8.8%	6.4%	10.0	3.9
鹿児島	1589	5250	16.8%	9.6%	8.8%	16.8	4.6
沖縄	1434	3271	18.7%	12.5%	10.3%	6.4	1.9

※集計結果が10未満の場合は「―」で表示（10未満の箇所が1箇所の場合は10以上の最小値を全て「―」で表示）

［平山英幸ほか：日本ホスピス財団，データで見る日本の緩和ケアの現状，付表より引用］

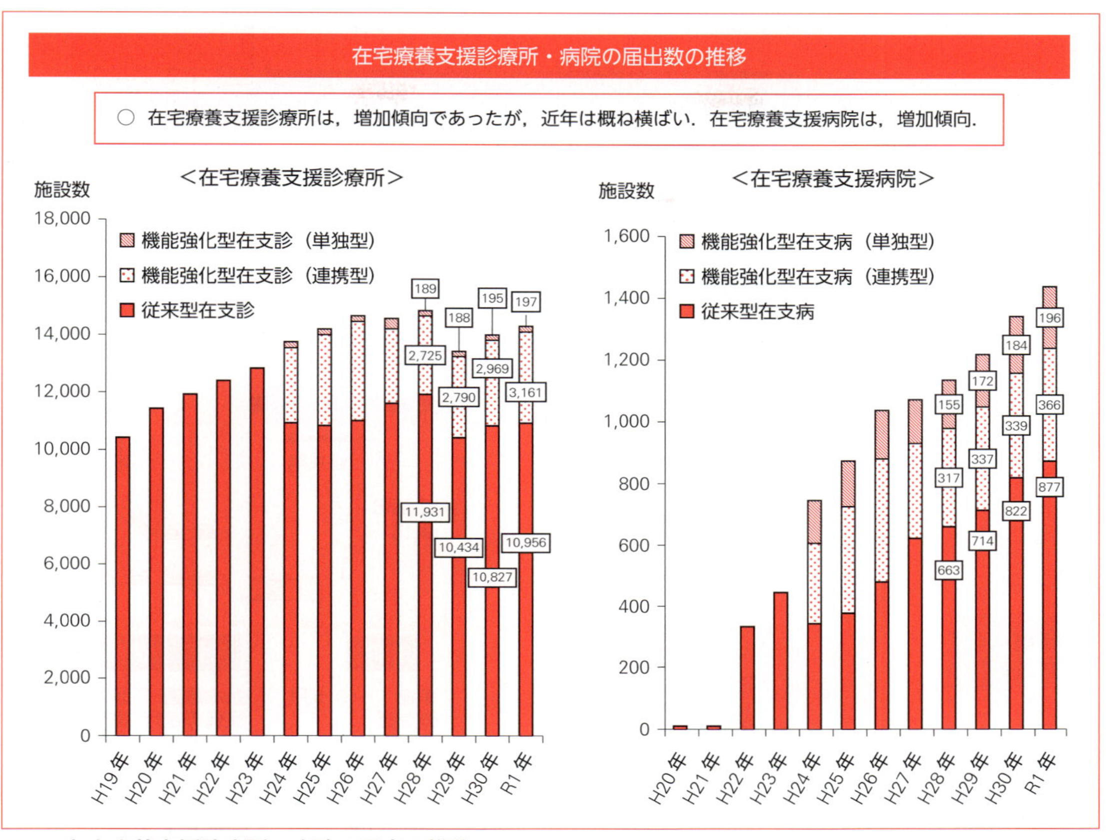

図 3　在宅療養支援診療所・病院の届出の推移

［第 1 回在宅医療・介護連携に関するワーキンググループ，参考資料より引用］

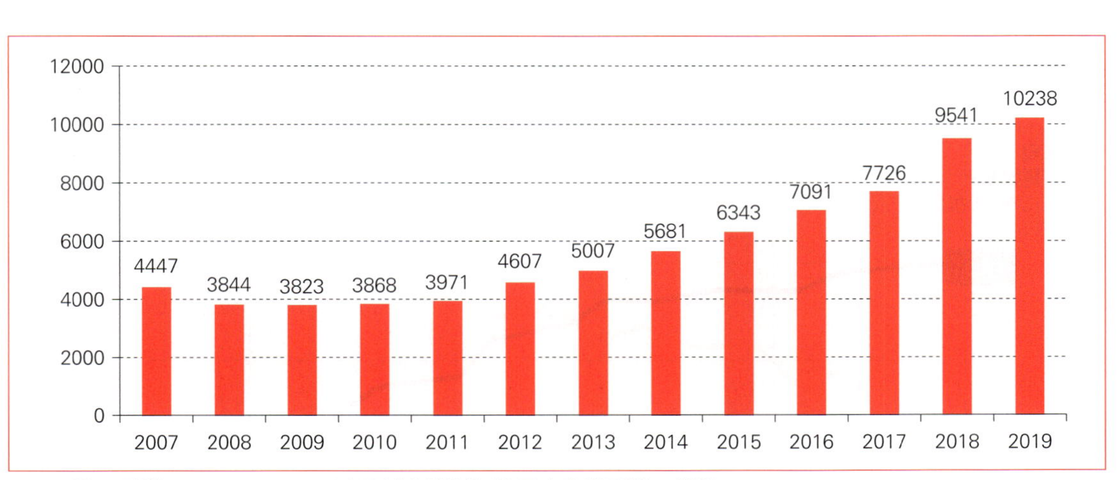

図 4　訪問看護ステーション 24 時間対応体制加算届出事業所数の推移

［平山英幸ほか：日本ホスピス財団，データで見る日本の緩和ケアの現状，図 19 より引用］

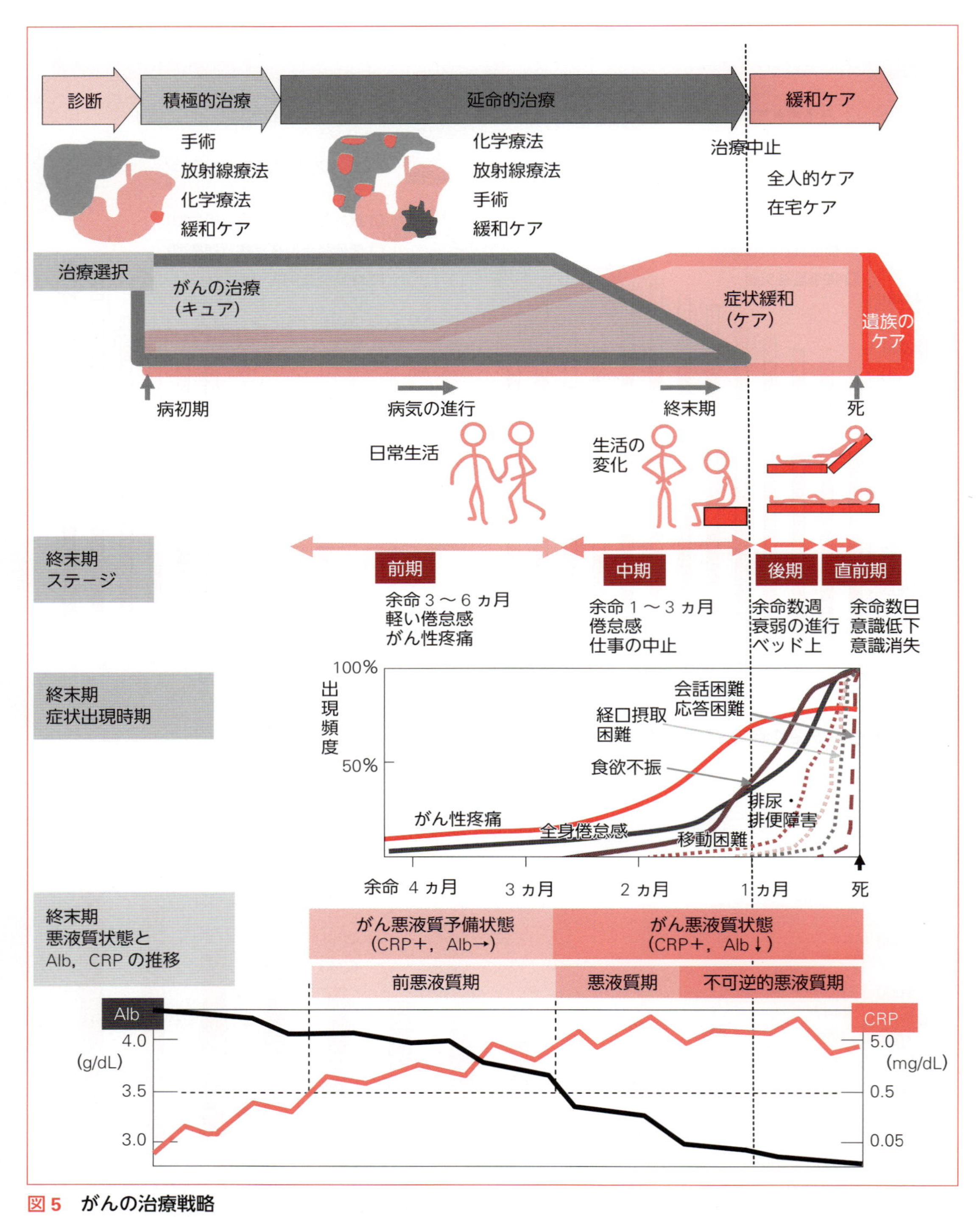

図5　がんの治療戦略

がんの進行とそれに対する治療選択，終末期ステージ，症状出現時期，悪液質状態，Alb・CRP の推移を表す．

［恒藤　暁：最新緩和医療学，最新医学社，p.11-30，1999 を参考に作成］

期を除き，術後のケアをはじめ化学療法，放射線療法などさまざまな治療は主に外来で行われるようになった．したがって，がん患者の在宅における栄養管理とは，がん診療を受けているがん患者すべてに対する栄養管理を指すことになる．しかし，がんの在宅栄養が問題になるのは，通院が困難になり始めたがんの終末期のことが多い．それ以前の時期は在宅ということで特別の栄養介入は不要である．がんの診断から手術，化学療法，放射線療法における栄養管理については他項で詳細に述べられていることから，本章では化学療法による延命効果がみられなくなった進行がんの終末期（余命2〜3ヵ月）患者の在宅での栄養管理について概説する．

❶ 終末期の病状の推移

終末期という概念や言葉に公的な定義はない．一般的に，がんの終末期（ターミナル期）は，「病状が進行して，生命予後が半年あるいは半年以内と考えられる時期」と定義されることが多い．がんの終末期は病状が安定していることはなく，徐々に病状は進行し病態は変化していく．がんは終末期を前期，中期，後期，直前期の4つに分類すると病状や病態が理解しやすい[6]．

①前期：前期は，余命が3〜6ヵ月の時期に当たる．軽い倦怠感を自覚するが日常生活に支障がなく生活可能で，仕事を行いながら治療を受けている時期に当たる．
②中期：中期は余命が1〜3ヵ月の時期に当たる．倦怠感が顕著となり，食欲不振が顕著となり，生活の変化が出現する時期である．仕事を中断し，治療が中止になる時期にあたる．
③後期：後期は余命が数週の時期にあたる．急速に体力低下が出現し，ベッド上の生活が目立つような時期にあたる．
④直前期：直前期は余命が数日以内の時期にあたる．傾眠傾向がみられ，徐々に意識低下がみられる時期である．

それぞれの時期の病態に合わせたケアが必要となる．終末期前期の期間の長さは，がん種の違いにより，また個人で大きく異なる．一方，終末期後期や直前期の期間は，がん種によりまた個人により大きな差はなく，それぞれ週単位，日単位の長さである．

近年がん治療に関する医学の進歩により，終末期中期まで緩和的化学療法など治療介入可能となった．それによりがんの進行も大きく修飾され，今まで以上に個別的かつ細かい評価や対応が必要となる．

❷ がん悪液質の概念

がんをはじめ慢性心不全，慢性閉塞性肺疾患などの慢性疾患で生じる「脂肪組織の減少の有無にかかわらない筋肉組織の喪失を特徴とする病態で，体重減少が顕著な臨床所見である」病態をEvansらは悪液質と定義した[7]．がんの場合，病状の進行とともに多くの患者が，食欲不振，体重減少を経験し，衰弱が出現する．そして衰弱が進行すると，どんな栄養介入を行っても反応しない栄養不良状態に陥る．

がん患者は，がん病巣から産生されるIL-1やIL-6などのサイトカイン（細胞間の情報伝達物質）により，正常よりも代謝が亢進し，エネルギー消費が高まり，通常より多くのエネルギーが必要になる．この代謝の亢進した状態は終末期中期まで続く．終末期中期以降になると，代謝は亢進しているにもかかわらず，全身倦怠感や顕著な食欲低下が出現し，エネルギー摂取量が著しく低下し衰弱が顕在化する．そして終末期後期には亢進していた代謝が著しく低下し，エネルギー消費量も著減するようになる．このような臨床経過をたどるがん終末期はその特徴から，①前悪液質期（pre-cachexia），②悪液質期（cachexia），③不可逆的悪液質期（refractory cachexia）の連続する3段階の病期に分類される[8]．この3段階の分類は，主に体重減少，body mass index（BMI）に加えて，血中C反応性蛋白（CRP）やアルブミン（Alb）検査[9]，CTやMRI，また生体電気インピーダンス分析（bioelectrical impedance analysis：BIA）法などを用いた筋肉量の測定により分類される．

①前悪液質期：ごく軽い全身倦怠感，食欲低下が出現する時期であり，非終末期〜終末期前期にあたる．血液検査上は，Albの低下はないが，CRPが陽性になる．患者は化学療法

やホルモン療法などの治療を受けていることが多く，通常の日常生活を過ごしている．この時期には，積極的な栄養介入が必要になる．

②悪液質期：全身倦怠感がみられ，食事低下がみられる．徐々に衰弱が進行する時期にあたり，筋力低下をはじめ各種身体機能の低下が出現する．終末期前期～中期にあたり，CRP陽性に加えてAlbの低下がみられる．患者は化学療法やホルモン療法などの治療を受けていることが多い．体調や病状を観察しながらの栄養介入が必要になる．過剰な栄養介入が全身状態を悪化しないよう，注意を要する時期である．

③不可逆的悪液質期：急速に体力低下が顕著となり，化学療法などの抗がん治療による延命効果が期待できなくなる時期にあたる．この病期を診断することは難しく，チームにより多面的観察が重要になる．一般的に，もはや体重減少，体力回復が不可能と判断される病状に陥り，介入しても改善しない栄養障害，利尿薬に反応しない浮腫・胸水・腹水の存在などが出現し，余命の限られた状態にある．終末期後期・直前期にあたる．この不可逆的な悪液質に陥った場合，エネルギー消費量が顕著に減少することが報告されており[10]，栄養療法として経管栄養や中心静脈栄養など強制的な栄養療法は適応外である．

D　在宅栄養管理の実際

がんの在宅栄養が問題になるのは，通院が困難になり始めたがんの終末期中期以降である．がん終末期中期以降の輸液療法を実施する際には，患者の全身状態，悪液質の有無，予測される予後などをもとにして，輸液療法の適応を検討することが必要である[11]．

輸液を行うことにより，患者が安楽になるかどうかに焦点を当て，その有用性・必要性を再評価することが重要になる．輸液によってかえって喘鳴，浮腫，胸水，腹水貯留など苦痛が増強することがある．表2に示すような悪液質の有無に配慮した指針に基づいて栄養療法を検討する[12]．予後が3～6ヵ月期待される終末期前期においては，前悪液質期にある．終末期

表2　終末期がん患者の輸液・栄養管理

がん悪液質がない場合
①水分投与量：25～35 mL/kg 体重／日（約 30 mL/kg 体重） ②必要エネルギー（REE）（kcal/日）＝基礎エネルギー量（BEE）×活動係数（AF）×ストレス係数（SF） ③蛋白投与量（g/日）＝体重×ストレス係数（必須アミノ酸を含む） ④脂肪投与量＝必要エネルギー量の20～50％（必須脂肪酸を含む） ⑤糖質投与量＝必要エネルギー量－蛋白投与量－脂肪投与量 NPC/N（非蛋白カロリー／窒素量）（kcal/g）＝150～200 ⑥ビタミン・微量元素投与量＝1日必要量 ⑦経口投与を原則とする．
がん悪液質がある場合：経口摂取が可能
①自由な摂取：好きな食事，可能な食事（緩和ケア食）
がん悪液質がある場合：経口摂取が不可能
①本人や家族の希望を大切に（間欠的輸液，持続的輸液など） ②水分投与量：15～25 mL/kg 体重／日（約 500～1,000 mL/日） ③必要エネルギー量：5～15/kg 体重／日（約200～600 kcal/日） ④投与栄養素：糖質を中心にして必須アミノ酸を少量 ⑤ビタミン・微量元素：1日必要量 ⑥輸液の効果を評価する（投与による患者への不利益の有無を毎回評価）

BEE＝Harris-Benedict の式より算出
AF＝1.0～1.8（歩行 1.2，労働作業＝1.3～1.8）
SF＝1.0～2.0（生体侵襲度・重傷度に応じて判定．担がん症例 1.2 以上）

［東口高志：NST 完全ガイド，栄養療法の基礎と実践．照林社，p.276-277，2001 を参考に作成］

でない患者と同様に輸液を計画して問題ない．がん悪液質がない場合の輸液を検討する．しかし，病状が進行し終末期中期（余命が 1〜3 ヵ月）になると，前悪液質期から悪液質期に移行していく．その際には病状を観察し，がん悪液質の有無を判断して栄養療法を検討する．高カロリーや高用量の水分投与など過剰な栄養や水分が，患者にかえって倦怠感，呼吸苦，腹部膨満感などの苦痛を与えてしまうことがある．終末期中期〜後期は悪液質期から不可逆的悪液質期へと急速にその病態が変化していく．がん患者の体内における代謝も，亢進している状態から低下している状態に劇的に変化が起こり，終末期後期（予後週単位）の時期には，代謝は著しく低下する．患者は終日ベッド上で過ごし，経口摂取が著しく低下し，倦怠感が顕著となる．このような患者に対して，栄養や水分の補給が全身状態や患者の安楽につながるかどうか，慎重な観察が必要になる．この時期は補液が不要な場合もあり，漫然とした栄養管理は避ける．

特に患者の余命が週単位・日単位となった場合，現在施行している栄養療法・補液療法の効果や問題点について定期的な再評価が必要である．その評価として，①脱水の有無，②腹水，胸水，浮腫，気道分泌の所見がとても有用になる．脱水の有無は，口腔粘膜，腋窩，眼球の部位を観察して判断する．

E 自施設での取り組み

主観的評価法として，当院では管理栄養士（介護支援専門員と兼務）が訪問栄養指導を行っており，主観的包括的評価（subjective global assessment：SGA）を実施している．患者は終末期にあり，自己記入ができない場合が多いので，訪問栄養士が評価している．客観的な栄養評価としては，MUST（malnutrition universal screening tool）（① BMI，②体重変化率，③ 5 日以上の経口摂取不能状態）に加えて，血清 Alb 値と CRP 値で評価している．特に Alb 値と CRP 値はがん悪液質状態を把握するうえで重要な指標として使用している（図 5）．

❶ 在宅栄養療法の実際

患者の病状や生活環境・生活パターンを十分考慮して，患者・家族の意向に沿って，栄養管理を行っている．実際には以下のような栄養管理を行っている．

ⓐ 経口摂取

嚥下障害や消化管閉塞の場合を除き，まず経口摂取を基本とする．経口摂取が減少した場合には，安易に補液を検討するのではなく，食材・食事形態・香り・温度・食感・色彩などを患者の嗜好に合わせて調節する．家族とともに食卓の環境を整えることも有用である．症例によっては，適量のアルコール，ステロイド薬，漢方薬などを利用して食欲増進を図っている．

ⓑ 在宅間欠的経静脈栄養

在宅で用いる輸液剤として，糖質輸液製剤，アミノ酸輸液製剤などを用いる．患者の病状や生活パターンに合わせて輸液剤，輸液量，輸液時間を決定する．実際には，十分な栄養を投与する必要がない場合が多く，100〜300 kcal/日，500〜1,000 mL/日を投与することが多い．

ⓒ 在宅持続的経静脈栄養

在宅でも持続点滴は可能である．糖質輸液製剤，アミノ酸輸液製剤などを用いる．確実に静脈確保を行い，輸液速度の管理に注意を要する．中心静脈栄養用カテーテル（CV ポート）を埋め込むと便利である．

ⓓ 在宅皮下輸液

静脈が確保できない場合や静脈外漏出が起こりやすい場合，皮下輸液を行う．使用する輸液剤は，細胞外液類似液，5％ブドウ糖などの維持輸液製剤や生理的食塩水である．水分や電解質の補給が主な目的となる．前胸部上部，腹部，大腿部にテフロン針や翼状針を留置する．100 mL/時間の速度まで投与可能である．実際には 20〜50 mL/時間で投与することが多い．

ⓔ 在宅中心静脈栄養

使用する輸液は，高カロリー輸液キット製剤を使用する．患者の病状や生活パターンを考慮して輸液剤や輸液量，輸液時間を決定する．投与量は，1,000 mL/日以下が妥当である．在宅での中心静脈栄養には，万一クレンメを閉じ忘れてチューブを外しても，フリーフローが発生

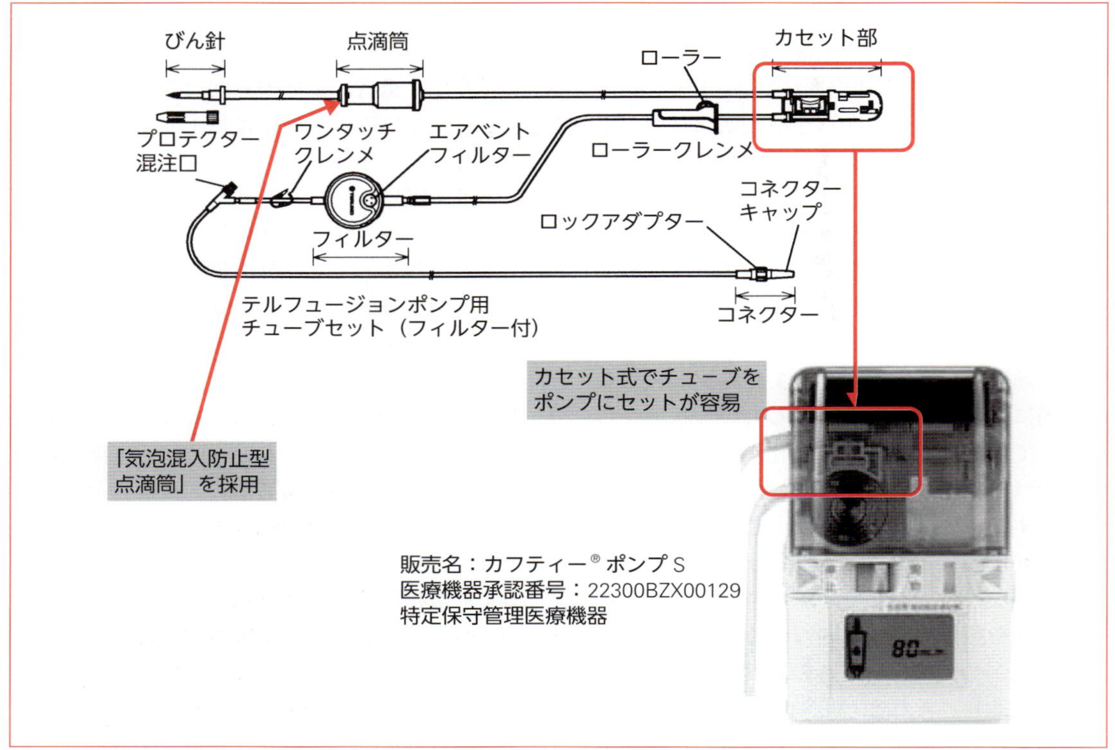

図 6　在宅用輸液セット（カフティー®ポンプ，チューブセット）

しない機能が装備された，カフティー®ポンプ（テルモ）が有用である（図 6）．操作が簡便で，閉塞，空液，電圧低下などに対する音声アラーム機能も備えられ安全性が高い．

ⓕ 在宅経腸栄養

消化管機能が保たれていれば経腸栄養を考慮する．経腸栄養のルートには胃管および胃瘻・腸瘻がある．経腸栄養剤は，自然食品・流動食（ミキサー食），半消化態栄養剤，消化態栄養剤（成分栄養剤）がある．投与速度，浸透圧，温度の不調により起こる下痢に注意する．下痢が起こった場合，投与速度の減速，白湯の先行投与，加温などの工夫が必要になる．

❷ 退院時および外来栄養サポートチーム

在宅で患者や家族は，食事形態，嗜好，飲酒週間，食材などの食習慣や，食事量，食事時間，生活活動量などに関して多くの不安を抱えている．通院中にがんの病状が進行し終末期を迎える場合，在宅で徐々にさまざまな症状が出現し，それに伴い食事の量や嗜好が変化していく．とくに余命 2〜3 ヵ月の時期になると，患者の食事量はかなり減少し，楽しいはずの食卓が一転する．患者・家族に現在の病状を理解してもらい，その病状にふさわしい食事や水分摂取を説明し理解してもらうことがとても重要になる．すべてのがん患者は，その終末期に栄養障害が出現するので，がんを診療する医療機関では退院時や外来において，医師，管理栄養士，看護師，薬剤師，メディカルソーシャルワーカー（MSW）など医療チームにより患者・家族に栄養に関して相談支援を行う体制の整備が必要になる．

また，食事が摂りにくくなった患者の場合，その食事や栄養管理には倫理的側面に配慮が重要になる[11]．患者や家族にとって，水分や栄養補給は，基本的なケアのひとつとして，患者の医学的状況にかかわらず常に行われるべきだと考える人は多い．水分や栄養補給は，ケアのシンボルであり，最後まで希望をつなぐ証であり，きわめて象徴的な意味が大きい．栄養介入するにあたり，これらの倫理的側面に十分配慮して患者・家族の希望を確認するとともに，栄養介入の必要性，有効性，有害性を十分に説明し，理解してもらうことが重要になる．その意味においても，退院時や外来での栄養相談・支援が重要である．

筆者の施設では，介護支援専門員を兼務した管理栄養士が自宅に訪問し，食べやすい食事形態の工夫や足りない栄養素を効率的に補充するために補助栄養食を提案したり，訪問して実際に調理を行うなどの支援体制を整えており，希望者には外来や入院からの移行時にもカンファレンスに参加して病院と連携することも行っている．

超高齢社会を迎え，がんが国民の生活および健康にとって重大な課題となっているわが国において，地域で完結する充足したがん医療が行われるように，さまざまな取り組みが進められている．

がんは絶えず病態が変化する亜急性の疾患であり，病状や治療目標に合わせた栄養管理が重要である．特に病状が刻々と変化していくがんの終末期患者やその家族は，食事や栄養に関して多くの不安や悩みを抱えている．そのような患者・家族に対して在宅での栄養相談や支援を行うことは，自ら食べることの楽しみを提供するだけでなく，患者や家族のQOLの改善にも大きく寄与する．がんの在宅ケアの充実が求められている現在，栄養指導や支援は，がんの在宅ケアにおける重要なケアのひとつである．そのことをがん診療にかかわるすべての医療スタッフが認識することはとても重要である．適切な在宅栄養管理を行うことが，「自然な日常生活を送り苦痛なく自宅で過ごすことができる」がん在宅ケアの一助になると考える．

文献

1) 中央社会保険医療協議会総会（第486回）：在宅（その1）について，総-1-1（8枚目資料）（https://www.mhlw.go.jp/content/12404000/000823122.pdf）
2) 厚生労働省：がん対策基本法．平成19年4月1日（http://www.mhlw.go.jp/shingi/2007/04/dl/s0405-3a.pdf）
3) 厚生労働省：「がん対策推進基本計画」の策定について．平成19年6月15日（http://www.mhlw.go.jp/shingi/2007/06/s0615-1.html）
4) 厚生労働省：がん診療連携拠点病院等（https://www.mhlw.go.jp/stf/seisakunitsuite/bunya/kenkou_iryou/kenkou/gan/gan_byoin.html）
5) 厚生労働省老健局老人保健課：末期がん等の方への迅速な要介護認定等の実施について．平成23年10月18日（https://www.mhlw.go.jp/topics/kaigo/nintei/dl/terminal-cancer_5.pdf）
6) 恒藤　暁：最新緩和医療学．最新医学社．大阪．p.11–36
7) Evans WJ, Morley JE, Argiles J et al：Cachexia：a new definition. Clin Nutr **27**：793–799, 2008
8) Fearon K, Strasser F, Anker SD et al：Definition and classification of cancer cachexia：an international consensus. Lancet Oncol **12**：489–495, 2011
9) McMillan DC：An inframmation-based prognostic score and its role in the nutrition-based management of patients with cancer. Proc Nutr Soc **67**：257–262, 2008
10) 東口高志，森居　純，伊藤彰博ほか：全身症状に対する緩和ケア．外科治療 **96**：934–941, 2007
11) 日本緩和医療学会緩和医療ガイドライン委員会（編）：終末期がん患者の輸液療法に関するガイドライン2013年版，金原出版，東京，p.16-64, 2013
12) 東口高志：NST完全ガイド，栄養療法の基礎と実践，照林社，東京，p.276–277, 2001

第11章

慢性期におけるがん患者の栄養管理

駒沢女子大学人間健康学部健康栄養学科
西村　一弘

慢性期医療におけるがん患者の栄養管理は，終末期の短期間ターミナルケアにおける悪液質に対する介入や，経口摂取の維持継続に対する工夫による生活の質（QOL）の維持・確保を中心とした介入といった一般的な印象がある．当然そのような栄養介入はきわめて重要であり，そのために必要な知識の習得は，がん患者の栄養ケアを担う管理栄養士には不可欠な研鑽である．しかし，実際には終末期の短期介入のみならず，がんの種類や部位，進行速度などが千差万別であるため，進行が緩徐ながんを患いながら年単位で療養病棟に入院している患者もいるので，一言で表現をすることはきわめて難しい．加えて近年のがん治療は，根治的な治療である患部の切除といった外科的治療に限らず，さまざまな新薬の登場や化学療法の進歩により非根治的な治療方法が急速に発展したため，栄養管理のあり方も大きく変化してきた[1]．特に化学療法の進歩は著しく，以前は根治的な治療ができないと診断されてからの余命は短期であったが，非根治的治療の期間が大幅に延伸したため，その期間の栄養管理もきわめて重要となり，慢性期医療における介入が増加している．

本章ではがん患者の慢性期医療における栄養管理について，全身状態のスクリーニングやアセスメント，悪液質に対する栄養療法，がん化学療法に伴う摂食障害（嘔吐・悪心，味覚異常など）への食事の工夫，NST（nutrition support team）の介入などについて紹介する．

A　慢性期医療における栄養スクリーニングと栄養アセスメント

栄養療法が浸透する以前のわが国における一般的な栄養アセスメントは，身体計測指標，生理学的指標，生化学的指標，免疫学的指標など（表1）により行われてきた．日本静脈経腸栄養学会のプロジェクトとしてTNT研修会が開催された2000年以降は，栄養アセスメントの手法としてSGA（subjective：主観的，global：包括的，assessment：評価，総論7章のp.91，表2参照）が紹介され，NSTの普及や包括医療

表1　栄養評価指標

1．身体計測指標	体重，体重変化率，身長体重比，BMI，上腕三頭筋部皮下脂肪厚（TSF），上腕周囲長（AC），上腕筋囲（AMC）
2．生理学的指標	呼気ガス分析（関接熱量測定），呼吸筋力，握力
3．生化学的指標	アルブミン，トランスフェリン，トランスサイレチン，レチノール結合蛋白 尿中クレアチニン，尿中尿素窒素 血漿アミノグラム（BCAA，BCAA/AAA） ビタミン濃度，微量元素濃度
4．免疫学的指標	血中総リンパ球数，遅延型皮膚反応

BCAA：分岐鎖アミノ酸，BCAA/AAA：分岐鎖アミノ酸／芳香族アミノ酸比

表 2　Nutrition risk screening（NRS2002）

A）初期に行う栄養スクリーニング

1. BMI<20.5 ？……………………………………Yes　　　　No
2. 3 ヵ月以内に体重減少を認めたか？………Yes　　　　No
3. 先週食物摂取が減少したか？…………………Yes　　　　No
4. 重症な病気に罹患しているか？………………Yes　　　　No
（重症管理を行っているか？）

Yes：いずれかの質問にひとつでも Yes があれば B に進む
No：いずれの質問も No であれば，毎週繰り返し A を行う．ただし大きな手術などが予定されている患者では，栄養学的リスクを回避するために予防的な栄養管理計画を作成する

B）最終栄養スクリーニング

• 栄養状態
栄養状態良好（スコア 0）………栄養状態良好
軽度栄養不良（スコア 1）………3 ヵ月間に 5％以上の体重減少または先週に通常の栄養必要量の 50～70％の食物摂取
中等度栄養不良（スコア 2）……2 ヵ月間に 5％以上の体重減少または BMI が 18.5～20.5 で全身状態不良または先週に通常の栄養必要量の 25～60％の食物摂取
高度栄養不良（スコア 3）………1 ヵ月に 5％以上の体重減少（3 ヵ月間に 15％以上）で全身状態不良または先週に通常の栄養必要量の 0～25％の食物摂取

• 病気の重症度
なし（スコア 0）…………………通常の栄養必要量
軽度（スコア 1）…………………大腿骨骨折，慢性疾患患者で肝硬変，COPD などの急性の病態を合併している場合（血液透析，糖尿病，担がん状態）
中等度（スコア 2）………………腹部手術（major abdominal surgery）患者，脳卒中患者（重症肺炎，血液悪性腫瘍）
重症（スコア 3）…………………頭部外傷，骨髄移植，重症管理患者，（APACHE スコア>10）

の推進が相まって，採血行為や生化学検査の縮小とともに，広く一般に周知されて多くの医療機関において，簡便で負担が少ない SGA が定着した[2]．特に療養型病棟では，包括医療が義務付けられているので，SGA や MNA（mini nutritional assessment）short form（総論 7 章の p.90，表 1 参照）などコストフリーで簡便な方法が用いられるようになった[3]．ただし，近年では主観的指標である SGA とともに客観的な指標として一部の生化学的指標も取り入れた MUST（malnutrition universal screening），NRI（nutrition risk index），NRS（nutrition risk screening）2002（表 2）も活用されるようになった[4]．がん患者の栄養スクリーニングや栄養アセスメントも上記の手法を用いて行われることが多く，さらに慢性期のがん患者の栄養アセスメントとして，予後の予測が重要とされ，上腕三頭筋皮下脂肪厚，アルブミン，トランスフェリン，遅延型皮膚過敏反応の栄養指標を組み合わせた総合的な栄養指標である予後推定栄養指数（PNI：prognostic nutrition index）（総論 7 章の p.94，表 7 参照）を用いて評価をすることも提唱されている[5]．特に NRI は胃がん患者を，NAI（nutrition assessment index）は食道がん患者を，PNI はステージⅣ・Ⅴの消化器がん患者を対象として予後を推定している．予後を推定することは免疫力の低下や感染症のリスク，死亡率など負のアウトカムを推定することになるが，予後を推定することは，負のアウトカムを予防するためにもきわめて重要な作業である．

慢性期医療を担う医療機関は多種多様であるため，それぞれの施設の事情に適合した方法をここで紹介したさまざまな手法を基に選択して，栄養スクリーニングや栄養アセスメントを実施することを推奨する．また，栄養スクリーニングや栄養アセスメントを実施する際に，日本病態栄養学会栄養評価ガイドライン作成委員

表3　栄養状態の評価と栄養リスクの評価

栄養状態の評価	栄養リスクの評価
1) スクリーニング項目 いずれかがみられる場合，栄養不良の可能性がある a) 体重減少 b) 食事摂取の低下 2) アセスメント項目 a) 筋肉，皮下脂肪の低下 b) BMIの低下 c) 身体活動能力の低下（栄養に関連した） d) 握力，脚力の低下	a) 消化管症状（2週間以上続く）食欲低下，悪心・嘔吐，下痢 b) 基礎疾患（代謝亢進をきたす可能性のある疾患） c) 急性相蛋白（CRPなど） d) 血清蛋白質（アルブミン，プレアルブミンなど）

表4　栄養管理内容の決定法

1. 水分必要量
   1日必要量＝尿＋不感蒸泄＋糞便中水分量－代謝水≒35 mL/kg体重

2. 必要エネルギー量（kcal/日）
   基礎エネルギー消費量（BEE）activity factor×stress factor
   BEE：Harris-Benedictの式より算出
   男性：66＋（13.7×体重kg）＋（5.0×身長cm）－（6.8×年齢）
   女性：655＋（9.6×体重kg）＋（1.7×身長cm）－（4.7×年齢）
   activity factor＝1.0～1.8（安静：1.0，歩行可能：1.2，労働：1.4～1.8）
   stress factor＝1.0～2.0（重症度・術後病期・状態に応じて）

3. 蛋白（アミノ酸）投与量（g/日）
   1日投与量＝体重（kg）×stress factor

4. 脂肪投与量（g/日）
   1日投与量＝投与エネルギーの20～50％（0.5～1.0 g/kg体重）

5. 糖質投与量（g/日）
   1日投与量＝総投与エネルギー－蛋白（アミノ酸）投与量－脂肪投与量

［日本緩和医療学会緩和医療ガイドライン委員会（編）：終末期がん患者の輸液療法に関するガイドライン2013年版，金原出版，東京，p.31，2013を参考に作成］

会では，栄養状態の評価と栄養リスクの評価を混同しないように整理（表3）をして実施することを基本としているので，推奨する[6]．

B　悪液質に対する栄養療法

慢性期におけるがん患者は消化管異常や薬剤の副作用，がんの進行などさまざまな理由によりエネルギー摂取不足に陥りやすいため，飢餓による低栄養になることが多いので，積極的な栄養管理が重要となる．さらに栄養管理を行っていても治療に抵抗して，がんの進行に伴う著しい筋肉の崩壊や体重減少などの代謝異常として，悪液質に陥るといわれている．悪液質の病期分類は前悪液質・悪液質・難治性悪液質（不可逆的悪液質：refractory cachexia）に分類され（総論4章-(1)のp.36，図1参照），難治性悪液質ではすべての治療に抵抗性となり，予後の改善は期待できなくなる[7]．近年では悪液質の原因としてさまざまな炎症性サイトカイン［腫瘍壊死因子（tumor necrosis factor：TNF）-α，インターロイキン（IL）-6など］の影響が明ら

表 5　CTCAE v5.0

CTCAE ver4.0Term			Grade				
		(注釈)	1	2	3	4	5
悪心	Nausea	ムカムカ感や嘔吐の衝動	摂食習慣に影響のない食欲低下	顕著な体重減少，脱水または栄養失調を伴わない経口摂取量の減少	カロリーや水分の経口摂取が不十分；経管栄養/TPN/入院を要する	—	—
嘔吐	Vomiting	胃内容が口から逆流性排出されること	治療を要さない	外来での静脈内輸液を要する；内科的治療を要する	経腸栄養/TPN/入院を要する	生命を脅かす；緊急処置を要する	死亡
味覚異常	Dysgeusia	食物の味に関する異常知覚，嗅覚の低下によることがある	味覚の変化はあるが食生活は変わらない	食生活の変化を伴う味覚変化（例：経口サプリメント）；不快な味；味の消失	—	—	—
口腔粘膜炎（口内炎）	Mucositis oral	口腔粘膜の炎症	症状がない，または軽度の症状がある；治療を要さない	中等度の疼痛；経口摂取に支障がない；食事の変更を要する	高度の疼痛；経口摂取に支障がある	生命を脅かす；緊急処置を要する	死亡
食欲不振	Anorexia	食欲の低下	摂食習慣の変化を伴わない食欲低下	顕著な体重減少や栄養失調を伴わない摂食量の変化；経口栄養剤による補充を要する	顕著な体重減少または栄養失調を伴う（例：カロリーや水分の経口摂取が不十分）；静脈内輸液／経管栄養/TPN を要する	生命を脅かす；緊急処置を要する	死亡

TPN：中心静脈栄養

かになり，免疫賦活作用をもつ栄養剤（EPA：エイコサペンタエン酸，L-カルニチン，サリドマイドなど）が臨床応用されるようになった[8]．経口摂取が困難な終末期がん患者の輸液・栄養管理に関するエビデンスは十分とは言えないが，単純に必要栄養量のみを供給するだけでは，解決できないことは明らかである．現在は，2013 年に日本緩和医療学会から『終末期がん患者の輸液療法に関するガイドライン 2013 年版』が表 4 のように示されている[9]．

C　化学療法に伴う摂食障害の対策

慢性期のがん患者は化学療法を継続中の患者も多いので，その副作用による摂食障害（食欲不振，味覚障害，悪心・嘔吐など）に対する対策はきわめて重要である．悪心や嘔吐が出現した場合には有害事象の共通用語基準（Common Terminology Criteria for Adverse Event：CTCAE v5.0）（表 5）に基づいて評価して対応することを推奨する[10]．抗がん薬による悪心・嘔吐や味覚異常などの副作用は発症する以前に，いかにして予防するのかが重要である．一度薬剤で副作用を経験してしまうと，その薬剤をみただけでも悪心や嘔吐などの副作用が出現してしまう患者もいるので，医師・薬剤師と協働しながら副作用を出現させないように連携して，頻繁に栄養食事指導を繰り返すことが重要である．

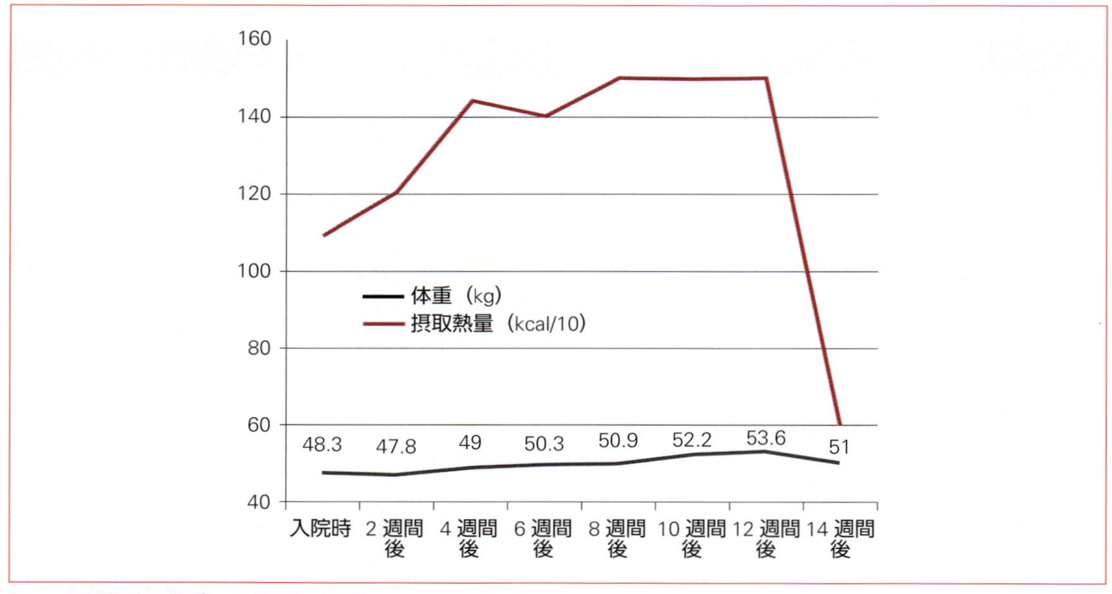

図 1　摂取エネルギーと体重の推移

D　がん患者に対する食事による介入

がん患者の経口摂取に関する問題は，食欲不振，悪心・嘔吐，下痢，便秘，口内炎，味覚異常，などがあげられる[11]．その原因は口腔内から消化管のがんといった直接的な理由や，がんによる炎症性サイトカインの影響，薬剤の副作用などが考えられるが，死への恐怖や治療のストレスによる精神的な理由も考慮しなければならない．したがって一つひとつの症状に対する対応も重要であるが，メンタルケアが食事摂取量に影響して，栄養状態の改善につながることも経験する．以前はがん患者の食事として易消化食や術後食などの治療食が提供され，画一的で薄味の食事が基本とされていた．近年，慢性期を担う医療機関では，がん患者に対する食事は個別対応が常識的になりつつある．単なる禁止食品の対応だけではなく，その時何を食べたいのかを聞き取り，その場で対応している施設も増加している[10]．患者は自らの摂取量不足を感じてしまうと，そのことが不安になり，ストレスとなってさらに食欲を低下させてしまい，負のスパイラルに陥ってしまうこともあるので，慎重な対応が望まれる．

E　がん症例（慢性期）の例（図 1・表 6）

年齢：73 歳，性別：男性，職業：無職（元会社役員），家族：妻（69 歳）と 2 人暮らし．

病名：膵がん（Ⅳb），多臓器転移．

既往歴：近医（診療所）にて 18 年前より高血圧診断され［内服薬：カルシウム拮抗薬（CCB）とアンジオテンシンⅡ受容体拮抗薬（ARB）］治療開始，8 年前より糖尿病診断され［内服薬：スルホニル尿素（SU）薬とビグアナイド（BG）薬］治療開始．

現病歴：7 ヵ月前に高血糖（空腹時血糖 228 mg/dL）と体重減少（4 kg/月，56 kg→52 kg）あり，インスリン導入目的にて基幹病院を紹介され精査，画像診断にて進行性膵がん，リンパ節・胆道・肺・転移ありと診断されたが，摘出術適応外のため化学療法を開始（ゲムシタビン，シスプラチン）した．4 クール施行後，3 ヵ月前より終末期治療目的にて当院に転院し化学療法継続するも，入院 3 週目に経口摂取の低下が著しくなり，本人・家族の意向により化学療法を中止し，療養病棟に転科して緩和ケアとなる．

家族歴：父膵がん，母乳がん（摘出）胃がん（続発性）．

表 6　症例の簡易栄養状態評価表（MNA-SF）

スクリーニング
A　過去 3 ヵ月間で食欲不振，消化器系の問題，咀嚼・嚥下困難などで食事量が減少しましたか？ 0＝著しい食事量の減少 1＝中等度の食事量の減少 3＝食事量の減少なし
B　過去 3 ヵ月間で体重の減少がありましたか？ 0＝3 kg 以上の減少 1＝わからない 2＝1～3 kg の減少 3＝体重減少なし
C　自力で歩けますか？ 0＝寝たきりまたは車椅子を常時使用 1＝ベッドや車椅子を離れるが，歩いて外出はできない 2＝自由に歩いて外出できる
D　過去 3 ヵ月で精神的ストレスや急性疾患を経験しましたか？ 0＝はい　　2＝いいえ
E　神経・精神的問題の有無 0＝強度認知症またはうつ状態 1＝中等度の認知症 2＝精神的問題なし
F1　BMI (kg/m^2)：体重 (kg)÷身長 (m)^2 0＝BMI が 19 未満 1＝BMI が 19 以上，21 未満 2＝BMI が 21 以上，23 未満 3＝BMI が 23 以上
BMI が測定できない方は，F1 の代わりに F2 に回答してください． BMI が測定できる方は，F1 のみ回答し，F2 には回答しないでください．
F2 ふくらはぎの周囲長 (cm)：CC 0＝31 cm 未満 3＝31 cm 以上
スクリーニング値（最大 14 ポイント） 12～14 ポイント：栄養状態良好 8～11 ポイント：低栄養のおそれあり（At risk） 0～7 ポイント：低栄養

当院初診時身体状況：身長 166 cm，体重 48.3 kg，BMI 17.5 BW/m^2，BP 122/82 mmHg.

検査所見：TP 5.4 g/dL，Alb 2.4 g/dL，AST 14 U/L，ALT 9 U/L，γ-GTP 14 U/L，ChE 196 U/L，Cr 0.52 mg/dL，UN 8.3 mg/dL，HbA1c 6.4％，Hb 8.1 g/dL，RBC 265×10^4/μL.

治療経過：化学療法中に悪心・食欲低下が出現していたため，末梢静脈栄養（ピーエヌツイン®-2 号 420 kcal）を併用していた．転科後は化学療法を中止したが，悪心および食欲不振が継続したため経口摂取量は約 400 kcal であり，末梢静脈栄養（ピーエヌツイン®-2 号 840 kcal）＋経口にて経腸栄養剤（テルミール® ミニ α：200 kcal）を追加した．過去の食嗜好や食習慣を本人と家族（主に妻）に繰り返し聞き取り，タイムリーに食べたい料理を提供したことで，徐々に経口での摂取量が増加（約400 kcal→600 kcal→800 kcal→1,000 kcal）したため，経腸栄養剤を中止し末梢静脈栄養も 1/2 に減量した．家族の協力と調理師の工夫（握り寿司，手毬おにぎり，みそラーメン，豚骨ラーメン，ヒレカツ丼，焼きプリン，杏仁豆腐，あずきアイスなど）により5週間，経口摂取維持したが，疼痛に対する対処療法（モルヒネ）を行い，意識低下した後3日後に永眠した．

がんの終末期は病状の変化がダイナミックであるとともに，長年の食生活も患者ごとに千差万別であるため，慢性期におけるがん患者の栄養管理を画一的なものとして示すことは困難である．したがって，適切なタイミングで適切な方法を用いて，栄養スクリーニングや栄養アセスメントを行い，患者一人ひとりに対して常に寄り添いながら，微妙な変化を感じて迅速に対応し，余命を全うできるように支援し続けることが重要と考える．

文献

1）鍋谷圭宏：がん終末期の栄養療法．臨床栄養 **122**：896–898，2013
2）井上善文：SGA．臨床栄養別冊 JCN セレクトワンステップアップ栄養アセスメント基礎編，医歯薬出版，東京，p.72–80，2010
3）天海照祥，吉田貞夫，宮澤　靖ほか：臨床栄養別冊 JCN セレクトワンステップアップ栄養アセスメント基礎編．医歯薬出版，東京，p.81–96，2010
4）櫻井陽一：MUS，NRI，NRS2002．臨床栄養別冊 JCN セレクトワンステップアップ栄養アセスメント基礎編．医歯薬出版，東京，p.97–102，2010
5）脇田真季，天海照祥：PNI—予後（アウトカム）推定指標としての栄養アセスメント指標．臨床栄養別冊　JCN セレクト　ワンステップアップ栄養アセスメント基礎編，医歯薬出版，東京，p.103–106，2010
6）中屋　豊，村上啓雄，鈴木壱知ほか：栄養スクリーニングおよび栄養アセスメント法—2008 試案（案）．日病態栄会誌 **11**：411–415，2008
7）伊藤彰博，東口髙志，森　直治ほか：緩和医療における栄養療法．静脈経腸栄養 **25**：603–608，2013
8）三木誓雄，寺邊政宏，森本雄貴ほか：がん免疫療法．静脈経腸栄養 **25**：597–602，2013
9）日本緩和医療学会緩和医療ガイドライン委員会（編）：終末期がん患者の輸液療法に関するガイドライン 2013 年版．金原出版，東京，2013
10）小林由佳，中西弘和：がん化学療法に伴う摂食障害（悪心嘔吐，味覚異常など）の対策．静脈経腸栄養 **28**：627–634，2013
11）稲野利美，木幡恵子，石長浩二郎ほか：消化管毒性を支える栄養管理．臨床栄養 **117**：407–425，2010

第12章

緩和ケアにおける栄養管理

岩手医科大学緩和医療学科
木村　祐輔

緩和ケアの源流は中世のヨーロッパにたどることができるといわれる．旅の巡礼者や戦火で傷ついた兵士などが，教会に付属する施設などで傷を癒し食事を供した場所がホスピスと呼ばれた．その後，こうした取り組みはホスピスケアと呼ばれ，それぞれの時代において治療の困難な疾患や貧しい人々をサポートする活動へと発展した．そして現代では，世界中で急増するがん患者がケアの主たる対象となり「緩和ケア」と呼称されるようになった．2002年に世界保健機構（World Health Organization：WHO）は，緩和ケアを疾患の時期によらず提供される全人的苦痛に対する幅広いケアであることを示した（表1）[1]．この概念をもとに，現在ではがん治療と緩和ケアの統合が求められ，包括的がん医療モデルとして示されている（図1）[2]．この新たな概念に照らし合わせると，緩和ケアにおける栄養管理とは，終末期に限定されるものではなく，がん治療期全体にかかわるものと捉えることができる．外科治療における周術期栄養管理も，化学療法施行中の食事指導も，患者のQOLの維持・向上を目指す医療やケアそのものであることから，これらもすべて緩和ケアの一環であるという認識を，医療者全体で共有すべきであろう．

表1　WHO（世界保健機関）による緩和ケアの定義（2002年）

緩和ケアとは，生命を脅かす病に関連する問題に直面している患者とその家族のQOLを，痛みやその他の身体的・心理社会的・スピリチュアルな問題を早期に見出し的確に評価を行い対応することで，苦痛を予防し和らげることを通して向上させるアプローチである．

［World Health Organization：WHO Definition of Palliative Careより引用］

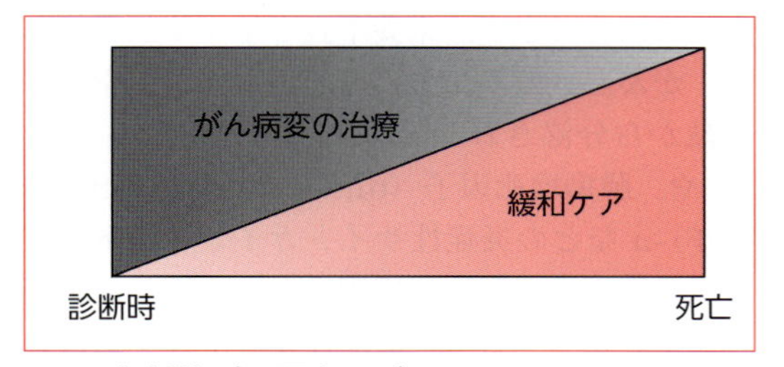

図1　包括的がん医療モデル
［武田文和（訳）：がんの痛みからの解放とパリアティブ・ケア―がん患者の生命へのよき支援のために．世界保健機関（編），金原出版，1993を参考に作成］

本項では，紙幅の都合上，治療期間中の栄養管理については他項に譲り，緩和ケアの役割がきわめて大きくなる終末期患者における栄養管理について解説する．

A　がん終末期の栄養障害と栄養療法の基本

終末期という言葉は臨床場面でよく用いられるが，現在までに確たる定義はなされていない．これは，脳卒中などの急性型の疾患，がんなどの亜急性型の経過をとる疾患，さらに老衰や認知症などのように慢性型の疾患などのように，それぞれに経過の個別性が高いためといわれる．一般的に亜急性の経過をとるがんの終末期は「病状が進行して，生命予後が半年あるいは半年以内と考えられる時期」と定義されることが多い．がん終末期における栄養障害をきたす要因としては，「がん誘発性栄養障害」と「がん関連性栄養障害」の2つの機序があげられる．

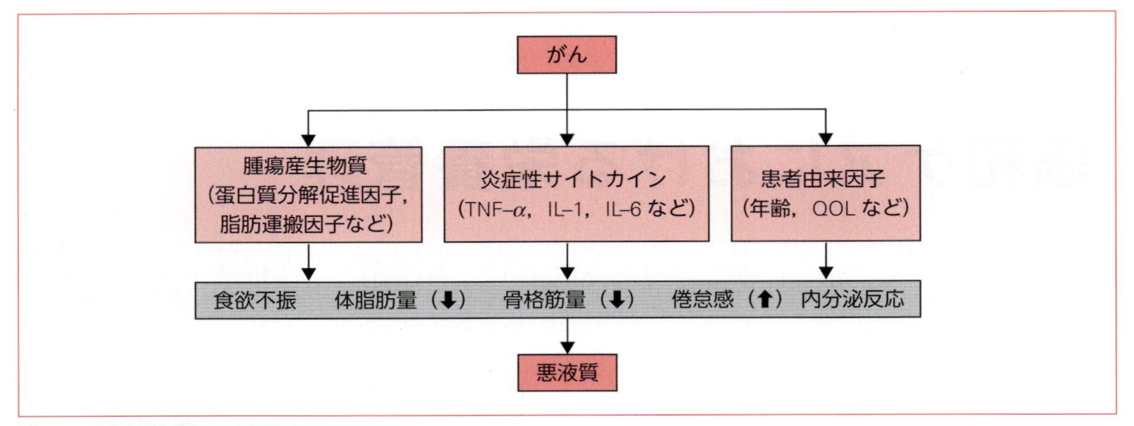

図2　がん悪液質の発生機序

［赤水尚史：静脈経腸栄養 **23**：607-611，2008より引用］

「がん誘発性栄養障害」は，代謝異常（悪液質）による栄養障害であり，通常の栄養療法では栄養状態を維持，改善することが困難と考えられている．一方，「がん関連性栄養障害」は，がんの進行に伴う消化管の閉塞や，不安などに起因する摂食不良によって引き起こされる栄養障害であり，多くは通常の栄養管理により改善が期待できる．がん終末期であっても，栄養療法の基本は経口摂取あるいは経管栄養であるが，腸閉塞などの場合には静脈栄養が適応となる．がん終末期患者においても全身状態が安定している場合には，栄養管理が十分に行われないと，エネルギー不足や蛋白・アミノ酸欠乏，脂肪欠乏，ビタミン・微量元素欠乏などから飢餓状態を招くこととなり生命の短縮を招きかねず留意が必要である．

がん患者の安静時エネルギー消費量（resting energy expenditure：REE）は報告により一定ではないが，欧州臨床栄養代謝学会（The European Society for Clinical Nutrition and Metabolism：ESPEN）のガイドラインでは，一般に終末期がん患者の活動性は低く，総エネルギー消費量（total energy expenditure：TEE）は低下しているとして，TEEを実体重換算で，通院患者では30〜35 kcal/kg/日，寝たきりの患者では20〜25 kcal/kg/日と設定することを推奨している[3]．しかし，後述する悪液質の進行した患者では必ずしもこの限りではない．

B　悪液質の病態と栄養管理

悪液質とは，悪性腫瘍や慢性心不全，慢性閉塞性肺疾患などのさまざまな基礎疾患に関連して生じる複合的代謝異常の症候群であり，筋肉量の減少を主徴とする病態である．がん悪液質としては，2011年に欧州緩和ケア共同研究グループ（European Palliative Care Research Collaborative Cachexia Guideline Expert Group）のガイドラインにおいて，「がん悪液質とは，従来の栄養サポートで改善することが困難で，進行性の機能障害をもたらし，（脂肪組織の減少の有無にかかわらず）著しい筋組織の減少を特徴とする複合的な代謝障害症候群である．病態生理学的には，経口摂取の減少と代謝異常による負の蛋白，エネルギーバランスを特徴とする」と定義づけられた[4]．がん悪液質は，主に蛋白や炭水化物，脂質に対する同化障害と異化亢進などの代謝障害によって，摂取した栄養を有効に同化できず，栄養不良を呈する病態である．がん悪液質の発生には，担がん宿主や腫瘍組織から分泌されるインターロイキン-6（IL-6）や，腫瘍壊死因子（tumor necrosis factor：TNF）-αなどの炎症性サイトカインや，蛋白質分解誘導因子，脂質運搬因子などの関与が指摘されている（図2）[5]．炎症性サイトカインは骨格筋の分解亢進，インスリン抵抗性，脂質分解亢進などの異化亢進と食欲低下に関連しており，病状の進行により栄養障害は次第に不可逆的となる．よって，栄養障害程度の軽度な段階から栄養サポートを行い，栄養不良の進展を遅らせる介入が求められる．こうした考えから，明らかな悪液質に移行する前段階からの栄養サポートを意識することを目的に，欧州緩和ケア共同研究グループは，がん悪液質の進行度を，①前悪液質(pre-cachexia)，②悪液質(cachexia)，③不可逆的悪液質（refractory cachexia）の 3 病期に分類することを提唱した[4]（総論 4 章-(1) の 図 1 を参照）．悪液質の診断基準は，6 ヵ月以内に 5% 以上（body mass index が 20 kg/m^2 未満では 2% 以上）の体重減少あるいはサルコペニア（筋肉減少症）で 2% 以上の体重減少とされている．不可逆的悪液質は，栄養投与に反応しない段階と定義されるが，その見極めは必ずしも簡単でなはない．高度の浮腫，胸水，腹水の著しい貯留がある場合，炎症反応が遷延する場合，予後が週の単位である場合などが目安になるといわれる．がん終末期患者に対する栄養投与や人工的水分補給は，生体にとって有効に利用されないだけではなく，さらなる体液貯留を招くなど代謝上の負荷となるため，栄養改善を目的とした経管栄養や中心静脈栄養の適応は慎重に判断すべきである．

C 悪性消化管閉塞の病態と治療方法

がんの病状進行に伴い，腹腔内に播種した病変や消化管内の腫瘤などにより消化管が閉塞し，通過障害を生じる病態を悪性消化管閉塞という．卵巣がんや消化管がんに多く認めるが，いかなるがんでも生じうる．閉塞部位などによりさまざまな症状を呈するが，悪心・嘔吐，腹部膨満，腹痛（周期的，間欠的な腹痛：疝痛が特徴的である）などが主な症状となる．胃幽門部や上部小腸の閉塞では，飲食後すぐに嘔吐がみられ，吐物は未消化で無臭であることが多い．下部小腸の閉塞では，悪心・嘔吐は中等度から高度に生じ，腹部膨満がしばしば認められ，より肛門側で閉塞するほど高度となり疝痛も増強する．

❶ 消化管閉塞の治療

ⓐ 内科的治療

①消化管ドレナージ

消化管閉塞に対する経鼻胃管によるドレナージ効果は高く有用であるが，鼻翼潰瘍，咽頭炎，副鼻腔炎，誤嚥性肺炎などの有害事象や留置に伴う苦痛が決して小さくないため，薬物療法や外科治療，内視鏡治療の適応や治療効果判定までの暫定的な期間のみ留置するように努め，3〜7 日以上の長期留置は可能な限り避けることが望ましい[7]．

②薬物療法

- オクトレオチド（ソマトスタチンアナログ）

オクトレオチドは，消化管における神経伝達を減弱させることにより，消化液の分泌や内臓血流や消化管運動を抑制し，腸管の水分吸収を促進する作用を有するため，腸閉塞の症状緩和に有用である可能性が示唆されている．しかし無効例も存在するため，漫然と投与せず投与開始後 3〜7 日以内に評価し，有効性と継続の是非について検討する必要がある[7]．

- コルチコステロイド

従来から手術不可能な消化管閉塞に対し使用されており，腸管の浮腫を改善するといわれているが，詳細な機序は解明されていない．有害事象として消化性潰瘍や高血糖，せん妄などの精神症状を認めるため，本薬剤も投与開始後 3〜10 日以内に効果を評価し，適応について確認する必要がある[7]．

ⓑ 外科治療

①緩和手術

消化管閉塞に伴う悪心・嘔吐，腹痛などの苦痛を緩和するための外科治療を緩和手術という．緩和手術の適応にはいまだ一定の見解が得られていない．予後や栄養状態，腹水の存在などの患者因子，原疾患や腫瘍の進展度などの疾患因子，選択される手術術式や手術の合併症発現リスクなどの手術因子を総合的に検討し，外科治療の適応や具体的な方法を判断する必要がある．Ripamonti らが提唱する代表的な指針を示す（表 2）[8]．全身状態が安定しており，予後の延長が期待でき，なおかつ閉塞部位が単一である際には，「切除術」が適応される．しかし，

表2　消化管閉塞に対する緩和手術の絶対／相対禁忌

［絶対禁忌］
- 前回手術で広範囲な腹腔内転移を認めた
- 胃の近位側（噴門側）まで病巣が及んでいる
- 腹腔内の広範囲な浸潤・転移のために消化管の蠕動障害を認める
- 広範囲に腹腔内の腫瘍を触れる
- 急速に貯留する大量腹水を認める
- 閉塞箇所が複数である
- 直近の手術所見で再手術の適応なし

［相対禁忌］
- 腫瘍の広範な進展
- 肝転移・遠隔転移がある
- 全身状態が悪い［PS（ECOG）≧3］
- 胸水あるいは肺転移により呼吸困難がある
- 高齢で悪液質がある
- 低栄養状態
- 低アルブミン血症，低プレアルブミン血症
- 腹部骨盤への放射線照射歴がある
- BUN 上昇，ALP 上昇，高度な進行度，短期間での再閉塞

［Ripamonti C, et al：Support Care Cancer **9**：223-233, 2001 を参考に作成］

予後が不良で，合併症の発現リスクが高い際には，より侵襲の軽度な「バイパス術」や「人工肛門造設術」が選択される．

②消化管ステント

近年，食道，幽門部，十二指腸などの近位消化管，あるいは結腸・直腸など遠位消化管において，一箇所の閉塞があるものの，緩和手術の適応にならない症例に対し，自己拡張型消化管ステント留置術が行われている．手術に比較し侵襲が軽度であり有用な治療法であるが，消化管穿孔，逸脱，出血などの合併症もまれではないため，個々の症例において治療の適応，成功の見込み，術者の技術や施設の体制などを考慮し方針を決定する．

③PEG（経皮内視鏡的胃瘻造設術）

不可逆的な閉塞例では悪心・嘔吐などの症状緩和に有用であり，かつ治療に伴う侵襲も手術治療に比較し軽度である．胃内の貯留物を排液できるため嘔吐も防ぐことが可能であり，経鼻胃管も不要となる．チューブが閉塞しない程度の飲水，食事摂取が可能となることもあるが，栄養の改善を目標とすることはできず，あくまでも患者の満足を少しでも得ることが目的となる．

❷ 悪性消化管閉塞における栄養管理

消化管閉塞が高度である場合，通常，経口摂取は困難であり経静脈栄養が主体となる．全身状態が良好で，胸腹水や浮腫などの体液貯留を認めない患者では，生命予後の延長を目的とする場合，1,000〜1,500 mL/日の維持輸液（中・高カロリー輸液）を行うことが推奨される[6]．一方，Performance Status（PS）が不良（3〜4）で体液貯留を認め，生命予後が1ヵ月程度と予想される場合には輸液量を 500〜1,000 mL/日に減量し，体液貯留の悪化や，代謝への負荷を抑制することを考慮する[7]．

D 予後予測

生命予後の予測は，患者の意向を反映した治療や栄養療法を選択するうえできわめて重要であり，これまでに世界各国で生命予後を予測する手法が開発されてきた．ここでは，臨床上すでに十分な予後予測精度があることが確認されている代表的な2つの予後予測指標について解説する[9]．いずれの指標を使用する際も，単独の医療者のみで行うのではなく，多職種で構成するチームにより判断することが安全で適正な評価につながる．

❶ Palliative Prognosis Score（PaP score）（表3）

中期的な（月単位）予後を予測する指標であり，臨床的な予後予測と，Karnofsky Performance Scale，食欲不振，呼吸困難感，白血球数，リンパ球割合の合計で算出する．得点が 5.5 点以下であれば，予測される予後は 30 日以上（月単位）である可能性が高く，9 点以上であれば，21 日以下（週単位）である可能性が高いと判断する[10]．

❷ Palliative Prognostic Index（PPI）（表4）

森田らによりわが国で開発され，短期的（週

表3a　Palliative Prognostic Score（Pap score）

臨床的な予後の予測	1〜2週 3〜4週 5〜6週 7〜10週 11〜12週 ＞12週	8.5 6.0 4.5 2.5 2.0 0
Karnofsky Performance Scale*	10〜20 ≧30	2.5 0
食思不振	あり なし	1.5 0
呼吸困難	あり なし	1.0 0
白血球数（/mm^3）	＞11,000 8,501〜11,000 ≦8,500	1.5 0.5 0
リンパ球%	0〜11.9 12〜19.9 ≧20	2.5 1.0 0

【使用方法】臨床的な予後の予測，Karnofsky Performance Scale*，食思不振，呼吸困難，白血球数，リンパ球%の該当得点を合計する．合計得点が0〜5.5，5.6〜11，11.1〜17.5の場合，30日生存確率（生存期間の95% 信頼区間）が，それぞれ，＞70%（67〜87日），30〜70%（28〜39日），＜30%（11〜18日）である．

［Maltoni M, et al：J Pain Symptom Manage **17**：240-247，1999を参考に作成］

表3b　Karnofsky Performance Scale

正常の活動が可能． 特別な看護が必要ない．	正常．臨床症状なし．	100
	軽い臨床症状はあるが，正常活動が可能．	90
	かなり臨床症状があるが，努力して正常の活動が可能．	80
労働は不可能． 自宅で生活できる． さまざまな程度の介助を必要とする．	自分自身の世話はできるが，正常の活動・労働は不可能．	70
	自分に必要なことはできるが，ときどき介助が必要．	60
	病状を考慮した看護および定期的な医療行為が必要．	50
身の回りのことが自分でできない． 施設・病院の看護と同様の看護を必要とする． 疾患が急速に進行している．	動けず，適切な医療および看護が必要．	40
	全く動けず，入院が必要だが死は差し迫っていない．	30
	非常に重症，入院が必要で精力的な治療が必要．	20
	死期が切迫している．	10

［Maltoni M, et al：J Pain Symptom Manage **17**：240-247，1999を参考に作成］

単位）な予後を予測することが可能である[11]．特徴としては医師による予測を含まず，臨床的に評価可能な経口摂取量，安静時呼吸困難感，せん妄と，Palliative Performance Scaleのわずか5項目の合計得点で評価することができる．

がん終末期患者における特徴的な病態である悪液質と悪性消化管狭窄の栄養管理を中心に解説した．終末期における病態や症状は多彩であり，画一的な治療やケアだけでは患者や家族を十分にサポートすることは難しい．われわれ医

表 4a　Palliative Prognostic Index（PPI）

Palliative Performance Scale	10～20 30～50 ≧60	4.0 2.5 0
経口摂取[注]	著明に減少（数口以下） 中程度減少（減少しているが数口よりは多い） 正常	2.5 1.0 0
浮腫	あり なし	1.0 0
安静時の呼吸困難	あり なし	3.5 0
せん妄	あり（原因が薬物単独，臓器障害に伴わないものは含めない） なし	4.0 0

注：消化管閉塞のため高カロリー輸液を施行している場合は 0 点とする

得点	予測される予後
6.5 点以上	21 日以下（週単位）の可能性が高い
3.5 点以下	42 日以上（月単位）の可能性が高い

［Morita T, et al：Support Care Cancer **7**：128–133，1999 を参考に作成］

表 4b　Palliative Performance Scale（PPS）

<table>
<tr><th></th><th>起　居</th><th>活動と症状</th><th>ADL</th><th>経口摂取</th><th>意識レベル</th></tr>
<tr><td>100</td><td rowspan="3">100％起居している</td><td>正常の活動が可能
症状なし</td><td rowspan="4">自立</td><td rowspan="2">正常</td><td rowspan="4">清明</td></tr>
<tr><td>90</td><td>正常の活動が可能
いくらかの症状がある</td></tr>
<tr><td>80</td><td>いくらかの症状はあるが
努力すれば正常の活動が可能</td><td rowspan="5">正常
または
減少</td></tr>
<tr><td>70</td><td rowspan="2">ほとんど起居
している</td><td>何らかの症状があり
通常の仕事や業務が困難</td></tr>
<tr><td>60</td><td>明らかな症状があり
趣味や家事を行うことが困難</td><td>ときに
介助</td><td rowspan="2">清明
または
混乱</td></tr>
<tr><td>50</td><td>ほとんど座位か
横たわっている</td><td rowspan="5">著明な症状があり
どんな仕事もすることが困難</td><td>しばしば
介助</td></tr>
<tr><td>40</td><td>ほとんど臥床</td><td>ほとんど
介助</td><td rowspan="3">清明
または
混乱
または
傾眠</td></tr>
<tr><td>30</td><td rowspan="3">常に臥床</td><td rowspan="3">全介助</td><td>減少</td></tr>
<tr><td>20</td><td>数口以下</td></tr>
<tr><td>10</td><td>口腔ケアのみ</td><td>傾眠または
昏睡</td></tr>
</table>

［Morita T, et al：Support Care Cancer **7**：128–133，1999 を参考に作成］

療者は，それぞれの患者・家族の想いを受け止め，意向を尊重しながら，個別性に沿ったサポートを届けなければならない．多くの患者や家族は，食事が摂れなくなることに不安を抱き，そして死を想起する．十分な食事摂取が困難となった時期であっても，食物の香り，味付け，柔らかさ，温度，あるいは盛り付けなどに心を配り，少しでも食事が口に届くよう工夫を凝らすべきである．また，口腔ケアを丁寧に行うことや，食事の際の体位や姿勢に十分留意すること，さらには不安に対する十分な傾聴などを含めたチームアプローチにより，「食」を，そして「生命」を支えることが可能となる．管理栄養士を始め，各職種が自らの専門性を高めるとともに，互いに補完・連携することにより，がん終末期患者に対する，より質の高い栄養管理を目指していただきたい．

文献

1) World Health Organization：WHO Definition of Palliative Care 〈http://www.who.int/cancer/palliative/definition/en/〉
2) 武田文和（訳）：がんの痛みからの解放とパリアティブ・ケア―がん患者の生命へのよき支援のために．世界保健機関（編），金原出版，東京，1993
3) Bozzetti F, Arends J, Lundholm K et al：ESPEN Guidelines on Parenteral Nutrition：non-surgical oncology. Clin Nutr **28**：445-454, 2009
4) Fearon K, Strasser F, Anker SD et al：Definition and classification of cancer cachexia：an international consensus. Lancet Oncol **12**：489-495, 2011
5) 赤水尚史：がん悪液質の病態．静脈経腸栄養 **23**：607-611，2008
6) Muscaritoli M, Arends J, Bachmann et al：ESPEN practical guideline：Clinical Nutrition in cancer. Clin Cutr **40**：2898-2913, 2021
7) 日本緩和医療学会緩和医療ガイドライン作成委員会（編）：終末期がん患者の輸液療法に関するガイドライン 2013 年版．金原出版，東京，2013
8) Ripamonti C, Twycross R, Baines M et al：Clinical-practice recommendations for management of bowel obstruction in patients with end-stage cancer. Support Care Cancer **9**：223-233, 2001
9) Maltoni M, Sacrpi E, Pittureri C et al：Prospective Comparison of Prognostic Scores in Palliative Care Cancer Populations. Oncologist **17**：446-454, 2012
10) Maltoni M, Nanni O, Pirovano M et al：Successful validation of the palliative prognostic score in terminally ill cancer patients. J Pain Symptom Manage **17**：240-247, 1999
11) Morita T, Tsunoda J, Inoue S et al：The palliative prognostic index：a scoring system for survival prediction of terminally ill cancer patients. Support Care Cancer **7**：128-133, 1999

第13章

腫瘍学における臨床研究

(1) がん臨床試験の方法論と研究倫理

[*1] 兵庫医科大学病院下部消化管外科
[*2] 国立がん研究センター中央病院臨床試験支援部門データ管理部
片岡　幸三[*1], 福田　治彦[*2]

新しい治療法は臨床試験によって評価される．臨床試験に携わるものにとって，臨床試験についての最低限の知識を身につけておくことは必要不可欠であり，特に，2018年4月の臨床研究法施行から5年が経ち，多くの研究者主導臨床試験が臨床研究法下で実施されるようになった今日，研究倫理と正しい科学的方法論の知識を身につけておくことは重要である．

本項では，臨床試験の種類やがん臨床試験の特徴について簡単に触れた後，がん臨床試験に携わるうえで最低限知っておくべき倫理（研究倫理）について述べる．後半では治療開発の流れと統計的方法論について概説する．

A 臨床試験の種類とがん臨床試験の特徴

❶ 臨床研究・臨床試験・治験

ヒトを対象とする医学研究を広く「臨床研究（clinical research/study）」と呼ぶ．薬学，看護学，心理学の研究も臨床研究に含める考え方が優勢である．

「臨床研究」は，まず「観察研究（observational study）」と「介入研究（intervention study）」に大別される．「観察研究」とは，研究目的ではなく行われた医療行為を受けた患者を対象とするもので，無治療で経過観察または日常診療がなされた，通常，複数（数は問わない）の患者/被験者の観察結果（アウトカムと呼ぶ）をまとめて検討したものを指す．ある医療機関で過去○年間に食道がんの手術を受けた患者を対象に術後合併症や予後を調べるといった研究であり，カルテを過去にさかのぼって調べ，特定の患者集団を抽出し，治療のアウトカムについて検討するというものが典型的である．

一方，「介入研究」とは，研究目的にて，何らかの試験的介入（治療，診断，予防，看護，心理学的介入など）を加えた後のアウトカムをまとめて検討したものを指す．地域単位で介入を加える研究（例：水道水へのフッ素混入による齲歯予防の研究）もあるが，ほとんどの場合は個人単位で介入を加えるものであり，そうした研究を「臨床試験（clinical trial）」と呼ぶ．ここで「研究目的」とは，個々の患者に最善の治療を行うことが第1目的ではなく，将来の患者によりよい治療を提供することを第1目的であることを意味する．

さらに，臨床試験は，実施主体により「企業主導臨床試験（industry-sponsored trial）」と「研究者主導臨床試験（investigator-initiated trial：IIT）」に分かれる．また，「治験」とは，医薬品（医療機器・一部の医薬部外品/化粧品含む）の販売承認を厚生労働省に申請するための資料収集を目的とする臨床試験のことであり，わが国では少数の医師主導治験があるが，ほとんどは企業主導で実施されている（図1）．ちなみに米国では，がん領域では企業主導治験よりも，むしろ医師主導治験のほうが多い．

❷ なぜ臨床試験が必要か

特に前世紀，飛躍的に進歩を遂げた現代医学といえども，依然，動物実験を含む基礎研究のみでヒトに対する有効性と安全性を十分に予測

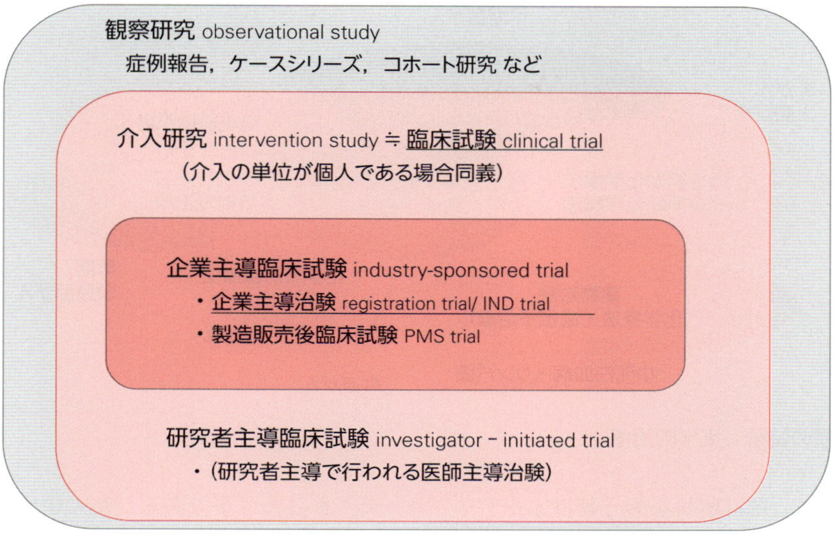

観察研究 observational study
症例報告，ケースシリーズ，コホート研究 など

介入研究 intervention study ≒ 臨床試験 clinical trial
（介入の単位が個人である場合同義）

企業主導臨床試験 industry-sponsored trial
・企業主導治験 registration trial/ IND trial
・製造販売後臨床試験 PMS trial

研究者主導臨床試験 investigator - initiated trial
・（研究者主導で行われる医師主導治験）

図 1　臨床研究の種類

しうるにはいたっておらず，新しい治療の有効性と安全性の評価には最終的にはヒトを対象とした臨床試験を行わざるを得ない．

すでに古典となった Pocock の教科書[1]では，臨床試験とは，「患者を用いて行われ，かつある特定の医学的条件に合致する将来の患者に対して，最適な治療法を明らかにすべく企図された計画的実験（experimentation）」と定義されている．科学「実験」である以上，結論を正しく出さなければならず，臨床試験は，「よい治療はよい治療である」，「よくない治療はよくない治療である」と正しく結論する科学的なものでなければならない．同時に「ヒトを対象とする」ため，「試験に参加する患者/被験者」に対して倫理的でなければならない．すなわち，「科学」（将来の患者に対する倫理）と「倫理」（今の患者に対する倫理）が臨床試験の 2 本柱といえる．

では，どうすれば新しい治療法を科学的，倫理的に評価できるのであろうか．

食道がん術後の経腸栄養剤投与を例にあげて考えることにする．ある新しい経腸栄養剤 A が開発され，5 人の食道がん術後の患者に使用したところ非常によかったと結論したとする．この経腸栄養剤 A は本当によい治療といえるだろうか？

状態のよい元気な患者だけが選ばれたかもしれず，同じ患者に従来の経腸栄養剤を使ったとしても同じくらい「よかった」かもしれないし（選択バイアス），選ばれた患者に対するその他の治療が原因で結果がよかったのかもしれない（交絡（こうらく）バイアス）．また，よかったという評価指標や判断規準がそもそも公平でなかったかもしれない（情報バイアス）．さらに，この数人でのみ，たまたまよかっただけで，もっと多くの患者で調べたら「よかった」という結果にならなかったかもしれない（統計的バラツキ）．このように，比較対照のない，たった数人の患者の結果だけで正しい結論を導くことはできない．

また，この経腸栄養剤 A を試された患者はその利点（期待される効果）と欠点（予想される有害事象）について十分な説明がなされたうえで同意して研究に参加したことが担保されなければならないし，研究に参加したことによって被りうるリスクは最小化されなければならない．経腸栄養剤により生じうる下痢に対して適切な医学的管理を行える体制下で研究は実施されなければならず，1 人の研究者がすべてをまかなうことはできず，現場での医師，看護師，

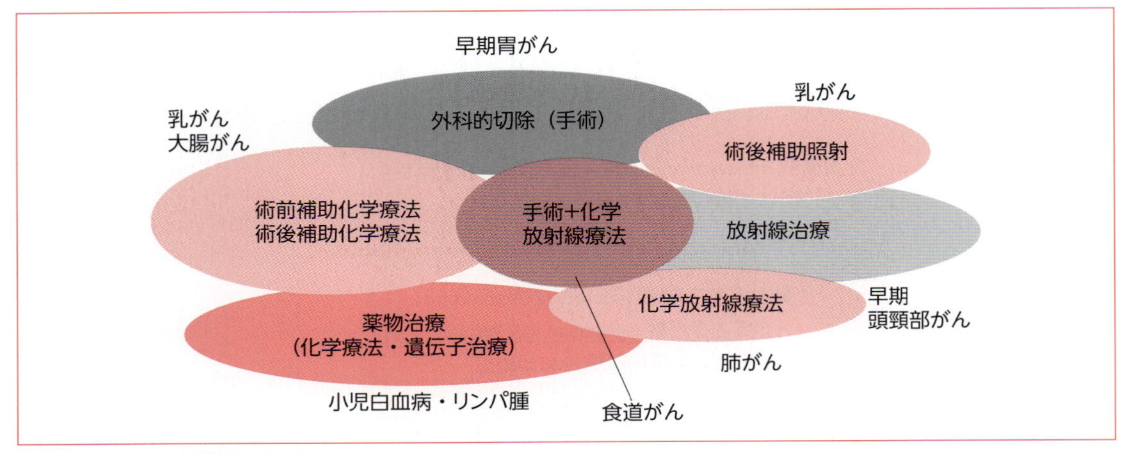

図2　がん治療の特徴：集学的治療

薬剤師に加えて，統計解析を行う統計家やデータ管理を行うデータマネージャーなどの「チーム」が組織として実施してはじめて臨床試験は倫理性と科学性が担保できる．

このように，新しい治療を科学的にかつ倫理的に評価することは簡単なことではなく，正しい方法論に基づいた組織的活動として臨床試験は行われなければならない．

❸ がんの臨床試験の特徴

がんは日本人の死因第1位の疾患であり，年次推移をみても，がん死亡は1981年以降増加し続けており，現在では死因の約3割を占める[2]．したがって，臨床試験を通じてがんの「標準治療（科学的根拠に基づき患者に第一選択として推奨すべき治療）」を確立することはがん医療にかかわるものの重要な使命のひとつである．

単剤の薬物療法の開発が主体である心疾患や糖尿病などのがん以外の領域では，主に製薬企業が治験を行い，新薬を臨床導入することにより新しい標準治療のひとつが世に出されていく．一方，がん治療には，三本柱といわれる手術，薬物療法，放射線療法があるが，これら単独の治療法で治癒できるがんは少なく，これらを組み合わせた「集学的治療（multi-modality treatment）」の治療開発が不可欠である．図2に示すように，多くのがん種に対して集学的治療が行われており，がん種ごとにそのモダリティもさまざまである．がん領域でも，製薬企業の治験による分子標的治療薬を含む新規抗がん薬の開発はきわめて重要であるが，それだけでは必ずしも標準治療の進歩は達成されず，研究者主導臨床試験による，手術や放射線，およびそれらを組み合わせる集学的治療の治療開発が不可欠である．

がんの治療開発のもうひとつの特徴として，がんの薬剤市場規模の急速な変化があげられる．かつて，抗がん薬は製薬企業にとっては“high risk, low return”の投資対象であり，魅力的な市場ではなかった．1990年代までの日本の医薬品の売上高をみると，循環器官用薬は医薬品全体の約20%を占めているが，抗がん薬は約2%にすぎなかった．一方で，米国でも抗がん薬の創薬の成功確率（第Ⅰ相試験に入った医薬品が販売承認を得られる確率）は約5%と，循環器薬の20%と比較して著しく低かった[3]．つまり，抗がん薬の治療開発に投資をしても，その成功確率が低いだけでなく，成功したとしても市場規模が小さいために大きな収益が見込めない構造にあった．ところが近年，分子標的治療薬そして免疫チェックポイント阻害薬が登場したことで，この構図は劇的に変わりつつある．その背景には，治療開発の成功確率の向上に加えて，治療効果の向上と患者の予後の延長に伴い，単価が高くかつ長期投与が期待できることから大きな収益が見込めると判断され，わが国でも国内大手製薬企業が免疫チェッ

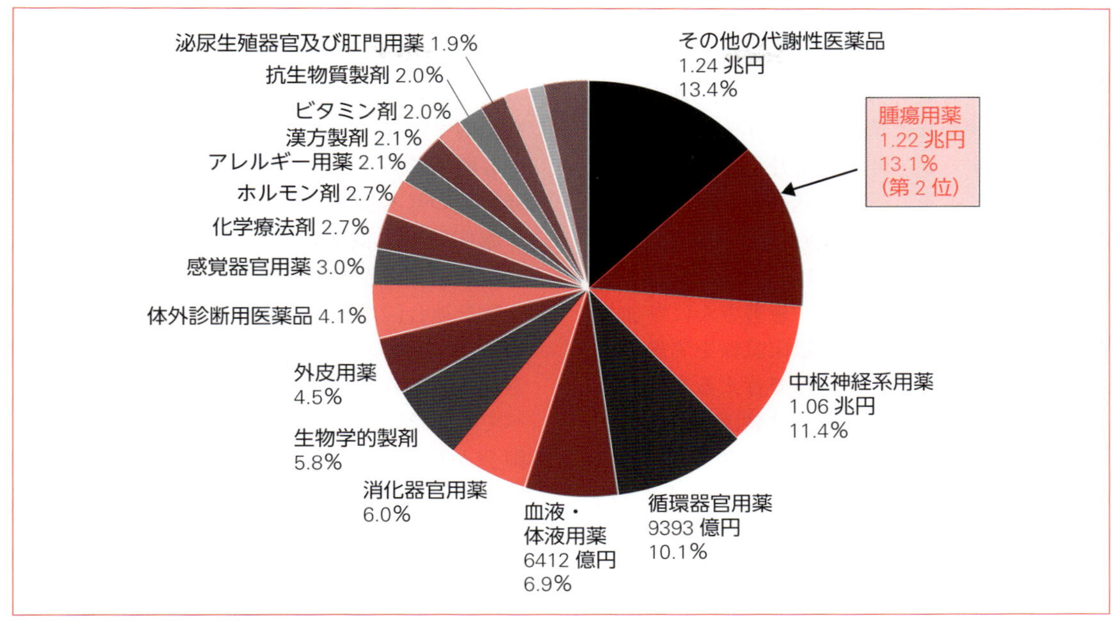

図 3　医薬品薬効大分類別生産金額（2020 年）
［ニボ薬価収載：2014 年 9 月　薬事ハンドブック 2022（じほう）：厚生労働省「薬事工業生産動態統計 2020 年年報」より引用］

クポイント阻害薬の治療開発を積極的に行うようになったことがある．その結果，2020 年度の医薬品薬効大分類別生産金額では腫瘍用薬は医薬品全体の 13.1%と，「その他の代謝性医薬品」（13.4%）に次いで第 2 位を占めるにいたった（図 3）[4]．

しかしながら日米の“ドラッグラグ”は依然として存在する．日本とは異なり米国では，第二次大戦後，一貫して，国（米国がん研究所：National Cancer Institute：NCI）が直接抗がん薬の開発を行ってきた．NCI は抗がん薬候補のスクリーニングを行うラボに隣接する治験薬の製造工場を持ち，食品医薬品局（FDA）に治験届（IND）を提出し，「sponsor」として新規抗がん薬の治験を実施する．第Ⅱ相試験まで NCI が「sponsor」で行い，有望な抗がん薬候補は製薬企業に無償で払い下げられる．そして製薬企業が第Ⅲ相試験の治験を行い，FDA に販売承認申請を行う．その他ベンチャー企業の治験の支援も含めて，NCI は米国における多くのの抗がん薬開発に直接的に大きな役割を担ってきた．日欧には同様の機能を有する国家機関は存在しないことから，今日生じている抗がん薬に関する“ドラッグラグ”の最大の要因が実は，国家が直接抗がん薬開発を担ってきたか否かであり，今日でも米国からの新規抗がん薬が最も多いのは製薬企業や研究者，規制当局の実力の違いだけではない．

B　臨床試験の倫理

臨床試験における「科学」と「倫理」の関係は，臨床試験がヒトを対象としているがゆえに科学よりも被験者に対する倫理が優先するという原則と，将来の患者に真によい治療を提供するという臨床試験のそもそもの目的を果たすために科学的でなければならないという原則であり，言わば相互依存的である．しかし，実際の臨床試験の実施においては時に科学と倫理が相反する場面も存在する．被験者のプライバシー（個人情報）保護の観点からは，カルテ番号などの個人識別情報は扱わずに患者識別には匿名化した別の番号を用いることが個人情報漏洩の防止の点では望ましい．しかし一方では，匿名化番号とカルテ番号などとの対応表は人が管理するわけなので対応表の紛失によって患者識別ができなくなってしまい，正しいデータ解析ができなくなる可能性もあり，それは試験の科学性にとっての脅威である．実際には，カルテ番号を用いる代わりに情報セキュリティ対策を十分なものとするか，匿名化番号を使う代わりに電子カルテシステムに組み込んで対応表の紛失のリスクの最小化を図るといった「運用」を行うことになる．重要なことは，こうした科学と倫理のバランスを取りつつ，患者さんに参加してもらうに足る価値のある臨床試験を実施することは，もはや個人的な努力で行えるものではあり得ないことである．臨床試験は「組織として取り組む」ものであり「チームワーク」である．かつては，「臨床試験は医者が行うもの」という意識が，臨床医のみならず，その他のメディカルスタッフの間でも優勢であったが，現在では「臨床試験はチームワーク」との認識が定着しつつある．医師主導の臨床試験を支援する立場でかかわるか，自らが栄養学の臨床試験を主導するかによらず，知っておきたい知識を以下にまとめた．

❶ 研究倫理の大原則

先掲のPocockの教科書には「臨床試験とは，最適な治療法を明らかにすることを目的とした『計画的実験』である」とある[1]．基礎研究や動物実験ですべて評価できるのであればそれに越したことはないが，人間を対象にしなければわからない毒性や有効性（延命効果）の評価を行うために，われわれはやむを得ず『実験』を行っているという認識が重要である．やらなくても済むならやらずに済ませたいことを「やむを得ず」やっているのだからいわば「必要悪」であり，将来の患者に貢献しないのであればそれはただの「悪」である．そうならないためには，正しい結論を出すべく正しい方法で行い，かつ，参加して下さる患者さんは守られなければならない，と考える．これが研究倫理の大原則である．

❷ ヘルシンキ宣言

2003年に，研究者主導臨床試験に関する倫理規範として厚生労働省から出された「臨床研究に関する倫理指針」[5]は前文で「ヘルシンキ宣言」[6]を踏まえたことを謳っており，後述する現行の「人を対象とする生命科学・医学系研究に関する倫理指針」や「臨床研究法」においても同様である．ヘルシンキ宣言は，いわば研究倫理の基本規範である．

臨床研究に関する近代的な倫理規範の歴史は，第二次世界大戦下に行われたナチスの人体実験を連合国が裁いたニュルンベルク裁判に基づく1947年のニュルンベルグ綱領に始まるとされる．これを発展させ，ヒトを対象とするすべての医学研究に対する倫理原則として世界医師会が作成したのがヘルシンキ宣言である．1964年に発表され，その後も時代を経るにつれ内容が修正/追加されており，2013年版が最新版である[7]．

ヘルシンキ宣言は，「医学の進歩は人間を対象とする諸試験を要する研究（2008年版以前は「experimentation」と書かれていた）に根本的に基づくものである」としたうえで，満たすべき要件を規定したものである．骨子といえる内容を列記すると，①臨床研究は広く認められた科学的原則とその時点での網羅的な知識に基づくべきであること，②研究内容はプロトコール（研究実施計画書）に明記され，研究開始前に第三者からなる委員会の審査を受けるべきこと，③適切な資格を有する研究者によってのみ行われること，④被験者に対して予想されるリスクとベネフィットが十分に考慮されること，⑤被験者の参加は十分に知らされたうえでの自発的な同意に基づくこと，⑥結果の発表は正確であること，などである．ヘルシンキ宣言は全37項目に及ぶものでありすべてを覚えることはできないが，臨床試験に携わる者は一度は通読しておくべきものである．その他の国際的な倫理規範にはWHO-CIOMSガイドライン[8]もあるが本項では割愛する．

❸ Emanuelの7つの倫理要件

前項で紹介した倫理規範に対して，個別の事件やスキャンダルに対応する形でつくられてきたため必ずしも網羅的/系統的ではないという批判や，倫理の専門家でない研究者にとって難

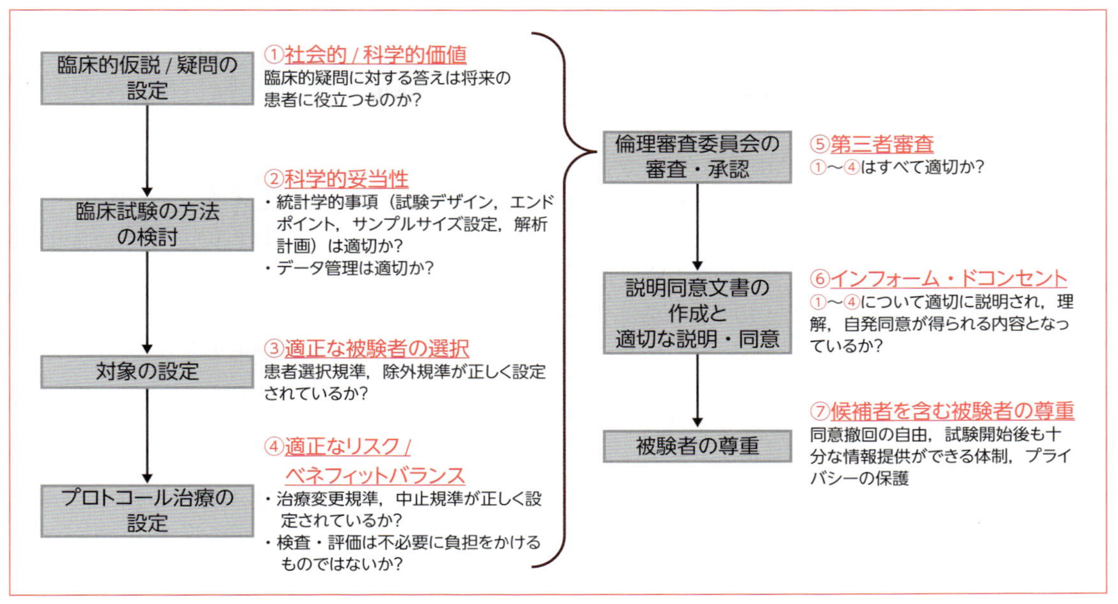

図 4　臨床試験計画の流れと Emanuel の 7 要件

解で具体性に欠けるとの指摘があった．これらに答えるべく，Emanuel らは 2000 年に “What Makes Clinical Research Ethical?” というタイトルの論文で新しい倫理規範を発表した[9]．この論文では，倫理的と言える臨床研究が満たすべき 7 つの要件（The 7 Ethical Requirements）が提唱されている．

①社会的/科学的価値（Social or Scientific Value）
②科学的妥当性（Scientific Validity）
③適正な被験者選択（Fair Subject Selection）
④適切なリスク/ベネフィットバランス（Favorable Risk-Benefit Ratio）
⑤第三者審査（Independent Review）
⑥インフォームドコンセント（Informed Consent）
⑦候補者を含む被験者の尊重（Respect for Potential and Enrolled Subjects）

これら 7 要件すべてを満たしてはじめて倫理的な臨床研究であると考えるのである．

Emanuel らは上記 7 要件を①から⑦までこの順序に考えるべきであるとしているが，これは実際に臨床試験を準備する際の順序と一致している（図 4）．

臨床試験を行うには，まず試験の目的を明確にし，試験によって答えを得る研究仮説（クリニカルクエスチョン）が将来の患者にとって本当に価値があるものであるのかを示す必要がある（**社会的/科学的価値**）．次に，そのクリニカルクエスチョンに回答を得るために，一般的に認められている正しい方法論に基づいて試験をデザインし，適切にデータ解析を行う（**科学的妥当性**）．次いで研究の対象集団が科学的に適正に選択され，かつ登録患者が過剰なリスクを負うことがないように「患者選択規準」を決め（**適正な被験者選択**），リスクが最小化され，ベネフィットが最大化され，リスクとベネフィットのバランスが適切であるように治療の規定，治療変更規準や治療中止規準を，決め，有害事象報告により研究者間で適切な情報共有を行う（**適切なリスク/ベネフィットバランス**）．ここまでが，研究者自らが実践すべき倫理要件である．これら 4 要件が研究の「科学性」を問うていることに注目して欲しい．つまり，科学的でなければ倫理的ではない，科学的であることが倫理的であるための前提条件である，というのが基本的な考え方であり，それはヘルシンキ宣言にも通じる．

研究者が，自らの研究計画が①～④を十分満たしたと判断したら，研究実施計画書を医療機関の倫理審査委員会（IRB）に提出して審査を受ける．①～④を満たしていることを第三者であるIRBに認めてもらうのがIRB審査/承認プロセスと言える（**第三者審査**）．研究が開始されれば，個々の被験者単位でインフォームドコンセントのプロセスが行われる．研究の意義や内容，研究参加に伴うリスクを説明して納得してもらったうえで研究参加に同意いただくわけであるが，研究が①～④を満たしている妥当なものであることについて被験者にも認めてもらうプロセスであるという認識も必要である（**インフォームドコンセント**）．最後に，研究の実施中，研究に参加してくれた被験者はもちろん，研究参加に同意いただけなかった候補患者も含めて，人として尊重されていることが継続的に担保される体制を維持することが求められる（**候補者を含む被験者の尊重**）．このように，Emanuelの7要件は，臨床試験の流れに沿って構造化されており理解しやすく，7項目しかないことから覚えることも容易である．是非暗唱できるようにして欲しい．

「臨床研究に関する倫理指針」と「疫学研究に関する倫理指針」が統合され2015年4月1日から施行された「人を対象とする医学系研究に関する倫理指針」にEmanuelの7要件が，基本方針として遵守すべき事項として（少し文言が変更されたものの）盛り込まれた．それまでの国内倫理指針には，研究に関する科学的な質の担保の記載が不十分であったが，本指針から科学的妥当性を確保することの重要性が組み入れられており，さらにEmanuelらの「科学的でなければ倫理的ではない」という精神も組み入れられることで，わが国の指針もようやく国際標準準拠になったといえる．また，「人を対象とする医学系研究に関する倫理指針」は「ヒトゲノム・遺伝子解析研究に関する倫理指針」と統合され，「人を対象とする生命科学・医学系研究に関する倫理指針」[10]として2021年3月23日より施行されている．

さらには2018年4月1日より「臨床研究法」[11]が施行された．未承認薬・適応外の医薬品・医療機器を用いた臨床研究および製薬企業などから資金提供を受けて実施する臨床研究を「特定臨床研究」と定め，研究の科学的な質をよりいっそう担保する目的で，モニタリングや監査を義務付け，臨床研究に関する資金などの提供に関する情報を厳格に管理し，研究不正に対して法的に罰則規定を設けることが求められた．

なお，Emanuelの倫理要件は2004年に「研究を実施する地域社会との連携（collaborative partnership）」の1要件が追加され8要件となっている[12]．「collaborative partnership」とは，「臨床試験の実施が社会で受け入れられ，その研究を通じて社会が利益を受けること」を意味する．この要件は開発途上国でAIDSに対する新薬の治験が行われたが，新薬が市販された際には高額であるために開発途上国の患者が使えなかったという事例が国際的な問題となったこと（研究倫理の南北問題といわれる）などを受けて追加されたものと推測される．しかしながら，日本国内で個々の臨床試験の倫理を考えるうえでは必須の要件ではないと思われることと，概念としても難解であること，上記の国内倫理指針には採用されていないことから，筆者らは，前述の7要件で考えることが妥当と考えている．

C　臨床試験の科学

❶ 臨床試験の基本骨格

臨床試験の基本は「比較」である．

「比較」する相手は，ランダム化した同時対照であること（第Ⅲ相試験）もあれば，過去の臨床試験や観察研究のデータ（歴史的対照：ヒストリカルコントロール）であること（第Ⅱ相試験・第Ⅰ相試験）もあるが，いずれにせよ，新しい治療が，比較対照である標準治療と比べて，「よりよい」治療かどうかの判断を下すのが臨床試験の基本骨格である．

よりよい治療かどうかを判断するのに「なにを比較」すべきかというと，それは「患者のベネフィット（benefit）」である．「患者のベネフィット」には大きく2つあり，「（よく）効く」ことと「副作用が軽い/少ない」ことである（「安い」も患者のベネフィットであるが医療経済評価は本項の範疇を超えるので割愛する）．臨床試験では，この「（よく）効くこと」を「有効性（efficacy）」と呼び，「副作用が軽い/少ない」ことを「安全性（safety）」と呼ぶ．新しい治療が，従来の標準治療と比べて，①安全性が同等または毒性は強いが許容範囲で，かつ有効性が優る場合，もしくは，②安全性が優っていて有効性が劣っていない場合に，われわれは「新しい治療を「よりよい治療」と判断する」のである．①の場合を「優越性（superiority）」，②の場合を「非劣性（non-inferiority）」と呼ぶ．

では「どうやって比較」するのか，であるが，臨床研究では，事前に決めた「ものさし」を用いて治療法別に「測った値」を比べて優劣を判断することになる．この「ものさし」のことを「エンドポイント（endpoint）」と呼ぶ．比べるものが「有効性」と「安全性」なのだから，ものさしであるエンドポイントにも，「有効性のエンドポイント」と「安全性のエンドポイント」があり，がんの臨床試験でよく用いられる有効性のエンドポイントには，全生存期間（overall survival：OS），無増悪生存期間（progression-free survival：PFS），無病生存期間（disease-free survival：DFS），奏効割合（response rate：RR）などがあり，安全性のエンドポイントには，各有害事象ごとの発生割合や，重篤な有害事象発生割合，治療関連死亡割合などがある．がん以外の領域の臨床試験では治療（医薬品）のベネフィット（薬効）を適切に評価できるエンドポイントが試験ごとに設定されることが多いが，がん治療の臨床試験では上記のエンドポイントは概ね国際的に標準化されており，試験ごとに考案するエンドポイントはむしろ例外的である．

また，試験ごとに，試験の結論を決める主たる判断に第一優先で用いるエンドポイントをプライマリー・エンドポイント（primary endpoint）と呼び，通常は1つ設定する．その他，判断の参考にするエンドポイントはセカンダリー・エンドポイント（secondary endpoint）と呼ぶ．

❷「相（Phase）」ごとの方法論

がんに限らず，治療開発は，「相（phase）」と呼ぶ段階を順に進めていく一連のプロジェクトと捉えることができる．「相」は第Ⅰ相～第Ⅳ相の4段階からなり，医薬品であればヒトにはじめて投与する，主に安全性をみる段階が第Ⅰ相，次に主に有効性をみる段階が第Ⅱ相，販売承認を得る段階が第Ⅲ相，市販後が第Ⅳ相にあたる．

一方，臨床試験の「タイプ」としては，その目的によって「臨床薬理試験」，「探索的試験」，「検証的試験」，「治療的使用」の4つに分けることができる[13]．治療開発の相と試験のタイプは概ね対応し，第Ⅰ相：臨床薬理試験，第Ⅱ相：探索的試験：第Ⅲ相：検証的試験，第Ⅳ相：治療的使用となるのだが，そもそも治療開発の「相」と試験の「タイプ」は別の概念であり，がん以外の治療開発においては，第Ⅱ相や第Ⅲ相で臨床薬理試験が行われたり，第Ⅱ相で検証的試験が行われたりして必ずしも1対1対応するわけではない．ところが，がんの治療開発では，第Ⅰ相の臨床薬理試験が患者を対象に行われることや第Ⅲ相の検証的試験がほぼランダム化比較試験であるといった"特殊事情"があることにより，この治療開発の「相」と試験の「タイプ」がほぼ1対1に対応しているため，「第Ⅰ相試験」「第Ⅱ相試験」「第Ⅲ相試験」と呼んでも支障がなく，試験のタイプ名に「相」が用いられている．ただし，飽くまでもがんの臨床試験での事情であるため，必ずしも他の疾患領域でも通用する概念ではないことは知っておいたほうがよい．

以下，相ごとの方法論のエッセンスを述べる（表1も参照）．

①第Ⅰ相試験

10～20人程度の小規模で行われる．新しい薬剤をヒトに投与するのはこの段階がはじめてであるため，第Ⅱ相に進めても問題ないかどうかの安全性のスクリーニングが主な目的であり，併せて第Ⅱ相試験で用いるときの薬剤の投与量（推奨用量）が決められる．そのため，primary endpointは毒性であり，用量と毒性との関係から推奨用量が決定される．ただし，

表1　試験の相とエンドポイント

	Phase Ⅰ	Phase Ⅱ	Phase Ⅲ
目的	Phase Ⅱに進むか どうかを決める Phase Ⅱでのレジメン （用量／用法）を決める	Phase Ⅲに進むか どうかを決める 有効性のスクリーニング 毒性プロファイルの充実	標準治療を決める 総合的な Benefit/Risk 評価
Primary endpoint	毒性 （MTD, DLT）	奏効割合	全生存期間
Secondary endpoint	奏効割合	無再発生存期間 毒性 etc.	無再発生存期間 毒性 etc.
サンプルサイズ	10～20 例程度	50～100 例	200～3000 例
参加施設	単施設 （～少数施設）	中規模 （専門病院主体）	大規模 （一般病院主体）

安全であってもまったく効かなければ治療開発は中止されるので，併せて短期的な有効性も探索される．

②第Ⅱ相試験

第Ⅰ相試験で決まった推奨用量での有効性・安全性の評価を 50～100 人程度を対象に行う．有効性のスクリーニングと，治療レジメンの最適化が主な目的である．治療開発の効率を高めるため，有望でなければ早く次の候補の開発を進める必要があることから，奏効割合などの短期的な有効性のエンドポイントが primary endpoint になる．近年，腫瘍縮小がみられなくても延命効果が期待できる分子標的治療薬の登場以降，無増悪生存期間などを primary endpoint とするランダム化第Ⅱ相試験が増えている．

③第Ⅲ相試験

第Ⅱ相試験で有望と判断された新しい標準治療の候補と現在の標準治療とのランダム化比較を行う．いわば「決勝戦」であり，通常数百～数千人規模の試験となる．がん領域における第Ⅲ相試験の primary endpoint の gold standard は全生存期間である．

④第Ⅳ相研究

研究者主導の治療開発において用いられることはまずなく，企業治験を経て販売承認された後に，長期の安全性や，高齢者や臓器障害を有する患者などの特殊な集団に対する安全性を評価するものを指す．時に「販売承認後臨床試験」として有効性を評価することもある．

これらの「相」の考え方は元々抗がん薬の治療開発で生まれた概念であり，主に薬物療法にあてはまるが，手術や放射線治療，集学的治療の開発にもあてはまる．たとえば手術の試験であれば，新しい手術手技やデバイスの安全性を術中術後合併症の頻度や出血量などをエンドポイントとして第Ⅰ相試験で評価し，根治切除割合や術後の臓器機能をエンドポイントとして第Ⅱ相試験を行うといった応用が可能である．第Ⅲ相試験は薬物療法と同様に全生存期間による総合的なリスク/ベネフィット評価が行われる．

がんにおける，薬物療法や手術，放射線治療，集学的治療の開発の流れを図5に示す．概ね，薬物療法の単剤レベルの開発は企業主導の治験によって，併用化学療法，手術，放射線治療，集学的治療の開発は研究者主導の臨床試験によって行われる．

また，第Ⅲ相試験は，標準治療に比しての新治療のメリットとして「有効性が上回る」ことが期待される場合に行われる「優越性試験（superiority trial）」と「安全性が上回る（または経口薬のように利便性が上回る）」ことが期待される場合に行われる「非劣性試験（non-inferiority trial）」がある．従来の標準治療に対して，延命効果は期待できるが毒性が強い治療（toxic new）が試験治療の場合は優越性試験，延命効果は同じか少し劣る可能性はあるが，毒性が軽

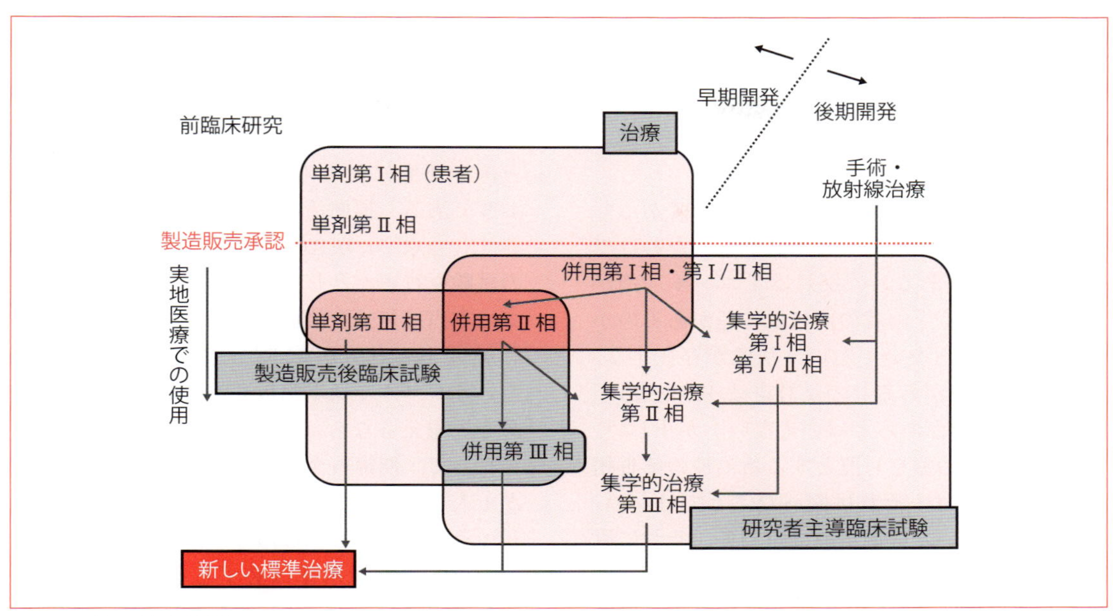

図 5　がんの治療開発

いなど患者にとって何らかのメリットがある治療（less toxic new）が試験治療の場合は非劣性試験が行われる．どの試験デザインが適切であるかは，標準治療と試験治療のリスク・ベネフィットバランスによるため，試験計画においては「標準治療は何か」，「（標準治療に比しての）新治療のメリットは何か」を明らかにすることがきわめて重要である．

❸ 統計学的方法論

ⓐ 仮説検定

新しい治療が標準治療と比べて優れているか否かを判断する（優れていることを検証する）には通常，「仮説検定」という統計手法が用いられる（正確には「統計学的帰無仮説検定」）．仮想例として，食道がんに対する新治療である術後補助化学療法が，標準治療である手術単独と比較して，全生存期間において優れているかを検証するランダム化第Ⅲ相比較試験を考える．

実は「差がある」ことを数学的・確率論的に証明することは難しいことであるため，逆に「差がない」という仮説（これを「帰無仮説」と呼ぶ）を置いて，この「差がない」という仮説をデータに基づいて否定する（これを「帰無仮説を棄却する」と言う）ことで「差がある」ことを証明するという回りくどい手順を踏む．この手順が「仮説検定」である．こういう，二重否定によって肯定を導く論法を数学や論理学では「背理法（はいりほう）」と呼ぶ．

仮想例では「術後補助化学療法が手術単独と比べて全生存期間に差がない」という帰無仮説を置くことになる．得られた試験の結果が，術後補助化学療法の全生存期間が手術を上回っており，それくらいの差がみられることは，もし帰無仮説が正しいとしたら，100 回同じ研究を行ったら 5 回以下しか起きないほどの珍しい結果であったという場合(帰無仮説を置くことで，この確率が計算できるようになる)，「「差がない」は正しくて，たまたま本当に珍しいことが起きた」と考えるよりも，むしろ「もともと「差がない」とした仮定が間違っていた」と考えるほうが合理的であるとして「差がある」と結論する，すなわち「術後補助化学療法は全生存期間で手術単独に優る」と結論するのである．

逆に，実際に得られた結果が，術後補助化学療法と手術単独の全生存期間に大きな差はなく，100 回同じ研究を行ったら 30 回も起こるようなものであれば，「差がない」という帰無仮説が間違っているとは言えないので，帰無仮説は否定（棄却）されず，「両治療間に全生存期間の差があるとはいえない」と結論づけることになる．

なお，帰無仮説を棄却できない場合であっても，帰無仮説が正しいことが証明されたわけではない．「差がある」の反対はイコール「差がない」ではなく，両者の間には「差があるのかないのかわからない」という状態が存在する．そのため，「差がある」の反対語は「差がない」ではなく，「差があるとはいえない」が正しい．しかし，標準治療を対照とする新治療の第Ⅲ相試験においては，それは困ったことではない．既に確立している標準治療に対して，それに置き換わる根拠が十分でない新しい治療との間に差があるとはいえないのだから，引き続き標準治療を選択し続けるという医学的意思決定を行うことは正当である，すなわち「標準治療は替わらず従来の標準治療のままである」と結論することは合理的と考えられるからである．

ⓑ P 値と有意水準

仮説検定で用いる「P 値」と「有意水準」について概説する．

「P 値」とは，「帰無仮説が正しい場合に，観察されたデータ以上に極端な結果が得られる確率」と定義される．「差がない」という帰無仮説が正しいとしたら，100 回の研究で 3 回しか起きないほどの結果であった場合，P 値は 0.03 となる．観察された差が大きいほど P 値は小さくなり（ゼロに近づき），差が小さいほど P 値は大きくなる（1 に近づく）．

P 値は 0 から 1 の間のすべての値を取りうるが，われわれが仮説検定を用いて行おうとするのは，「新治療が取って替わって新しい標準治療になる」か「標準治療は替わらず従来の標準治療のままである」かの医学的意思決定であり，それは「Yes/No」の二値的判断であるため，P 値の大きさにどこかで境界線を引かなければならない．つまり，P 値がそれより小さければ「差がある」とし，それより大きければ「差がない」とする境界線が必要ということである．この境界線のことを「有意水準」といい「α（アルファ）」で表される．「$P \leqq \alpha$」なら「統計学的有意」とし，「$P > \alpha$」なら「統計学的有意でない」とするのである．P 値は計算によって求まるものであり，α は人間が決めるものである．

医学研究におけるこの有意水準 α の標準は 0.05 である．標準治療を決める第Ⅲ相試験において有意水準 α が 0.05 であることの意味は，「20 の試験を行ったとしたら，そのうち 1 つの試験では本当は無効な治療を誤って有効としてしまうが，それは仕方がないとして許容しましょう」というレベルで標準治療を決めるということである．喩えるならば，「20 人の患者さんに治療を行って，間違った治療をしてしまう患者さんが 1 人しかいない医者は名医である」と考えましょうということになろうか．

ただし，有意水準は必ずしも常に 0.05 であるわけではなく，どのような状況で意思決定を行うかによって値は変わる．有意水準 α は上記の説明から，小さいほど，誤る確率が低い＝精度が高い，となり，大きいほど誤る確率が高い＝精度が低い，ことは理解されると思われる．では，小さければ小さいほどよいのか，というとそうともいえない．誤る確率が低い＝精度が高い，を意味する小さい値の有意水準を採る代償は必要被験者数（サンプルサイズと呼ぶ）の増大である．小さい α とするほど必要被験者数は多くなる．

たとえば第Ⅱ相試験の場合の α は 0.1〜0.2 とされるが，ここで $\alpha = 0.1$ とすることは「10 の試験のうち 1 つくらいは誤って有効と判断してもやむを得ない」と考えることを意味する．もし誤って，無効な薬剤を第Ⅲ相試験に進めても第Ⅲ相試験で無効と判断されると見込まれるため，α を 0.05 でなく，それより大きい（ゆるい）0.1 とすることで，被験者数を第Ⅱ相試験に見合った規模（数十例）に押さえるという考え方である．逆に，第Ⅲ相試験でも，標準治療に比して毒性がかなり強い新治療で，必要被験者数が多くなったとしても，より確かな意思決定が求められる場合には，有意水準が 0.05 ではなく 0.025 とされることもある．

このように常に「有意水準＝0.05」ではないため，「P 値が 0.05 以下＝統計的有意差がある」

ではない.

本項では倫理と科学の観点から，がん臨床試験方法論の「Minimum Requirements」を述べた.

なお，本項の執筆に際して，国立がん研究センターがん研究開発費 2020-J-3「成人固形がんに対する標準治療確立のための基盤研究」班の助成を受けた.

文献

1）Pocock SJ：Clinical trials. A Practical Approach, John Wiley & Sons. New York, p.1–2, 1984
2）厚生労働省．令和 3 年人口動態統計月報年計（概数）の概況. 〈https://www.mhlw.go.jp/toukei/saikin/hw/jinkou/kakutei21/dl/02_kek.pdf〉［Accessed Jan 2 2023］
3）Kola I, Landis J：Can the pharmaceutical industry reduce attrition rates? Nat Rev Drug Discov **3**：711–715, 2004
4）厚生労働省：医薬品薬効大分類別生産金額. 〈https://www.mhlw.go.jp/topics/yakuji/2021/nenpo/〉［Accessed Jan 2 2023］
5）厚生労働省：臨床研究に関する倫理指針. 〈http://www.mhlw.go.jp/general/seido/kousei/i-kenkyu/rinsyo/dl/shishin.pdf〉［Accessed Jan 2 2023］
6）日本医師会：ヘルシンキ宣言.〈http://dl.med.or.jp/dl-med/wma/helsinki2013j.pdf〉［Accessed Jan 2 2023］
7）世界医師会：ヘルシンキ宣言 〈http://www.wma.net/en/30publications/10policies/b3/index.html〉［Accessed Jan 2 2023］
8）CIOMS（Council for International Organizations of Medical Sciences）. International Ethical Guidelines for Biomedical Research Involving Human Subjects, 2002
9）Emanuel EJ, Wendler D, Killen J et al：What makes clinical research ethical? JAMA **283**：2701–2711, 2000
10）厚生労働省：人を対象とする生命科学・医学系研究に関する倫理指針 〈https://www.mhlw.go.jp/content/000757566.pdf〉［Accessed Jan 2 2023］
11）厚生労働省：臨床研究法 〈http://www.mhlw.go.jp/file/06-Seisakujouhou-10800000-Iseikyoku/0000163413.pdf〉［Accessed Jan 2 2023］
12）Emanuel EJ, Wendler D, Killen J et al：What makes clinical research in developing countries ethical? The benchmarks of ethical research, J Infectious Dis **189**：930, 2004
13）医薬審第 380 号（平成 10 年 4 月 21 日）．臨床試験の一般指針 〈https://www.pmda.go.jp/files/000156372.pdf〉［Accessed Jan 2 2023］

(2) 補完代替医療，サプリメント

静岡県立大学
梅垣　敬三

A　補完代替医療とサプリメント

補完代替医療は complementary and alternative medicine（CAM）と呼ばれているもので，通常医療（現代の西洋医療）とみなされていない，さまざまな医学・ヘルスケアシステム，施術，生成物質の利用などである[1]．補完とは従来の処置に加えて補助療法として，あるいは生活の質（QOL）を向上させるために使用すること，また，代替とは従来の利用の代わりに使われることを意味している．米国衛生研究所の相補代替医療センター［NCCAM．名称が変更され，現在は米国国立補完統合衛生センター（National Center for Complementary and Integrative Health：NCCIH）となっている］では，CAM を表1のように分類している．CAM は必ずしも医師などの医療従事者によって提供されるものとは限らず，医療従事者以外の者による提供，あるいは患者自身の判断で実施される場合もある．CAM の利用は，通常の科学的根拠のある治療が受けられない状況，通常の医療による副作用がひどい状況において魅力的なものとなっている．その有用性は，症状の緩和や患者の QOL 向上において認められているが，一定した見解は得られていない[2]．

CAM のなかでサプリメントの利用は，特別な手技などを必要とせず，患者自身で手軽に実施できるものである．そのサプリメントに使われている成分のなかで，天然物は必ずしも安全性が十分に検証されていないが，一般に天然＝安全とイメージされている．そのような理由から，特に天然物を含むサプリメントが，がん患者に注目されている[3]．サプリメントの利用で最も問題となるのは，医療従事者でない者（商品販売者）から提供された不確かな情報のみが参照され，通常医療が放棄されることである[4]．CAM はあくまで通常医療の補助的なものであり，CAM のみに依存することは危険である．そこで各種の CAM を近代の通常医療と対立的に捉えるのではなく，むしろ組み合わせて総合的に治療する「統合医療」という新しい医療の概念が生まれ，それが医療従事者によって提供されはじめている[1]．

表1　補完代替医療（CAM）の分類

分類と名称	内　容
天然産物（natural products）の投与	生薬，ビタミン類，無機物などの利用 ……ハーブ，ビタミン，ミネラル，栄養補助食品，プロバイオティクスなど
心身医療心身療法（mind and body medicine）	脳，精神，身体および動作の相互作用に着目した，健康増進を目的とする行為（瞑想，ヨガ，鍼灸，太極拳など）
手技的な行為（manipulative and body-based practices）	骨，関節，循環系，リンパ系などの身体構造・組織に着目した行為（カイロプラクティック，マッサージなど）
その他（other CAM practice）	運動療法（ピラティス，ロルフィングなど），エネルギー療法（レイキ，ヒーリングタッチなど），ホメオパシーなど

［がんの代替医療の科学的検証と臨床応用に関する研究班．2012 年 2 月：がんの補完代替医療ガイドブック，第 3 版より引用］

B サプリメントの実態

サプリメントは，栄養補助食品や健康補助食品とも呼ばれているもので，一般には健康食品と同様の製品と捉えられている．ちなみに健康食品とは，健康に何らかのよい効果がイメージされる多種多様な食品の総称である．サプリメントという呼び方は，米国の dietary supplement に由来するものである．dietary supplement は，1994 年に米国で制定された Dietary Supplement Health and Education Act（DSHEA 法）において定義されているもので，従来の食品でもなく医薬品でもない別のカテゴリーの経口摂取するもので，食事を補うことを意図し，製品中にビタミン，ミネラル，ハーブやその他の植物，アミノ酸，酵素，代謝産物などを含むものである[5]．dietary supplement は医薬品ではないので，疾病の診断，軽減，治療，治癒，予防といった表現は認められていない．しかし，質の高い製品の製造，汚染物質や不純物混入の防止，正確な表示の確保などを目的とした現行の適正製造規範（current GMP：cGMP）が義務付けられている．欧州連合（EU）では，米国の dietary supplement に相当するものが food supplement として位置づけられている．

一方，日本ではサプリメントという言葉に明確な法的定義がなく，それらは通常の食品のカテゴリーで流通している．サプリメントと想定する製品は人によって異なっている．たとえば，ゼリーやスナック菓子，飲料といった通常の明らかな食品形態の製品をサプリメントと認識している人がいれば，医薬品として流通している総合ビタミン剤をサプリメントと認識している人もいる．健康食品についても明確な法律上の定義がなく，いわゆる生薬成分を添加した健康食品を漢方薬と思っている人がいる．重要なことは，サプリメントも健康食品もあくまで食品のひとつであり，製品の品質が確保された薬（保健薬や漢方薬）とは全く異なることである．しかし，その違いは一般に識別できていない．

日本では 1991 年に食品の三次機能（生体調節機能）に着目した特定保健用食品（通称，トクホ）制度が創設された．また，米国の dietary supplement などの影響を受けて，2001 年からは保健機能食品制度が創設され，ビタミンやミネラルを含む製品が栄養機能食品として認められた．そして，以前は医薬品と判断されていた錠剤やカプセル状の製品でも，“食品” との表示があれば直ちに医薬品とは判断されないこととなり，医薬品と誤認しやすい形状の製品（錠剤・カプセル）が食品のカテゴリーで流通することになった．さらに，2015 年から事業者の責任で機能性表示ができる機能性表示食品制度が導入された．保健機能食品は，特定保健用食品，栄養機能食品，機能性表示食品の総称名である．

保健機能食品は法令で定義されているもので，保健機能や栄養機能を限定的に表示することができる．一方で，保健機能食品以外の食品は，機能などの表示が認められていないもので，行政では「いわゆる健康食品」と呼ばれる．健康効果を標榜した食品名にはさまざまなものがあり，それらは食品の機能表示制度上，「保健機能食品」と「いわゆる健康食品」に分類することができる．保健機能食品のなかの機能性表示食品と栄養機能食品には錠剤・カプセルの製品が多い．一方，いわゆる健康食品に該当する食品名としては，機能性食品，栄養補助食品，健康補助食品，自然食品，サプリメントなどがある．いわゆる健康食品に分類される製品のなかには，食品と謳いながら違法に医薬品成分を添加した製品，あるいは病気の治療・治癒の効果を標榜した製品がある．これらの製品は，もはや食品ではなく無承認無許可医薬品として行政の摘発を受けている．摘発を受けた製品のなかに，がんの治療・治癒効果を標榜したものも少なくない（図 1）．

C がん患者によるサプリメントの利用状況

がん患者は，科学的根拠に基づく通常治療が困難と思われる状況や，放射線療法や化学療法などによる副作用に耐えられない状況で CAM に魅力を感じている[6]．がん患者における CAM の利用実態は国によっても異なるが，1970 年代

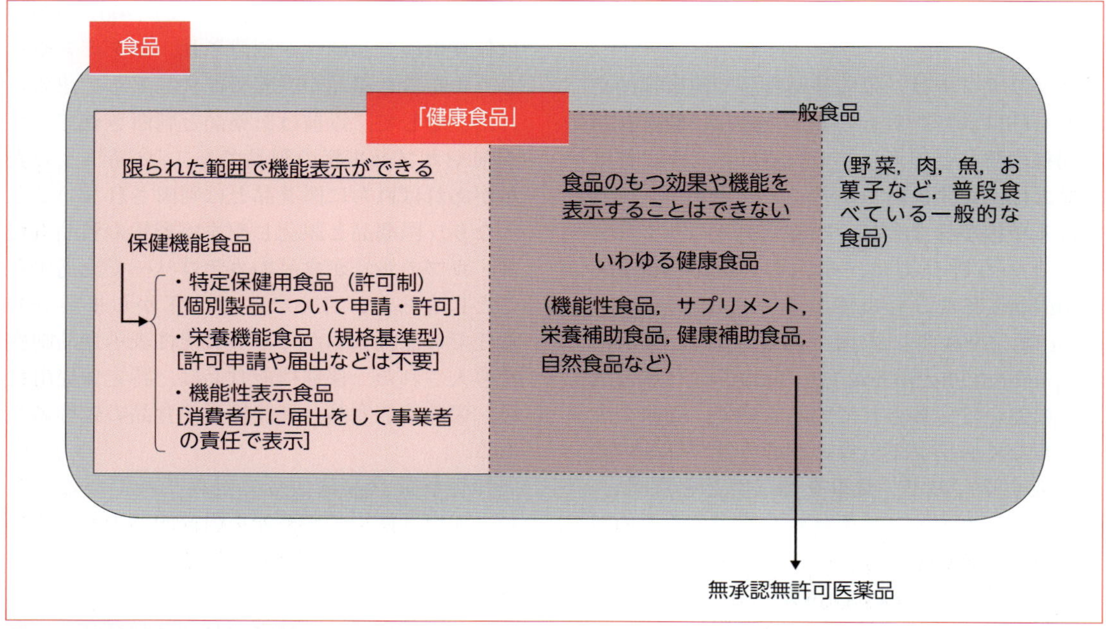

図 1　機能性表示からみた健康食品・サプリメントの分類

［2018 年 11 月時点における状況］

と 1980 年代は 25%，1990 年代は 32%，2000 年以降は 49%で，平均すると約 40%と報告されている[7]．日本において調査された 2005 年の報告においても，がん患者による CAM の利用は約 4 割となっていた．その日本のがん患者の CAM 利用の特徴は，60 歳以下，女性，高学歴，過去に化学療法を受けた患者，緩和ケア病棟の患者であり，CAM の 9 割以上が健康食品やサプリメント（この場合，漢方薬も含まれる）であった[8]．このような患者による CAM の利用は，医療関係者に伝えられていないという問題が指摘されている[9]．その理由として，医師からの質問がないこと，医師の無関心，伝えると医師が失望するという患者の思い，医師の助けがないこと，CAM は通常医療に影響しないという患者の認識があげられている．すなわち CAM の適切な利用において，医療関係者（特に医師）と患者のコミュニケーション不足が問題となっている．

D　がんに対するサプリメントのエビデンス

サプリメントで最も問題となるのは，業者から提供されている科学的根拠に乏しい情報の氾濫である．それらの情報は業者に都合のよい有効性のみが抜粋され，安全性に対する配慮がきわめて不足している．天然・自然という印象からサプリメントで人気のあるハーブのインターネット情報を調べた報告によると，Web サイトの 1,179 件中で，重大な副作用や医薬品との相互作用およびその他の安全性に関する情報を伝えていたのは 8%以下，医療従事者の助言を推奨していたのは 10.5%，表示に関する科学論文を引用していたのは 3%以下であった[10]．がん患者の利用体験談を書籍にまとめ，それがサプリメントの販売に利用されていた事例（いわゆるバイブル商法）では，掲載されていた体験談は捏造であった．青酸配糖体のひとつであるアミグダリンは，以前は米国やメキシコを中心にがんの治療に使われていた時期があった．しかし，その後に実施された臨床研究から，アミグダリンには「がんの治療，改善および安定化，関連症状の改善や延命に対していずれも効果がなく，むしろ青酸中毒を起こす危険性がある」との結論が出されている[11]．それにもかかわらず科学的に否定された情報がいまだにサプリメントの販売に参照されている．静注などの投与経路で実施されたサプリメント成分の有効性情報が，経口摂取にすり替えられていることもある．ビタミンCの大量点滴投与で実施された効果が，ビタミンCのサプリメントの経口摂取でも同様の効果が期待できると拡大解釈した情報はその事例である[1]．

最新の情報もそれらは現時点の情報であり，新しい考え方や評価方法によって解釈が変わってくることもある．そこで，(国研)医薬基盤・健康・栄養研究所の「健康食品」の安全性・有効性情報（https://hfnet.nibiohn.go.jp/）のサイトでは，サプリメントに関する基礎的情報，サプリメントに利用されている原材料の最新の有効性・安全性情報を継続的に収集してデータベース化し，出典と更新日を明記して提供している．サイトは安全性を重視し，有効性はヒト試験に限定して収集・提供している．ちなみに，がんの予防や治療に関するサプリメントのヒトにおける有効性で，現時点で明確になっているものはほとんどない．がんに効果があることを標榜した天然物素材として，アガリクス，カバノアナタケ，メシマコブ，ハタケシメジ，レイシ，フコイダンなどがあるが，それら素材のがんに対する効果は明確ではなく，むしろ利用者によっては劇症肝炎などを呈したという報告が散見される．ビタミンEやCなどの抗酸化サプリメントについても，その有効性を支持する明確な根拠は現時点では得られていない．がんの種類や対象者によっては，がんのリスクを高めたという報告さえある．がん患者のQOLに対するCAMの効果に関しても，現時点では科学的根拠との乖離があることが指摘されている[2]．ちなみに，サプリメントの利用において一般的に認められる有害事象は，消化管の不調，皮膚のアレルギー，肝機能障害である[12]．サプリメントの有効性情報では，利用対象者（性別，年齢，既往の有無など）とともに，特に利用された製品の品質（成分の純度と含有量）に注目することが重要である．品質が確保されていない製品の利用による有効性情報は，その現象を再現することが困難である．

E　サプリメント製品の選択と利用

サプリメントは，基本的に消費者の自己判断によって利用されているものである．また，現状のサプリメントは玉石混淆である．天然・自然だから安全とイメージされているハーブエキスでは，原材料エキス中に含まれている個別成分の量が，産地や収穫時期によっても大きく変動する可能性がある．天然ハーブなどは細菌汚染している可能性も高く，製品の品質には特に注意が必要である．サプリメントに利用されている原材料の実態を調査した報告によると，ハーブエキスを利用した製品のなかで，表示通りに正しい原材料が含まれていた製品は48％となっていた[13]．したがって，一般的な原材料としてのハーブエキスに関する有効性・安全性の学術論文情報があったとしても，消費者が手にする商品に同等の品質の原材料が添加されていなければ，論文の情報は製品には適用できない．サプリメント製品中の原材料規格および製品全体としての品質（有害物質の混入がなく，有効成分が必要量含まれて信頼できること）は，製品としての有効性・安全性を判断するうえできわめて重要である．しかし，現時点でのサプリメントは医療に利用できる，信頼できる品質の製品とはなっていないことは特筆すべき事項といえる．この点が食品のサプリメントと医薬品の大きな違いである．

サプリメントの製品自体に問題がなくても，その製品が適切かつ効果的に利用できるとはいえない．優れた製品であっても，安全性を軽視した利用者による乱用，アレルギー体質，医薬品との併用によって有害事象は起こる．過去に発生したサプリメントと医薬品の相互作用を分析すると，重篤な症状になる医薬品に抗がん薬がある[14]．サプリメントの安全性は，がん患者ではほとんど検証されておらず，抗がん薬などの医薬品との併用による相互作用の有無についてもわかっていない．もしも医療関係者の関与

表 2　サプリメントの製品に関する注意点（過去に起きた事例を参考として）

【安全性に関する事項】
• 行政から摘発・公表された違法製品に該当しないか？ 例：行政機関から取締りを受けた違法製品が認識されず，利用されていたことがあった • 製品として，有害物質の混入または原材料の組み合わせによる安全性の問題はないか？ 例：アーユルベーダー医薬品では鉛の混入があった．また，複数の原材料の組み合わせにより薬物代謝酵素の活性化を介した有害事象が危惧される製品があった • 摂取してはならない対象者や条件が製品情報として提供されているか？ 例：アレルギーなどの利用者の体質，併用医薬品との相互作用の有無を考慮しないで利用されているケースがあった • 製品中の個別の原材料に関して，純度や成分組成の規格基準があるか？ 例：原材料規格がないハーブエキスでは，多様な品質の製品が流通していた • 製品は GMP 認証を受けた製品か？ 例：一定した品質の製品製造ができていない製品があった
【有効性に関する事項】
• 原材料の有効性は学術論文で示された根拠によるものか？ 例：逸話や捏造が有効性の根拠となっているケースがあった • 有効性情報は成分の消化吸収や生理的濃度が考慮されているか，またヒトでの情報か？ 例：有効成分の生理的な濃度を無視した細胞の実験結果が，有効性の根拠情報として利用されていた．また，種差の影響を考慮せずに動物の実験結果がヒトに適用されていた • 製品の有効性情報が適用できる条件とその限界は明らかか？ 例：特定の対象者や特定製品などの限定的条件で実施されたヒトの実験結果が拡大解釈されていた • 製品中の個別の原材料の量は，学術論文で示された有効量になっているか？ 例：含有成分の有効性に科学的根拠があっても，有効性を発現する量が製品中に全く含まれていないものがあった．ハーブは産地によって含有成分（特にミネラル含量）に違いが出る．植物エキスについては，学名・ラテン名で原材料を特定し，安全性や有効性情報を調べる必要がある

GMP：適正製造規範

によって品質の確かなサプリメントが利用されるのであれば，有害事象の発生とそれに対する迅速な対応は可能かもしれないが，現状では患者によるサプリメントの利用は医療関係者には伝えられていない[9]．このような状況では，医療関係者は適切な医療が提供できず，患者は適切な医療を受けることができない．CAMとしてサプリメントの医療への利用を考える際には，「誰が，どのような対象者に，何を利用させているか」という点を明確にすることがきわめて重要である．過去に起きたサプリメントの問題を参考にして，表 2 にサプリメントの利用における留意点を示した．

F　信頼できる情報サイトの参照とコミュニケーション

サプリメントに関して，患者は有効であったという情報のみを参照しており，有効性が認められなかった情報，あるいは有害事象を受けた情報はほとんど参照していない．また，通常医療を放棄したときの影響についても認識されていない．これらの問題は，信頼できる公正中立的な情報提供と，患者と医療関係者のコミュニケーションの充実によって改善することが可能である．

最近，代替医療に関する公正中立的な情報提供サイトとして，厚生労働省により「統合医療」情報発信サイト（http://www.ejim.ncgg.go.jp/public/index.html）が構築されている．また，代替医療を患者に説明する際のわかりやすい資料として，日本補完代替医療学会により「がんの補完代替医療ガイドブック」も作成されている．サプリメントの素材に関する有効性・安全性情報は，前述の「健康食品」の安全性・有効性情報（https://hfnet.nibiohn.go.jp/）から提供されている．以上のような公的機関の情報提供サイトを表 3 に示した．これらのサイトや

表 3　国内の公的機関が運営している主な情報提供サイト

- 厚生労働省『「統合医療」に係る情報発信等推進事業』
  https://www.ejim.ncgg.go.jp/public/index.html
  厚生労働省の「統合医療」に係る情報発信等推進事業に基づき，患者・国民および医療者が「統合医療」に関する適切な情報を入手するために構築された統合医療の情報を患者と医療専門家に提供する総合的なサイトで国内外の参考となる情報提供サイトも紹介している．がんの補完代替医療ガイドブック【第 3 版】，がんの補完代替医療（CAM）診療手引き，なども掲載されている．
- がん情報サービス（https://ganjoho.jp/public/index.html）
  (国研)国立がん研究センターが運営する公式サイト．がんの診断と治療，民間（健康食品・サプリメント・食事療法）など，さまざまな情報が提供されている．
- (国研)国立がんセンター東病院（https://www.ncc.go.jp/jp/ncce/CHEER/qa/index.html）
  がん患者やその家族から受ける Q&A を紹介している．
- (国研)医薬基盤・健康・栄養研究所　「健康食品」の安全性・有効性情報（https://hfnet.nibiohn.go.jp/）
  健康食品やサプリメントの安全性と有効性の情報をデータベースとして公開している．公的機関が作成した健康食品関連のパンフレットやリーフレットも収集して紹介している．

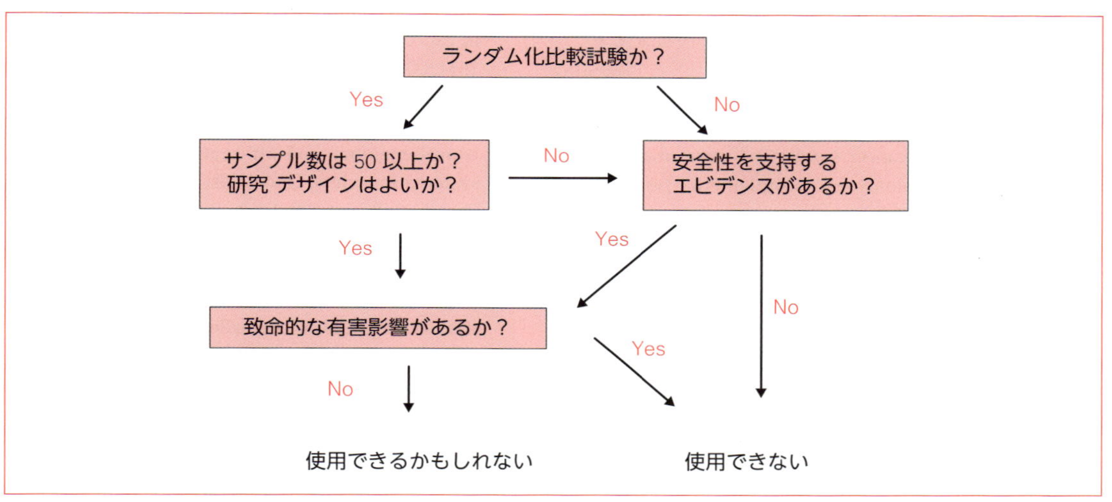

図 2　サプリメントを含めた CAM 利用のひとつの考え方

［中屋　豊ほか（監修），日本病態栄養学会（編）：がん栄養療法ガイドブック，第 2 版，メディカルレビュー社，2011，p.191，図 16.1 より引用］

サイト中に紹介されている資料を活用することで，患者が参照している情報の真偽を確認することができ，患者とのコミュニケーションを充実させることができる．サプリメントの摂取を含めた CAM の利用のひとつの考え方を図 2 に示した．

患者がサプリメントの実態と利用による利点と欠点のバランスを十分に理解したうえで，サプリメントの利用を希望するのであれば，そのサプリメントの利用を全く否定することはできない．そのような際には，図 3 に示した患者自身によるサプリメント利用状況のメモの作成が有用と考えられる．患者自身がサプリメントの利用状況を把握していれば，高額な製品を漫然と利用することも少なくなり，有害事象を受けた時の摂取中止の判断がしやすくなる．また，サプリメントと医薬品の併用による有害事象の発症，アレルギーなどの体質に関連した有害事象の発症に関して，利用状況のメモは因果関係の推定に役立つ．さらにこのようなメモは，患者と医療関係者の間の積極的なコミュニケーションにも役立つと考えられる．

	製品名A（メーカー名）	製品名B（メーカー名）	備考・メモ（体調や気になる事項の記録）
○年◎月×日	2粒×3回	2粒×1回	調子はかわらない
○年◎月△日	2粒×3回	摂取せず	調子がよい
○年○月×日	摂取せず	2粒×1回	調子がわるい（胃が痛い）
○年◎月△日	2粒×3回	2粒×1回	調子がわるい（発疹が出た）

図3　患者自身に求めるサプリメント利用状況のメモの作成
医薬品を摂取しているとき，このメモとお薬手帳の記録を照合すれば医薬品との飲み合わせの影響を推定することができる．

文献

1）がんの代替医療の科学的検証と臨床応用に関する研究班．2012年2月：がんの補完代替医療ガイドブック，第3版
2）SŸeerson C, Taskila T, Gale N et al：The effect of complementary and alternative medicine on the quality of life of cancer survivors：a systematic review and meta-analyses. Complement Ther Med **21**：417-429, 2013
3）福井次矢（研究代表者）：平成22年度厚生労働科学特別研究事業「統合医療の情報発信等のあり方に関する調査研究」
4）Coppes MJ, Anderson RA, Egeler RM et al：Alternative therapies for the treatment of childhood cancer. N Engl J Med **339**：846-847, 1998
5）梅垣敬三，池田秀子，吉岡加奈子ほか：健康食品に関する安全性確保の現状および対策と課題―有害事象報告制度の日米比較を中心に―．栄養学雑誌 **80**：3-20, 2022
6）中屋　豊，渡邊　昌，阪上　浩（監修），日本病態栄養学会（編）：Chapter 16 補完代替医療．がん栄養療法ガイドブック（第2版），メディカルレビュー社，大阪，2011
7）Horneber M, Bueschel G, Dennert G et al：How many cancer patients use complementary and alternative medicine：a systematic review and meta-analysis. Integr Cancer Ther **11**：187-203, 2012
8）Hyodo I, Amano N, Eguchi K, et al：Nationwide survey on complementary and alternative medicine in cancer patients in Japan. J Clin Oncol **23**：2645-2654, 2005
9）Davis EL, Oh B, Butow PN et al：Cancer patient disclosure and patient-doctor communication of complementary and alternative medicine use：a systematic review. Oncologist **17**：1475-1481, 2012
10）Owens C, Baergen R, Puckett D：Online sources of herbal product information. Am J Med **127**：109-115, 2014
11）Moertel CG, Fleming TR, Rubin J et al：A clinical trial of amygdalin（Laetrile）in the treatment of human cancer. N Engl J Med **306**：201-206, 1982
12）Umegaki K, Yamada H, Chiba T et al：Information sources for causality assessment of health problems related to health foods and their usefulness. Shokuhin Eiseigaku Zasshi **54**：282-289, 2013
13）Newmaster SG, Grguric M, Shanmughanandhan D et al：DNA barcoding detects contamination and substitution in North American herbal products. BMC Med **11**：222, 2013
14）小島彩子，佐藤陽子，千葉剛ほか：「健康食品」の安全性・有効性情報の収載データ分析から示される健康食品と医薬品の併用における注目すべき有害事象．食衛誌 **59**：80-89, 2018

(3) 医療用漢方製剤

福井県済生会病院内科
元雄　良治

A 医療用漢方製剤の歴史と現況

漢方は古代中国医学に源流を発するが，飛鳥時代（西暦593年〜710年）に日本に伝わり，特に中世以降，日本人と日本の風土に合うように発展した，日本の伝統医学である[1]．「腹診」は日本人医師が考案した診察法である．すなわち中国では貴人の診察は脈診くらいしかできなかったが，日本では庶民のおなかを診る「赤ひげ先生」のような医師が腹部診察をして，その所見と漢方処方を結びつける「方証相対」の臨床スタイルが発達した．これはそれまでの理論優先だった伝統医学を実践的な医療に転換した．明治維新で西洋医学に舵を切った日本であったが，そのひずみを実感した昭和初期の湯本求真をはじめとする現代漢方医学のパイオニア達によって，漢方医学はその命脈を保った．1950年に日本東洋医学会が設立された．1963年に医療用漢方製剤がはじめて保険収載され，現在では148処方が医療用漢方製剤として，医師の処方で保険診療として使用できる．また医学部・薬学部・看護学部などの大学教育に漢方が取り入れられている．さらに臨床の各分野で漢方のエビデンスが報告されており，医療用漢方製剤を使ったランダム化比較試験（randomized controlled trial：RCT）は500件以上ある．漢方のRCTを検索する際には，日本東洋医学会EBM委員会の漢方治療エビデンスレポート（Evidence Reports of Kampo Treatment：EKAT）のウェブサイトにアクセスしていただきたい[2]．

B がん栄養療法における漢方の意義

化学療法による食欲不振，胃切除後の体重減少，進行がんの悪液質など，がん患者が栄養療法を必要とする場面は多い．図1のように食欲不振の原因はさまざまであり，複数の要因が関与していることが多い．栄養療法の主眼は不足する栄養素を補うことであろうが，食欲を回復させるような，より根本的なアプローチがあればぜひ取り入れたいものである．標準的な栄養療法でも効果が得られないときには漢方を発想することが突破口となろう．

食欲不振には全身倦怠感・疲労感，うつ状態，フレイル，サルコペニア，手足の冷えなど，さまざまな症状・所見が複合的に随伴することが多い．こうした混合病態には，それをまるごと全体として漢方医学的に「証」として診断し，その「証」に最適の漢方処方を選択する「方証相対」という診療過程が漢方医学に存在する．漢方処方は複数の生薬から構成される多成分系薬剤であり，1処方で種々の作用を示す（図2）．

漢方の特徴に補剤の存在があるが，3大補剤といわれる補中益気湯・十全大補湯・人参養栄

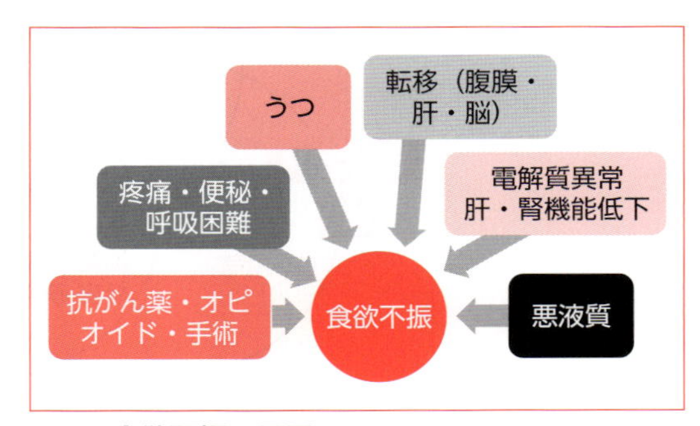

図1　食欲不振の原因

湯の構成生薬には，六君子湯の８種類の構成生薬のうち７種類がちりばめられている（図３）．がん栄養療法として，これらの処方の併用もときに行われる．

C がん栄養療法における医療用漢方製剤のエビデンス

がん患者の栄養状態の改善に医療用漢方製剤が有用であることが，基礎研究および臨床試験によって検証されている．漢方処方では六君子湯の研究が最も多く，基礎研究では，食欲増進ホルモンであるグレリンの分泌を促進し，血中グレリン濃度を上昇させる作用や，脳の視床下部におけるグレリン受容体の発現を増加させる作用などが解明されている[3)]．臨床試験では，胃がんと肺がんにおけるクロスオーバー RCT が報告されている．いずれも六君子湯の投与により食欲不振が有意に改善し，特に肺がんでの研究[4)]では，化学療法５日目で血中アシルグレリン値が有意に上昇することが示された．

人参養栄湯の基礎研究では，視床下部のニューロペプチド Y ニューロンを介した経路[5)]とオレキシン１受容体を介した経路[6)]によって，人参養栄湯が摂食促進に作用することが解明されている．臨床的には，1992 年に大腸がんの術後に人参養栄湯を服用すると免疫関連指標が有意に改善したが，栄養指標に非投与群との間に有意差はなかった[7)]．現在栄養状態の改善を主要評価項目として，大腸がんの化学療法に人参養栄湯を併用する意義を検証する多施設共同 RCT（研究代表者：筆者）が進行中である[8)]．

図２　漢方の診断と治療（方証相対）

D がん栄養療法に活用される漢方処方例

以下のような症例を呈示する．

60 歳代の女性．再発卵巣がんの化学療法としてカルボプラチン＋パクリタキセル療法を受けていたが，治療後１週間は食欲不振に苦しみ，体重が数キロ減少した．しかし，１週間後には徐々に食欲が改善するということを繰り返していた．再発がんのため今後のことに不安が多く，うつ状態となっていた．そこで食欲不振に六君

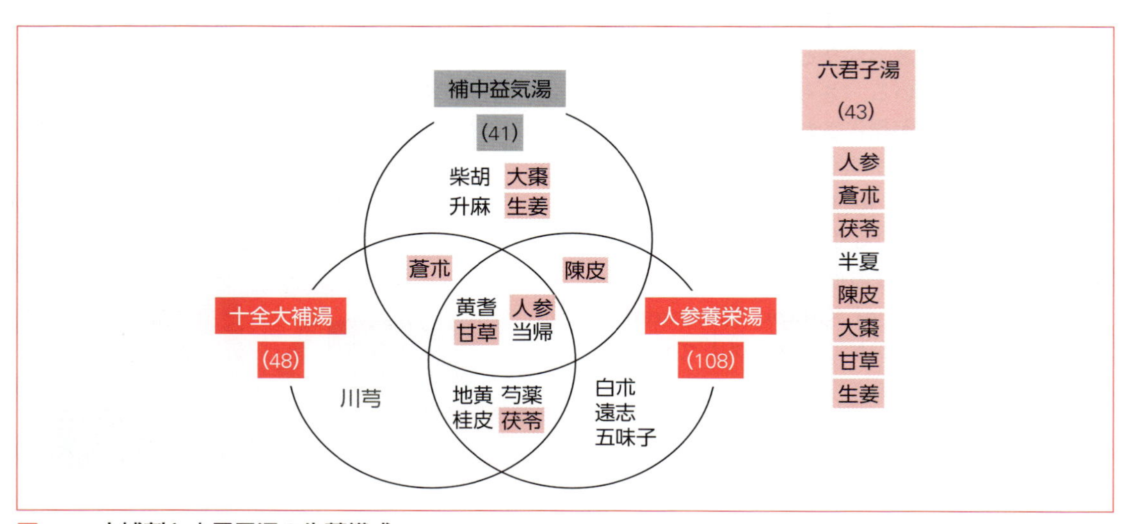

図３　３大補剤と六君子湯の生薬構成

子湯，うつ状態に香蘇散を併用処方した．その結果，3週間後の再診時から食欲が回復し，以後同処方で本来の化学療法を継続できた．これにより体重減少もなく，少し身体を動かしたり，料理の献立を考えようという意欲が湧いてきたという．

70歳代の女性．大量腹水で発症した原発不明がんで，1ヵ月の精査にもかかわらず原発不明であったので，カルボプラチン＋パクリタキセル療法を開始した．化学療法後10日間は食欲不振となり，体重が30 kg前後まで減少した．食欲不振に加えて，全身倦怠感・不眠症（中途覚醒が主）・貧血があったので，これらを使用目標に人参養栄湯を投与したところ，3週間後の再診時は食欲が改善傾向を示し，以後徐々に全身状態が改善し，当初の化学療法レジメンを100％の相対用量強度で施行できた．その結果，大量腹水は消失し，Performance Status（PS）はゼロとなり，人参養栄湯を併用しながら化学療法はパクリタキセル＋ベバシズマブに変更し継続した．体重は40 kgまで増加し，あまりに状態が良好なので，ボランティアをしたいという希望が出て，家族や看護師が驚いたくらいであった．診断後約5年間ほぼ外来診療のみで経過した．

E　医療用漢方製剤の服薬上の工夫

漢方というと，まず「味や匂いが受け付けない，飲めない」という苦情が問題となる．錠剤やカプセル剤があるが，その錠数が多い（医療用1日27錠など）ので驚く患者がいる．コロナ禍で処方される麻黄附子細辛湯をカプセルで処方する医師も多い．

「粉薬ですが」と断って，先入観に左右されず普通に服用下さいと伝えると案外問題なく服用できる患者が多い．むしろ医療関係者に「漢方は飲みにくい」という先入観があるようだが，それをそのまま患者に伝えることは避けていただきたい．

苦いものには苦いコーヒーや，甘いココアなどに混ぜて電子レンジで温めるような工夫もされている．「水オブラート法」は，漢方薬1包をオブラートに包み，コップの水のなかに浸し，馴染んだ頃に水とともに飲む方法である．また「氷漢方」として，漢方エキス製剤を水に溶かして製氷機でキュービックアイスにして，口に含みながらゆっくり服用してもらう方法も，特に口内炎の治療に試行されている．

ここは管理栄養士の出番である．素材・味・香りなど，何が服薬の支障になっているのかを明らかにして，問題解消に貢献していただきたい．これにより漢方の恩恵に浴し，西洋医学だけでは解決しなかった悩みを克服できる患者が一人でも増えることを期待したい．

F　医療用漢方製剤の副作用

漢方薬はあくまでも薬であるので，副作用を最小限にして安全性を優先させることはいうまでもない．ここでは管理栄養士として知っておくべき漢方薬の副作用について述べる．

まずは有名な甘草による偽アルドステロン症である．偽アルドステロン症とは，血中アルドステロン濃度は上昇しないのにアルドステロン症と似た症状・所見（浮腫・高血圧・低カリウム血症）を呈する病態である．その発症機序は，甘草の主な構成成分であるグリチルリチン酸がグリチルレチン酸となり，血中に移行後，内因性のコルチゾールを不活性化する11β-ヒドロキシステロイドデヒドロゲナーゼ2を阻害することにより，増加したコルチゾールがミネラルコルチコイド受容体に結合し，アルドステロンと同じ作用（ナトリウムの再吸収促進，カリウム排泄増加）を示すと考えられている．しかし，原因物質がグリチルレチン酸であるかは不明である．臨床的に偽アルドステロン症が疑われた場合は，甘草を含む漢方処方あるいは市販の甘草（リコリス）含有サプリメントなどの服用歴を確認し，それらを直ちに中止することが重要である．

間質性肺炎はどの薬剤でも起こりうる重大な副作用であり，呼吸困難感を訴えて病院を受診することが多い．漢方製剤では生薬オウゴンを含む処方で多いとされているが，オウゴンを含まない処方でも報告されている[9]．

その他，胃もたれなどの消化器症状，かゆみや発疹などの皮膚症状が日常診療でみられる．まれであるが，生薬サンシシを含む処方（加味逍遙散，黄連解毒湯，辛夷清肺湯など）を5年以上服用すると，腸間膜静脈硬化症が起こりやすくなる．右側結腸に起こりやすく，腹痛や腹部膨満感などの症状を呈する．本来上記のような漢方処方は長期投与しないが，加味逍遙散は女性の更年期障害や不定愁訴に漫然と投与されることがあるので，要注意である．また，マオウは交感神経刺激作用があるので，動悸・不眠などをきたすことがある．葛根湯や小青竜湯などは眠くならない風邪薬として使われるが，心血管系の基礎疾患を持つ高齢者に投与すると，脳卒中や心臓発作のリスクが高くなる．

G　がん栄養療法と漢方の今後の展望

現在はまだ漢方を発想できない診療現場が多く，カンファレンスなどでも漢方処方が議論にあげられることは少ない．それには医療者が漢方のことをよく知らない，エビデンスが十分証明されていない，「漢方は飲みにくい」という先入観がある，特に終末期には経口摂取不能となり漢方薬が服用できない，などさまざまな要因がある．

漢方処方の構成生薬には食品の素材と考えられるようなものがある．たとえばショウキョウは生姜，チンピはミカンの皮，ケイヒはシナモン，ボレイは牡蠣貝，タイソウは棗（ナツメ），ソヨウは紫蘇の葉，などである．人工的な化学薬品とは異なるこうした自然の生薬を含む漢方製剤を保険診療で活用できることは，現代医療において貴重なことと考えられる．

医師をはじめ医療スタッフが漢方のことをさらに知り，具体的な処方名が医療チームの共通言語になれば，患者に最適な医療・ケアを提供できるであろう．

文献

1）Motoo Y, Cameron S：Kampo medicines for supportive care of patients with cancer：A brief review. Integr Med Res **11**：100839, 2022
2）Motoo Y：Role of Kampo medicine in modern cancer therapy：towards completion of standard treatment. J Nippon Med Sch **89**：139–144, 2022
3）Motoo Y, Arai I, Kogure T et al：Review of the first 20 years of the Evidence-Based Medicine Committee of the Japan Society for Oriental Medicine. Trad Kampo Med **8**：123–129, 2021
4）Yoshiya T, Mimae T, Ito M et al：Prospective, randomized, cross-over pilot study of the effects of Rikkunshito, a Japanese traditional herbal medicine, on anorexia and plasma-acylated ghrelin levels in lung cancer patients undergoing cisplatin-based chemotherapy. Invest New Drugs **38**：485–492, 2020
5）Goswami C, Dezaki K, Wang L et al：Ninjin'yoeito targets distinct Ca(2+) channels to activate ghrelin-responsive vs. unresponsive NPY neurons in the arcuate nucleus. Front Nutr **7**：104, 2020
6）Miyano K, Ohshima K, Suzuki N, et al：Japanese herbal medicine ninjinyoeito mediates its orexigenic properties partially by activating orexin 1 receptors. Front Nutr **7**：5, 2020
7）荒木靖三，田中　保，緒方　裕，ほか：大腸癌術後に及ぼす漢方方剤の免疫学的検討．新薬と臨床 **41**：1670–1676, 1992
8）Motoo Y, Shinozaki K, Takagi T, et al：Randomized controlled trial of the significance of combined use with Ninjin'yoeito in CapeOX＋Bmab therapy for patients with unresectable advanced/recurrent colorectal cancer. A protocol for study on efficacy, safety, and interaction (NYX study). Medicine Case Reports and Study Protocols **3**：e0196, 2022
9）Arai I, Harada Y, Koda H et al：Estimated incidence per population of adverse drug reactions to Kampo medicines from the Japanese adverse drug event report database (JADER). Trad Kampo Med **7**：3–16, 2020

(4) がん臨床研究等の倫理指針

*1 愛媛大学大学院地域医療学
*2 愛媛大学大学院消化器・内分泌・代謝内科学
徳本 良雄[*1], 日浅 陽一[*2]

A 人を対象とした研究に関する倫理指針

これまで，人を対象とする研究に関する倫理指針は,「ヒトゲノム・遺伝子解析研究に関する倫理指針」(2001年3月策定）のほか,「疫学研究に関する倫理指針」(2002年6月策定),「臨床研究に関する倫理指針」(2003年7月策定)などが策定されてきた．文部科学省と厚生労働省により，疫学研究と臨床研究の倫理指針は「人を対象とする医学系研究に関する倫理指針」(2014年12月策定）に統一された．さらに，2017年2月に個人情報保護法の改正に対応した倫理指針の改定が行われた．

ヒトゲノム・遺伝子解析研究と医学系研究の倫理指針には重複する範囲が多く，一方で必ずしも共通事項の記載が統一されていないという問題点があった．さらに，遺伝情報提供に関する苦情・相談窓口の充実，臨床倫理委員会等が下した判断の妥当性に関する評価が必要とされた．倫理指針の統合を目指して検討を進め，2001年に文部科学省，厚生労働省，経済産業省の3省が「人を対象とする生命科学・医学系研究に関する倫理指針」(2021年3月23日)[1]を告示した．

この倫理指針では，侵襲，研究責任者の責務，倫理審査委員会，インフォームド・コンセント，個人情報等の取扱い等の共通する項目について記載の統一化を図ったうえで，遺伝カウンセリングやモニタリング・監査といった個別事項について記載されている．また，多機関共同研究については，研究代表者が代表して自施設の倫理審査委員会による審査を求めることとなり，その後に各研究機関の長に実施許可を求めることで研究が可能となった．さらに，研究責任者が研究計画書の作成と審査申請を行い，重篤な有害事象が発生した場合の大臣報告の責務を負うこととなった．

臨床研究法に規定される「医薬品等を用いた臨床研究」以外の人を対象とした研究は，本倫理指針を遵守して研究を実施する必要がある[2]．

B 臨床研究法制定の背景

これまで，医薬品等を用いた臨床研究を行う場合,「臨床研究に関する倫理指針」等の倫理指針に準拠して研究を行っていた．研究代表責任者が研究計画を研究機関の管理者に申請すると，倫理審査委員会による審議，意見があり，管理者が実施許可を出すことで，研究を開始していた．倫理指針では，インフォームド・コンセントの実施，研究者の責務，倫理審査委員会での審査等の遵守すべき事項が示されているが，法に基づく規制ではないため，指針から逸脱があった場合に罰則を科すことはできなかった（公的研究費による臨床研究では研究費返還等の規定あり)．さらに，医薬品等を製造する企業等が，当該医薬品等を用いた臨床研究を行う研究者，研究機関に資金を提供する場合，奨学寄付金として提供することが一般的であり，資金提供等に係る透明性，利益相反が問題となっていた．さらに，資金提供に関する情報公開は日本製薬工業協会による「企業活動と医療機関等の関係の透明性ガイドライン」や，一般社団法人日本医療機器産業連合会の「医療機器業界における医療機関等との透明性ガイドライン」に基づいて企業等の判断による自主開示が行われていた．

このような状況の中で，2013年に高血圧症治療薬に係る臨床研究の不正が契機となり，研究結果の信頼性及び研究者の利益相反等が社会問題となった．厚生労働省は「高血圧症治療薬の臨床研究事案に関する検討委員会」を設置し，医師，臨床研究コーディネーター（CRC），生物統計家，法律家，マスコミ，患者代表，製薬企業関係者等の有識者から選ばれた委員による検討が行われた．2014年4月11日に「高血圧症治療薬の臨床研究事案を踏まえた対応及び再発防止策について」[3]として，とりまとめた結果の報告が行われた．この中で，今後の再発防止策として，「信頼回復のための法制度の必要性」，「臨床研究の質の確保と被験者保護」，「研究支援に係る製薬企業の透明性確保及び管理体制並びに製薬企業のガバナンス等」への対応があげられた．

さらに，「臨床研究に係る制度の在り方に関する検討会」が設けられ，臨床研究の質，被験者の保護，企業等からの資金提供ならびに労務提供に関する透明性の確保，臨床研究における研究者および実施機関における利益相反管理について検討し，2014年12月に報告書をとりまとめた．報告書では，「倫理指針の遵守を求めるだけではなく，欧米の規制を参考に一定の範囲の臨床研究について法規制が必要」と結論づけている．一方，臨床研究の場に法規制を導入することで研究者の負担増が予想された．そのため，法規制の効果について十分な研究者の理解を得ること，臨床研究のリスクに応じた柔軟な対応を図るなど，研究者に過度な負担を課すことがないように配慮が必要としている．また，一定の移行，準備期間が必要なため，研究の現場への影響を考慮して，法規制の適切なタイミングを十分検討すべきとした．

これらの経緯を経て，臨床研究法案は2015年の国会に提出された．2017年4月に成立し，施行規則など実施に係る政令，省令などを整備した後，2018年4月に施行された．

 研究の規制区分

医療に関係する研究を行う場合，研究内容により遵守する基準が異なる[4]（図1）．医薬品等（医薬品，医療機器，再生医療等製品）を用いる臨床研究には，治験，特定臨床研究，承認され適応のある医薬品等を用いた臨床研究がある．

治験は，承認申請を目的とした医薬品等の臨床試験であり，「医薬品，医療機器等の品質，有効性及び安全性の確保等に関する法律」（医薬品医療機器等法または薬機法，旧薬事法）に基づく「医薬品の臨床試験の実施の基準に関する省令」（GCP省令）（平成9年厚生省令第28号）[5]により基準遵守義務が生じている．日米EU医薬品規制調和国際会議（ICH）は，それぞれの規制当局，産業界代表から構成されており，新薬の承認審査における統一ガイドライン（ICH-GCP）を作成し，国際的な医薬品に関する臨床試験成績の相互受け入れ促進を目的とした活動を行っている．わが国からもICHに参加しており，GCP省令はICH-GCPに準拠した内容となっている．しかし，わが国は欧米と異なり治験実施医療機関が治験依頼者と契約を結ぶことが一般的であり，GCP省令では治験責任医師，実施医療機関それぞれについて契約に関する規定を示すなど，ICH-GCPとの相違が一部に存在することを知っておく必要がある．

未承認，適応外の医薬品等の臨床研究及び製薬企業等から資金提供を受けた医薬品等の臨床研究は特定臨床研究に位置づけられ，臨床研究法により基準遵守義務が課せられている．これら以外の医薬品等の臨床研究は，臨床研究法に基準遵守が努力義務として示されている．一方，手術や手技に関する臨床研究や観察研究は，「臨床研究に関する倫理指針」と「疫学研究に関する倫理指針」を統合した「人を対象とする生命科学・医学系研究に関する倫理指針」[1]に添って実施する．ただし，手術や手技のうち，先端的な科学技術を用いるか，十分な科学的知見が得られていない医療行為については，技術の個別性，多様性，普及性，資金提供の受けやすさ

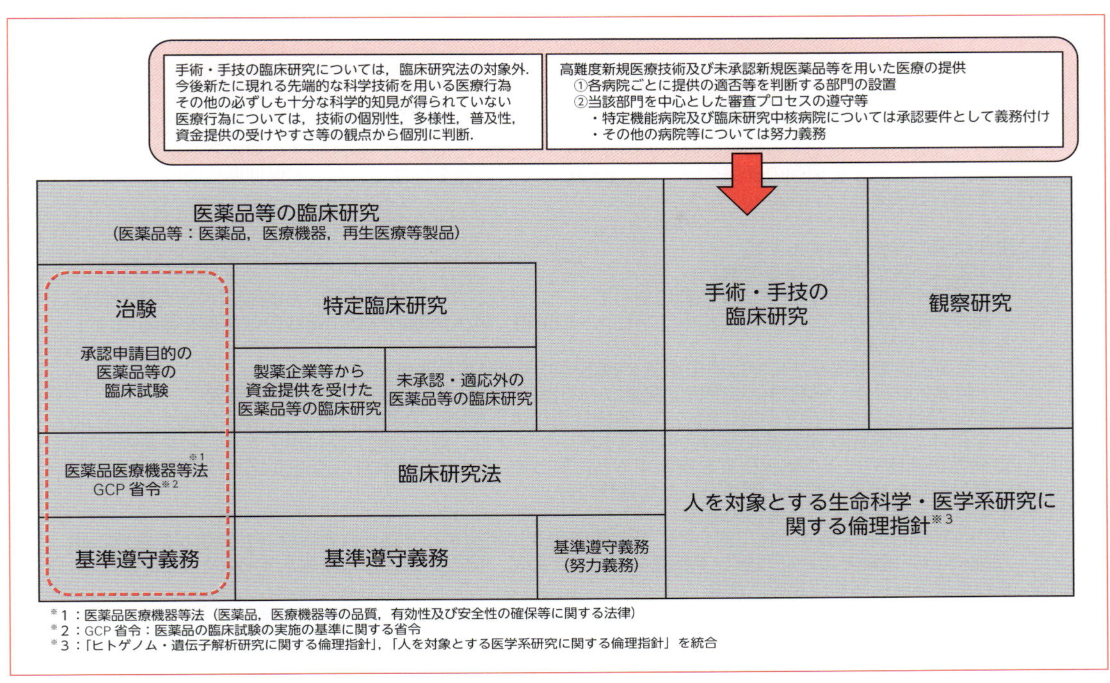

図1　医療に関係する研究と遵守すべき倫理指針及び法律

［臨床研究法の概要（https://www.mhlw.go.jp/content/10800000/000647734.pdf）を参考に作成］

等の観点から個別に判断する必要が臨床研究法により示されている．高難度新規医療技術及び未承認新規医薬品等を用いた医療の提供については，病院ごとに提供の適否等を判断する部門を設置するとともに，当該部門を中心とした審査プロセスの遵守等を特定機能病院及び臨床研究中核病院については承認要件として義務付け，その他の病院等については努力義務としている．

D　臨床研究法

臨床研究法[2]（図2）で規定する臨床研究とは，医薬品等（医薬品，医療機器，再生医療等製品）を人に対して投与又は医療行為として用いることにより，当該医薬品等の有効性又は安全性を明らかにする研究のうち，医薬品医療機器等法で規定する治験及び製造販売後臨床試験（企業が試験の計画・運営の責任を負うべき場合）を除いた研究である．製造販売後臨床試験については，緊急承認等における使用成績評価並びに再審査及び再評価に関する研究が対象であったが，2022年の省令改正により範囲が拡大された．

特定臨床研究[4]とは，臨床研究のうち，企業等から資金の提供を受けて，当該企業等が製造販売もしくは製造販売を予定している医薬品等を用いて実施する臨床研究及び，医薬品医療機器等法で未承認又は適応外の医薬品等を評価対象として実施する研究と規定される．

E　特定臨床研究の流れ

特定臨床研究の実施にあたり，①特定臨床研究実施者は実施計画を厚生労働大臣が認定した認定臨床研究審査委員会に実施計画書を提出する．②委員会で実施計画の審査及び意見を行う．③特定臨床研究実施者は，臨床研究等提出・公開システム（jRCT：Japan Registry of Clinical Trials）（https://jrct.niph.go.jp/）により委員会の意見を添付した実施計画を厚生労働大臣に提出し，jRCTで公開された後に研究を開始することができる（図3）．

特定臨床研究では，実施計画に基づいて，特

臨床研究法（平成29年法律第16号）の概要

臨床研究の実施の手続，認定臨床研究審査委員会による審査意見業務の適切な実施のための措置，臨床研究に関する資金等の提供に関する情報の公表の制度等を定めることにより，臨床研究の対象者をはじめとする国民の臨床研究に対する信頼の確保を図ることを通じてその実施を推進し，もって保健衛生の向上に寄与することを目的とする．

1．臨床研究の実施に関する手続

(1) 特定臨床研究の実施に係る措置

① 以下の特定臨床研究を実施する者に対して，モニタリング・監査の実施，利益相反の管理等の実施基準の遵守及びインフォームド・コンセントの取得，個人情報の保護，記録の保存等を義務付け．

※ 特定臨床研究とは
- 医薬品医療機器等法における未承認・適応外の医薬品等の臨床研究
- 製薬企業等から資金提供を受けて実施される当該製薬企業等の医薬品等の臨床研究

② 特定臨床研究を実施する者に対して，実施計画による実施の適否等について，厚生労働大臣の認定を受けた認定臨床研究審査委員会の意見を聴いたうえで，厚生労働大臣に提出することを義務付け．

③ 特定臨床研究以外の臨床研究を実施する者に対して，①の実施基準等の遵守及び②の認定臨床研究審査委員会への意見聴取に努めることを義務付け．

(2) 重篤な疾病等が発生した場合の報告

特定臨床研究を実施する者に対して，特定臨床研究に起因すると疑われる疾病等が発生した場合，認定臨床研究審査委員会に報告して意見を聴くとともに，厚生労働大臣にも報告することを義務付け．

(3) 実施基準違反に対する指導・監督

① 厚生労働大臣は改善命令を行い，これに従わない場合には特定臨床研究の停止を命じることができる．

② 厚生労働大臣は，保健衛生上の危害の発生・拡大防止のために必要な場合には，改善命令を経ることなく特定臨床研究の停止等を命じることができる．

2．製薬企業等の講ずべき措置

① 製薬企業等に対して，当該製薬企業等の医薬品等の臨床研究に対して資金を提供する際の契約の締結を義務付け．

② 製薬企業等に対して，当該製薬企業等の医薬品等の臨床研究に関する資金提供の情報等（臨床研究法施行規則により規定）の公表を義務付け．

図2　臨床研究法の概要

［臨床研究法の概要（https://www.mhlw.go.jp/content/10800000/000647734.pdf）より引用］

定臨床研究実施者が適切なインフォームド・コンセントの取得，記録の作成・保存，研究対象者の秘密保持を実施するだけでなく，臨床研究実施基準にある臨床研究の実施体制，設備等，モニタリング・監査の実施，健康被害の補償・医療の提供，製薬企業等との利益相反管理について遵守する義務がある．

特定臨床研究に起因することが疑われる疾病・死亡・障害・感染症の全ては認定臨床研究審査委員会に報告する義務がある．また，そのうち予期しない重篤なイベントについては医薬品医療機器総合機構（PMDA）に報告することが義務付けられており，PMDAは情報の整理や調査を行って，厚生労働大臣に通知する．厚生労働大臣は，認定臨床研究審査委員会から受けた報告と，PMDAからの通知を毎年度とりまとめて，厚生科学審議会（臨床研究部会）から意見を聴取し，必要に応じて保健衛生上の危害の発生・拡大を防止するために必要な措置をとることとされている[4]（図4）．

利益相反の観点から，自社製品を用いる特定臨床研究について企業側にも義務が課せられている．特定臨床研究実施責任者及びその所属する機関への資金提供について企業等は情報を毎年公表する義務がある．また，企業等が自社製品を用いる特定臨床研究に資金提供を行うときは，研究機関または特定臨床研究実施者との契約を締結して行うこととされている．これらに違反した場合，厚生労働大臣は勧告を行い，従わない場合は企業等を公表できる．

これらの手順に違反した場合，厚生労働省は立入検査や特定臨床研究実施者からの報告を受け，特定臨床研究実施者や認定臨床研究審査委員会に対して改善命令を出すことができる．命

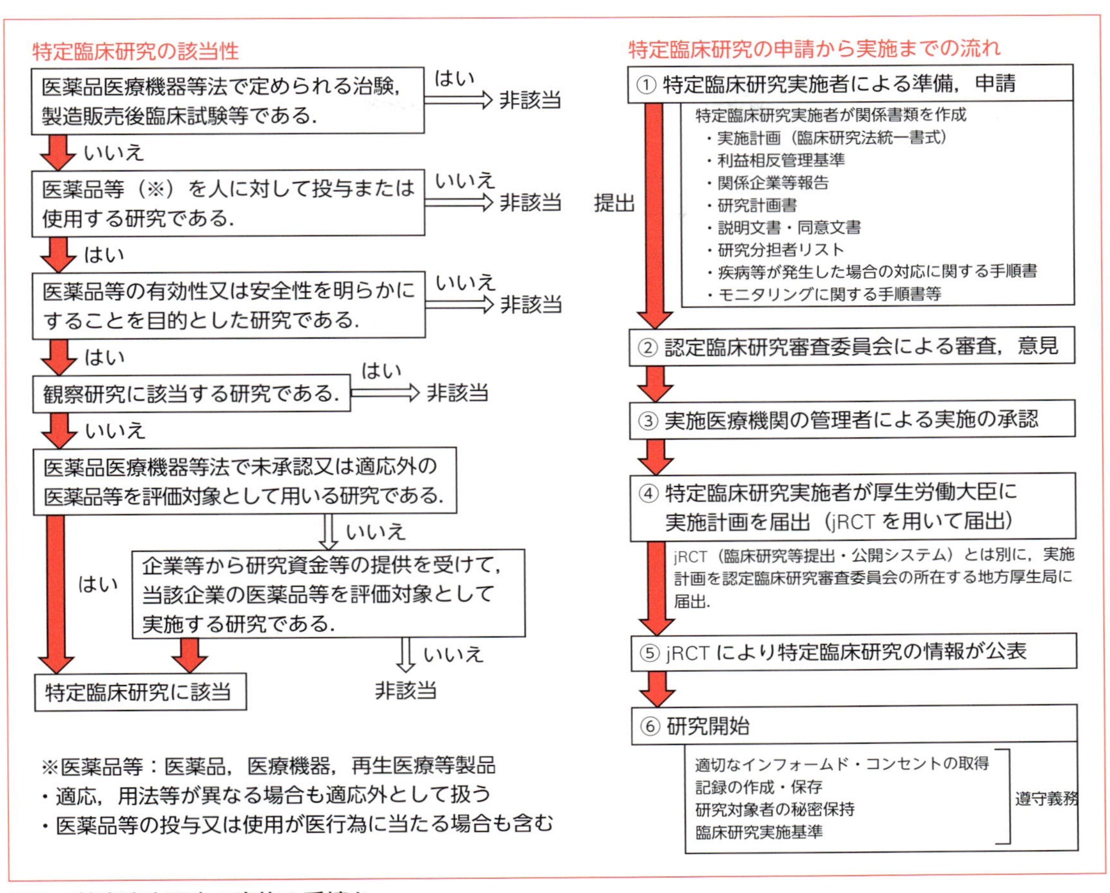

図 3　特定臨床研究の実施の手続き

令を受けてなお改善されない場合は，研究の一部または全部の停止命令を発し，最終的に罰則を科すことができる．ただし，保健衛生上の危害の発生や拡大防止のため必要な場合は，改善命令を省略して研究の停止等についての緊急命令を出すことが可能である．また，立ち入り検査の忌避や虚偽の報告があった場合には命令を行わず，直接罰則を科すことができる．命令違反であれば，3 年以下の懲役もしくは 300 万円以下の罰金，または両者と規定されており，秘密を漏らした場合は 1 年以下の懲役または 100 万円以下の罰金，特定臨床研究の実施に関する違反は 50 万円以下の罰金である．臨床研究実施者だけでなく，企業等の関係者や法人についても罰則が定められており，特定臨床研究に携わる関係者全てに適切な研究の実施と基準の遵守義務がある．

F　臨床研究法に基づく臨床研究の実施状況

第 32 回厚生科学審議会臨床研究部会の参考資料[6]では，2023 年 1 月 1 日時点で，95 の認定臨床研究審査委員会が設置され，内訳は国立大学法人が 39，学校法人が 22，独立行政法人及び地方独立行政法人が 18，特定非営利活動法人が 5，法人が 2，病院・診療所の開設者が 9 であった．

2019 年度は 424 件，2020 年度は 429 件，2021 年度は 403 件と年度 400 件以上の特定臨床研究が新規に jRCT で公表されている．非特定臨床研究を jRCT で公表することは努力義務

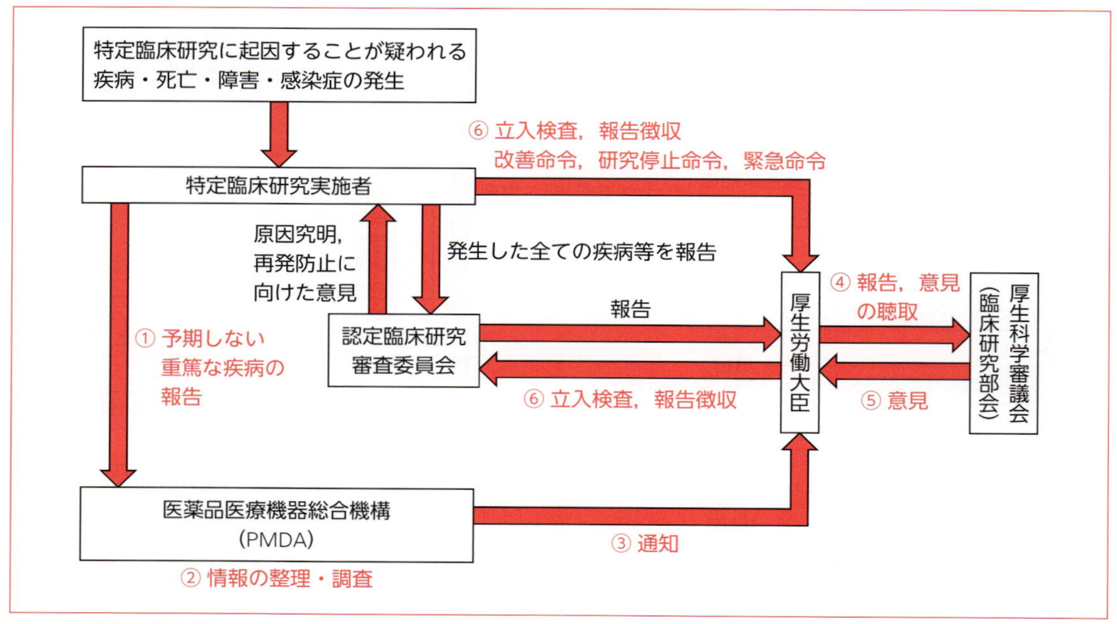

図 4　重篤な疾病等の報告

［臨床研究法の概要（https://www.mhlw.go.jp/content/10800000/000647734.pdf）を参考に作成］

であり，2019 年度から 2021 年度にかけて，64 件から 118 件と公表件数の増加がみられている．

これまで，企業等が新規に開始する治験は，これまで，Japic，JMACCT，jRCT のいずれかのデータベースに登録することになっていたが，2020 年に行われた医薬品医療機器等法の改正により，jRCT に登録先が一本化された．2021 年度は企業治験 609 件，医師主導治験 77 件が新規に公表されている．

G 臨床研究の該当性

研究を行う場合に臨床研究に該当するか，さらに特定臨床研究に該当するかは重要な問題である．厚生労働省の「臨床研究法について」[7] 内に，「臨床研究法の施行等に関する Q & A（統合版）について」（令和元年 11 月 13 日厚生労働省医政局研究開発振興課／医薬・生活衛生局監視指導・麻薬対策課事務連絡）と「臨床研究法の対象となる臨床研究等の事例集について（その 1）等の改訂について」（令和 4 年 3 月 31 日厚生労働省医政局研究開発振興課事務連絡）があり，これらの問答と事例を参考に該当性を判断していく．なお，臨床研究の該当性は 17 問，特定臨床研究の該当性は 9 問設定されている．

がん病態栄養管理栄養士が栄養療法等に関して臨床研究を実施する時に注意を要する問答についてまとめておく．

「医薬品」の定義は，医薬品医療機器等法第 2 条第 1 項の規定に基づき，「日本薬局方に収載されている物」，「人の疾病の診断，治療又は予防に使用されることが目的とされている物」，「人の身体の構造又は機能に影響を及ぼすことが目的とされている物」であり，医薬部外品に該当する物は除く．食品やサプリメントであっても，医薬品等に該当する可能性があることには注意を要する．「サプリメント」，もしくはその成分を含有する物を，患者等に摂取させることで，その物の疾病の治療に対する有効性を明らかにすることを目的とした場合には臨床研究法上の医薬品等として扱う必要がある．「食品」についても同様の考え方を行う．このように医薬品等に該当するかについて判断が難しい場合は，研究計画等の資料を添えて，都道府県等の薬務担当部署に相談し，判断を受けることを推奨している．

ただし，単に食事療法（食材の種類や量，食事の時間等の調整）であり，特定の成分をサプリメントや食品の形式で患者等に摂取させる方法をとらない場合は，有効性と安全性を明らかにすることを目的にした研究であっても臨床研究に該当しない．また，有効性や安全性の評価を目的としない，飲みやすさ，塗りやすさ等の使用感について意見を聴く調査は臨床研究に該当しない．

このように，研究の目的，投与する物が医薬品等に該当するかにより，臨床研究の該当有無が分かれることから，研究を計画する時には，上記問答集などを参考にして，疑問が生じた場合には，都道府県の担当部署に事前に相談しておく必要がある．

文献

1）厚生労働省：研究に関する指針について（https://www.mhlw.go.jp/stf/seisakunitsuite/bunya/hokabunya/kenkyujigyou/i-kenkyu/index.html）
2）e-Gov：臨床研究法（平成二十九年法律第十六号）（https://elaws.e-gov.go.jp/document?lawid=429AC0000000016）
3）高血圧症治療薬の臨床研究事案に関する検討委員会：高血圧症治療薬の臨床研究事案を踏まえた対応及び再発防止策について（報告書）（https://www.mhlw.go.jp/stf/shingi/0000043367.html）
4）厚生労働省：臨床研究法の概要（https://www.mhlw.go.jp/content/10800000/000647734.pdf）
5）e-Gov：医薬品の臨床試験の実施の基準に関する省令（https://elaws.e-gov.go.jp/document?lawid=409M50000100028_20220520_504M60000100084）
6）厚生労働省：第32回厚生科学審議会臨床研究部会参考資料1「認定臨床研究審査委員会の設置状況と臨床研究法施行状況」（https://www.mhlw.go.jp/content/10808000/001043263.pdf）
7）厚生労働省：臨床研究法について（https://www.mhlw.go.jp/stf/seisakunitsuite/bunya/0000163417.html）

各　論

各種がんの基礎知識と栄養管理

第1章

食道，頭頸部がん：治療の基礎知識と栄養管理

*1 一宮西病院消化器内科
*2 姫路赤十字病院
*3 岡山大学病院消化管外科
*4 おのだ耳鼻咽喉科医院
堀　圭介*1，岡田裕之*2，田邊俊介*3，小野田友男*4

食道，頭頸部がん患者は高齢の男性に多く発生し，飲酒，喫煙がリスク因子となる．以前は多くが進行がんとして発見され予後不良であったが，近年内視鏡，CT など画像診断技術の発展とともに早期発見が可能となり，また治療技術の改善とともに予後も改善しつつある．

頭頸部，食道がん患者は進行がんにおいては食物の通過障害，嚥下障害を合併し，アルコール多飲による栄養障害を伴う頻度も高いため低栄養状態であることも多く，縫合不全や浮腫，肺水腫など術後合併症を避けるため術前の栄養管理も重要である．

治療法も手術，化学療法，化学放射線療法，内視鏡的治療と多岐にわたり，各治療法に伴って嚥下障害，通過障害，唾液分泌不全，放射線性の炎症に伴って起こる嚥下痛，化学療法に伴う腸管機能障害などさまざまな合併症が起こりうる．

そのため食道，頭頸部がん患者に対する治療においては治療計画の管理も重要であるが，栄養管理を行うために的確なアドバイスが可能な病態栄養専門師をはじめ，嚥下評価およびリハビリテーションを行う言語聴覚士，理学療法士，ベッドサイドでの状態をモニタする看護師も含めた総合的なチーム体制が必要である．

A 食道，頭頸部がんの病期と治療の基礎知識

食道，頭頸部がんの多くは扁平上皮がんである．根治性の点からはリンパ節郭清も含めた手術療法が最も優れているが手術侵襲，および術後の発声，嚥下，消化管機能に与える影響も大きい．早期発見が可能であった症例に対しては内視鏡的治療が行われ，予後も良好である．また，扁平上皮がんに対しては化学療法，および化学放射線療法が奏効するため術前の腫瘍縮小のための術前化学療法，および機能温存目的，手術侵襲を回避する目的での根治的化学放射線療法も行われている．

診療情報による病態把握のためには患者の食道がん，頭頸部がんの病変存在部位，病期とその治療選択についての基礎知識が必要である．咽頭，食道の解剖（図1・図2）を提示する．

食道がんは内視鏡検査，CT，PET 検査などによる臨床病期の決定の後治療方針が決定され，食道壁への浸潤の深さや他臓器への浸潤の程度，リンパ節や他臓器への転移の有無が治療方針決定に重要である．ステージ0（粘膜筋板までの浸潤）と診断された場合は食道がんの広がり（食道がんが内腔を占める短軸の割合と長軸径）を評価し，治療後狭窄のコントロールの可否を判断したうえで内視鏡的に治療される．一定の食道壁への深度以深（粘膜下層以深）へ浸潤しているものの他臓器へ浸潤しておらず，遠隔転移（3群より遠位のリンパ節，他臓器転移）を認めない症例（ステージⅠ～Ⅲ）は耐術能を評価したうえで手術療法による根治治療が選択されるが，耐術能がない場合や手術拒否例に関しては化学放射線療法が考慮される．ステージⅡ，Ⅲ症例に関しては術前化学療法の有用性が報告されており，手術前に化学療法を行

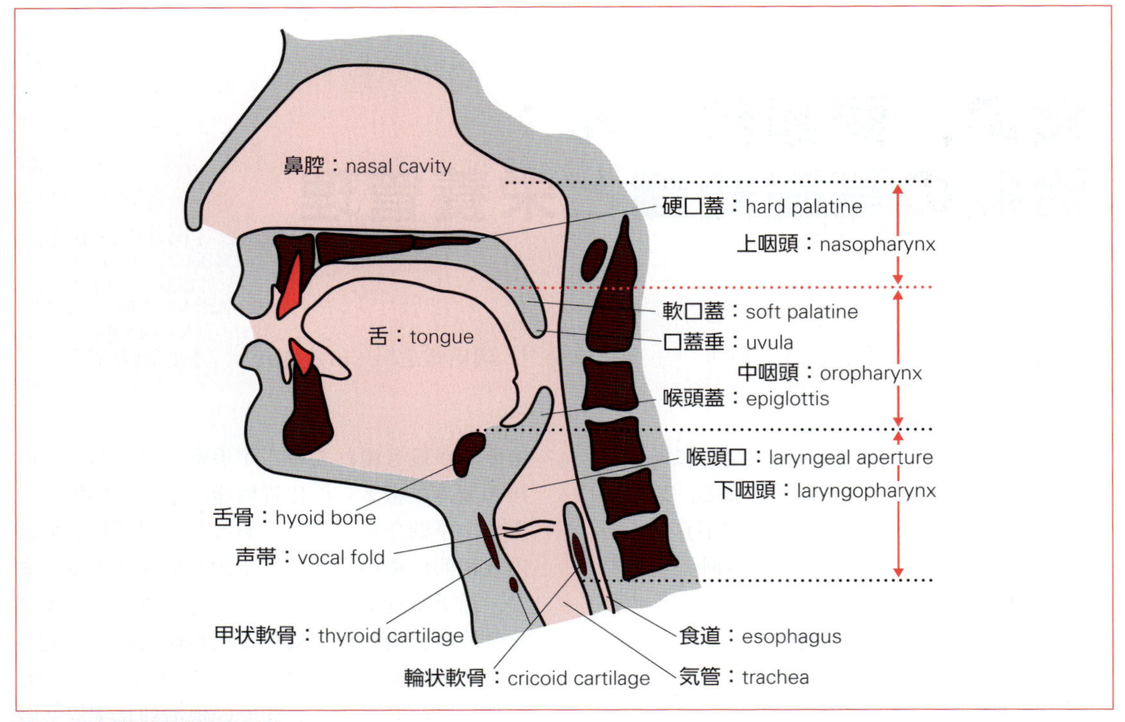

図 1　頭頸部領域の解剖図

うことが推奨されているが，手術を先行した場合は術後化学療法が考慮される．ステージⅣaは化学放射線療法が根治を期待できる治療法であり，全身状態の評価が重要となる．がんが局所を越えて進行し，全身への治療が必要なステージⅣbは化学療法が中心となるが，通過障害がある場合は緩和的放射線療法も考慮される．食道がんに対する手術療法において最も多く行われる胸部食道がんの再建方式は胃を部分的に切除して胃管を形成し，切除された食道の代わりの食物経路として引き上げて吻合する方式である．食物経路として，前胸部の皮膚の下を通す胸骨前，胸骨の下で心臓の前を通す胸骨後，もともと食道のあった心臓の後ろを通す後縦隔経路（胸腔内を含む）である（図 3）．嚥下機能の面からはもとの位置に近い再建方式ほど望ましいと考えられるが，縫合不全などの合併症の発生時のリスクの面から用いられる経路はさまざまである．

頭頸部がんに関しては，外科療法，放射線療法，化学療法，およびそれらを組み合わせて行う治療法（集学的治療）が必要となることが多い．また，切除後の形態，および機能の回復のために再建術が必要となることも多い．耳鼻科医，形成外科医，放射線科医，腫瘍内科医が互いに連携しつつ加療を行う必要性がある．発生部位にもよるが，一般的にはⅠ/Ⅱ期は外科療法を，Ⅲ/Ⅳ期のうち遠隔転移がない局所進行性のがんは切除可能であれば外科療法に補助療法として放射線療法あるいは化学放射線療法を用い，切除不能であれば化学放射線療法を中心に用いる．舌がん，口腔がんは手術療法が主体であり，上咽頭がんは放射線化学療法が主体である．中咽頭がんは症例に応じて手術療法，または化学放射線療法が選択されるが再建術式，手術手技の向上により術後の機能温存が可能となってきている．下咽頭がん，喉頭がんは早期例は喉頭温存のために放射線療法（化学放射線療法）または喉頭温存手術が選択されるが進行がんに対しては喉頭全摘術が選択される．中・下咽頭がんは内視鏡的技術の発展に伴い早期発見された表在性腫瘍に関しては内視鏡的切除術

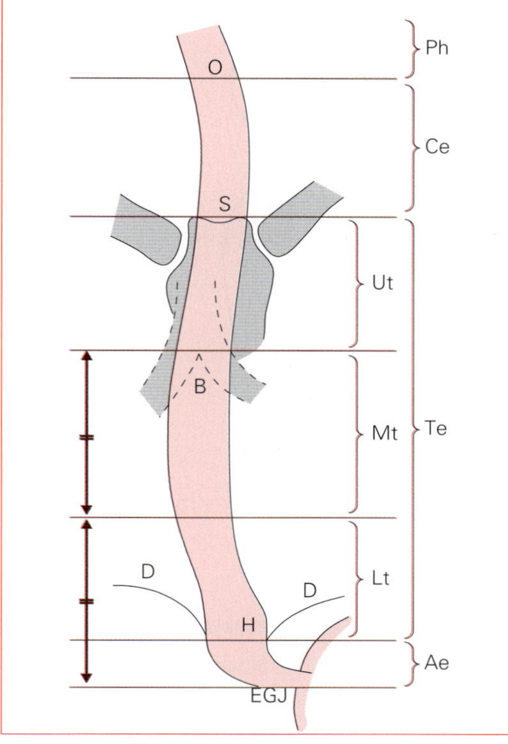

図２　食道の解剖図

O：食道入口部（esophageal orifice）
S：胸骨上縁（upper margin of the sternum）
B：気管分岐部下縁（tracheal bifurcation）
D：横隔膜（diaphragm）
EGJ：食道胃接合部（esophagogastric junction）
H：食道裂孔（esophageal hiatus）
Ph：下咽頭
Ce：頸部食道
Te：胸部食道
Ut：胸部上部食道
Mt：胸部中部食道
Lt：胸部下部食道
Ae：腹部食道

や経口的切除術が行われている．

B　栄養管理のポイントと注意点

栄養管理の主な目的は術前の評価により治療中の合併症を回避すること，および治療中の十分な栄養摂取経路の確保，および退院後継続可能な状態に回復させることである．食道，頭頸部領域がんで問題となる栄養管理のポイントにつき解説する．

❶ 術前，術後評価項目

術前，術後のスクリーニング，経過観察評価項目として，①摂取されている栄養の問診，身体計測，および採血データによる栄養状態の客観的評価，②栄養摂取経路の問題点の有無，③必要栄養投与量の推定，④合併症の有無に関する評価が必要である．詳細な各項目の評価方法については総論を参照していただきたい．

ⓐ 栄養状態の評価と原因の推定

治療前に栄養の評価（アセスメント）による一次スクリーニングを行い，介入が必要と判断された場合は低栄養の原因，および程度を判定する二次スクリーニングを行う．アセスメントに有用な項目としては近年静的栄養アセスメントから動的栄養アセスメント，予後判定アセスメントへと評価方法がより経時的に評価可能な方法に推移してきているが，簡便な介入指標として静的栄養アセスメントも有用である．低栄養状態の一次スクリーニングのために有用な評価方法として主観的包括的栄養評価（subjective global assessment：SGA），MNA，MNA-SF などが提唱されている[1]．これらは問診，身体計測で評価可能な方法である．二次スクリーニングとして SGA に引き続いて行われる客観的栄養評価（objective data assessment：ODA）は静的，動的栄養評価を組み合わせたものである．手術危険度を予測するうえでは Buzby らの提唱した予後推定栄養指標（prognostic nutritional index：PNI）が有用であり，手術後のリスク評価や栄養療法に対する反応性のモニタリングにおいて優れた指標であると考えられている[2]．

術前，治療前の栄養管理介入のためのスクリーニング指標，介入適応は各施設の NST チームが採用しているものでよいと考えられるが，欧州臨床栄養代謝学会（European Society for Clinical Nutrition and Metabolism：ESPEN）のガイドラインでは介入の適応として，①明らかな栄養不良が存在する場合，②栄養不良がない場合でも７日以上の絶食期間が予測される場合，③経口摂取量が必要エネルギーの 60％未満が 10 日以上継続することが予測される症例では術前栄養管理が推奨されており，①の指

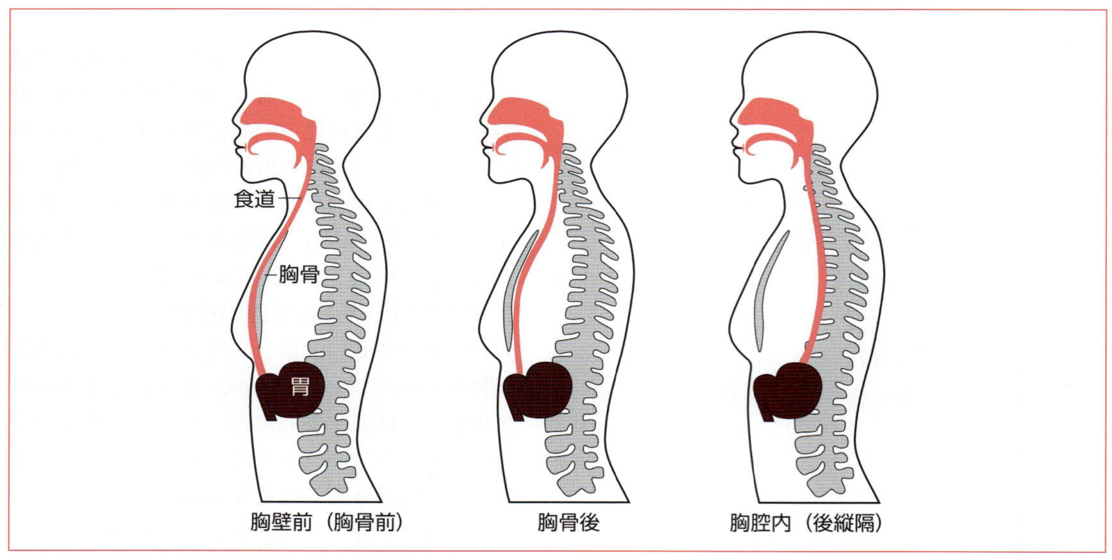

図 3　食道がん（胸部食道がん）の再建術式

表 1　治療前栄養管理介入の基準（ESPEN ガイドラインより）

1. 明らかな栄養不良が存在 6 ヵ月で体重減少が 10〜15% BMI＜18.5 SGA グレード C アルブミン＜3.0 g/dL 2. 7 日以上の絶食期間が予想される 3. 経口摂取が必要エネルギー量の 60%未満で 10 日以上継続

※1. の場合は治療を延期して栄養管理を行うことが推奨される（管理期間は 2 週間程度を目安とする）.
※再建術を要する頭頸部がん手術，食道がん手術症例は 2. 3. に該当するものと考えられる.

［文献 1 および 3 より引用］

標として 6 ヵ月で体重減少が 10〜15% 以上，BMI＜18.5，SGA グレード C，血清アルブミン値＜3.0 g/dL においては手術を延期して術前の栄養管理を行うことが推奨されている[1,3]．最新の同ガイドラインにおいては，上記の基準に該当する高度の栄養障害を認める患者に対してがん手術を含め，メジャーな手術を行う場合においては，がん手術を含め，7 から 14 日の延期を行い，術前栄養療法を行う事が強く推奨されている[4]（表 1）．また，PNI が中等度以上のリスクがあるものも介入の必要性がある．

術前に低栄養状態が存在する場合，口腔，咽頭がんに伴う咀嚼嚥下機能障害，食道狭窄による食物摂取困難による低栄養状態の存在，進行がんによる消耗性の低栄養状態を疑うが，アルコール多飲による低栄養状態もありうる．低栄養状態が摂取困難に伴うものであれば術前，治療前の経腸，経静脈的な回復が必要となる．食道，頭頸部がん患者では腸管機能は温存されているため，腸管機能を維持しうる経腸栄養が推奨されるが，脱水が高度な場合は経静脈投与も推奨される．アルコール多飲が原因のるいそうに関しては精神的要素もあり，術前の栄養改善の必要性に関する指導を要する．医師からの問診では十分な摂取状況が確認できないこともあり，メディカルスタッフからの情報提供が重要な位置を占める．

ⓑ 栄養摂取経路の問題点の評価

栄養の補給経路の評価も重要な項目である．経口摂取，経腸栄養，経静脈栄養のアルゴリズムが米国静脈経腸栄養学会（American Society for Parental and Enteral Nutrition：ASPEN）ガイドラインに記載されており，可能な限り経口摂取→経腸栄養→経静脈栄養の順で投与経路を選択する[5]．食道，頭頸部がん患者は嚥下咀嚼機能の低下，消化管閉塞による経口摂取困難な状況にあることが多く，治療に伴う侵襲による嚥下，咀嚼機能低下，および消化管機能低下による摂取困難状況も生じる．できる限り生理的なルートを選択することが望まれるが病態に応じて経口，経腸栄養の併用を心がけ免疫力を維持する方向での計画作成が望まれる．問診による経口摂取可能状況についてのスクリーニングを行い，嚥下造影検査（video fluoroscopic examination of swallowing：VE）や嚥下内視鏡検査（video endoscopic examination of swallowing：VF），食道造影検査，上部消化管内視鏡検査にて嚥下機能，および消化管閉塞の有無を確認し栄養の補給経路を決定する．術後，治療中のモニタリングとして間接訓練による口腔ケア，訓練食によるベッドサイドでの嚥下評価に応じた食種の変更時期の決定も重要である．栄養の補給経路の決定には医師，言語聴覚士，理学療法士との連携が不可欠であるが，経口摂取可能な特別食，病態に応じた経腸栄養の種類および形態の情報提供において管理栄養士が，またその補給に伴う実際の状況判断に看護師が果たす役割は大きい．

ⓒ 必要カロリーの推定

必要なカロリー摂取量は基礎エネルギー摂取量（basal energy expenditure：BEE）を Harris-Benedict の近似式を用いて計算し，BEE×活動係数（activity factor）×侵襲因子（stress factor）計算する．がん患者のストレス係数は 1.1～1.2 と計算されることが多いが，患者個々による変動も大きいとの報告もあり，間接熱量測定器を用いて必要エネルギーを求めることが理想ではあるが実際には困難であることも多い[6,7]．がん患者の必要エネルギーは日常生活で 30～35 kcal/kg/日，ベッド上で 20～25 kcal/日，悪液質にいたった患者に関してはこれよりやや多いとの報告もある[8]．まずは近似式または報告値に基づいて設定し，モニタリングにて適宜指摘カロリーに修正していくことも重要である．悪液質の患者に対する栄養状態の改善はがんによる全身性の炎症のため困難なことが多いが，不十分な経口摂取により低栄養状態をきたす患者に対しては経腸栄養の併用で QOL の改善に役立つと報告されている．ただし，余命 2 週間程の終末期にいたっている患者における水分，栄養の過剰な投与は身体にとって有害となることが多く，水分投与を 15～25 mL/kg/日，カロリーも 5～15 kcal/kg/日に減量する必要がある．

ⓓ 合併症の評価

採血データ，胸部 X 線，CT より合併症の有無を確認することも重要である．食道，頭頸部がん患者はアルコール多飲による肝硬変，糖尿病および腎機能障害，長期喫煙の影響による肺気腫，慢性気管支炎，嚥下障害に伴う誤嚥性肺炎を併発しやすい．合併症に応じて必要な食種，および形態を検討する必要性がある．また，治療中の合併症として吻合部狭窄，縫合不全，誤嚥性肺炎があり，定期的なモニタリングにより早期に合併症に対する対策，および栄養投与経路の変更を講じる必要性がある．

❷ 栄養管理

術前，治療前においては術後合併症を予防する目的で，治療後，治療中は術後喪失する機能，治療に伴う合併症に応じて栄養管理を行う必要性がある．

食道，頭頸部がん患者は嚥下障害を伴うことが多く，化学療法による食欲低下も問題となる．用いられる食種は多岐にわたるが，主に周術期，経口摂取困難時の経腸栄養による補助，嚥下咀嚼機能に留意した嚥下訓練食から嚥下困難食へのステップアップ，狭窄部通過障害をきたしにくいきざみ，ペースト食の使用が主な特別な食種の介入となる．

治療前に栄養管理介入を要する症例に対しては，経腸栄養による補助を中心とした栄養管理が有用であり，その概略を図 4 に示す．

ⓐ 術前，治療前栄養管理

すでに低栄養状態にある患者に関しては当然であるが，治療後の経口摂取開始が遅延しうる喉頭摘出，再建手術を要する頭頸部がん症例，および手術侵襲の大きな食道がん症例は治療前からの栄養管理の適応である．前述したように，栄養不良がない場合でも 7 日以上の絶食期間が予測される場合，経口摂取量が必要エネルギーの 60% 未満が 10 日以上継続することが予測される症例では術前栄養管理が推奨されている．栄養評価とともに食物通過障害，嚥下咀嚼機能障害の評価を行うことが必須であるが，機能障

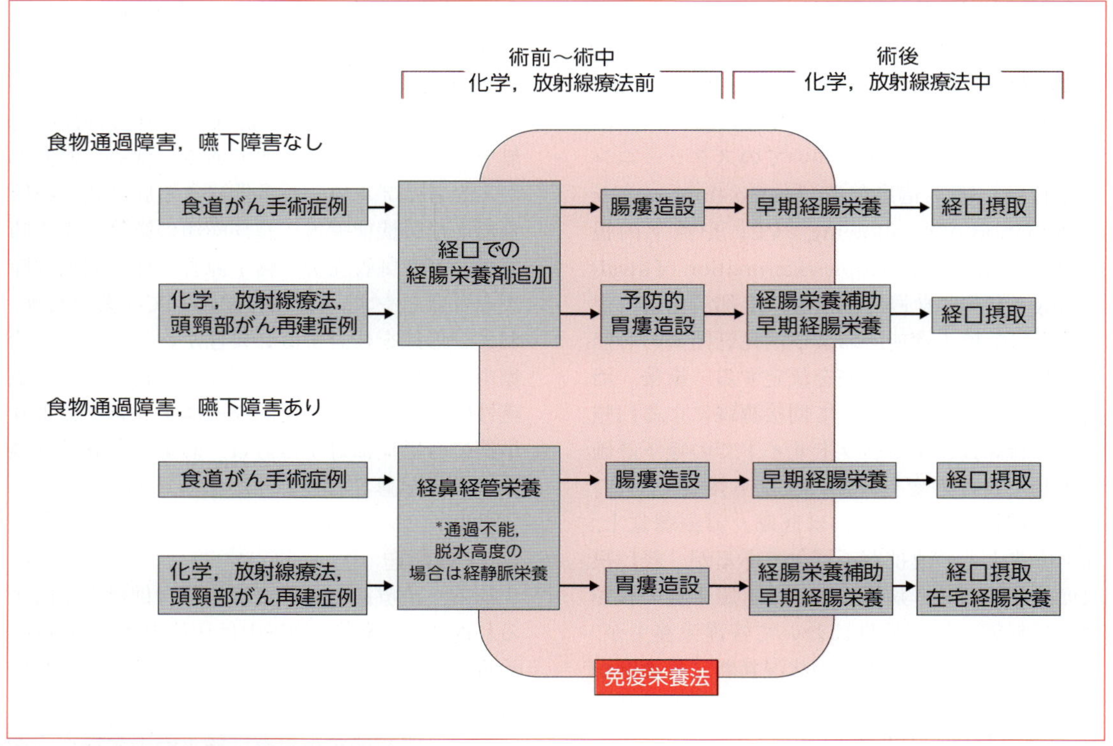

図 4　経腸栄養を用いた栄養管理の概略

害がない場合では経口摂取が原則であり，不足した栄養の量に応じて経口で経腸栄養剤を追加補給する．

食道がんによる消化管閉塞，反回神経麻痺，頭頸部がんによる咀嚼嚥下機能低下が存在し，治療前にすでに経口摂取困難，または不能な症例に関しては経鼻経管栄養による経腸栄養が推奨される．高度狭窄症例や水分，電解質の厳密な管理を要する全身状態不良の症例に関しては経静脈栄養が必要となる．このような症例にはまずは脱水に対する治療後高カロリー輸液を用いる．

長期間経鼻経管栄養の継続が必要と予想される食道がん化学療法，化学放射線療法（chemo radiotherapy：CRT）症例，および治療により口腔咽頭粘膜炎を生じ経口摂取困難が高率に生じる頭頸部がん CRT 症例は治療前の経皮内視鏡的胃瘻造設術（percutaneous endoscopic gastrostomy：PEG）のよい適応である．

手術や損傷からの回復，感染症予防の観点からの栄養療法として，immunonutrition（免疫栄養法）と呼ばれ，免疫力を高める薬理学的作用が期待される栄養素を強化した免疫増強経腸栄養剤（immune enhancing diet：IED）が市販されており，術前 5〜7 日間，IED 製剤を 1 日 1,000 mL を目標に摂取させることにより術後感染症の低下，在院日数，抗生剤使用量，多臓器不全の減少が報告されていた[9]．しかしながら近年，効果を疑問視する研究結果が報告され，免疫栄養は中等度以上の栄養障害のあるメジャーな待機手術を行う患者の周術期に効果があるものと考えられるようになっている．最新の ESPN ガイドラインでは，術前術後，または術後の免疫栄養が推奨されているものの，術前のみの使用は推奨されていない[4]．

ⓑ 治療中，治療後栄養管理

① 頭頸部，食道がん手術前化学療法，根治的放射線化学療法

治療前に評価し，開始した栄養補給を継続するが，化学療法，放射線療法に伴って起こる合

併症に留意する必要がある．食道，頭頸部領域で用いられる薬剤は 5-FU，CDDP が多いが代表的な栄養摂取にかかわる有害事象として，①消化器系の有害事象（悪心・嘔吐，食欲低下，下痢），②唾液分泌能低下および味覚，臭覚変化，③口腔，咽頭粘膜炎，食道炎があげられる．制吐薬，止痢薬，口腔内炎症に対する鎮痛薬，食道炎に対する制酸薬，鎮痛薬により支持療法を行いつつ食事にも工夫が必要である．悪心・嘔吐に関しては十分な制吐薬の使用のうえでの分食，匂いの強くない冷たい食事が望ましい．下痢に関しては高浸透圧なもの（高塩分，糖分を含むもの），および繊維の多いものを避け，お粥や軟菜など低残渣な食事を分食する．水溶性食物線維や乳酸菌飲料によるプレバイオティクス，プロバイオティクス，電解質経口補液飲料の利用による脱水予防が有用である．味覚変化に関しては亜鉛欠乏が味覚低下の原因となっている可能性もあり，亜鉛含有量の多い食材を選ぶことも対策としてあげられる．口腔や咽頭，頸部への放射線照射，および化学療法により唾液腺が損傷していることによる味覚変化が多く，香辛料や刺激物，酸味は避け，食間や食事前に口腔内を湿潤に保つような飲み物やゼリーを摂取することが推奨される．放射線療法，化学療法とも口腔内炎症，食道炎，およびがん種による疼痛，嚥下痛が問題となることが多く，口腔粘膜炎に関しては口腔内全体に広がる重度なものが多い．冷たく舌触りのよいものが勧められ，硬いもの，熱い料理，酸味，は避けるべきであり薄味がよいと考えられる．飲み込みやすく口腔内の停滞時間が短縮できる食事形態（スープやシチューなど）が望ましく，また，自分で味の調整が可能なように調味料を別に付け加えることも有用である．

食欲不振により食事摂取量が減少した場合は経腸栄養剤による補充が有用である．抗がん薬により腸管粘膜傷害が生じるが，絶食によりさらにその障害が強められることが報告されている[10]．高度の下痢が認められる場合は経口，経腸栄養を中止し輸液による補正を図るが，軽度な場合は主体を可能な限り経腸栄養とし，経静脈栄養で補充を図る．手術にて胃管造設を伴わない頭頸部がん術前症例，食道，頭頸部がん放射線化学療法症例においては早期の胃瘻造設が有用である．

② 頭頸部，食道がん術後

• 経腸栄養の有用性

頭頸部がん患者においては胃瘻造設，食道がん患者においては術中の空腸瘻造設が有用である．術後早期からの経腸栄養により感染性合併症，縫合不全の頻度が減少すると報告されており[11〜13]，胃，空腸瘻が造設されていれば合併症が起こった場合や在宅を含めた長期的な栄養管理も容易である．投与開始時期は早い施設では手術翌日から開始されているが，患者の状態が安定してくる術後 3〜5 日目で開始されることが多い．開始早期からの急速な投与は下痢，腹部膨満をきたすことが多いため低濃度で 15〜20 kcal/hr より開始し，徐々に増量し 5 日程度で 100 kcal/hr とすればよい．経腸栄養剤の選択については周術期においては成分栄養剤，消化態栄養剤が用いられるが，前述したように IED の術前術後早期（24 hr 以内）開始の有効性が報告されてきている．実際には術前 7 日間 IED を 1,000 mL/日経口摂取ののち，術後 2 日目より 20 mL/hr，3 日目 40 mL/hr，4 日目 60 mL/hr と増量していきその後は食事摂取に伴い減量していく．

手術後，経口摂取量が少ないことが予測される患者に対しては home entral nutrition：HEN）を視野に入れた経腸栄養による補助を行う．経腸栄養剤に関しては半消化態栄養剤を用いるが，胃瘻であれば最終的に 100〜200 mL/hr の投与が可能となる．さらなる投与時間の減少，経腸栄養剤の逆流を防止することを目的とした半固形化（テルミールなどを用いる方法），固形化（寒天化法），ミキサー食の検討も必要である．腸瘻であれば持続投与が原則であり，経口摂取の補助として 40〜80 mL/hr を計 400〜1,200 kcal ほど夜間に投与する．100 mL/hr 未満の投与速度では注入ポンプが必要であり，重力滴下では容易に下痢をきたす．退院に向けて胃瘻，腸瘻の管理，および投与器具の取り扱いの指導が必要である．

・術後経口摂取の注意点

食道がん術後患者においては術後反回神経麻痺，縫合不全の発症がなければ経口摂取可能であるが，リンパ節郭清による反回神経麻痺がしばしば認められ，頸部食道と胃管，腸管の縫合不全も他の腸管吻合と比較して高率に認められるため慎重な評価が必要である．反回神経麻痺の内視鏡的観察，縫合不全がないことを臨床的に確認のうえ経口摂取を開始する．

頭頸部がん術後患者においては開口障害，鼻腔閉鎖不全，舌根部運動障害，咽頭期嚥下遅延，食道入口部通過障害，下咽頭の形態変化による食塊の喉頭内侵入など種々の原因により嚥下，咀嚼障害をきたしうる．

嚥下障害の存在する症例ではVF，VEによる嚥下評価を行ったうえで臨床的な判断と併せて経口摂取継続可否の判断を行う．軽度のものに関しては水分や汁をとろませる，麺類に関しては短く切る，咀嚼により水分が多量に染み出すものに注意する，など大きな食種変更なく継続可能であるが，嚥下状態によっては口腔内ケア，間接訓練から嚥下訓練食を用いた直接訓練ゼリー食，段階的に嚥下訓練食を用いてステップアップしていくことが必要となる．嚥下訓練には時間がかかるものも多く，この際も経腸栄養との併用が有用である．術後の嚥下障害による誤嚥性肺炎は時として大きな合併症となりうるため，慎重な対応が要求される．われわれは下咽頭表在がんに対する内視鏡的治療後に誤嚥性肺炎，膿胸を発症した症例を経験しており，手術侵襲と比較すると高度の合併症であった．その後，全例に対して術後少なくとも3日の絶食後十分な嚥下評価を行ったうえで言語聴覚士の指導下でのゼリー食からの経口摂取を開始している．嚥下訓練に関しては言語聴覚士，理学療法士との連携が必要な分野であり，術前から十分なconsultationを行っておくことが肝要である．また，ステップアップしていく際のベッドサイドでの水飲みテスト，実際の食事の際の嚥下状況の看護師による観察，退院に向けた実際の生活で可能な食種の指導に管理栄養士が果たす役割は大きい．

食道がん術後，広範囲な内視鏡的治療症例の合併症として吻合部狭窄，治療後瘢痕狭窄があり，高度の狭窄に関してはバルーン拡張が行われるが，もとの食道のような内腔は得られないことが多い．多量の食事を一度に飲まないように指導することが重要であり，また，肉塊，タコ，イカなどの咀嚼により細かくなり難いものはあらかじめ細かく切断することが必要である．術後狭窄，内視鏡的治療後狭窄とも術後しばらくしてから発症するため，退院時の十分な指導，術後評価による食種の変更が必要となる．

以上，食道，頭頸部がん患者における栄養療法につき概説した．

食道，頭頸部領域がん患者は消化吸収機能が保たれているものの嚥下咀嚼，および通過障害を伴うという特殊な状況にあることが多く，また，放射線，化学療法による摂食への影響も顕著な領域である．病態の理解による食種の決定，および他職種との連携によるリニアな病状の再評価，および対応が求められる．栄養管理にあたり治療開始前の計画作成とともに，治療方針を含めて問題点を共有する医師，メディカルスタッフを含めたカンファレンスチームによる取り組みが重要な領域である．

文献

1) Weimann A, Braga M, Harsanyi L et al：ESPEN Guidelines on Enteral Nutrition：Surgery including organ transplantation. Clin Nutr **25**：224–244, 2006
2) Buzby GP, Mullen JL, Matthews DC et al：Prognostic nutritional index in gastrointestinal surgery. Am J Surg **139**：160–167, 1980
3) Braga M, Ljungqvist O, Soeters P et al：ESPEN Guidelines on Parenteral Nutrition：surgery. Clin Nutr **28**：378–386, 2009
4) Weimann A, Braga M, Carli F et al：ESPEN practical guideline：Clinical nutrition in surgery. Clin Nutr **40**：4745–4761, 2021
5) Ukleja A, Freeman KL, Gilbert K et al：Standards for nutrition support：adult hospitalized patients. Nutr Clin Pract **25**：403–414, 2010
6) Dempsey DT, Feurer ID, Knox LS et al：Energy expenditure in malnourished gastrointestinal cancer patients. Cancer **53**：1265–1273, 1984

7) Knox LS, Crosby LO, Feurer ID et al：Energy expenditure in malnourished cancer patients. Ann Surg **197**：152-162, 1983
8) Arends J, Bodoky G, Bozzetti F et al：ESPEN Guidelines on Enteral Nutrition：Non-surgical oncology. Clin Nutr **25**：245-259, 2006
9) Waitzberg DL, Saito H, Plank LD et al：Postsurgical infections are reduced with specialized nutrition support. World J Surg **30**：1592-1604, 2006
10) Tsuji E, Hiki N, Nomura S et al：Simultaneous onset of acute inflammatory response, sepsis-like symptoms and intestinal mucosal injury after cancer chemotherapy. Int J Cancer **107**：303-308, 2003
11) Marik PE, Zaloga GP：Early enteral nutrition in acutely ill patients：a systematic review. Crit Care Med **29**：2264-2270, 2001
12) Mazaki T, Ebisawa K：Enteral versus parenteral nutrition after gastrointestinal surgery：a systematic review and meta-analysis of randomized controlled trials in the English literature. J Gastrointest Surg **12**：739-755, 2008
13) Peter JV, Moran JL, Phillips-Hughes J：A meta-analysis of treatment outcomes of early enteral versus early parenteral nutrition in hospitalized patients. Crit Care Med **33**：213-220; discussion 260-261, 2005

第2章

胃がんの栄養管理

北里大学医学部上部消化管外科
櫻谷　美貴子　比企　直樹

胃がんの周術期の栄養管理は，術後の感染性合併症や quality of life（QOL）を左右する重要な治療概念である．従来，上部消化管外科手術後には一定の絶食期間が必要であるとされてきたが，近年は消化管吻合の安定性，絶食による腸管免疫機能低下を予防するという観点から，早期経口摂取をはじめとする消化管を使う栄養管理が推奨されている．胃がん手術においても enhanced recovery after surgery（ERAS）[1]の普及により早期から経口摂取が開始されている．

一方で，胃切除後の後遺症によって食物の貯留・撹拌・消化の機能が失われ，さらにグレリンの喪失により食欲が低下する．そのため早期から経口摂取を開始しても十分量を経口摂取することは困難である．経口摂取が不十分な場合，経腸栄養などの栄養療法が必要になるが，経腸栄養のみでは下痢・腹部膨満感などの症状により管理は容易ではない．

こういった場合は経腸栄養＋静脈栄養の管理により，より生理的な周術期栄養管理が可能になる．

最近では，栄養は予後や化学療法の継続性を左右する可能性が示唆されており，胃がんにおける栄養療法の意義は高まりつつある．

A　周術期の栄養療法

周術期（消化器外科領域）の栄養療法を以下のように分類した．

①特殊な病態における栄養（出血，穿孔，狭窄時など）
②胃がんの術前栄養
③胃がんの術後栄養（入院中）
④胃がんの術後栄養（退院後）

B　栄養療法の実際

❶ 特殊な病態における栄養（出血，穿孔，狭窄時など）

胃がんでは，腫瘍による出血・穿孔・狭窄や閉塞がある場合，食事摂取が困難となり低栄養・脱水・電解質異常をきたしていることがある．術前の低栄養状態は術後合併症の発生に寄与するとされており，その対策は重要である．腸管の使用が可能であれば，W-ED チューブ®によるドレナージ＋経腸栄養を行う．経腸栄養を開始して 7〜10 日が経過しても十分なエネルギー量を投与できない場合は，静脈栄養を併用する．消化液のドレナージによる脱水・電解質異常がある場合は必要に応じて輸液を行う．術前の貧血は赤血球 $300 \times 10^4/\mu L$ 以上，ヘモグロビン（Hb）10 g/dL 以上を目標に管理する．鉄欠乏性貧血の治療は出血コントロール，鉄剤投与，適切な栄養管理などであるが，手術を優先する場合は輸血を選択せざるを得ない．

❷ 胃がんの術前栄養

ⓐ 術前の栄養評価

胃がんの術前栄養評価方法として十分な科学的根拠のある方法はないが，体重変化，body mass index（BMI），subjective global assessment（SGA），血清アルブミン値，rapid turnover protein（RTP），プレアルブミン，末梢リンパ球数などが用いられる．

ESPEN（European Society for Clinical Nutrition and Metabolism）ガイドラインにおい

ては，6ヵ月以内に10〜15%以上の体重減少，BMI 18.5 kg/m^{2}以下，SGA; Grade C，術前血清アルブミン値3 g/dL以下のうち1項目でもあてはまれば，重度の栄養リスクがあると定義される[1)]．栄養スクリーニング法としてはSGAがあり，SGAの栄養評価結果は胃がん手術患者において術後合併症との関連が報告されている[2)]．

また，Controlling Nutritional Status（CONUT）法は使用される検査項目（血清アルブミン値，総リンパ球数，総コレステロール値）が一般血液生化学検査に含まれている項目であり，スクリーニングとして適している．栄養アセスメントとしては身体計測（身長，体重，BMI，上腕・下腿周囲長），生化学的指標（血清アルブミン値，RTP），免疫能評価（総リンパ球数，CONUTスコア，prognostic nutritional index（PNI）），体組成測定（bioelectrical impedance analysis：BIA，dual energy X-ray absorptiometry：DXA）がある．胃がん手術患者において術後合併症・予後との関連が報告されている項目は，プレアルブミン・CONUTスコア・PNIである．術前血清プレアルブミン値（15<mg/dL）は術後合併症との関連が報告されている[3,4)]．また，CONUTスコアは栄養評価だけでなく長期予後との関連が報告されている[5)]．術前PNI（<47）は術後合併症との関連が報告されている[6)]．BIA法は非侵襲的で簡便かつ迅速に細胞内外水分量，四肢や体幹の骨格筋量，体脂肪率などさまざまな栄養パラメーターを測定可能であり，ポータブル装置を用いればベッドサイドでも測定可能である．DXA法はBIA法と比べ，簡便性や汎用性に欠け，軽度被曝があるという欠点がある．

以上の術前栄養評価を行い，栄養リスクがあると判断した場合に術前栄養療法を行う．

当科では血清プレアルブミン値15 mg/dL以下を術前栄養療法の適応としている．経口摂取が難しい場合は入院し，W-EDチューブ®もしくは経鼻栄養チューブを留置して経腸栄養を行っている．

ⓑ 術前の脱水および電解質異常

通過障害や食欲低下で細胞外液，細胞内液の順に脱水となる．脱水には水分の喪失が主体の高張性脱水と，電解質（Na，Clなど）の喪失が主体の低張性脱水がある．補正は維持輸液に加えて乳酸リンゲル液などの細胞外液を使用する．

❸ 胃がんの術後栄養（入院中）

水分・電解質などの補給，循環血液量の保持，手術侵襲による低栄養異化状態からの離脱を目的とした輸液管理を行う．

ⓐ 輸液量，電解質投与量の設定

輸液量は，[尿量（mL）+不感蒸泄量（mL）+ドレーンからの排液量−産生自由水］で計算される．尿量は，腎障害がなければ1.0〜1.5 mL/kg/時間と考え，不感蒸泄量は［15 mL×体重（kg）+200 mL×（体温−36.8）］で計算される．産生自由水は体内で物質が代謝される結果生じる水分であるが，5×体重（kg）/日あるいは200 mL/m^2/日で通常300 mL/日と概算される．以上により1日の水分維持量は40〜50 mL/kgとなり，ソルデム3A®やビーフリード®などの維持輸液を用いて輸液を行う．術後2〜3日にはrefillingが生じるため1日の水分維持量は35〜40 mL/kgに加減する．嘔吐，胃管・イレウス管排液量，ドレーン排液量，下痢の状況によっては半量補正を行う（例：イレウス管8時間の排液量の半量を，ラクテック®などの細胞外液によって次の8時間で輸液する）．

ⓑ 術後早期の栄養量の設定

術後早期は，糖新生の増加と抗インスリン作用が生じることで糖の利用障害が起き，外科的糖尿病（surgical diabetes）の状態になる．筋蛋白を中心として異化が亢進し，アミノ酸から糖新生が行われる．術後2〜4日以内に経口摂取が可能である手術では，輸液は水分・電解質の補給，循環動態の安定，膠質浸透圧の維持を第一に考える．具体的な投与カロリーは10 kcal/kg/日前後とすることが推奨されてきた．ブドウ糖濃度4.3%の維持輸液 ソルデム3A®では2,000 mL/日の投与で約340 kcal，ブドウ糖濃度7.5%のアミノ酸配合維持輸液 ビーフリード®では2,000 mL/日の投与で約840 kcalを投与することができる．

術後2〜7日目には経口摂取が開始され，輸液量を減らしていく．ERASの概念の普及から，第1病日水分摂取，第2病日より食事摂取を開始する施設も増えてきた（表1）．胃切除術では通常の経過では術後1日目から水分を開始し，2日目より5分粥食（1,200 kcal，蛋白質55 g，脂質40 g，糖質140 g）を開始し，4日目に全粥食（1,500 kcal，蛋白質65 g，脂質50 g，糖質200 g），5日目に軟飯食（1,500 kcal，蛋白質70 g，脂質50 g，糖質190 g）と食事を上げる（表2）．術後経口摂取が期待できない場合には手術時に腸瘻を造設することがある．経腸栄養は，第1〜3病日10〜15 kcal/kg，第3〜4病日20 kcal/kg，第5病日以降30〜40 kcal/kgと漸増していく．経腸栄養を使用して5〜7日が経過しても十分なエネルギー量が投与できない場合は，静脈栄養を併用する．

❹ 胃がんの術後栄養（退院後）

周術期は，手術侵襲・術後感染性合併症によって異化が亢進し，除脂肪体重/体重が減少する[7]．さらに胃切除後の後遺症によって食物の貯留・撹拌・消化の機能が失われ，食事摂取量は減少する．また，グレリンの喪失による食欲の低下もある[8]．Abdievらは2011年に胃切除後の体重・筋肉量の変化について報告している．彼らはBioelectrical Impedance Analysis（BIA）を用いた体組成測定を行い，筋肉量の変化も調査した．術後1ヵ月までに体重・筋肉量ともに約10%減少し，術後3ヵ月目までに体重は10〜20%，筋肉量は10〜15%減少すると報告している．胃切除後の除脂肪体重の減少は補助化学療法の継続性に影響する可能性があり，特に術後1ヵ月目の5%以上の除脂肪体重減少がリスクになると報告されている[9,10]．退院後に経口摂取が不十分な場合，栄養製剤を追加するなどの栄養療法の継続が必要である．

ⓐ 栄養製剤の選択の選び方[11〜13]

上部消化管術後患者の多くが腸を使用できる状態にあり，経腸栄養の使用は可能である．経

表1　当院の胃がん術後クリニカルパス

	術前	手術日			術後				
		術前	術中	術後	POD1	POD2	POD3	POD4	POD5
離床	free	free		Bed 上	早期離床	→	→	→	→
術前補水	500 mL	250 mL							
経口摂取	普通食	術前3時間前まで，クリアウォーター摂取可	なし	なし	クリアウォーター摂取可	軟菜食	→	→	→
輸液			輸液 →	→	→	→	→	→	
下剤	なし								
プレメディ	なし								
予防的抗菌薬			執刀前，以降3時間毎に投与						
経鼻胃管			挿入	抜去					
ドレーン			挿入 →	→	→	→	→	抜去	
尿道カテーテル			挿入 →	→	→	→	抜去		
硬膜外麻酔			開始 →	→	→	→	抜去		
退院									退院許可

表2　当院の胃がん術後（入院中）の栄養管理

		手術日	POD1	POD2	POD3	POD4	POD5	POD6	POD7
経口		絶飲食	水フリー	5分粥 1200 kcal	5分粥 1200 kcal	全粥 1500 kcal	全粥 1500 kcal	軟菜 1500 kcal	軟菜 1500 kcal
経口熱量（kcal） （目標摂取量）		0	0	550	550	730	730	700	700
間食（ONS）（kcal）		0	0	0	0	0	0	0	0
点滴熱量（kcal） ビーフリード®＋ 脂肪製剤 500 kcal		372	1216	1340	1130	920	710	0	0
点滴	蛋白質（g）	0	45	60	45	30	15	0	0
	脂質（g）	0	50	50	50	50	50	0	0
	糖質（g）	43	134	150	112.5	75	37.5	0	0
総熱量（kcal）		372	1216	1890	1680	1650	1440	700	700
維持輸液量（mL）		2000	2250	2250	1750	1250	750	0	0

腸栄養剤のほとんどが人工濃厚流動食であり，その組成から，成分栄養剤，消化態栄養剤，半消化態栄養剤に分類される．

① 成分栄養剤

＜特徴＞

成分栄養剤は窒素源がアミノ酸である．糖質はデキストリンからなり，ブドウ糖や二糖類は含有しない．また，脂質として大豆油を含むが，脂肪含量は全エネルギー比の1.5～8.1％ときわめて低脂肪である．食物繊維を含まず低残渣である．

＜注意点＞

脂肪乳剤を使用し，必須脂肪酸欠乏症を予防する必要がある．

② 消化態栄養剤

＜特徴＞

消化態栄養剤の窒素源はアミノ酸，ジペプチド，トリペプチドからなり，蛋白質を含まない．ジペプチドやトリペプチドはアミノ酸に比べて吸収が速いという特徴がある．また，ペプチド輸送系は腸粘膜の障害時や絶食中にも機能が保持されることが報告されており，消化態栄養剤の利点である．

＜注意点＞

ツインライン®，ペプタメンAF®，ペプタメンスタンダード®には必要量の脂肪が含まれており，必ずしも脂肪乳剤を併用する必要はない．しかし，ペプチーノ®は無脂肪の経腸栄養剤であり，脂肪乳剤の併用は欠かせない．

長期の絶食後に経腸栄養を開始する場合，腸瘻からの経腸栄養にも消化態栄養剤は有用である．

③ 半消化態栄養剤

＜特徴＞

窒素源は蛋白質であり，脂肪も必要量が含まれている．食品の半消化態栄養剤は約200種類が市販されているが，医薬品の半消化態栄養剤はエンシュアリキッド®，エンシュアH®，ラコールNF®，エネーボ®，アミノレバンEN®の5製剤のみである．エネーボ®は，医薬品の経腸栄養剤で唯一食物繊維とセレン，モリブデンなどを含有する．

文献

1）Arved W et al：ESPEN guideline. Clinical nutrition in surgery. Clinical Nutrition **36**：623-650, 2017
2）Dong Y et al：Patient-generated subjective global assessment versus nutritional risk screening 2002 for gatric cancer in Chinise patients. Future Oncol **16**：4475-4483, 2020
3）Zhou J et al：Role of Prealbumin as a Powerful and Simple Index for Predicting Postoperative Complications After Gastric Cancer Surgery. Ann Surg

Oncol **24**：510-517, 2017
4) Hongliang Zu et al：Preoperative prealbumin levels on admission as an independent predictive factor in patients with gastric cancer. Medicine (Baltimore) **99**：e19196, 2020
5) Kuroda D et al：Controlling Nutritional Status (CONUT) score is a prognostic marker for gastric cancer patients after curative resection. Gastric Cancer **21**：204-212, 2018
6) Kanda M et al：Nutritional predictors for postoperative short-term and long-term outcomes of patients with gastric cancer.Medicine (Baltimore) **95**：e3781, 2016
7) Blackburn GL et al：Metabolic considerations in management of surgical patients. Surg Clin North Am **91**：467-480, 2011
8) Abdiev S et al：Nutritional recovery after open and laparoscopic gastrectomies. Gastric Cancer **14**：144-149, 2011
9) Aoyama T et al：Loss of Lean Body Mass an Independent Risk Factor for Continuation of S-1 Adjuvant Chemotherapy for Gastric Cancer. Ann Surg Oncol **22**：2560-2566, 2015
10) Aoyama T et al：Risk Factors for the Loss of Lean Body Mass After Gastrectomy for Gastric Cancer. Ann Surg Oncol 1963-1970, 2016
11) Lochsa H et al：Introductory to the ESPEN Guidelines on Enteral Nutrition：Terminology, definition and general topics. Clinical Nutrition 25：180-186, 2006
12) 一般社団法人 日本静脈経腸栄養学会（編）：静脈経腸栄養テキストブック，南江堂，東京，p.217-229, p.415-419, p.432-435, 2017
13) 牛久秀樹ほか：術前術後栄養管理．臨床外科 **74**（増）：11-14, 2019

第3章

大腸がん：治療の基礎知識と栄養管理

医療法人社団碧水会/昌健会
三木　誓雄

大腸がんは下部消化管に発生する悪性腫瘍で，通常下血や便通異常，腹痛などで発症する．2022年6月に国立がん研究センターから発表された「がんの統計2022」では，2021年の本邦女性がん死亡者数において，大腸がんは第1位で25,400人であり，男性では，28,500人で肺に次いで第2位，また男女を合わせた罹患者数総計予測では，大腸がん罹患者数は156,800人で，第1位であった．

大腸がんは上部消化管や胆膵の悪性腫瘍と異なり，経口摂取や消化吸収能が妨げられることが少ないので，病的な低栄養をきたすことは少ないと考えられてきた．しかしながら，大腸がん患者における栄養障害は軽症のものも含めると，実に30～60％と比較的高頻度に認められる[1]．大腸がんに伴う低栄養，体重減少はcancer associated weight loss（CAWL：がん随伴性体重減少）と，cancer induced weight loss（CIWL：がん誘発性体重減少）に分類される．CAWLはがんによる消化管通過障害に伴う消化吸収障害，検査・手術に伴う絶食，集学的治療の副作用としての経口摂取量減少，そしてがん告知による精神的ストレスに伴う食欲不振などが原因とされる．一方，CIWLはがんの存在下，活発化した腫瘍－宿主相互反応によりエネルギー代謝が異常をきたし，生体の恒常性が障害されることに起因する．

臨床的には術前低栄養は周術期のさまざまな感染性合併症の原因となり[2]，さらに術後においては集学的治療の維持をも困難にするといわれている．CAWLはがん治療の終了とともに，また精神科的ケアにより時間とともに改善されるが，CIWLはがんという局所病変により惹起された全身性の代謝異常が原因であり，腫瘍が治癒切除されない限り，速やかな改善は期待できない．そして，このCIWLこそが古典的にいわれてきた悪液質（cachexia）であり，CIWLを有するがん患者は，集学的治療を受けている期間中にCAWLも加われば，二重に低栄養の危険性に晒されることになる．

本章では，大腸がん患者におけるCAWL，CIWLの栄養障害を解剖学，病理学，治療学的見地から解説し，さらにCIWLの分子生物学的背景を明らかにして，病態に基づいた栄養管理の戦略について考察したい．

A　大腸の解剖と生理機能

大腸は，右下腹部の回腸末端から，肛門にいたるまでの1～1.5 mの管腔臓器で，結腸と直腸に分類される．結腸は回盲部として右下腹部から始まり，右上腹部へ上行し（上行結腸），さらに左上腹部へ向かって身体を横断し（横行結腸），左上腹部から左下腹部へ下行（下行結腸），そしてS字に屈曲して（S状結腸），排便機能を司る約20 cmの直腸へといたる．解剖学的に上行結腸，下行結腸，直腸は腸管そのものが後腹膜に固定されているが，横行結腸，S状結腸は腸間膜でのみ固定され，腸管そのものは腹腔内に遊離している．

主たる生理機能としては，水分吸収があげられるが，吸収されずに残った食物残査が便となりS状結腸に貯留する．水分吸収は主に上行結腸全部位と横行結腸の口側半分で行われ，横行結腸肛門側半分からS状結腸までで便塊が形成される．何らかの原因で水分の吸収が障害されると下痢となるが，後述する人工肛門の造設位置でも便の性状が変化する．消化機能としては食物繊維の発酵にかかわるが，物質の分解は大腸菌をはじめとする常在菌が主たる役割を果たしている．また，発酵で生成され大腸粘膜から吸収された短鎖脂肪酸は，粘液の分泌，蠕動運動や水分吸収の主要なエネルギー源として利用され，さらに余剰部分は全身の組織のエネルギー源として利用される．また，短鎖脂肪酸は腸内を弱酸性の環境に維持することで，有害な細菌の増殖を抑制している．

B 大腸がんの臨床

❶ 大腸がんの病態

大腸がんの多くは管腔内に突出する隆起性病変として存在する．病変の小さな早期大腸がんであれば自覚症状はないことが多く，健康診断や人間ドックで便潜血陽性として発見されることが多い．進行大腸がんでも占拠部位が1/4周以下ならば，症状はほとんどなく，1/2周を超えると腸内容の通過障害や便性状の変化をきたすようになる．さらに，左側結腸にがんが存在する場合は便通異常，腹痛，腹部膨満感などの症状が出現しやすく，下血を伴うこともある．しかし，右側結腸では高度に進行するまでこれらの症状は乏しく，貧血，体重減少，腫瘤触知などの症状ではじめて診断されることもまれではない．これは上行結腸の口径が左側結腸より大きく，腸管内容物が液状であるからである．左側結腸の全周性病変になると通過障害が著しくなり，腹痛，便秘，便柱狭小化をきたすようになる．栄養障害との関連では，CAWLの発症はがんの病理学的な進行度とがんの存在部位に関連するが，CIWLは必ずしも病理学的な進行度と一致しない．

❷ 大腸がんの診断・治療方針の決定

注腸透視，内視鏡にて存在診断がなされる．病理学的進行度はCT，MRI，超音波検査などで評価される．進行度，患者の全身状態により治療法が決定される．全身状態の評価法のひとつとして，栄養状態の評価が重要な意義を有していることはいうまでもない．治療法としては，外科手術（根治的，姑息的），術前・後化学（放射線）治療，緩和ケアなどがあげられるが，この選択には患者の全身状態，特に栄養状態が大きく影響を与える．

C 大腸がんとCAWL

❶ がんの病態とCAWLの評価

前述したように，大腸がんそのものが直接消化吸収障害の原因になることはまれであるが，持続する出血に伴う蛋白喪失，腹膜播種やがん性腹膜炎に伴う物理的な小腸機能障害がCAWLの原因となりうる．また，がんが回盲部に発生し，回腸末端に通過障害をきたし，それにより小腸閉塞が惹起されると消化吸収障害の原因となる．

栄養状態の評価としては主観的包括的アセスメント（subjective global assessment：SGA）が，栄養不良の患者を外来受診時や入院時に，簡易かつ迅速にスクリーニングする方法として広く利用されている．病歴の聴取（体重減少，浮腫，食欲不振，嘔吐，下痢，食事摂取量の低下，慢性疾患の有無）および身体診察（黄疸，口角炎，舌炎，皮下脂肪および筋肉量の減少，浮腫）だけで，栄養状態を正常（A），軽度栄養障害（B），高度栄養障害（C）に分類する．最近，当院ではがん患者の栄養アセスメントツールとして開発されたPG-SGA（Patient-Generated Subjective Global Assessment）ワークシート1の栄養状態に関する質問票を用いている．体重に関しては，現在−1ヵ月前，−6ヵ月前と−2週間前の変化を評価している．日常生活については，過去1ヵ月間の生活・活動におけるパフォーマンス・ステータス（PS）を評価している．一方，CIWLの評価としては，後述するように，①骨格筋の喪失を反映する骨格筋量の評価，②食欲不振に関連する症状の評価，③全身性炎症反応の評価を用いている．

❷ がん治療とCAWL

ⓐ 外科治療：術式と栄養障害

基本的に結腸がんでは十分な腸管切除と所属

リンパ節の郭清が行われ，吻合により腸管の連続性が維持される．がんの占居部位により切除範囲が異なるが，以下に示す術式が一般的である．

①盲腸・上行結腸がん：結腸右半切除術
②横行結腸がん：横行結腸切除術
③下行結腸がん：結腸左半切除術
④Ｓ状結腸がん：Ｓ状結腸切除術

結腸切除に伴う消化吸収機能障害は比較的少ないが，前述したように結腸の右半分を切除した場合は，術後しばらく軟便になりやすく，結腸の左半分を切除した場合は，排便習慣が変化しやすくなる．しかしながら，いずれの場合も直腸が全温存されていれば，時間とともに便の性状や排便機能は正常化することが多い．

一方，直腸がんの場合は，肛門括約筋，自然肛門が温存されるか否かが排便機能を大きく左右する．肛門括約筋は内肛門括約筋，外肛門括約筋に分類され，直腸壁の一部を構成する内括約筋の外側を取り巻くように外括約筋が存在する．内肛門括約筋は不随意筋で，普段は収縮して肛門を締め，便が漏れないように働く．外肛門括約筋は随意筋で，自らの意思で収縮，弛緩させることができ，弛緩することにより排便が促される．これらの括約筋が温存できれば，人工肛門は避けられるが，温存が不可能な場合は永久人工肛門となる．括約筋が温存できた場合でも直腸の大部分を切除することにより，手術の後遺症である排便回数の増加や便失禁が生じることがあり，これは術後の栄養状態にも影響を与える．

■人工肛門

人工肛門は厳密には部位ごとに名称が異なるが，以下の２種に大別できる．部位により便の性状が大幅に異なるため，人工肛門造設部位が術後の栄養状態に影響を与える．

① colostomy コロストミー（図１）

結腸に造設した人工肛門である．通常はＳ状結腸につくられることが多く，性状は自然肛門より排泄される便とほぼ同様である．

② ileostomy イレオストミー（図１）

回腸末端に造設した人工肛門である．大腸がん，直腸がん術後の縫合不全や消化管穿孔後で一期的吻合に不安がある例で，回腸に人工肛門が造設される．水分が十分に吸収される前の便が排出されるために，水様便になりやすく，1日 1,000 mL を超える場合もあるため，容易に脱水の原因になる．さらに膵液や胆汁などの消化液を含むアルカリ性の便であるために，皮膚障害を起こしやすい．下痢をきたしやすい食物は避けるべきで，また高繊維食は人工肛門を便が通過する際に人工肛門周囲に不快感を生じることがあり注意を要する．また，腎結石，胆石が発生しやすくなるため，普段の食事にも注意を要する．

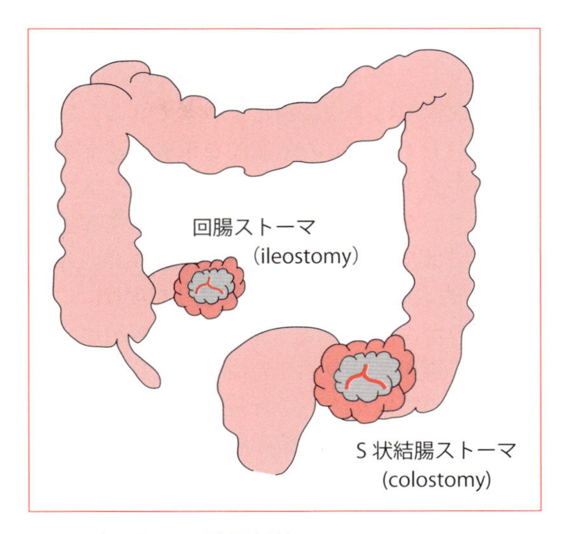

図１　人工肛門の造設部位

ⓑ 手術侵襲に伴う栄養障害：CAWL

手術直後の外科的侵襲期は，生体組織が広範に損傷されている極期ともいえ，組織再生のためエネルギー消費量は安静時より亢進する．しかしながら，カテコールアミン，グルココルチコイド，グルカゴン，GH の分泌増加によって，耐糖能が低下し，筋蛋白崩壊が亢進し，外部から投与されたエネルギーは利用されにくくなる．内因性エネルギー源，特に皮下脂肪の燃焼，筋蛋白の異化が優位になり，全身の窒素バランスも負になる．一般に術前低栄養は術後合併症，特に感染性の合併症の誘因となるとの報告があるが[2,3]，われわれの研究でも，低栄養のがん患者に手術侵襲を加えると，栄養状態が良好な患者に比べ，術後１週間以内の筋蛋白崩壊量は数倍に達し，術後感染性合併症の原因となっていた[4,5]．したがって術前の栄養評価は重要で，低栄養は術前に十分に補正すべきである．しかしその一方で，術前の積極的な栄養療法が術後合併症の発生を抑制するというエビデンスは確立されていない．炎症を制御する免疫栄養療法に関しては今後の研究成果が期待されている．

c 集学的治療における栄養障害：CAWL

現代のがん治療では，手術，放射線治療，化学療法，緩和ケアの4つの治療法それぞれを単独で行うのではなく，これらの治療法を組み合わせることで，治療成績の向上を図る「集学的治療」が主流となっている．さらに，それぞれ異なる専門領域の医師，看護師，管理栄養士，臨床心理士，理学療法士，ソーシャルワーカーなどがチームとして医療スタッフに加わり，患者の治療方針・計画を立案している．本項のテーマでもある栄養療法は，NSTによる代表的なチーム医療である．したがって，治療に伴うCAWLの発生を早期に発見し，問題解決することはNSTの重要な役割である．

化学療法の大きな問題点のひとつは消化器症状を伴う食欲不振と，その結果起こるCAWLである．具体的には，下痢，口内炎，味覚異常，悪心・嘔吐などが症状としてあげられるが，これらにより化学療法のコンプライアンスが著しく低下し，その結果治療効果および予後に悪影響を与える．さらにやっかいなことに副作用としてのCAWLは，化学療法の回数を重ねるごとに増悪する傾向にあることから，予防策および早期の解決策を講じることも，栄養療法の一環として重要である．

現在，抗腫瘍療法の主役は殺細胞性抗がん薬と分子標的治療薬の組み合わせ，さらにそれに放射線治療を組み入れる治療法である．殺細胞性抗がん薬や放射線治療は細胞中のDNAを標的として細胞を障害し，分子標的治療薬はがん細胞の増殖に関与する特定の分子に作用して細胞増殖を抑制する．

① 殺細胞性抗がん薬，放射線治療による栄養障害：CAWL

正常の細胞でも，頻繁に分裂を起こす細胞は抗がん薬や放射線治療の影響を受けやすく，それが副作用となって現れる．特に口腔粘膜や消化管粘膜上皮細胞が障害を受けると，口内炎，消化吸収障害，吐き気，下痢に起因するCAWLが惹起される．口内炎，消化吸収障害に対しては粘膜保護剤や経腸栄養剤の投与，吐き気に対しては，ステロイド，5-HT_3受容体拮抗薬，NK_1受容体拮抗薬，ドパミン受容体拮抗薬，ソマトスタチン誘導体，抗精神病薬などが用いられる．

② 分子標的治療薬とCAWL

ネクサバール，スーテントなどの血管新生因子阻害薬では投与に伴う体重減少が報告されている[6]．

D 大腸がんと悪液質（CIWL）

❶ 悪液質の概念とその評価

悪液質の概念は古くからあり，古代ギリシャ時代には‘signum mali ominis’と表現され，「末期病態における全身状態の低下」と定義されていた．現代では「がん悪液質」の定義は，「脂肪と骨格筋の両方が消耗することを特徴とし，多くは体重の5～10％以上が失われ，集学的治療に対する反応も低下する，がん終末期の病態」である．がん悪液質に対する強制的栄養補給による治療成績は34治験のreviewで示されているが，7～21週間の強制的経管栄養で栄養状態が改善したのは34治験のうち15治験のみで，しかもそのいずれもがわずかな改善にとどまるのみであり，ほぼすべての治験で生存期間の延長が得られなかった[7]．CIWLの問題点はがん治療期間中にCAWLが加わることが避けられないということであり，CIWLの早期発見と治療が集学的治療の結果を左右するといっても過言ではない．

がん悪液質は図2のように「前悪液質」，「悪液質」，「難治性悪液質」の3つに分類される．難治性悪液質はすべての治療に抵抗し，悪液質そのものも克服不可能になると考えられている．一方，前悪液質は体重減少のみの病態とされ，臨床的意義は少ないと考えられてきた．「がん悪液質」という病態の形成にはIL-6，TNFを代表とする炎症性サイトカインが大きくかか

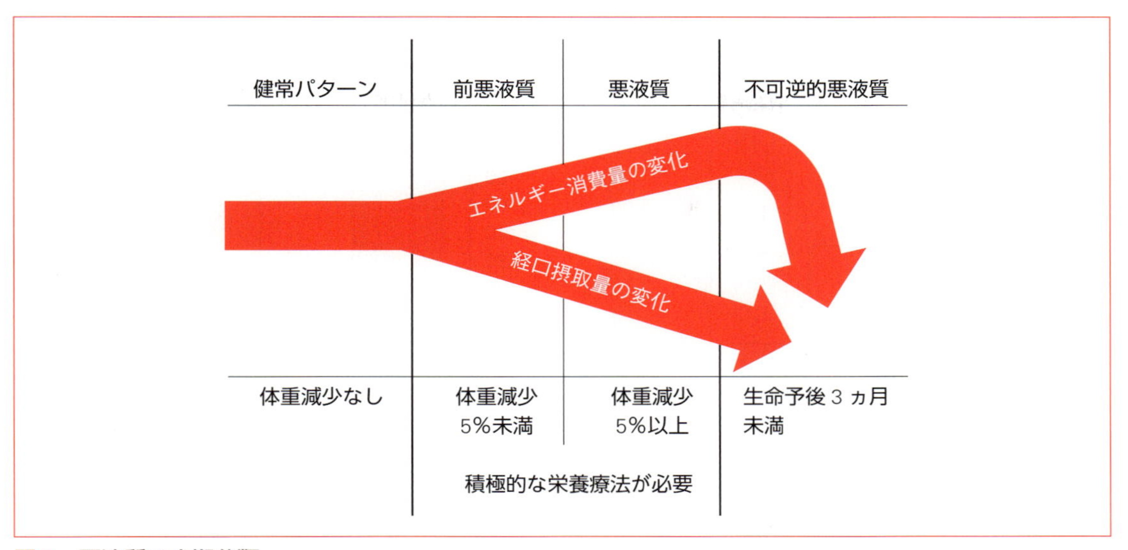

図 2　悪液質の病期分類

わっている．われわれはこれまで，大腸がんにおいて以下のことを明らかにしてきた．①がん組織は IL-6 を産生し，宿主の筋蛋白を崩壊させ，自らの増殖のためのエネルギー源とする[8]．②宿主が低栄養になると，がん組織は増殖を維持するために血管内皮細胞増殖因子（VEGF）を IL-6 経由で産生し，腫瘍血管をさらに新生させ，自らの微小環境を整える[9,10]．すなわちがん悪液質の本態である腫瘍–宿主相互反応において最も重要な役割を果たしているのはがん組織が産生する IL-6 であり，IL-6 により肝で誘導される CRP 値ががん悪液質の本態を客観的に表している[11,12]．以上をもとに血中 CRP 値と栄養学的指標との関連（血中アルブミン，リンパ球数，術前体重減少率）を大腸がん自験例 300 名で検討したところ，血中アルブミン値が CRP 値と最も強く負に相関していることが判明し（$r = -0.411$, $p < 0.0001$），ROC 分析で CRP，アルブミンの各カットオフ値を 0.5 mg/dL, 3.5 g/dL とし，その結果をもとにがん患者の栄養状態を以下の 4 群に分類した（表 1）．A 群（CRP 陰性かつアルブミン値正常）は健常人のパターンに属するグループで，B 群（CRP 陰性かつアルブミン低値）は通常の低栄養のパターンであり，C 群（CRP 陽性かつアルブミン値正常）はがん悪液質準備状態であり，D 群

表 1　CRP とアルブミンの悪液質との関連

	CRP カットオフ値 0.5 mg/dL	アルブミン カットオフ値 3.5 g/dL	病態
A 群	CRP↓	アルブミン↑	健常人パターン
B 群	CRP↓	アルブミン↓	飢餓パターン
C 群	CRP↑	アルブミン↑	前悪液質
D 群	CRP↑	アルブミン↓	悪液質

（CRP 陽性かつアルブミン低値）はがん悪液質が完成した患者のグループである．この分類法は McMillan らにより，固形がんの予後因子として定量化されている Glasgow Prognostic Score とほぼ同じである[13]．

各群における栄養学的因子を比較したところ，D 群は 8%に達する体重減少を示し，さらに有意にクレアチニン身長比の低下，すなわち多くの骨格筋崩壊を伴うことから，悪液質の病態であると考えられた．また，C 群は体重減少率が 3%程度にもかかわらず，クレアチニン身長比の低下は D 群と同程度であり，体重減少が軽度でも筋蛋白の崩壊はすでに始まっている，いわゆる前悪液質に相当する病態であると考えられた（図 3）．図 4 は大腸がんの各臨床

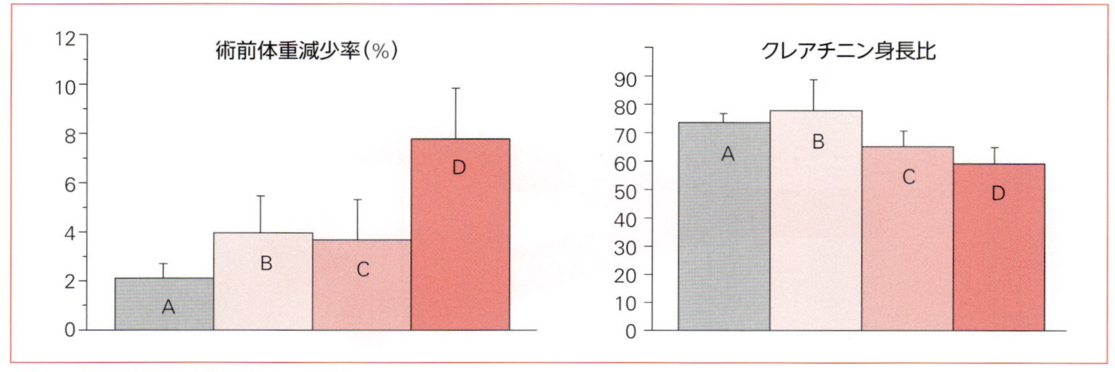

図 3　各群の栄養学的因子の比較

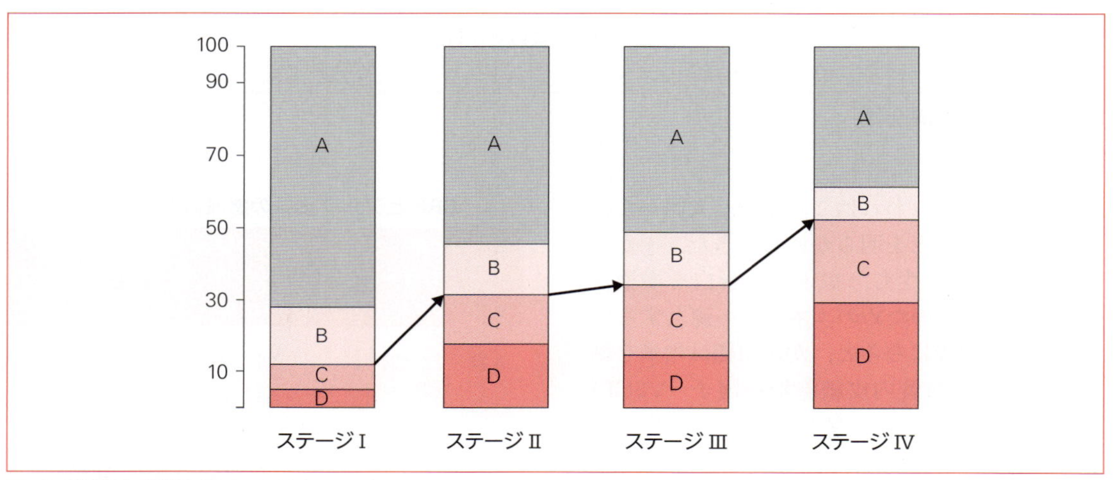

図 4　各臨床病期における分布

病期における，A～D 群の分布を示したものである．stage Ⅳでは C, D 群は約 60％を占め，リンパ節転移を認めるものの，治癒切除可能であるStage Ⅲには約 30％，一般的に外科治療のみで補助化学療法は必要ないとされているStage Ⅰ, Ⅱの段階でも実に 10～25％の患者にがん悪液質が完成，あるいは完成しつつあった．一方，通常の低栄養を示す B 群が占める割合はいずれの病期においても 10％程度で差がなく，C, D 群と異なり，B 群の病態はがんの進行とは関係ない CAWL に属することが示唆された．

最近，サルコペニアという概念が注目されている．サルコペニアは進行性および全身性の骨格筋量および骨格筋力の低下を特徴とする症候群で，筋肉量の低下を必須項目とし，筋力または身体能力の低下のいずれかがあてはまればサルコペニアと診断される．当初はある種の加齢現象と考えられていたが，悪液質のひとつの表現型でもあり，がん，心不全，COPD，結核などの慢性消耗性疾患にも認められることが明らかになってきた．当院では，サルコペニアの客観的評価のために，生体インピーダンス測定を応用した体成分分析装置を用いて，骨格筋量を測定している．

❷ 悪液質が集学的治療に及ぼす影響

前述した悪液質分類の各群の長期生存率を比較検討すると，A 群，B 群は差がなく 5 年生存率はともに 70％程度を示すが，C 群は 60％，D 群は 40％と有意に低下し，C, D 群の死亡症例の多くは術後早期の再発であり，多くが 2 年

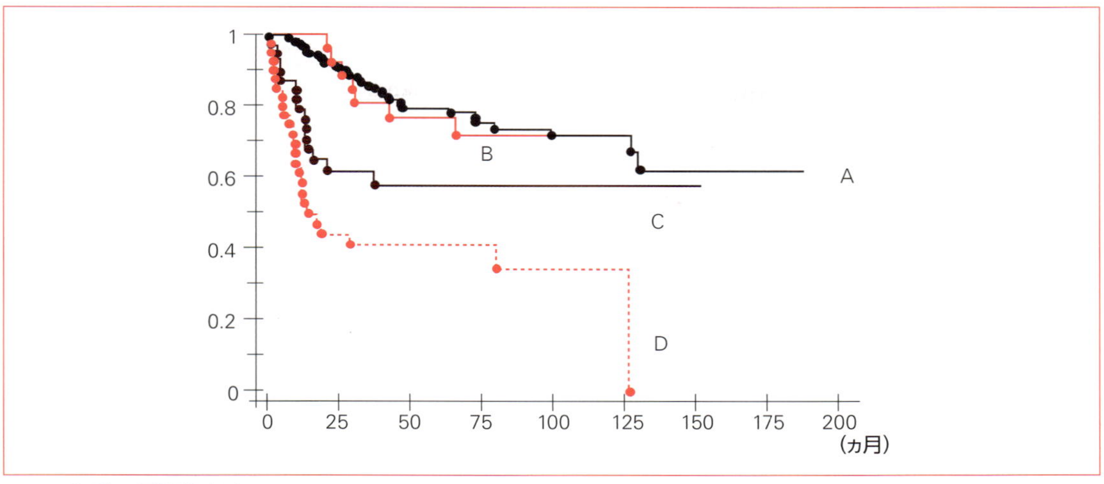

図５　各群の長期生存率

以内に死亡していた（図５）．すなわち，炎症反応亢進を伴う低栄養状態はがんの進行度に関係ない予後不良因子であり，低栄養を伴わない炎症反応亢進状態は，単なる低栄養よりも，重篤な病態であることが明らかとなった．一方，Stage Ⅳの患者で積極的な化学療法を施行された患者の生存曲線の解析では，CRP 陽性である C，D 群の平均生存期間が 10 ヵ月であったのに対し，CRP 陰性の A，B 群では 30 ヵ月と実に３倍の差が生じていた（図６）．これは，C，D 群の患者が，低栄養を代表とする不良な全身状態を有し，積極的な集学的治療が維持できなかったことに起因する．また，最近のわれわれの研究では，前悪液質の C 群に分類される大腸がん患者でも，化学療法を中心とする集学的治療に抵抗し，A，B 群よりも有意に予後が不良であった[14]．

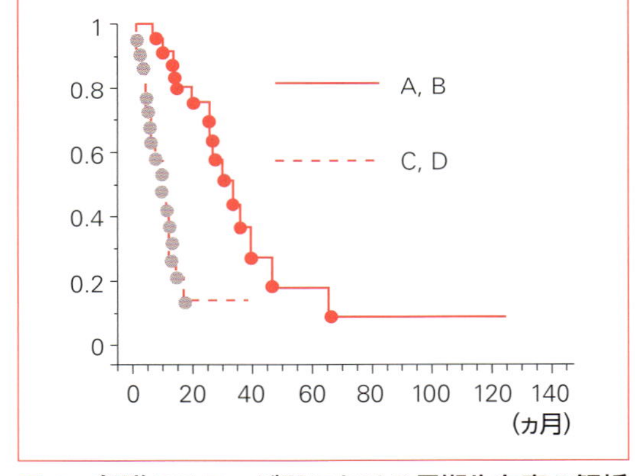

図６　各群のステージⅣにおける長期生存率の解析

E　栄養障害に対する薬物・栄養療法

❶ CAWL に対する栄養療法

ESPEN のガイドラインでは，経口摂取困難な状態が７日以上，あるいは推測必要カロリーの 60％未満の食事摂取が 10 日以上続くと予測される場合，また経口摂取が不良で体重減少が起こっている場合には，速やかに経腸栄養を開始すべきであるとしている[15]．大腸がん患者で経口摂取困難な状態が７日以上続くことは通常まれであり，集学的治療の副作用に伴う経口摂取不良が主たる適応となる．投与経路は経口ルートが優先されることはいうまでもないが，経口摂取が不能あるいは不十分の場合は，経管栄養もしくは経静脈栄養を選択する．

術前に高度の栄養障害を認める場合は，手術を２週間程度延期してでも，あらかじめ栄養管理を行うことが推奨されている[15]．この場合，経口摂取が可能であれば ONS などで対処し，不十分な場合は経管栄養を施行する．また，術前から栄養障害を有する患者では，術後もなるべく早い時期から経腸栄養を再開するべきとされている．

❷ CIWLに対する薬物・免疫栄養療法

がん悪液質に対する薬物療法は，これまでいくつか試みられてきた．食欲不振を改善する目的のプロゲステロン製剤，ドンペリドン，シサプリドやステロイド，TNF阻害のサリドマイド，さらには消化管運動促進の目的のメトクロプラミドなどがそれにあたる．しかしながら，いずれもIL-6を直接ターゲットとした治療ではない．今世紀に入り，免疫栄養という概念が提唱されるようになり，さまざまな免疫賦活作用を有する栄養剤が臨床応用されるようになり，アルギニン，EPA. DHAなどのn-3系不飽和脂肪酸，核酸などを強化した経腸栄養剤の有効性が報告され，免疫栄養療法（immunonutrition）と表現されている．その代表ともいえるEPA（エイコサペンタエン酸）はn-3脂肪酸のひとつで，5つのシス–二重結合を持つ20炭素のカルボン酸である．EPAの代謝産物であるリゾルビンはtoll-like receptor経由のNF-κB活性化を抑制し，炎症性サイトカインの産生を強力に制御する[16]．イタリアのMantovaniらはプロゲステロン製剤，EPA製剤，L-carnitine，サリドマイドおよび以上すべての薬剤の組み合わせの5 armsで悪液質患者に4ヵ月間投与し，すべての薬剤の組み合わせで，有意な栄養状態の改善が得られたと報告した．悪液質が積極的な治療で改善できる可能性をRCTにて証明したことは意義深く，集学的治療のひとつとしての可能性が期待される[17]．さらに最近，グレリン作用薬であるアナモレリン塩酸塩の，悪液質治療薬としての可能性が示された[18]．グレリンは，主に胃から分泌される内在性ペプチドで，末梢からの空腹シグナルを中枢に伝える液性因子である．受容体が存在する下垂体，視床下部に作用して食欲を増進させる働きを持つとされる[18]．悪液質の本態であるsystemic inflammatory responseに対する効果も含め，今後さらなる臨床成績の蓄積が期待される．

❸ がん終末期のBSC（best supportive care：最善の対症療法）における栄養療法

「がん終末期」とは，以下の3つの条件をすべて満たす状況を指す．すなわち①医師が客観的な情報をもとに，治療により病気の回復が期待できないと判断できること，②患者が意識や判断力を失った場合を除き，患者・家族・医師・看護師などの関係者が納得していること，③患者・家族・医師・看護師などの関係者が死を予測し対応を考えること，などである．「がん終末期」の栄養療法は，積極的ながん治療を支える栄養療法とは異なり，「ギアチェンジされた栄養療法」と表現されている．東口らは「難治性悪液質」患者のエネルギー消費量を，定期的に間接熱量計を用いて評価し，臨床的な難治性悪液質の出現時期とほぼ一致してエネルギー消費量が減少することを明らかにし，この病態では，積極的な栄養療法は代謝負荷になるだけで患者のQOLをかえって損なうため，栄養投与量を減量すべきとした[19]．BSCにおいても栄養管理の原則は，“できる限り経口・経腸栄養を行い，やむを得ない場合のみ経静脈栄養を実施する”ことであるが，大腸がん患者の「がん終末期」では，腹腔内局所再発やがん性腹膜炎による消化管閉塞を伴っていることも少なくなく，その場合は経静脈栄養を選択せざるを得ない．

大腸がんは集学的治療法の進歩により，stage Ⅳの段階でも積極的な治療の対象となることが多くなった．集学的治療のコンプライアンスを維持することは，予後の向上に直結し，さらに患者の栄養状態の維持が，そのコンプライアンスを高める重要な因子である．がん患者の低栄養は治療に伴う栄養障害CAWLと特有の病態に伴う悪液質CIWLに分類される．CAWLは検査や治療に伴う絶食期間，治療の副作用による経口摂取量の低下，手術侵襲による異化反応の亢進などに起因し，基本的に可逆性である．それに対しCIWLは，がん組織が産生するサイトカインによる宿主–腫瘍相互反応の結果であり，不可逆性の病態と考えられている．さらに治療の段階でCIWLにCAWLが加わることにより，抗腫瘍療法に対する抵抗性や，副作用の発現が強く誘導される．

したがって，集学的治療の有効性を高めるためには，CIWLを早期に発見し，克服する必要がある．これまでのわれわれの研究では，積極的な抗がん薬治療を受けている悪液質患者に対するEPA療法が慢性炎症反応の亢進を抑制し，抗がん薬治療の継続性を高め，５年生存率を向上させることが判明した[20]．現時点では悪液質の治療法は確立されていないが，CIWLバイオマーカーの発見，炎症性サイトカイン産生の制御，個々の病態に応じて適切な栄養基質を投与する，個別化栄養療法の確立がその答えではないかと考えている．

文献

1) Lopes JP, de Castro Cardoso, Pereira PM et al：Nutritional status assessment in colorectal cancer patients. Nutr Hosp **28**：412-428, 2013
2) Mohri Y, Miki C, Kobayasji M et al：Correlation between preoperative systemic inflammation and postoperative infection in patients with gastrointestinal cancer：a multicenter study. Surg Today **44**：859-867, 2014
3) Kang CY, Halabi WJ, Chaudhry OO et al：Risk factors for anastomotic leakage after anterior resection for rectal cancer. JAMA Surg **148**：65-71, 2013
4) Miki C, Inoue Y, Toiyama Y et al：Deficiency in systemic interleukin-1 receptor antagonist production as an operative risk factor in malnourished elderly patients with colorectal carcinoma. Crit Care Med **33**：177-180, 2005
5) Inoue Y, Miki C, Kusunoki M：Nutritional status and cytokine-related protein breakdown in elderly patients with gastrointestinal malignancies. J Surg Oncol **86**：91-98, 2004
6) Antoun S, Birdsell L, Sawyer MB et al：Association of skeletal muscle wasting with treatment with sorafenib in patients with advanced renal cell carcinoma：results from a placebo-controlled study. J Clin Oncol **28**：1054-1060, 2010
7) Bozzetti F：Is enteral nutrition a primary therapy in cancer patients? Gut **35**（Suppl 1）：S65-S68, 1994
8) Ito H, Miki C：Profile of circulating levels of interleukin-1 receptor antagonist and interleukin-6 in colorectal cancer patients. Scand J Gastroenterol **34**：1139-1143, 1999
9) Ono T, Miki C：Factors influencing tissue concentration of vascular endothelial growth factor in colorectal carcinoma. Am J Gastroenterol **95**：1062-1067, 2000
10) Minato E, Miki C, Tanaka K et al：Vascular endothelial growth factor as an age-dependent prognostic factor in gastric cancer patients. Am J Surg **84**：460-464, 2002
11) Miki C, Tonouchi H, Wakuda R et al：Intra-tumoral interleukin-6 down-regulation system and genetic mutations of tumor suppressor genes in colorectal carcinoma. Cancer **94**：1584-1592, 2002
12) Miki C, Konishi N, Ojima E et al：C-reactive protein as a prognostic variable that reflects uncontrolled up-regulation of the IL-1-IL-6 network system in colorectal carcinoma. Dig Dis Sci **49**：970-976, 2004
13) McMillan DC, Canna K, McArdle CS：Systemic inflammatory response predicts survival following curative resection of colorectal cancer. Br J Surg **90**：215-219, 2003
14) Inoue Y, Iwata T, Okugawa Y et al：Prognostic significance of a systemic inflammatory response in patients undergoing multimodality therapy for advanced colorectal cancer. Oncology **84**：100-107, 2013
15) Braga M, Ljungqvist O, Soeters P et al：ESPEN. ESPEN Guidelines on Parenteral Nutrition：surgery. Clin Nutr **28**：378-386, 2009
16) Singer P, Shapiro H, Theilla M et al：Anti-inflammatory properties of omega-3 fatty acids in critical illness：novel mechanisms and an integrative perspective. Intensive Care Med **34**：1580-1592, 2008
17) Mantovani G：Randomised phase III clinical trial of 5 different arms of treatment on 332 patients with cancer cachexia. Eur Rev Med Pharmacol Sci **14**：292-301, 2010
18) Naito T, Uchino J, Kojima T et al：A multicenter, open-label, single-arm study of anamorelin（ONO-7643）in patients with cancer cachexia and low body mass index. Cancer **128**：2025-2035, 2022
19) 東口高志：全身症状に対する緩和ケア．外科治療 **96**：934-941, 2007
20) Shirai Y, Okugawa Y, Hishida A et al：Fish oil-enriched nutrition combined with systemic chemotherapy for gastrointestinal cancer patients with cancer cachexia. Sci Rep **7**：4826, 2017

第4章

肝・胆・膵がん：治療の基礎知識と栄養管理

*1 セントヒル病院消化器内科
*2 セントヒル病院
内田　耕一[*1]　坂井田　功[*2]

肝がんは，原発性肝がんのうち肝細胞がんが90％と大半を占めている．肝内胆管がん10％，その他小児では肝芽腫といった肝がんを認めるが少数である．原発性肝がん以外では転移性肝がんであり，他のがんが肝臓に転移したものである．転移性肝がんでは肝切除の対象となるのが大腸がんで，近年の分子標的治療薬など全身化学療法の進歩に伴い，切除率も上昇している．

肝がんの原因としては1990年代まではC型肝炎が70％，B型肝炎が10％を占めてきた．2020〜2021年にはC型肝炎・B型肝炎による肝がんが70％と減少しており，その他，慢性の肝障害（アルコール性，非アルコール性，その他）が30％を占め，1990年代までの3倍の増加傾向にある．ウイルス性肝炎は放置すると肝硬変，肝がんに進展するリスクが非常に高く，生命に危険が及ぶ．肝硬変となった場合，非代償期になるとさまざまな身体症状の出現のため，生活が制限される．近年の新しい治療法の開発によりウイルス性肝炎はウイルスの排除，増殖抑制を行うことで，肝硬変に進行することを阻止でき，肝がんが発生することを予防できる．ウイルス性肝炎以外のアルコール性・非アルコール性などによる肝障害も原因治療が肝がん発症抑制に重要である．

A 肝がん

❶ 肝がんの特性

肝炎ウイルスが肝がんの原因であり，ウイルス排除あるいはウイルス量をコントロールすると肝発がんとその再発を抑制できる．そのためC型肝炎，B型肝炎の治療が重要である．

アルコール，NASH，自己免疫性肝疾患，先天性代謝異常症，慢性の薬物性肝障害など，他の慢性肝疾患のすべてが肝がんの原因となりうる．

慢性肝疾患，特に肝硬変から発がんする．肝硬変への進展を防ぐことが肝がんを減らすことになる．そのためには，B型肝炎やC型肝炎ではウイルスの駆除，あるいはウイルス量のコントロール，肝細胞障害を軽減する治療（ALTを下げる治療）を行う．NASHなどすべての慢性肝疾患でも炎症の進行を抑制することで肝発がんを抑制できる．

多中心性発がんを特徴とするC型肝炎では肝硬変から年間7％発がんし，治療後も再発が多い特徴がある．

肝予備能が予後を決定するとともに，肝予備能によって治療法が制限される問題がある．肝硬変の治療も肝がんと同時に行う必要があるため，肝予備能によっては，侵襲度の高い治療は行えない場合がある．また，肝硬変の場合，食道胃静脈瘤，腹水，肝性脳症，肝腎症候群といった合併症の治療も並行して行う必要がある．

肝硬変の病期と合併症には大きく分けると①代償期②非代償期に分けられる．このうち非代償期の際には黄疸，肝性脳症，出血傾向，消化管出血，腹水・浮腫といった症状が起こる．またこれらの病期に関係なく合併症として，肝細胞がん，消化管出血，肝不全（肝性昏睡，腹水，浮腫，肝腎症候群）が併発するため注意が必要である．

肝予備能の評価としてChild-Pugh分類（表

表1　Child-Pugh 分類

	1点	2点	3点
脳症	ない	軽度	ときどき昏睡
腹水	ない	少量	中等量
血清ビリルビン値（mg/dL）	2.0 未満	2.0〜3.0	3.0 超
血清アルブミン値（g/dL）	3.5 超	2.8〜3.5	2.8 未満
プロトロンビン活性値（%）	70 超	40〜70	40 未満

各項目のポイントを加算し，その合計点で分類する．
Child-Pugh 分類　A：5〜6 点，B：7〜9 点，C：10〜15 点

表2　肝障害度分類

	A	B	C
腹水	ない	治療効果あり	治療効果少ない
血清ビリルビン値（mg/dL）	2.0 未満	2.0〜3.0	3.0 超
血清アルブミン値（g/dL）	3.5 超	2.8〜3.5	2.8 未満
ICGR15（%）	15 未満	15〜40	40 超
プロトロンビン活性値（%）	70 超	40〜70	40 未満

2 項目以上が該当した肝障害度をとる．2 項目以上の項目に該当した肝障害が 2 ヵ所に生じる場合には高いほうの肝障害度をとる．
ICGR：インドシアニングリーン値

1)，肝障害度分類（表 2）[1]があり，肝予備能を検討してどこまで侵襲的な治療に耐えることができるかについて検討する．

❷ 肝がんの栄養管理

ⓐ 肝硬変の治療と栄養管理

肝硬変の治療では，①原因治療，②進行を抑制する治療，③合併症の治療に分けられる．

①原因治療としてはＢ型肝炎ウイルスに対する抗ウイルス薬内服治療，Ｃ型肝炎ウイルスに対するインターフェロン治療やインターフェロンを使用しない経口内服薬での治療など多岐にわたっている．

②進行を抑制する治療としては肝庇護薬（強力ネオミノファーゲンＣやウルソデオキシコール酸）を投与し炎症を抑える．

③合併症の治療として，①肝細胞がんに対しては局所治療（ラジオ波焼灼療法），化学療法，再発予防を行う．②食道胃静脈瘤からの出血に対しては予防，緊急止血，待機止血として内視鏡的結紮療法（endoscopic variceal ligation：EVL）や内視鏡的硬化療法（endoscopic injection sclerotherapy：EIS），バルーン閉塞下逆行性経静脈的塞栓術（balloon-occluded retrograde transvenous obliteration：B-RTO）といった治療を行う③肝不全に対しては栄養治療（アミノ酸製剤など）や利尿薬，最終手段として肝移植を考慮する．

肝硬変における糖代謝異常ではグリコーゲン貯蔵能の低下，食後高血糖（空腹時低血糖傾向），糖尿病状態（肝性糖尿病），高インスリン血症，高グルカゴン血症，炎症やエンドトキシン血症などによるインスリン抵抗性状態があげられる．蛋白代謝異常では分岐鎖アミノ酸濃度の低下と芳香族アミノ酸の増加（Fischer 比の低下），種々の蛋白の合成障害（アルブミンの低下，プロトロンビン時間の延長）といった状態となる．脂質代謝異常としては脂肪組織の消耗や膜脂質の異常があげられる．その他に，胆汁うっ滞症により脂溶性ビタミンの低下，カルシウムの低下が生じる．またビタミンＤ活性化の低下なども生じる．

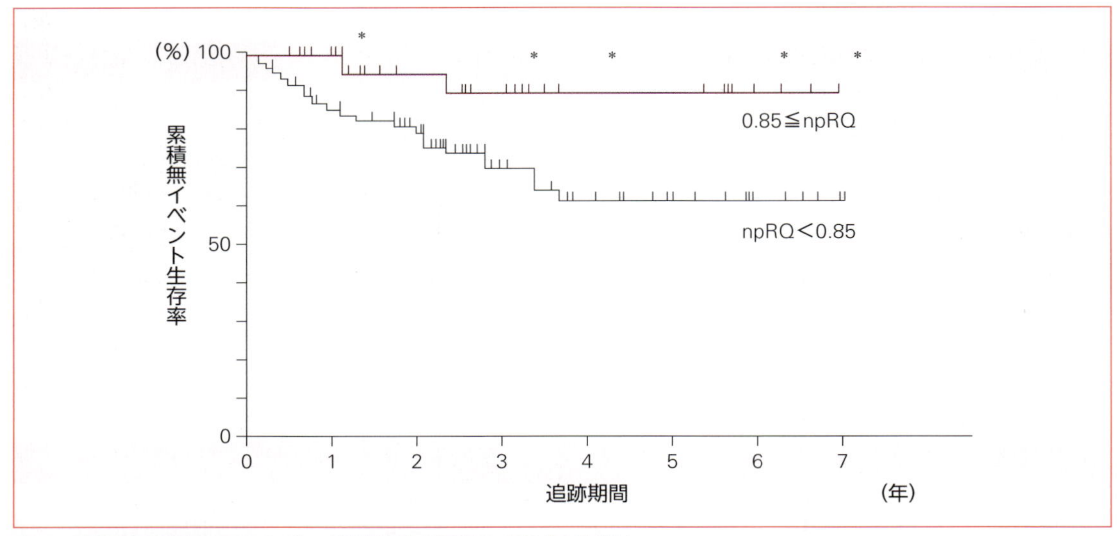

図 1　肝硬変患者のエネルギー栄養状態が予後に及ぼす影響

＊：$p<0.05$，npRQ：非蛋白呼吸商

［Tajika M, et al：Nutrition **18**：229-234, 2002 より引用］

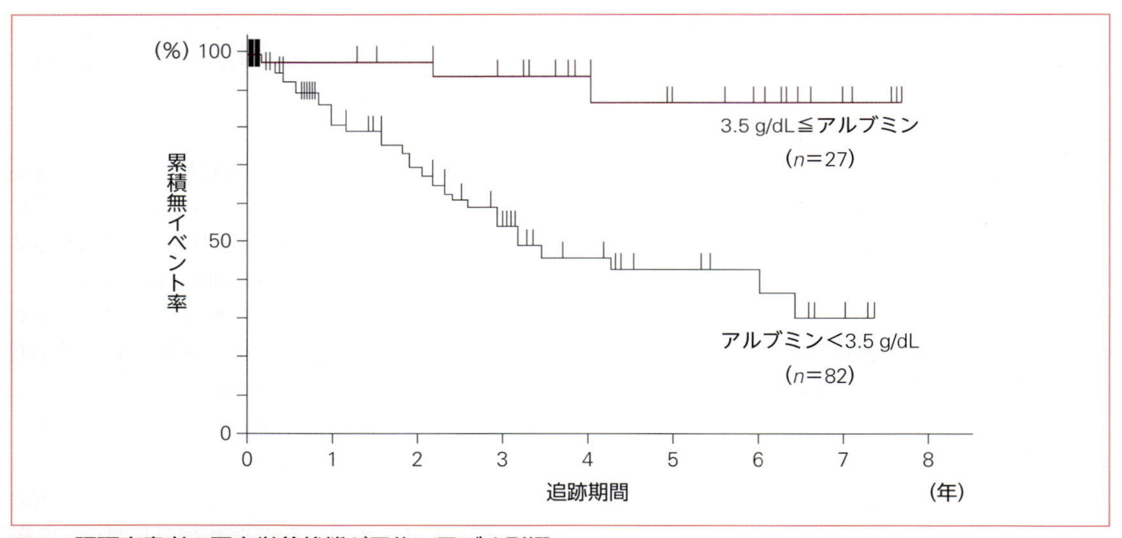

図 2　肝硬変患者の蛋白栄養状態が予後に及ぼす影響

［Tajika M, et al：Nutrition **18**：229-234, 2002 より引用］

肝硬変では基礎代謝が亢進するため，十分なエネルギーを摂取しないとエネルギー不足に陥る．肝硬変患者が飢餓状態に陥らないためにも分割食を考慮し適正なエネルギーを確保することが必要である．肝硬変患者が飢餓状態に陥ると予後が悪くなるため夜間から早朝の絶食時間を短縮しエネルギー不足状態にならないようにすることが重要である．エネルギー栄養状態の評価には，間接熱量計から得られる非蛋白呼吸商（npRQ，炭水化物燃焼率/脂肪燃焼率の商）が国際的にも推奨され，閾値は0.85である（**図 1**）[3]．エネルギー低栄養状態も，蛋白低栄養状態と同じく患者の予後に悪影響を与える（**図 2**）[3]．したがって，蛋白低栄養状態，エネルギー低栄養状態に対する適切な栄養介入は重要である．

このような肝硬変の病態に対しての食事療法は病状の違いにより食事療法は変わってくる．

① 代償期（腹水・黄疸・肝性脳症がない場合）

基本的には慢性肝炎とほぼ同じ食事内容で行っている（症状に応じてカロリーや蛋白質を調整する）．一般的には適正エネルギーの摂取，抗酸化物質の摂取，食物繊維の十分な摂取，野菜や果物海藻類といった食材からのビタミンやミネラル補充，貯蔵鉄が多いときは鉄分を制限する，分岐鎖アミノ酸製剤の服用，飲酒は原則禁止である．

また，生魚だけはビブリオ・バルニフィカスの感染予防のため代償期の肝硬変患者において禁食としている施設もある．

② 非代償期（腹水・黄疸・肝性脳症のある場合）

腹水症例では塩分制限目標を 6 g/日としている．また，利尿薬を併用する

肝性脳症に対しては蛋白質の摂取の制限を行いアンモニアの上昇をおさえる．脳症時には0.6 g/kg 体重とし，脳症が落ち着けば 1 g/kg 体重にアップする．特に大量の肉類は脳症を誘発しやすいため控える．分岐鎖アミノ酸（BCAA）製剤で補う．便通をよくするため，線維を多くとるようにし，ラクツロース製剤を用いて腸内環境を弱酸性としアンモニアの発生や吸収を抑え，排便を促す．

肝硬変患者の栄養療法については日本消化器病学会・日本肝臓学会がアルゴリズムを発表している．一般に，蛋白栄養状態の評価には血清アルブミン濃度を用い，3.5 g/dL 以下を蛋白低栄養状態と診断する．蛋白低栄養状態は，肝硬変患者の無イベント生存率を規定する，重要な予後因子である[2]（学会ホームページよりダウンロード可能）．肝硬変では，肝細胞が産生する蛋白であるアルブミンの血中濃度が低下する．この蛋白の合成能が低下すると蛋白栄養障害となる．蛋白の合成能が低下すると血液中の蛋白の濃度を保つために蛋白異化が亢進し，筋蛋白の減少がみられる．アルブミンをはじめとする血液中の蛋白が減少すると腹水や浮腫を生じる．これらの防止のためにも患者の体格に適切な蛋白質が必要である．筋蛋白が減少すると骨格筋の萎縮がみられる．骨格筋は肝障害時において糖代謝の重要な場であることから筋蛋白が減少する肝硬変では耐糖能障害が認められるようになる．また，糖尿病を合併すると発がん率が高いことも報告されており，骨格筋の維持は発がん防止の点からも重要と考えられる．

肝硬変ではその患者の体格に適切な蛋白質を摂取することで血清アルブミン濃度を維持し，骨格筋の萎縮を防止することが必要である．

抗酸化食品は酸化を防ぐ栄養素であり，抗酸化物質（カロテン・ビタミン C，ビタミン E）・ポリフェノール・カテキン・リコピンなど）を含む食品を摂取するとよい．

また，食物繊維の摂取による便秘の予防が肝性脳症の予防につながる

また食物繊維が豊富な料理をはじめにゆっくり食べることで満腹感を得やすくなり，大食い・早食いの防止になり肥満防止にもつながる．

C 型肝炎ウイルスは鉄吸収を高めるため，鉄制限食に留意する．肝硬変では BCAA が低下する．それは増加したアンモニアを骨格筋で代謝するために BCAA が消費されるからである．また BCAA そのものが不足したエネルギー源として使われることも一因である．

以上より，肝硬変の栄養療法として QOL の改善，発がん予防，生命予後改善の目的で，①バランスの良い食事，②分岐鎖アミノ酸製剤の使用，③肥満を改善させるための食物繊維豊富な食事，④ LES を含めた分割食，⑤鉄成分の少ない食事が推奨される．

b 肝がんの治療と栄養管理

肝がんの治療法には外科的治療，内科的治療，放射線治療がある．外科的治療には肝切除，肝移植がある．内科的治療には局所療法としてラジオ波焼灼療法，エタノール注入療法，肝動脈化学塞栓療法，持続動注化学療法，薬物治療（一次薬物療法　アテゾリズマブ＋ベバシズマブ，デュルバルマブ＋トレメリムマブ前記薬剤の適応がない場合の一次薬物療法はソラフェニブかレンバチニブあるいはデュルバルマブ）がある．放射線治療としては体幹部定位放射線治療（SBRT）や粒子線治療などがある．再発予防薬としてレチノイドがある．

これらの治療の基準として肝硬変としての肝予備能が十分にあるかどうかが治療の重要な決定因子となる．

肝がん患者において外科的切除を行う場合，栄養不良が認められた場合，経口栄養補助（oral nutritional supplement：ONS）を行う．術前にアルブミン値やBTRを測定し，低下している症例では術前から経口BCAA製剤を投与する．少なくとも投与時期は2～3週間の投与期間が必要である．またビタミンA，D，E，K，亜鉛などの微量栄養素が欠乏していれば術前に補充する．高アンモニア血症症例では亜鉛欠乏が疑われた場合，十分に補充する．

また術前免疫療法としてアルギニン，ω-3系脂肪酸，核酸が強化された免疫調整栄養剤による術前免疫栄養療法が推奨される．

術後栄養管理として，術後早期からの経口・経腸栄養である．術後早期にはエネルギー量15～20 kcal/kg/日，蛋白量1.0～1.2 g/kg/日程度から開始し段階的に増量する．最終的な術後の目標投与量は，エネルギー量35～40 kcal/kg/日，蛋白量1.2～1.5 g/kg/日である[4]．

肝がんは肝硬変をベースにすることが多いことから，栄養管理は基本的にBCAA製剤を主体とする．腸管免疫賦活やbacterial translocation防止の観点からは経口投与が推奨される．肝不全用経口栄養剤を投与する場合，耐糖能低下例では分割投与する．術後のBCAA製剤投与は感染性合併症の発生頻度，利尿薬の使用量，肝機能低下の有意な改善を認めたと報告されている[5]．

肝がん症例は術後再発率が高く約2年で60%，3年で80%にのぼる．再発時の治療を十分に行うためにも肝機能維持は重要である．

高エネルギー（35～40 kcal/kg/日），高蛋白（1.2～1.5 g/kg/日）の栄養摂取量が推奨される．

肝硬変症患者では蛋白質・エネルギー低栄養状態が高率に合併し，肝細胞がんのため安静時エネルギー消費量は増大する．したがって，十分な栄養量摂取が望まれるが，肝細胞がん患者の多くは消化吸収能の低下や化学療法，薬物療法の影響から食欲不振を訴えており，この状況下で栄養供給量を増やすことは患者のQOL低下につながる．肝機能不良例では就寝前夜食摂取（late evening snack：LES）を行う．LESに200 kcal程度のBCAA強化栄養剤の摂取を行う．

腹水を認める場合は高エネルギー，高蛋白食，BCAA補充，利尿薬を基本とし，塩分制限を行う．高アンモニア血症を認める場合には蛋白制限（0.8 g/kg/日）を行う．

BCAA投与による肝発がん抑制については，本邦で行われた大規模臨床試験において，非代償性肝硬変患者646例へのBCAA製剤投与が非投与群と比し，肝がん発生を含めたイベントフリー生存率とQOLを改善した[6]．また肝発がん歴のない肝硬変患者211例に対するBCAA投与の有無別解析では，BCAA投与は肝発がん率を抑制した．このことからBCAA投与はQOLだけでなく，発がん抑制効果も持つことがわかった[7]．

1989年にRosenbergによって提唱された概念であるサルコペニアにおいて，2012年に「サルコペニア合併の肝硬変は予後不良である」という論文が発表され，肝疾患とサルコペニアが重要視されている[8]．日本でも日本肝臓学会が2016年に「肝疾患におけるサルコペニアの判定基準（第1版）」を発表している[9]．これには栄養の評価と適切な栄養療法が必要であり，管理栄養士の役割が大きく期待されている．また過度の安静は筋力の低下などをもたらすため，栄養療法に加えて適度のストレッチングや筋力トレーニングなどの運動療法も筋肉量の維持と筋力低下を防止するために重要である．

栄養状態の改善がQOL・免疫能を向上させ，予後の延長に有効であることを患者自身に説明し理解を得たうえで，定期的に摂取状況を調査し，患者へ栄養療法に対しての動機付けを行うことが重要と考えている．そのためには，経口的に食事が摂取できるように心がけ，家族に理解と協力を得ることも大事である．

B 胆嚢がん，胆管がん

❶ 胆嚢がんの特性

胆嚢に原発した悪性腫瘍であり，病理学的には腺がんに分類されている．

胆囊がんの40～75％に胆囊胆石を合併しており，胆石の機械的刺激ががんを誘発している可能性が示唆されている．また膵胆管合流異常を伴うが多く，膵液の胆道内への流入が発がんの一因とされている．

胆囊がんは特異的な症状に乏しく，進行例では黄疸，体重減少，腫瘤触知されるが，無症状で発見される症例も30～40％ある．

胆囊がんは腹部超音波検査および血液検査が診断のファーストステップとなる．鑑別診断と進展度診断のため，超音波内視鏡検査（endoscopic ultrasoundscopy：EUS），CT検査が推奨される．

治療は外科的切除（胆囊摘出術，拡大胆囊摘出術，肝右葉切除術），化学療法（ゲムシタビン，シスプラチン，テガフール・ギメラシル・オテラシルカリウム配合剤（TS1：ティーエスワンなどを組み合わせて使用し，より高い効果が得られる）が使用される．

❷ 胆管がんの特性

通常肝外胆管に発生するがんを指し，病理学的には腺がんである．原因として膵胆管合流異常の患者に多い．胆管がんは症状に特異的なものがなく，進行例では黄疸，体重減少，腫瘤触知といった症状が出る場合がある．

胆囊がんと同じく，腹部超音波検査および血液検査がファーストステップであり，CT，MRI検査は病変の局在および進展度診断に有用である．

治療は黄疸症例については治療前の減黄処置として，胆道ドレナージ；内視鏡的経鼻胆道ドレナージ術（endoscopic nasobiliary biliary drainage：ENBD），内視鏡的胆道ドレナージ（endoscopic biliary drainage：EBD），経皮経肝胆道ドレナージ（percutaneous transhepatic biliary drainage：PTBD）が行われる．これらのうち胆道がんでは逆行性胆管炎を予防する観点から経鼻胆道ドレナージ（ENBD）が望ましい．ENBDを留置していても経口摂取が可能である．

胆囊がんと同じく，外科的切除，化学療法（ゲムシタビン，シスプラチン，テガフール・ギメラシル・オテラシルカリウム配合剤（TS1：ティーエスワン）を組み合わせることでより高い効果が得られる），切除不能例に対しては減黄目的に胆道ステントを留置することが多い．

胆囊がんや胆管がんにおいてはコレステロールを過剰摂取すると，コレステロール溶存能が低下し胆石が生成されやすくなる．また十二指腸への胆汁排泄が障害された閉塞性黄疸では，脂肪消化が著しく低下し脂肪便となるため早期の閉塞解除を治療方針とする必要がある

❸ 栄養管理

胆道がんは閉塞性黄疸で発症する症例が多い．閉塞性黄疸自体，栄養状態の悪化を招く．黄疸に対する検査や治療のために絶食になることも多く，術前から栄養状態を速やかに評価し，管理する．また，外科手術は大きな侵襲を伴い，術後感染性合併症の発症が少なくない．感染性合併症を予防するために栄養管理が重要視されている．

閉塞性黄疸では胆汁排出が不足し，脂質および脂溶性ビタミンの消化吸収障害をきたす．また胆汁が長期間ドレナージされた場合，周術期をとおして胆汁を腸管内に返還する胆汁返還を行っている施設もある．胆汁返還の意義として，①胆汁酸の腸肝循環を正常化することで胆汁酸性を促進し肝機能の回復に役立つ，②電解質や水分のバランスを保つ，③肝切除術後の肝再生を促進する，④腸管バリア機能の改善，などがあげられる[10]．

胆汁返還を行わない場合，適切に補液を行わないと容易に脱水，腎機能悪化に陥ることがある．

胆道がんの場合多くは閉塞性黄疸のため，腸管粘膜の透過性が亢進し，腸内細菌叢のバランスに乱れが生じている．術前の腸内環境改善を目的として，シンバイオティクスを投与している施設もある．シンバイオティクスの目的は，糞便中の有用菌の増殖，有害菌の減少，腸内の有機酸（特に短鎖脂肪酸）の増加により，腸内細菌叢が是正である[11]．

 膵がん

❶ 膵がんの特性

膵原発の悪性腫瘍で，主に膵管上皮から発生する．病理組織学的に管状腺がんが最も多い．部位としては膵頭部がんが最も多い．浸潤傾向が強く，血行性，リンパ行性に転移するため，現在において最も難治の消化器がんである，予後はきわめて不良である．

症状は特異的な症状に乏しい．進行膵がん患者では腹痛 64%，黄疸 64%，体重減少 53%，腰背部痛，食欲不振，全身倦怠感を呈する．がん悪液質をきたす代表的な疾患である．慢性膵炎の併存による糖尿病や消化吸収障害も生じるため栄養不良のリスクが高い．

診断としては超音波検査，CT 検査，MRI 検査などを行う．近年治療前に組織学的検討を行うため，超音波内視鏡下膵生検（endoscopic ultrasonography guided fine needle aspiration biopsy：EUS-FNA）が行われている．

治療として外科手術，化学療法（抗がん薬治療：塩酸ゲムシタビン（点滴），TS-1（内服））FOLFIRINOX（5-FU/leucovorin + irinotecan + oxaliplatin の 3 剤併用），放射線治療，緩和ケアが行われる．手術術式には大きく分けて膵頭十二指腸切除（pancreaticoduodenectomy：PD）と膵体尾部切除（distal pancreatectomy：DP）がある．膵頭部がんで行われる PD は消化器外科のなかで最も侵襲度の高い手術のひとつである．膵がんは再発リスクも高く，術前術後に化学療法，放射線療法などの集学的治療が必要である．

❷ 膵がんの栄養管理

膵がんは栄養リスクが高いため，栄養スクリーニングが重要である．栄養不良が認められた場合，経口栄養補助（oral nutritional supplement：ONS）を行う．栄養不良例では食欲不振による経口摂取量の低下やエネルギー消費量の亢進が認められるため，ONS としてエネルギー密度が高く蛋白含有量の多い経口栄養剤が勧められる．

閉塞性黄疸が遷延する症例ではドレナージを行っている症例では腸管内に胆汁流入がないため長鎖脂肪ならびに脂溶性ビタミンの吸収障害が生じる．特にビタミン K の欠乏による出血傾向に留意する．

手術にて PD を行われる場合，アルギニン，n-3 系脂肪酸，核酸が強化された免疫調整栄養剤による免疫栄養療法は術後感染性合併症の発生抑制や，在院日数の短縮も報告されている[12]．

PD では胃腸吻合，胆腸吻合，膵腸吻合と 3 つの消化管吻合を行うため，TPN 管理とし 1 週間程度は絶食にする．状況によっては術後 2〜3 日後から経口摂取を開始し，徐々に増量する．術後早期に経腸栄養する場合は，経鼻空調チューブかカテーテル空腸瘻の造設を行う．空腸内に経腸栄養剤を投与すると，膵液分泌に悪影響を与えない．使用する経腸栄養剤は成分栄養剤，消化態栄養剤，半消化態栄養剤がある．死亡含有による膵液分泌刺激を避けるため成分・消化態栄養剤を使用する場合が多い．術後早期（5 日以内）の目標投与カロリーは 20〜25 kcal/kg/日程度とする．それ以降 5〜7 日になると 25〜30 kcal/kg/日が推奨他蛋白投与量である．

膵がんで GEM による術後補助化学療法が無再発生存率を延長させることが報告されている．また TS-1 も投与されている．フォルフィリノックス（FOLFIRINOX）療法：5-FU・イリノテカン・オキサリプラチンの 3 種類の抗がん薬に，5-FU の増強薬であるレボホリナートを加えた多剤併用の治療法やゲムシタビン・ナブパクリタキセル療法（Gem/nab-PTX 療法，GnP 療法），ゲムシタビン・S-1 療法（GS 療法）といったさまざまな薬剤の組み合わせによる治療が行われている．

緩和ケアでは，体重減少を伴う進行膵がんに対して，EPA 高含有経腸栄養剤（プロシュア®）の摂取が体重減少の進行を改善する[13]．またアルギニン，HMB（β ヒドロキシメチル酪酸），グルタミンが配合されたアミノ酸製剤を（アバンド®）もがん患者への骨格筋量増加が報告されていて有用である可能性がある．

文献

1）日本肝がん研究会：原発性肝癌取扱い規約，第6版，金原出版，東京，2019
2）日本消化器病学会（編）：肝硬変診療ガイドライン 2020，南江堂，東京，2020
3）Tajika M et al：Prognostic value of energy metabolism in patients with viral liver cirrhosis. Nutrition **18**, 229–234, 2002
4）Weimann A, Braga M, Harsanyi L et al：ESPEN Guidlines on Enteral Nutrition：Sugery including organ transplantation. Clin Nutr **25**：224–224, 2006
5）Fan ST, Lo CM, Lai E et al：Perioperative nutritional support in patients undergoing hepatomy for hepatocellular carcinoma. N Engl J Med **331**：1547–1552, 1994
6）Muto Y, Sato Y, Watanabe A et al：Effect of oral branched-chain amino acid granules on event-free survivals in patients with liver-cirrhosis. Clin Gastroenterol Hepatol **3**：705–713, 2005
7）Hayaishi S, Chung H, Kudo M et al：Oral branched-chain amino acid granules reduce the incidence og hepatocellular carcinoma and inprove event-free survival in patients with liver sirrhosis. Dig Dis **29**：326–332, 2011
8）Montano-Loza A J, Meza-Junco J et al：Muscle wasting is associated with mortality in patients with cirrhosis. Clin Gastroenterol Hepatol, **10**：166–173, 2012
9）一般社団法人日本肝臓学会：肝疾患におけるサルコペニア判定基準（第1版），2016年5月
10）Kamiya S, Nagino M, Kanazawa H et al：The value of replacement during external biliary drainage：an analysis of intestinal permeability, integrity, and microflora. Ann Surg **239**：510–517, 2004
11）Sugawara G, Nagino M, Nishio H et al：Perioperative synbiotic treatment to prevent postoperative infectious complications in biliary cancer surgery：a randomized controlled trial. Ann Surg **244**：706–714, 2006
12）Gianotti L, Braga M, Gentilini O et al：Artificial nutrition after pancreaticoduodenectomy. Pancreas **21**：344–351, 2000
13）Fearon KC, Von Meyenfeldt MF, Moses AG et al：Effect of a protein and energy dense N-3 fatty acid enriched oral supplement on loss of weight and lean tissue in cancer cachexia：a randomized double blind trial. Gut **52**：1479–1486, 2003

第5章

乳がん：治療の基礎知識と栄養管理

静岡県立静岡がんセンター乳腺外科
高橋かおる

乳がんは，通常終末期にいたるまで経口摂取の障害が起こらないため，がんの病態に関連した栄養管理が問題となることはほとんどない．外科治療に関しても手術当日以外は通常の食事摂取が可能であり，栄養面の配慮が必要になるとすれば，一部の化学療法や内分泌療法の副作用に伴う事項であろう．また，乳がんの発生や再発と食事との関連についてさまざまな情報があふれており，何が確かで何が不確かなのか，整理しておく必要がある．

A 乳がんの疫学

乳がんは，罹患率では女性のがんの第1位であり，年々増加している．40歳代後半～60歳代に発症のピークがあり，社会や家庭で活躍している年代に多いことも特徴である．女性ホルモン（エストロゲン）が関与しており，初潮が早く閉経が遅い，初産年齢が遅いまたは出産しないなどが，リスク因子のひとつとされ，授乳はリスクを減少させる．

病期は0期（非浸潤がん）～Ⅳ期（遠隔転移あり）に分かれ[1]，全体でも10年生存率8割以上であるが，Ⅰ期なら10年生存率9割以上と，早期発見が重要である．早期発見にはマンモグラフィ検診が有効とされるが，日本では欧米に比べ受診率が低い．

乳がんの5～10%は遺伝性と考えられている．代表的なものは*BRCA1*または*BRCA2*遺伝子で，これに変異がある場合，乳がんや卵巣がんを高率に発症し，遺伝性乳がん卵巣がん症候群（hereditary breast and ovarian cancer：HBOC）と呼ばれる．HBOCでは，乳がんの術式選択や治療薬にも影響し，予防的乳房切除や卵巣卵管切除も選択肢となる．家族歴の他，若年発症，トリプルネガティブ乳がん（**表6**の注参照），2個以上の乳がん（両側など），男性乳がんなどではHBOCの可能性を考慮し，検査も保険適用となっている．

B 乳がん治療の基礎知識

乳がんの治療では，局所療法である手術と放射線療法，全身療法である薬物療法の3つを合わせた集学的治療が重要である．

❶ 手　術

手術は初期治療の基本であるが，最近では手術単独の治療は少なく，放射線や薬物療法と組み合わせて「治療の一部」と考えられるようになり，予後に影響するのは術式や手術の巧拙よりもがんの性格や薬物療法とされている．乳がん治療における手術の比重は小さくなり，手術は縮小されて整容性が重視されるようになった．

乳がんの手術は，乳房の手術とリンパ節の手術を組み合わせて行う．乳房切除が必要な場合，患者の希望があれば，同時または後日に，乳房再建が行われる（**表1**）[1]．

ⓐ 乳房の手術

乳房の手術は，乳房を全摘するのか温存するのかに大別される．全摘の場合，通常，乳頭と腫瘤直上の皮膚を含めて乳腺・皮下脂肪を含む乳房全体を切除する乳房全切除術が行われる．同時に乳房再建を行う場合，皮膚と腫瘍との距離があれば直上の皮膚を温存する皮膚温存乳房

表１　乳がんの主な術式[1)]

1）乳房の術式	
乳房部分切除術	Bp
乳房全切除術	Bt
皮膚温存乳房全切除術	Bt（SSM）
乳頭温存乳房全切除術	Bt（NSM）
2）リンパ節の切除範囲	
腋窩郭清	Ax（Ⅰ・Ⅱ・Ⅲ）
センチネルリンパ節生検	SN
3）再建の有無	
組織拡張器	TE
インプラント	IMP
広背筋皮弁	LD
腹直筋皮弁	TRAM

1）～3）の各記号を組み合わせて術式を表す
例）乳房部分切除術＋腋窩リンパ節郭清（レベルⅡ）：
Bp＋Ax（Ⅱ）
乳房全切除＋センチネルリンパ節生検＋組織拡張器：
Bt＋SN＋TE
［日本乳癌学会（編）：臨床・病理　乳癌取扱い規約，第18版，金原出版，2018を参考に作成］

表２　乳房温存療法の適応

1. 腫瘤径が小さい（<3 cm くらい）※
2. 腫瘤が１個，または近くに少数のみ
3. 腫瘤外への広がり（乳管内進展）が広範ではない
4. 放射線照射が可能である
5. 本人が希望する

※腫瘤径が大きい場合，術前化学療法を施行して，縮小すれば乳房温存可能となる場合もある．

切除術（skin sparing mastectomy：SSM），乳頭にがんの進展がなければ乳頭温存乳房切除術（nipple sparing mastectomy：NSM）も適応となる．

乳房を温存する場合，乳房部分切除術を行った後，乳房内に遺残する可能性のある微小ながんに対して術後放射線照射を行うことが原則であり，乳房温存療法と呼ばれる．乳房温存療法の主な適応を表２に示す．多くの乳がんでは腫瘤周囲の乳管内にもがんが進展しており，この範囲を含めて切除しなければならない．したがって術前には，マンモグラフィ，超音波，MRIを用いて，乳管内進展の範囲を詳細に調べることが重要である．

昔は乳房と大胸筋，小胸筋をすべて切除する胸筋合併乳房切除術（Halsted法）が行われていたが，日本では1980年代半ばには大胸筋を温存する胸筋温存乳房切除術がHalsted法を上回り，胸筋を切除する術式は現在ほとんど行われていない．1980年代後半から乳房温存療法が始まり，2006年には乳房温存が６割を占めるようになった．その後乳房再建の普及に伴い，乳房温存では変形が強くなる症例に対しては無理な温存より乳房切除＋再建が選択される傾向となり，温存の割合はむしろ減少し，現在では乳房全切除と温存とがほぼ半々となっている．

ⓑ リンパ節の手術

乳がん手術で郭清される腋窩リンパ節は，レベルⅠ（小胸筋より外側），レベルⅡ（小胸筋後面と前面），レベルⅢ（小胸筋より内側）に分けられる．リンパ節転移を認める症例ではレベルⅡまでの郭清が一般的で，レベルⅢの郭清は明らかな転移がなければ施行しない．鎖骨上や胸骨傍リンパ節は郭清の対象とはならず，転移のある場合は照射や薬物療法で対処する．

術前検査（触診・画像・針生検）でリンパ節転移を認めない場合は，センチネルリンパ節生検が行われる．乳輪部や腫瘤近傍にアイソトープや色素を注入し，それらが流入するリンパ節（通常１～数個）を「センチネル（見張り）」リンパ節，すなわちがんが最初に転移するリンパ節と考える．これらを術中に迅速病理診断し，転移がなければ郭清を省略する．センチネルリンパ節に転移があれば通常郭清を施行するが，最近では，一定の条件を満たせばセンチネルリンパ節に転移があっても郭清せずに照射や薬物療法で対処可能と考えられ，リンパ節の手術もさらに縮小の方向に向かっている．

ⓒ 乳房再建

乳房再建にはインプラント（人工乳房）または自家組織（広背筋や腹直筋）が用いられ，形成外科との協力のもとに行われる．乳がん手術と同時に再建手術を開始する場合を一次再建，乳がん手術を終えてから後日再建を開始する場合を二次再建と呼ぶ．また，再建手術を１回で終わらせる場合を一期再建，２回に分けて行う場合を二期再建と呼び，二期再建の場合，初回手術時にティッシュ・エキスパンダー（組織拡張器）と呼ばれる仮のバッグを挿入し，これを

表3　乳がんの主な内分泌療法薬

SERM（選択的エストロゲン受容体モジュレーター）
タモキシフェン トレミフェン
LH-RH アゴニスト
ゴセレリン リュープロレリン
アロマターゼ阻害薬
アナストロゾール エキセメスタン レトロゾール
SERD（選択的エストロゲン受容体ダウンレギュレーター）
フルベストラント
黄体ホルモン製剤
メドロキシプロゲステロン

表4　乳がんの主な化学療法

術前・術後の主なレジメン
アントラサイクリンを含むレジメン： AC，EC，CAF，FEC，など タキサン系薬剤： ドセタキセル，パクリタキセル，など アントラサイクリンを含まないレジメン： TC，CMF，など
その他の化学療法薬（進行・再発例に用いられることが多い）
経口代謝拮抗薬： カペシタビン，TS-1®，UFT®，など カルボプラチン，シスプラチン エリブリン ビノレルビン ゲムシタビン など

A：ドキソルビシン，E：エピルビシン，C：シクロホスファミド，F：フルオロウラシル，T：ドセタキセル，M：メトトレキサート

徐々に膨らませてスペースを拡張してから，2回目の手術で最終的な乳房を作成する．

インプラントが保険適用となったことも手伝って再建は急速に普及し，最近は日本でも，乳房切除術に伴う一般的なオプションとして乳房再建が提示されるようになった．

❷ 放射線療法

ⓐ 乳房温存術後の放射線療法

温存乳房内再発を抑えるために，温存乳房に50グレイ（Gy）程度（2 Gy×週5日，5週間）が一般的で，局所再発のリスクが高い場合には腫瘍床に10～16 Gy程度のブースト照射を追加する．最近では，1回の照射量を増やしたり照射範囲を限定するなどして照射の回数・期間を減らす試みも行われている．

ⓑ 乳房切除術後の照射

乳房切除後にも，リンパ節転移陽性などの高リスク群では，胸壁＋リンパ節領域に照射を加えることが推奨されている．

❸ 薬物療法

ⓐ 内分泌療法（表3）

エストロゲン受容体（ER）またはプロゲステロン受容体（PgR）陽性の乳がんに対して行われる．閉経前には，ホルモン受容体に作用するタモキシフェンや卵巣機能を抑制するLH-RHアゴニストが用いられる．閉経後には，タモキシフェンも適応はあるが，より再発抑制効果の高いアロマターゼ阻害薬（副腎から分泌されたアンドロゲンをエストロゲンに変換する酵素を阻害）が用いられることが多い．再発治療には，フルベストラントも用いられる．

術後のホルモン療法は最低5年間投与され，最近では10年投与の有効性も示されており，長期にわたることが特徴である．

ⓑ 化学療法（表4）

乳がんに使用される主な抗がん薬を表4に示す．このうち，術前術後の補助療法の基本となるのは，アントラサイクリンを含むレジメンとタキサンであり，1サイクル3週間で4サイクル～8サイクル，すなわち3～6ヵ月の治療期間となる．いずれも脱毛，好中球減少などの有害事象があり，アントラサイクリン系では，悪心・嘔吐が問題となる．

術前の画像診断や針生検結果から化学療法の適応ありと判断される場合には，腫瘤縮小により乳房温存を可能にしたり，抗がん薬の効果や予後を予測したりする目的で，従来の術後化学

療法と同様のレジメンを術前に投与する，術前化学療法が行われることもある．

ⓒ 分子標的治療薬など（表5）

HER2陽性乳がんに対するトラスツヅマブは以前から周術期を含め広く使用されていたが，ホルモン受容体陽性乳がんに内分泌療法と併用するCDK4/6阻害薬，HBOC症例に有効なオラパリブなど，今では多様な薬が使われている．また，免疫チェックポイント阻害薬も乳がんへの適応が増えてきた．新たな薬が次々と開発されており，副作用は種類や作用機序により異なる．

ⓓ 術前術後薬物療法の選択（表6）

術前術後の薬物療法は，乳がんのサブタイプ別に選択される．サブタイプは，主に切除したがん組織の免疫組織染色で，ER（またはPgR），HER2，細胞増殖能の指標であるKi-67を調べて分類される．luminalタイプで化学療法を追加するか迷う場合には，リンパ節転移個数，核グレードなどのリスク因子を考慮したり，オンコタイプDX®などの多遺伝子アッセイを参考にするという選択肢もある．

表5　乳がんの主な分子標的治療薬

抗HER2療法
- トラスツズマブ
- ペルツズマブ
- T-DM1（トラスツズマブ・エムタンシン）
- T-DXd（トラスツヅマブ・デルクステカン）

その他
- パルボシクリブ（CDK4/6阻害薬）
- アベマシクリブ（CDK4/6阻害薬）
- オラパリブ（PARP阻害薬）
- ベバシズマブ（抗VEGF抗体）
- デノスマブ（抗ランクル抗体）
- エベロリムス（mTOR阻害薬）

免疫チェックポイント阻害薬
- アテゾリズマブ
- ペムブロリズマブ

❹ 再発乳がんの治療

再発乳がんの治療は薬物療法が中心となり，サブタイプと効果に応じてさまざまな薬剤が順次用いられる．ビスホスホネート製剤や，分子標的治療薬のひとつであるデノスマブは，骨転移に特化した治療薬である．放射線療法は，骨転移で骨折の恐れや痛みのある場合，脳転移，難治の局所再発などで適応となる．手術は，一部の局所再発や，単発の肺転移が肺原発と診断に迷う場合など，適応は非常に限られる．

C 乳がんの治療と栄養管理

❶ 手術療法・放射線療法と栄養管理

乳がんの手術では，禁食となるのは手術当日のみであり，翌日から通常食摂取が可能である．放射線療法でも栄養管理が問題となることはほとんどない．

❷ 薬物療法と栄養管理

ⓐ 内分泌療法と栄養管理

内分泌療法では吐き気や食欲低下は通常起こらず，栄養低下の心配はまずない．タモキシフェンではむしろ食欲亢進や体重増加，高脂血症が起こる場合があり，食べ過ぎや動物性脂肪の摂りすぎに注意が必要である．

表6　乳がんのサブタイプ別治療

サブタイプ	ER/PgR	HER2	Ki67	治療
luminal A	＋＋	－	低	H （高リスクではH＋C）
luminal B	＋ ＋	－ ＋	高	H＋C H＋C＋T
トリプルネガティブ	－	－		C
HER2タイプ	－	＋		C＋T

※トリプルネガティブ：ER，PgR，HER2の3つがすべて陰性，の意味
H：内分泌（ホルモン）療法，C：化学療法，T：抗HER2療法（トラスツズマブ・ペルツズマブ）

アロマターゼ阻害薬では骨密度低下への注意が必要で，カルシウムやビタミンDの摂取とともに，適度な運動などの生活指導が重要である．

ⓑ 化学療法と栄養管理

乳がんで最も多く使われるアントラサイクリン系の抗がん薬では，食欲不振，悪心・嘔吐が問題となるが，通常は投与後数日間で軽快し，制吐薬の適切な使用で軽減を図ることが重要である．口内炎，味覚異常などもさまざまな抗がん薬で起こりうる有害事象であり，症状が強い場合には献立や味付けに工夫が必要である．しかし，乳がんでは消化器系のがんとは異なり，原疾患による経口摂取や消化・吸収機能に異常はないため，治療期間が過ぎれば通常の食生活に戻り，栄養障害にいたる心配はない．

ⓒ その他

ビスホスホネート製剤は，栄養に支障をきたすことは通常ないが，骨転移治療に使われるデノスマブでは低カルシウム血症に注意が必要で，市販のビタミンD配合カルシウム製剤の摂取が推奨されている．

D 乳がん発症リスク・予後と食物・栄養

乳がんと食物・栄養との関連については，欧米を中心に多数の研究によりさまざまなエビデンスが出ている．これらをもとに因果関係を評価した報告書として，World Cancer Research Found（WCRF，世界がん研究基金）/American Institute for Cancer Research（AICR，米国がん研究協会）による「食物・栄養・身体活動とがん予防：国際的な視点から」がある．2007年に第2版が発行された後，部位別の更新版が作られ，2018年にそれらを束ねる形で第3版が発行され[2]，ウェブサイトでも公開されている（http://www.dietandcancerreport.org/）．ホルモン環境が影響する乳がんでは，危険因子も閉経前後で異なる場合がある．

乳がんを発症し初期治療を終えた患者の食生活と予後，すなわち再発や死亡のリスクに関しては，発症リスクとは別に論じられるべきであり，WCRF/AICRよりContinuous Update Projectとして2014年に発表されている[3]．

エビデンスは年々更新されており，最近ではサブタイプ別の乳がんリスクについての研究も出てきている．ここでは日本乳癌学会の診療ガイドライン2022年版[4]（WCRF/AICR報告書をもとにその後の報告や日本人のデータを加えて検討）に基づき，現時点での日本人での見解をまとめる（表7）．

❶ 肥満

肥満は一般に乳がんを増加させると考えられてきた．閉経後女性では肥満が乳がん発症を増加させることが「確実」で，BMIが大きいと乳がんの発症リスクが増加する．一方閉経前に関しては，WCRF/AICRでは逆に肥満が乳がん発症リスクをほぼ確実に減少させている．ただ

表7　食物・栄養と乳がんの発症・予後

	発症リスク	予後
肥満（↑）	閉経後：確実 閉経前：可能性あり （欧米ではリスク減少）	診断時の肥満：確実 診断後の肥満度上昇：ほぼ確実
アルコール（↑）	閉経後：確実 閉経前：可能性あり	大きな関連なし
脂肪		証拠不十分
乳製品（↓）	可能性あり	証拠不十分
大豆，イソフラボン（↓）	可能性あり	可能性あり

文献4よりエビデンスグレードをまとめた．↑：リスク増加，↓：リスク減少（斜線の項目は記載なし）

し日本人を対象とした研究では，閉経前でも肥満は乳がんの発症を増加させるという結果が出ており，欧米人とアジア人で異なる可能性がある．乳がん診療ガイドライン 2022 年版では，閉経前においても発症リスクを増加させる「可能性あり」としている．

肥満は乳がんの予後にも影響するとされ，乳がん診断時に肥満である患者の再発・死亡リスクが高いことは「確実」，診断後に肥満度が上昇した患者で死亡リスクが増加することは「ほぼ確実」とされており，術後生活では過度の肥満を避けるような指導が望まれる．

❷ アルコール

アルコール飲料摂取により閉経後乳がん発症リスクが増加することは，「確実」，閉経前でも「可能性あり」とされている．

一方，アルコール飲料の摂取により乳がんの再発リスクや乳がん死が増加する可能性は低く「大きな関連なし」と考えられている．一方，低用量の飲酒により全死亡リスクや循環器疾患が減少する可能性があり，アルコール摂取は良識的に判断することが望まれる．

❸ 脂　肪

乳がんが欧米に多く日本人女性では少ないことや肥満と乳がんとの関連などから，高脂肪食は乳がんの危険因子であるというイメージが従来からあったと思われる．しかし実際の研究データをみる限り，術後の総脂肪摂取の増加が再発リスクを増加させるかどうかについては「証拠不十分」である．一方で，乳がん診断後の身体活動が高い女性では，全死亡リスク，乳がん死亡リスクが減少することは「確実」であり，身体活動を高く保つことが強く推奨されている．術後は厳しい脂肪制限よりも運動や総カロリー制限による肥満防止を指導することが望ましいといえよう．

❹ 乳製品

牛乳に含まれるビタミンＤやカルシウムは近年のメタアナリシスで乳がん発症リスクの減少が，共役リノレイン酸は動物実験モデルで乳がんの発がん抑制効果が報告されている．一方，動物性脂質は乳がん発症リスクとの関連が危惧される．乳製品となるとさらにさまざまな成分から成り立ち，研究によりその種類や摂取量も異なるが，総合して，乳製品全般の摂取は乳がん発症リスクを減少させる「可能性あり」，ただし，過剰摂取はリスクを高める可能性あり注意，とされている．

乳製品の摂取と予後との関連については，研究はあるものの有意な結果は得られておらず，「証拠不十分」である．

❺ 大豆・イソフラボン

日本人女性の乳がん発症率が欧米に比べ低い要因のひとつとして食生活の差があげられており，なかでも豆腐，味噌汁などの大豆製品の摂取が注目されている．大豆に含まれるイソフラボンは植物エストロゲンの一種であり，抗エストロゲン作用があるとされる．

結果のばらつきはあるものの，実際に日本人を対象としたいくつかの研究で，味噌汁などの大豆食品，イソフラボンの摂取量が多いほど乳がん発症リスクが減少するというデータが出ており，厚生労働省の班研究では，大豆食品，イソフラボンの摂取が乳がん発症リスクを減少させる「可能性あり」と判断されている．

一方，イソフラボンには弱いエストロゲン作用もあるため，乳がんのリスクを増加させる可能性も危惧されるが，今のところ，食事で摂取される量のイソフラボンで乳がんのリスク増加は確認されていない．しかしサプリメントなどで大量に摂取した場合の影響については証明されておらず，あくまで食物としての摂取にとどめるべきであろう．

再発リスクに関しては，日本人の十分なデータはないものの，米国人や中国人のデータから，大豆製品，イソフラボンの摂取が乳がん再発リスクを減少させる「可能性あり」とされている．

乳がんでは，治療に際して栄養管理が問題となることは比較的少なく，抗がん薬の有害事象も食生活に一過性の影響を与えるにとどまる．

閉経後ホルモン感受性乳がんの術後長期にわたり使用されるアロマターゼ阻害薬では，骨密度低下を予防するための食事や生活習慣の指導が必要となるが，これは一般の閉経後女性にも共通するといえよう．

乳がんの発症や再発リスクと食品・栄養との関連については，さまざまな情報が氾濫している．ある程度確実なデータが出ているものもあるが，人種差，食品組成のばらつきや適切な摂取量など不明な点も多いのが現状である．過剰な摂取やサプリメントの乱用に走ることなく，適度な運動とバランスのよい食事をこころがけることが重要と考えられる．

文献

1）日本乳癌学会（編）．臨床・病理　乳癌取扱い規約，第18版，金原出版，東京，p.3–6, 2018
2）World Cancer Research Found/American Institute for Cancer Research. Diet, Nutrition, Physical Activity, and Cancer; a Global Perspective. Continuous Update Project Expert Report 2018
3）World Cancer Research Found International/American Institute for Cancer Research. Continuous Update Project Report：Diet, Nutrition, Physical Activity, and Breast Cancer Survivors, 2014
4）日本乳癌学会（編）：科学的根拠に基づく乳癌診療ガイドライン，2疫学・診断編，2022年版．金原出版，東京，p.25–55, p.149–192, 2022

第6章

子宮頸がん，卵巣がん：治療の基礎知識と栄養管理

島根大学医学部産婦人科
京　　哲

A 子宮頸がん

❶ 要約とポイント

子宮頸がんは子宮頸部異形成を前がん病変として発症する．子宮頸部異形成はヒトパピローマウイルス（HPV）の性交渉による感染により発生する．

HPVは感染しても多くの場合に免疫の力で自然に消失し，これにより子宮頸部異形成も自然治癒することが多いが，持続感染の場合，一部の異形成は段階的に進行し，数年～十数年を経て子宮頸がんへと進展する．

子宮頸がんは広汎子宮全摘術あるいは放射線療法を治療の基本とし，両者の治療成績はほぼ同等であるが，どちらを行うかは年齢，進行期，患者の合併症などを勘案して総合的に決定する．

放射線療法では抗がん薬を加えた化学放射線療法が一般的に行われる．

広汎子宮全摘術後には貧血，リンパ浮腫，排尿障害などへのケアを行う．化学放射線療法においては，化学療法と放射線療法の両者の影響による下痢，悪心・嘔吐，貧血，末梢神経障害など多岐にわたる副作用対策と栄養管理が必要となる．

❷ 疫学

子宮頸がんは，わが国では年間約1万人が罹患し，3,000人が死亡する[1]．2000年ぐらいから漸次増加傾向にある．特に若年者の罹患が増えており，未婚，未経妊の患者数増加に伴い，子宮温存のニーズも増えてきている．一方，子宮頸がん予防ワクチン（HPV（human papilloma virus）ワクチン）が欧米を中心にかなり浸透しており，その効果もあり世界的には子宮頸がんは減少の一途をたどり，一部の国ではすでに希少がんとなりつつある．しかしわが国では2013年にHPVワクチンの副反応が大々的に報道され，厚生労働省による積極的勧奨が9年間にわたって中止されてきたきたことから，子宮頸がんはいまだに増加傾向にあり，世界から取り残されている．

❸ 発生メカニズム

子宮頸がんは性行為によって伝播するHPVが原因となる．HPV-DNAは男性のヒト精液中の上皮細胞に存在し，そのパートナーの腟内にも高率にHPV-DNAを認める[2]．HPVはE6, E7遺伝子というがん化能力のある遺伝子を持つ環状DNAウイルスである．細胞に感染したHPVはウイルス粒子として増殖するが，何らかの原因でE6, E7遺伝子が宿主の細胞DNAの中に組み込まれる（図1）．そうすると，HPVはもはやウイルス粒子としては増殖しない．その代わりに，組み込まれたE6, E7遺伝子がヒトの遺伝子と同じように恒常的に発現するようになる．そこから発現したE6, E7蛋白は各々p53, Rbという細胞周期を制御するがん抑制遺伝子産物と結合してこれらを不活化するため，細胞周期がどんどん回ることとなり，細胞をがん化の方向に向かわせる[3]．

HPVには100種類に迫る多くの型があり，子宮頸がんにかかわる型はハイリスク型といわれ，HPV16, 18, 52, 58型など10種類前後が該当する．HPVは正常女性の子宮頸部にも数%に検出される．性交の活発な若年女性に限定す

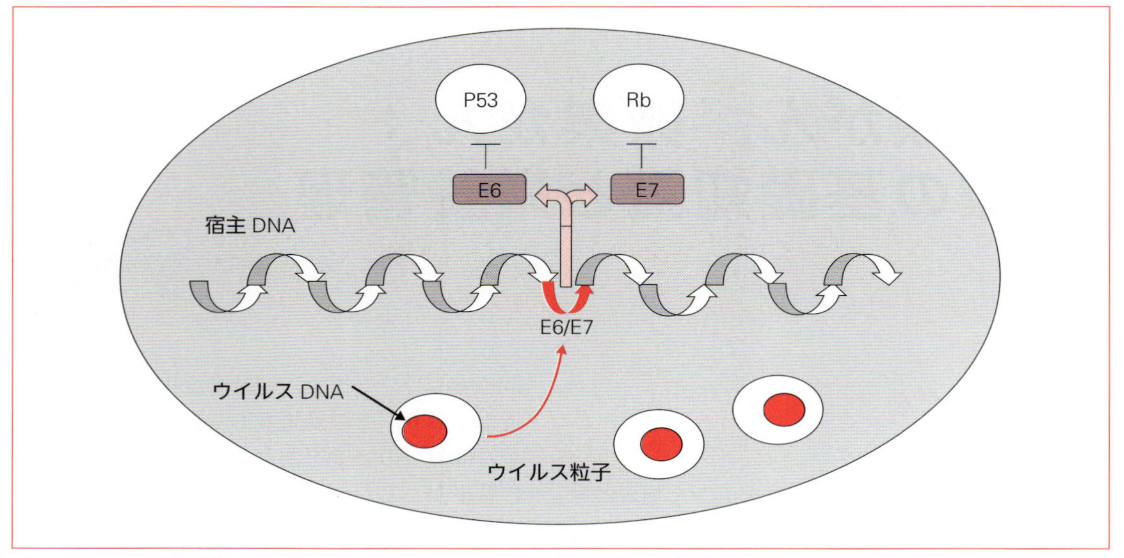

図 1　HPV の宿主細胞 DNA への組み込み（integrate）とがん抑制遺伝子産物の不活化

ると 20～30％もの感染頻度が指摘されている[4]．これらのなかで，実際に子宮頸がんを発症するのはごく一部である．多くの場合，HPV は免疫機構により排除され自然消失するが，一部の症例では HPV が持続感染し，子宮頸がんの前がん病変である子宮頸部異形成の発症に関与する．

❹ 子宮頸がんがん化の過程

子宮頸がんはその前がん病変として子宮頸部異形成を経て発症する（図 2･図 3）．子宮頸部異形成には大きく 3 つがあり，軽度異形成，中等度異形成，高度異形成と段階的に進行していき，数年～十数年を経て浸潤がんとなる．子宮頸部異形成の 90％以上に HPV 感染が認められる．

なお 2014 年の WHO の改訂分類では単なる HPV の感染病変を LSIL（Low grade squamous intraepithelial lesion），腫瘍性性格を有する病変を HSIL（High grade squamous intraepithelial lesion）とした．すなわち従来の異形成を単なる感染状態と腫瘍性病変に分ける分類が提唱され現在の主流となっている[5]．ちなみに LSIL は従来の軽度異形成にほぼ合致し，HPV の感染病変にあたり，HSIL は中等度異形成から高度異形成までを包括し，HPV ゲノムが組み込まれて腫瘍性性格を帯びた細胞が主体となる．この状態はもはや感染とは呼ばない．

MEMO：HPV は性行為により感染するウイルスであるが，通常の性行為感染症とは種々の点で異なり，一般人をはじめ医療関係者さえ誤解を生じている面があるので啓発が必要である．まず，HPV 感染自体は病気ではない．頸部病変（＝異形成やがん）がなければ治療の必要はない．自然消失もありうる．HPV 感染の予防として日常的にコンドームを使用しても感染を完全に防ぐのは困難である．そこで子宮頸がん予防ワクチンとして HPV ワクチンが開発されてきた．わが国では 2010 年からワクチン接種が開始されたが，その後の副反応に関する大々的な報道をきっかけに 2013 年から厚生労働省によるワクチンの積極的勧奨が 9 年間にわたって中止される事態となった．しかし副反応が必ずしもワクチンに起因するとは断定できないことが国内外の臨床試験でも証明され，2022 年 4 月から積極的勧奨が正式に再開されている．

これまでのワクチンの主流は子宮頸がんで最も高頻度に検出される HPV16, 18 型を対象とする 2 価または HPV6, 11, 16, 18

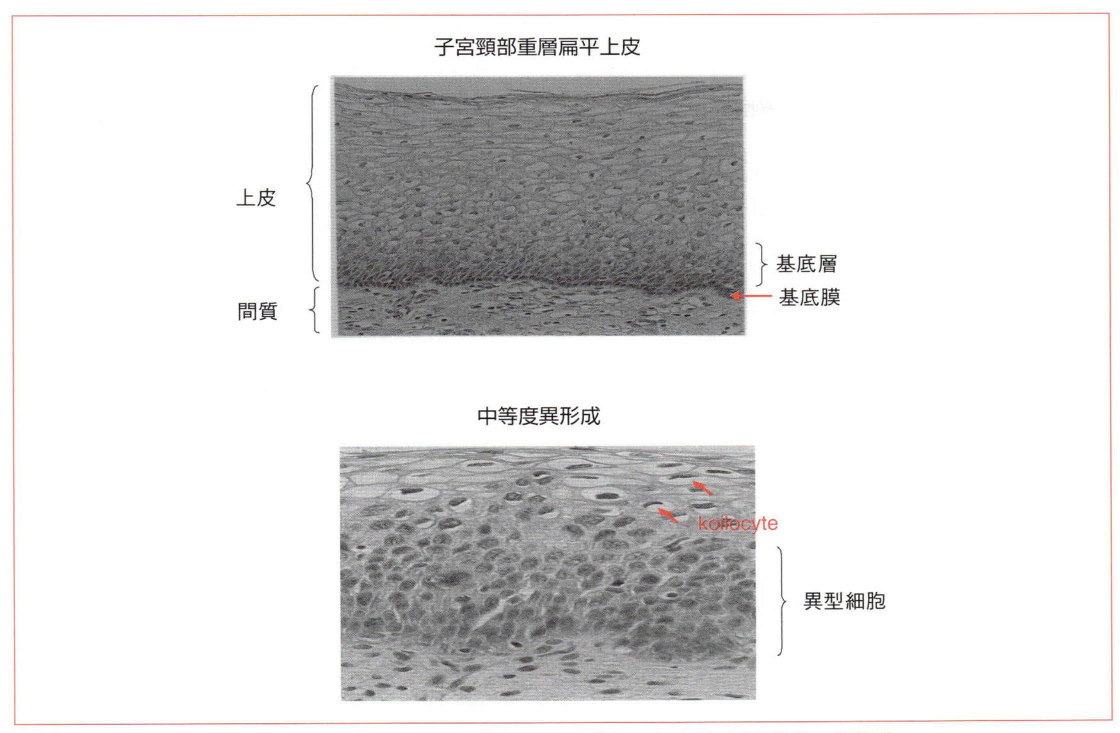

図２　正常子宮頸部の重層扁平上皮と，HPV 感染により発生した中等度異形成の組織像

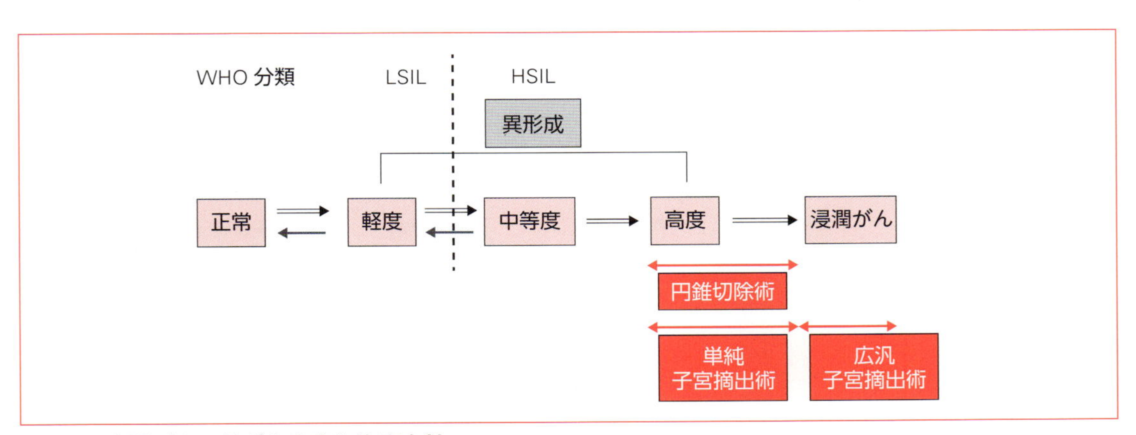

図３　子宮頸がんの前がん病変と治療方針

型を対象とする４価ワクチンであったが，2021 年には高リスク型をほぼ網羅する HPV6, 11, 16, 18, 31, 33, 45, 52, 58 型を対象とする９価ワクチンが薬事承認された．さらには 2023 年４月よりこの９価ワクチンが従来２，４価でしか認められていなかった定期接種に使用できるようになった．これにより子宮頸部異形成～子宮頸がんを引き起こす HPV 型の大部分をカバーすることができるようになり，よりいっそうの頸がん予防効果が期待される．

❺ 診断

子宮頸部細胞診がスクリーニング法として一般化している．細胞診で異常が出た場合には精密検査が必要となる．精密検査ではコルポスコープ（腟拡大鏡）で観察のうえで，病変部を生検し（狙い組織診），組織学的診断に確定診断する．細胞診はあくまで何らかの異常を示唆する検査であり，それで確定診断をすることはできない．確定診断には組織診が必要である．

❻ 治療

進行期がⅠ，Ⅱ期の患者では広汎子宮全摘術による手術療法を行う（図4）．

広汎子宮全摘術では通常両側附属器（卵巣，卵管）摘出および骨盤リンパ節郭清を行う．

進行期がⅢ期以上では放射線療法を行う．放射線療法では，これに抗がん薬（プラチナ製剤）を組み合わせた化学放射線療法の優位性が証明され，全世界的に行われるようになっている[6]．放射線療法は骨盤外照射を基本とし（通常 50.4 G），これに腟からの腔内照射を 5 Gy 程度追加する．抗がん薬はシスプラチン 40 mg/m^2 を毎週1回，放射線治療中に継続して使用する．

Ⅰ，Ⅱ期で手術を行った症例においても，再発のハイリスク患者に対しては術後補助療法として放射線化学療法を行う．

❼ 子宮頸がん治療における栄養管理のポイント

子宮頸がんでは病変部から性器出血が認められることが多く，貧血の頻度は高い．場合によっては大量出血で高度の貧血をきたしている症例もある．また広汎子宮全摘術の術中出血は，進行期症例では多くなりがちである．術後に補助療法として化学放射線療法を行う場合，骨髄抑制によりさらに貧血が進むこととなる．貧血の存在は治療成績に影響を与え，特に放射線の効果に影響を及ぼすといわれるため，貧血の治療と栄養管理は重要である．

放射線化学療法で用いられるシスプラチンにより悪心・嘔吐などの消化器症状が高頻度に出現する．適切な薬物療法を施行してその軽減に努めるのが基本であるが，栄養管理も重要である．

放射線による消化器毒性も侮れない．特に骨盤照射時の下痢には注意を要する．通常，止痢薬の経口投与で軽快することも多いが，難治性の下痢には注意を要し，必要に応じて適切な点滴による栄養管理を図る．一般に食欲は低下し，食事を受け付けなくなる患者も多いが，重篤な

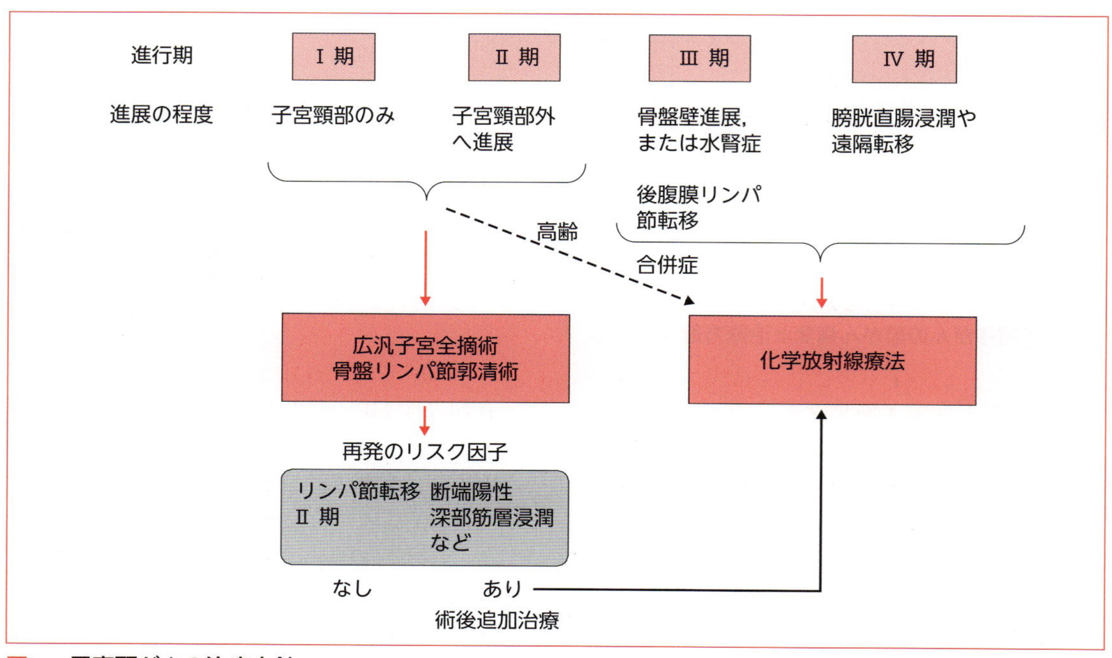

図4　子宮頸がんの治療方針

低栄養状態になるのはまれである．

骨盤リンパ節郭清を行った症例では術後高頻度に下肢のリンパ浮腫をきたす．下肢のリンパ浮腫はしばしば患者の QOL 低下の主因となる．スキンケア，マッサージ，弾性包帯やスリーブ・ストッキングなどで対応するが，低栄養による低アルブミン血症はこれに拍車をかけることになるので，十分な補正が必要である．

B　卵巣がん

❶ 要約とポイント

卵巣がんは早期発見が困難で診断時には進行期であることが多く，婦人科腫瘍の死因の第 1 位を占める．

治療の原則は徹底的な腫瘍減量手術と術後の補助化学療法（タキサン系＋プラチナ系）である．

Ⅲ，Ⅳ期の進行期症例では化学療法後に維持療法を行うのが標準となっている．維持療法には血管内皮増殖因子（VEGF）のモノクローナル抗体であるベバシズマブ（アバスチン®）が 2014 年より保険適用となっていたが，2018 年以降，PARP 阻害薬であるオラパリブ（リムパーザ®）もしくはニラパリブ（ゼジューラ®），さらにはオラパリブとベバシズマブの併用が保険収載となり，積極的に適用されている．これにより無増悪生存期間や全生存期間が延長し，治療成績が大きく向上している．

再発卵巣がんの化学療法としては，プラチナ感受性再発（初回化学療法後 6 ヵ月以降の再発）では初回と同様のタキサン系＋プラチナ系抗がん薬治療を行い，奏効した場合にベバシズマブもしくはオラパリブまたはニラパリブの維持療法が行われ，無増悪生存期間が延長している．プラチナ抵抗性再発（初回化学療法後 6 ヵ月未満の再発）ではリポソーマルドキソルビシン（ドキシル），ゲムシタビン（ジェムザール），ノギテカン（ハイカムチン）など複数の薬剤が保険適用となっているが，治療成績は芳しくない．

卵巣がんの一般的な進展形式であるがん性腹膜炎をきたした場合，腹水貯留，イレウス，抗がん薬の消化器毒性などの複合因子により高度な栄養管理を要する．

❷ 疫学

卵巣がんは婦人科腫瘍における死因の 1 位を占める．わが国では 1 年間で 14,000 人が罹患し，4,900 人が死亡しており，婦人科がんのなかでは最も予後が悪い[7]．

卵巣がんのリスク因子として，妊娠，分娩はリスクを下げる．未婚女性を 1 とした場合，分娩回数が 1〜2 回で 0.49〜0.97，3 回以上では 0.35〜0.76 のリスクとなる．排卵誘発剤の使用はリスクを上げる[8]．逆に経口避妊薬の服用はリスクを下げる．2 年間の服用で 0.85，5 年間の服用では 0.6，6 年以上で 0.38 となる[9]．

卵巣がんのなかで最も頻度が高い漿液性がんにおいては，その発生起源が卵管の先端に存在する卵管采であるということが定説になっている[10]．卵管采の上皮に上皮内がん（serous tubal intraepithelial carcinoma：STIC）が発生し，排卵による卵管采の卵巣への接触により卵巣に STIC 病変が移植され，そこで進展してがんになるという説である．卵巣がんの卵管起原説を受けて，子宮筋腫などの良性腫瘍の手術時には卵管を予防的に切除することが日常的に行われるようになった．

❸ 症状

卵巣がんはその解剖学的位置から管腔を通じた体外との交通がなく，性器出血などの症状に乏しい．腫瘍サイズの増大による圧迫症状，特に腹部膨満感や頻尿，便秘などの非特異的症状を主体とし，症状による受診での発見時には多くが進行症例である．

❹ 診断

最も手軽に非侵襲的に行える検査として経腹あるいは経腟超音波による画像診断が有用である．（図 5）．ほとんどの症例が経腟超音波により発見される．solid part の有無，壁や隔壁の肥厚や不整，腹水の有無などから悪性診断がなされるが，より詳細には CT, MRI, PET-CT などの画像診断により悪性かどうかの質的診断を行い，同時にリンパ節や他臓器転移の有無を検

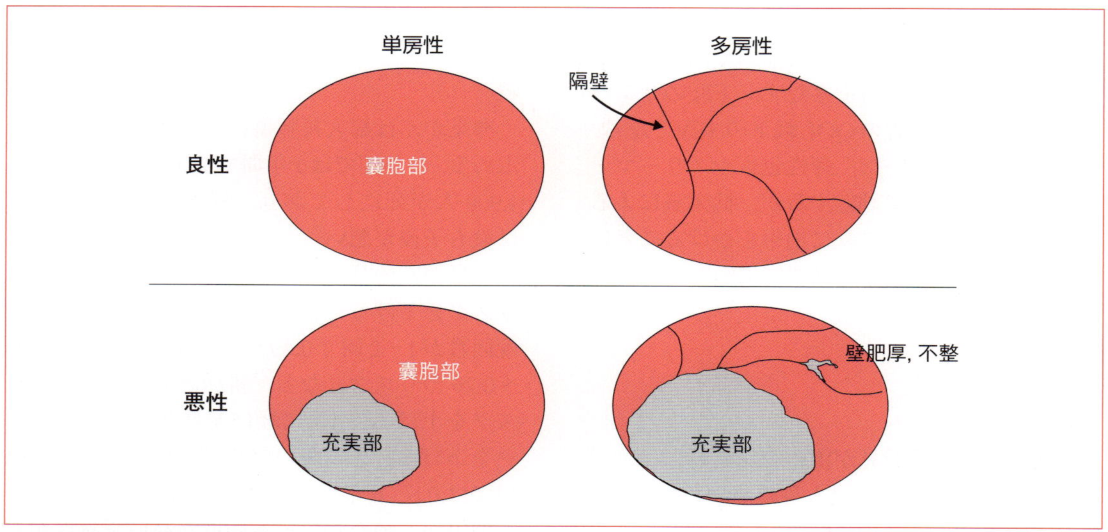

図5　超音波診断による卵巣腫瘍の悪性診断のポイント

索する．腫瘍マーカーとしてCA125が卵巣がんに特異的なマーカーである．他にはCEA, CA19-9, TPA, CA72-4などが有用である．

> **MEMO：特殊なタイプの卵巣がん**
> 10歳代から20歳代の若年女性に好発する胚細胞性卵巣腫瘍では特異な経緯をとる．この年代に卵巣腫瘍をみた場合は，まず胚細胞性卵巣腫瘍を念頭に置く．腫瘍マーカーがきわめて特徴的で，未分化胚細胞腫ではLDH，卵黄嚢腫瘍（York Sac Tumor）ではAFP，未熟奇形腫ではSCCなどが上昇するので診断上きわめて有用である．これらの胚細胞性卵巣腫瘍はきわめて良好な抗がん薬感受性を有するため，たとえ進行期であっても手術と抗がん薬で十分に完治しうる．若年に多いため妊孕性温存が問題となるが，どのような進行期においても子宮および対側卵巣を温存する妊孕性温存手術を原則とするのが通常の卵巣がんとの決定的な違いである．上皮性卵巣がんとの鑑別診断をなおざりにして，いたずらに拡大手術をすることを戒めなければならない．

❺ 治療

根治手術による腫瘍の可及的切除を基本とする（図6）．通常は両側附属器摘出，子宮摘出，後腹膜リンパ節郭清，大網切除を行い，さらには残存腫瘍の徹底的な切除を原則とする．したがって，この手術の呼称としてprimary debulking surgery（PDS）という用語が使われる．この手術で残存腫瘍径が1 cm以下まで縮小できるかどうか，さらには肉眼的残存腫瘍をなくせるかどうかが，予後を決定する最も重要な因子である．

ⓐ 化学療法および維持療法

術後の補助化学療法は一部の初期がんを除く全例に行うことを原則とする．卵巣がんは一般的に抗がん薬が有効である代表的ながん種にあげられる．卵巣がんの組織型のなかで漿液性がん，類内膜がんは特に奏効率が高い．一方で，粘液性がんおよび明細胞がんでは奏効率が悪く，しかもわが国では明細胞がんの比率が欧米に比べて著しく多いことが問題となっている．

1980年代にはシスプラチンの登場により，サイクロホスファミドとの併用のCP療法が主流となり，それまでのシスプラチンを加えないregimenに比べてよい成績が得られるようになった．一方，1990年代後半からはシスプラチンと併用する新たな薬剤としてパクリタキセ

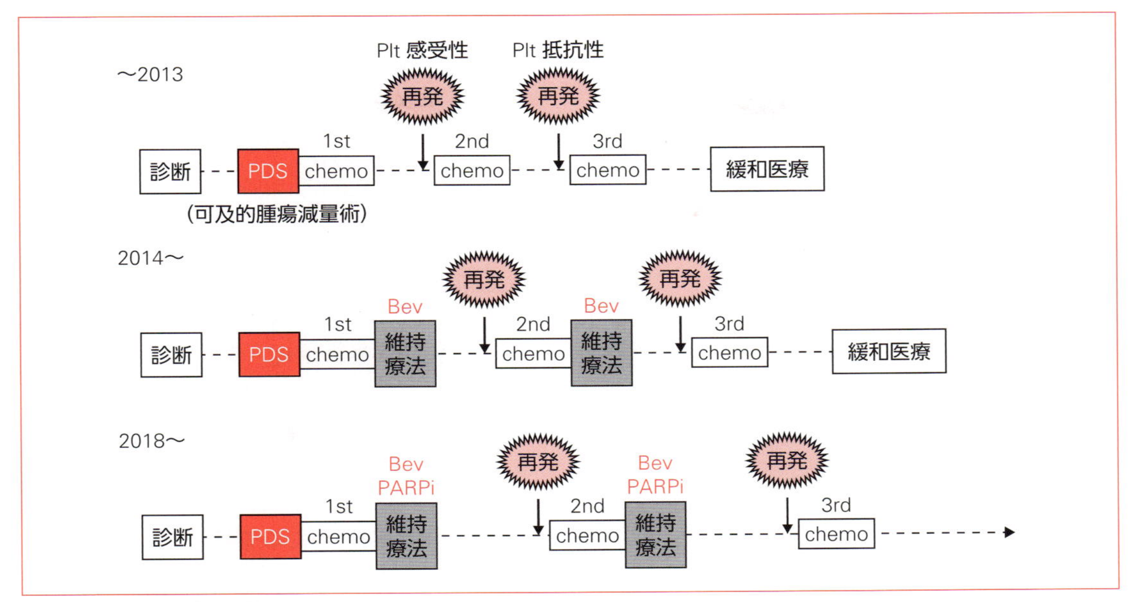

図 6　進行卵巣がんの治療スキーム

ルが候補となり，シスプラチン＋パクリタキセルの TP 療法が CP 療法よりも優れていることが大規模比較試験により確認され，TP 療法がスタンダードとなった[11]．続いて TP 療法のシスプラチンをカルボプラチンに替えた TC 療法が同等の有効性を確保しながら副作用がより軽度であることから gold standard となった．その後 TC 療法のパクリタキセルをドセタキセルに変えた DC 療法もほぼ同様の効果が得られることがわかり，同じく標準となっている[12]．TC 療法あるは DC 療法とも通常 3〜4 週毎に 1 サイクル投与し，計 6 クール施行することを原則とする．

2014 年からは分子標的治療薬として血管内皮増殖因子（VEGF）のモノクローナル抗体であるベバシズマブ（アバスチン®）が保険適用となり，Ⅲ，Ⅳ期の進行期症例に対して抗がん薬との併用で用いられ，さらに抗がん薬治療後にベバシズマブ単剤での維持療法を継続して行うことで無増悪生存期間が延長することも示されている[13,14]（図 6）．

2018 年からは PARP 阻害薬であるオラパリブ（リムパーザ®）[15]またはニラパリブ（ゼジューラ®）[16]が術後の初回化学療法後の病変消失または縮小症例に対して維持療法として保険収載されるようになり，さらには 2020 年からはオラパリブとベバシズマブの併用療法が保険収載となり，この併用療法では無増悪生存期間のみならず全生存期間も延長させることが証明された[17]（図 6）．これらの PARP 阻害薬の保険適用は患者のゲノムの状態により決められている．PARP 阻害薬は相同組み換え修復が機能不全を起こしている患者に特に有効であることがわかっている．このため，相同組み換え修復にかかわる遺伝子である BRCA1/2 遺伝子の変異を検出する診断キット，もしくは相同組み換え修復不全を反映するゲノムのコピー数異を定量化して診断する診断キットが同時に保険適用となり，これらの結果に応じて使用できる PARP 阻害薬が決められている[18]．

ⓑ 再発時の治療

再発病変が単発性で，完全摘出可能と判断される場合は摘出手術も考慮されるが，一般的には再発時期が最後の化学療法を行ってから 6 ヵ月以上経過している場合，初回と同様の化学療法を行うことが推奨される．この化学療法が奏効した場合，初回治療を同様に，ベバシズマブ，オラパリブもしくはニラパリブの維持療法が保険収載されており，無増悪生存期間の延長が証明されている[19〜21]．一方，初回化学療法を行ってから6ヵ月以内の再発では化学療法に抵抗性と判断され，予後は非常に悪くなる．通常，1st lineとして行われたTC/DC療法は使用せず，リポソーマルドキソルビシン（ドキシル®），ゲムシタビン（ジェムザール®），ノギテカン（ハイカムチン®）などが投与される．ただし，治療効果は期待したほどではなく，奏効率20%前後ときわめて限定的である．このように多くの選択肢がある一方で，複数にわたるレジメンを経験した難治性患者では副作用として骨髄抑制，下肢の浮腫，末梢神経障害が慢性，持続性に生じていることが多い．

❻ 卵巣がん治療，特に化学療法における栄養管理

タキサン系とプラチナ系の組み合わせ（TC療法あるいはDC療法）がほとんど全ての卵巣がんに行われているので，その副作用を踏まえた対策が必要となる．プラチナ系としてシスプラチンが用いられることはほとんどなく，カルボプラチンが使用される．カルボプラチンはシスプラチンに比べ，消化器毒性が著しく軽い反面，骨髄抑制はやや強い傾向にある．これらの抗がん薬レジメンの副作用プロファイルは定型的なものが多いので，栄養管理に携わるスタッフは熟知しておくのが望ましい．

パクリタキセルとドセタキセルの違いにも留意する．パクリタキセルはドセタキセルに比べ神経毒性が強い．パクリタキセル総投与量の増加とともに末梢神経障害が増強する．末梢神経障害が深刻なために途中からドセタキセルに変更される症例もある．一方，ドセタキセルは長期投与により浮腫が問題となる．

末梢神経障害，浮腫ともやっかいな副作用であるが，患者個々に出現の程度が異なり，パクリタキセルからドセタキセル，あるいはドセタキセルからパクリタキセルへの変更を必要とする場合がある．ちなみにTC療法とDC療法では効果に関しては差がないとされており，副作用の種類により個々の患者ごとに選択している施設が多い．たとえば，パクリタキセルはその溶剤のアルコール含有量が高く，アルコール過敏の患者には使いにくい．また患者の職業などによっては末梢神経障害が大きな問題となる場合があり，そのようなケースではパクリタキセルは使いにくい．一方で，ドセタキセルはより骨髄毒性が強い傾向にあり，高齢者の使用には注意を要する．

ベバシズマブやPARP阻害薬の維持療法が行われるようになり，治療期間は以前より大幅に長期化している．基本的にはこれらの維持療法は外来ベースで行われる．期間は病変が増悪（または再発病巣の出現）するまで継続されることが多いが，オラパリブに関しては病変がない場合の使用期間は2年までと定められている．ベバシズマブとニラパリブに関しては添付文章上，使用期間の上限は記載されていない．このように長期にわたる管理が行われるので，各薬剤の副作用については熟知しておく必要がある．ただ，これらの維持療法期間中，栄養管理が必要になるケースはまれで，これらの維持療法が奏効せずに増悪し，がん性腹膜炎などをきたした場合に下記の管理が必要となる．

栄養管理に関しては，卵巣がんの場合は腹膜播種による進展形式を主体としているため，がん性腹膜炎の状態であることがしばしばある．このような場合，腹水貯留による蛋白漏出，抗がん薬の消化器毒性に起因する経口摂取不良，播種による腸管蠕動障害によるイレウス状態などが重なり，長期の経静脈栄養が必要な患者も多く，積極的な栄養サポートチームの介入が望まれる．がん性腹膜炎が進行すると，水分負荷が腹水貯留や浮腫を増悪させることが想定され，水分管理も重要となる．

文献

1) 国立がんセンター　がん情報サービス　ganjoho.jp（2019年　子宮頸癌）
2) Kyo S, Inoue M, Koyama M et al：Detection of high-risk human papillomavirus in the cervix and semen of sex partner. J. Infec. Dis **170**：682-685, 1994
3) Dyson N, Howley PM, Münger K et al：The human papilloma virus-16 E7 oncoprotein is able to bind to the retinoblastoma gene product. Science **243**：934-937, 1989
4) Inoue M, Sakaguchi J, Sasagawa T et al：The evalu-

ation of human papillomavirus DNA testing in primary screening for cervical lesions in a large Japanese population. Int J Gynecol Cancer **16**：1007–1013, 2006

5）Stoler M, Bergeron C, Colgan TJ et al："Tumors of the uterine cervix." Robert J Kurman, Maria Luisa Carcangiu, C. Simon Herrington, Robert H. Young（eds.）, WHO classification of tumors of female reproductive organs. Geneva, Switzland：International Agency for Research on Cancer（IARC）, p.170–206, 2014

6）Rose PG, Bundy BN, Watkins EB et al：Concurrent cisplatin-based radiotherapy and chemotherapy for locally advanced cervical cancer. N Engl J Med **340**：1144–1153, 1999

7）国立がんセンター　がん情報サービス　ganjoho.jp（2019年　卵巣癌）

8）Rossing MA, Daling JR, Weiss NS et al：Ovarian tumors in a cohort of infertile women. N Engl J Med **331**：771–776, 1994

9）Purdie DM, Bain CJ, Siskind V et al：Ovulation and risk of epithelial ovarian cancer. Int J Cancer **10**：228–232, 2003

10）Kurman RJ, Shih IeM：The Dualistic Model of Ovarian Carcinogenesis：Revisited, Revised, and Expanded. Am J Pathol **186**：733–747, 2016

11）McGuire WP, Hoskins WJ, Brady MF et al：Cyclophosphamide and cisplatin compared with paclitaxel and cisplatin in patients with stage III and stage IV ovarian cancer. N Engl J Med **334**：1–6, 1996

12）Vasey PA, Jayson GC, Gordon A et al：Scottish Gynaecological Cancer Trials Group. Phase III randomized trial of docetaxel-carboplatin versus paclitaxel-carboplatin as first-line chemotherapy for ovarian carcinoma. J Natl Cancer Inst **96**：1682–1691, 2004

13）Perren TJ, Swart AM, Pfisterer J et al：Phase 3 trial of bevacizumab in ovarian cancer. N Engl J Med **365**：2484–2496, 2011

14）Burger RA, Brady MF, Bookman MA et al：Incorporation of bevacizumab in the primary treatment of ovarian cancer. N Engl J Med **365**：2473–2483, 2011

15）Moore K, Colombo N, Scambia G et al：Maintenance Olaparib in Patients with Newly Diagnosed Advanced Ovarian Cancer. N Engl J Med **379**：2495–2505, 2018

16）González-Martín A, Pothuri B, Vergote I et al：Niraparib in Patients with Newly Diagnosed Advanced Ovarian Cancer. N Engl J Med **381**：2391–2402, 2019

17）Ray-Coquard I, Pautier P, Pignata S et al：Olaparib plus Bevacizumab as First-Line Maintenance in Ovarian Cancer. N Engl J Med **381**：2416–2428, 2019

18）Kyo S, Kanno K, Takakura M et al：Clinical Landscape of PARP Inhibitors in Ovarian Cancer：Molecular Mechanisms and Clues to Overcome Resistance. Cancers（Basel）**14**：2504, 2022. doi：10.3390/cancers14102504

19）Pujade-Lauraine E, Ledermann JA, Selle F et al：Olaparib tablets as maintenance therapy in patients with platinum-sensitive, relapsed ovarian cancer and a BRCA1/2 mutation（SOLO2/ENGOT-Ov21）：a double-blind, randomised, placebo-controlled, phase 3 trial. Lancet Oncol **18**：1274–1284, 2017

20）Mirza MR, Monk BJ, Herrstedt J et al：Niraparib Maintenance Therapy in Platinum-Sensitive, Recurrent Ovarian Cancer. N Engl J Med **75**：2154–2164, 2016

21）Coleman RL, Brady MF, Herzog TJ et al：Bevacizumab and paclitaxel-carboplatin chemotherapy and secondary cytoreduction in recurrent, platinum-sensitive ovarian cancer（NRG Oncology/Gynecologic Oncology Group study GOG-0213）：a multicentre, open-label, randomised, phase 3 trial. Lancet Oncol **18**：779–791, 2017

第7章

血液がん：治療の基礎知識と栄養管理

*1：東京慈恵会医科大学附属病院腫瘍・血液内科
*2：医療法人財団順和会 赤坂山王メディカルセンター予防医学センター
仲野　彩*1　畠　清彦*2

血液領域の悪性疾患に対する治療は，強力な化学療法が主体になる．血液疾患を大きく白血病，悪性リンパ腫，多発性骨髄腫に分類し，それぞれについて述べていくと，急性白血病は長期の入院加療を必要とすることもある大量化学療法を行い，食事内容も含む厳格な全身管理が求められる．悪性リンパ腫，多発性骨髄腫は，治療方法によっては外来通院が可能な化学療法を施行するとはいえ，悪心や食欲不振を高頻度に引き起こしうる．原病により発症時に口内炎や胃腸障害をきたしている場合もあり，いずれの疾患に対してもきめ細やかな栄養管理が求められる．まず疾患の特徴と治療法について概要を述べた後に，治療法ごとに特徴的な有害事象や，求められる栄養管理法について記していきたい．

A 血液がん治療の基礎知識

❶ 白血病

白血病は，急性骨髄性白血病（acute myeloid leukemia：AML），急性リンパ性白血病（acute lymphoblastic leukemia：ALL），慢性骨髄性白血病（chronic myelogenous leukemia：CML），慢性リンパ性白血病（chronic lymphocytic leukemia：CLL）に分類される．どの疾患も造血細胞が腫瘍化した病態であるが，前者2疾患は「急性」の名の通り，週単位で進行するケースがあり，診断後速やかに治療が必要なことが多い．後者2疾患は年単位で進行し，急性増悪のリスクがある．治療は化学療法で導入し，必要に応じて放射線療法，さらには適応がある場合は造血幹細胞移植が選択される．

ⓐ 化学療法

造血幹細胞の腫瘍性増殖が病態の基本であり，急性白血病は急激な進行をたどることが多く，診断後速やかに治療する必要がある．白血病細胞を完全に除去し治癒に導く「Total cell kill」が治療の基本的な考え方であり，そのために高度の骨髄抑制をきたしうる強力な化学療法が選択される．しかし現実的には65歳以上の高齢者や合併症がある場合など，強力化学療法に耐えられないと判断された場合，全身状態を考慮して強度を落とした化学療法が行われることも少なくない[1]．

具体的には，AMLではアントラサイクリン系薬剤とシタラビンを組み合わせた寛解導入療法が選択され，若年者では完全寛解（CR）に至った場合はその後，地固め療法に移行する．リスク分類[2]に応じて，予後良好群には引き続き大量シタラビン療法が，予後不良群および中間群には同種ドナーがいる場合には同種造血幹細胞移植が選択される．急性前骨髄球性白血病（acute promyelocytic leukemia：APL）には全トランスレチノイン酸（ATRA）を寛解導入療法に用いる．疾患に関連する播種性血管内凝固症候群（disseminated intravascular coagulation：DIC）による出血が致命的になる急性期を乗り越えれば，CR率，生存率が90%を超えるという，他の白血病よりも群を抜いて良好な治療成績が得られている．

ALLに対しても第一選択は化学療法である．高齢になるにつれて治療成績は落ちるが，一方で全身状態も劣るケースが多く，強力な治療が導入しづらいというジレンマもある．治療法としては，リンパ系腫瘍に治療効果があるステロイドに複数の抗がん薬を組み合わせた寛解導入療法が行われる．若年成人や思春期の患者は，より強度の高い小児プロトコルでの治療が勧められるという特徴がある．その他，第一寛解期の成人ALLに対しては，適合ドナーがいる場合同種幹細胞移植が選択されうる．またCD19を標的としたキメラ抗原受容体（CAR)-T細胞療法も治療選択肢としてある．高率に中枢神経浸潤をきたしうるため，中枢神経浸潤予防としてメトトレキサート，シタラビン，ステロイドの髄液注射を行うことがあるのも特徴といえる．

フィラデルフィア染色体陽性ALL（Ph＋ALL），およびCMLに対しては，分子標的薬であるチロシンキナーゼ阻害薬（TKI）を使った治療法が用いられており，どちらの病態もTKI登場以前と比較して治療成績が格段に向上した[3]．

CLLはわが国では比較的頻度の低い疾患であるが，症状がない場合は経過観察となり，有症状の場合，フルダラビン，クラドリビンといったプリン誘導体や，ナイトロジェンマスタードとプリンアナログ様の化学構造式を併せ持つベンダムスチンに抗CD20抗体であるリツキシマブを併用し投与されることが多い．また，ブルトン型チロシンキナーゼ阻害薬であるイブルチニブ，アカラブルチニブ，抗CD20抗体のオビヌツズマブも使用できる．

ⓑ 放射線療法

白血病に対して放射線療法が選択されるケースは限られている．中枢神経に白血病細胞が浸潤している場合，放射線療法が選択される場合がある．また後述する造血幹細胞移植の際には，前処置として全身照射（total body irradiation：TBI）を行うことがある．

ⓒ 造血幹細胞移植

AML予後中間群と予後不良群，ALL，CMLなどに対して，治癒を目指す治療法として，同種造血幹細胞移植が選択されうる．成人T細胞白血病・リンパ腫（adult T-cell leukemia/lymphoma：ATLL）では，急性型，リンパ腫型といったアグレッシブATLLに対して化学療法のみの治療成績は大変劣り，適切なドナーを確保し造血幹細胞移植を行うべきとされている[4]．同種造血幹細胞移植には，移植前処置として強力な化学療法とTBIで体内の悪性細胞を駆逐したところにドナーの幹細胞を移植することで造血の回復を促す目的，またドナーのリンパ球がレシピエントの体内に残存する悪性細胞を攻撃して駆逐する，移植片対白血病効果（graft-versus-leukemia：GVL効果）を狙う目的がある．しかし全身状態が良好であることや適切なドナーが存在することなど，条件が揃うことが重要であり，造血幹細胞移植の適応は慎重に検討される．

ⓓ CAR-T細胞療法

CD19を治療の標的としたCAR-T細胞療法が再発または難治性のCD19陽性のB細胞性ALLの治療として用いられている[5]．

❷ 悪性リンパ腫

化学療法が主になるが，臨床病期や部位，進行の遅い低悪性度リンパ腫である場合などは，放射線療法が選択されることになる．リンパ腫の種類により，年単位・月単位・週単位と進行スピードに違いがあり，病理組織による正しい診断を速やかに行い，タイミングを逸することなく適切な治療法を選択することが何より重要である．また発症部位により臓器障害をきたしていることもあり，個々のケースに合わせた対症療法が必要である．

初発に対する化学療法で寛解に至らなかった場合，また寛解に至ったものの再発した場合は救援化学療法を行う．非高齢者で全身状態良好の場合は，救援化学療法で寛解に至った後，自身の末梢血幹細胞を採取し，強力な化学療法後に移植をするという自己末梢血幹細胞移植が検討される．自己末梢血幹細胞移植後の再発に対しては，白血病の項で述べた同種造血幹細胞移植も検討されうる．

ⓐ 化学療法

Hodgkinリンパ腫と非Hodgkinリンパ腫で初回治療は大きく異なる．Hodgkinリンパ腫ではABVD療法（ドキソルビシン，ブレオマイシン，ビンブラスチン，ダカルバジン），ABVD療法のブレオマイシンをブレンツキシマブ・ベドチン（BV）に置き換えたBV＋AVD療法が選択される．非Hodgkinリンパ腫では，頻度の高いCD20陽性B細胞性リンパ腫である場合，低悪性度リンパ腫に対しては抗CD20抗体であるリツキシマブ単剤，もしくはリツキシマブや同じく抗CD20抗体であるオビヌツズマブと化学療法を併用した療法が選択されている．中悪性度リンパ腫に対してはCHOP療法（シクロホスファミド，ドキソルビシン，ビンクリスチン，プレドニゾロン）や，抗CD79b抗体であるポラツズマブベドチンを含むPola-R-CHP療法が選択されうる．治療強度が高い化学療法が求められる若年者の進行期マントル細胞リンパ腫，Burkittリンパ腫，そしてBおよびT前駆細胞リンパ芽球性リンパ腫などに対しては，HyperCVAD（シクロホスファミド，ビンクリスチン，ドキソルビシン，デキサメタゾン）/MA（メトトレキサート，シタラビン），R-HyperCVAD/MA療法が選択されうる．

再発・難治性の悪性リンパ腫に対しては，ベンダムスチン，ICE（イホスファミド，カルボプラチン，エトポシド），DHAP（デキサメタゾン，シタラビン，シスプラチン），ESHAP（エトポシド，メチルプレドニゾロン，シタラビン，シスプラチン），EPOCH（エトポシド，プレドニゾロン，ビンクリスチン，シクロホスファミド，ドキソルビシン），GDP（ゲムシタビン，デキサメタゾン，シスプラチン）といった救援化学療法の治療法が多く存在し，施設により頻用されるレジメンは異なる．リンパ腫細胞への感受性が認められ，かつ初発時のレジメンには含まれていなかった薬剤が加えられることで，異なる機序から治療を試みるレジメンが多い．原則的に入院加療が必要であるが，前述したポラツズマブベドチンとベンダムスチンとリツキシマブを組み合わせたPola-BR療法など外来にての治療が可能なレジメンもある．

ⓑ 放射線療法

悪性リンパ腫に対して放射線療法は，局所的な病変，また巨大病変がある場合に適応となる．具体的には，局所的な低悪性度リンパ腫に放射線単独治療，またHodgkinリンパ腫，中悪性度リンパ腫のびまん性大細胞型B細胞リンパ腫などでは化学療法後に，リンパ腫が存在していた場所に対しての照射を行う．NK/T細胞リンパ腫に対する，化学療法と併用した放射線療法などもある．また中悪性度以上の進行期リンパ腫であっても，化学療法後に局所的に残存したリンパ腫病変に対して照射を行ったり，再発時に局所のみの病変であった場合に放射線療法が選択されるケースもある．

ⓒ 造血幹細胞移植

初回の化学療法で寛解に入ったものの再発した場合や，また初発でも若年マントル細胞リンパ腫などでは化学療法に引き続き自己末梢血幹細胞の採取を行い，移植を行う．前処置として移植前に強力な化学療法を施し，依然残存していると考えられるリンパ腫細胞を正常造血細胞ともども障害し駆逐し，採取して保存しておいた自己末梢血幹細胞を移植し，血球回復を図る．

ⓓ CAR-T細胞療法

悪性リンパ腫に関しては，再発または難治性のびまん性大細胞B細胞性リンパ腫および濾胞性リンパ腫に対して治療適応がある[6,7]．

❸ 多発性骨髄腫

形質細胞が腫瘍性に増殖し，その結果としてM蛋白と呼ばれるモノクローナルな蛋白質の増加があり，腎障害，貧血，高カルシウム血症，骨病変といった症状をきたす病態である．症状の出現を認めた時点で治療適応となる．高齢者に比較的多い疾患であり，治癒は困難なため，治療目標としては可能な限り深い寛解を目指し無症状の期間の延長を目指すといった治療戦略がとられる．自己末梢血幹細胞移植も治療の選択肢としてあるが，これも同様に，深い寛解にいたるための治療法という位置づけといえる．

ⓐ 化学療法

自己末梢血幹細胞移植適応，非適応により治療法が大きく分かれる．移植適応の非高齢者に対しては，2003年に承認されたプロテアソーム阻害薬であるボルテゾミブにデキサメタゾン，レナリドミドを加えたVRd療法，デキサメタゾン，シクロホスファミドを加えたVCD

(＝CyBorD) 療法，ボルテゾミブとデキサメタゾンのみの BD 療法などがある．肺に間質影がある，すでに重度の末梢神経障害があるなどといった理由からボルテゾミブが導入困難な場合には，Rd 療法（レナリドミド，デキサメタゾン），大量デキサメタゾン（HDD）療法なども選択されうる．移植非適応である高齢者などには，ダラツムマブとメルファランを組み合わせた DMVP（ダラツムマブ，メルファラン，ボルテゾミブ，プレドニゾロン）療法，またダラツムマブに Rd を加え DRd 療法．MP（メルファラン，プレドニゾロン）療法などが選択される．Rd 療法，HDD 療法も選択されうる．

初発，再発・難治性どちらの多発性骨髄腫に対しても新規薬剤が多く存在し，治療の選択の幅を広げている．免疫調節薬（IMiDs）であるポマリドミド，ヒト化抗 CS1 モノクローナル抗体であるエロツズマブ，プロテアソーム阻害薬であるカルフィルゾミブ，経口薬のプロテアソーム阻害薬であるイキサゾミブ，またヒト抗 CD38 モノクローナル抗体であるダラツムマブやイサツキシマブなどが使用可能である．

ⓑ 放射線療法

多発性骨髄腫の症状として骨病変が著明である場合，たとえば椎体に骨病変があり骨折すると日常生活動作（ADL）が著しく損なわれる危険がある場合など，オンコロジックエマージェンシーの考え方に基づいてまず放射線照射が行われることがある．また形質細胞腫と呼ばれる，局所的な腫瘤のみに形質細胞性腫瘍がみられる場合などは，病変部位への放射線療法が選択されうる．

ⓒ 造血幹細胞移植

前述した通り，深い寛解に到達する最も強力な治療法として，非高齢者の移植適応に対しては，自己末梢血幹細胞移植が選択される．VRd 療法などで寛解に到達させ，その後自己末梢血幹細胞を採取，そして強力な化学療法にて前処置を施し，採取し保存しておいた自己末梢血幹細胞を移植する．その後，地固め療法，維持療法も考慮される．

B 栄養管理

血液悪性疾患では，疾患のベースに免疫不全が少なからず存在し，そのため発症時から口内炎などが存在するなどして食事摂取困難な場合がある．また悪性リンパ腫などが消化器に発症するケースでは，器質的な面から食事摂取が難しいこともある．治療を受けるための体力を保持するためにも，直ちに栄養管理が必要になることがある．

化学療法でも悪心・嘔吐をはじめとする消化器症状を高率に起こす薬剤を含むレジメンが多く，治療中にも栄養面には配慮が必要になる．放射線療法，造血幹細胞移植に際する栄養管理について述べたい．

❶ 化学療法と栄養管理

悪心・嘔吐といった症状の有無の確認が重要になる．症状を引き起こす高リスク群として女性，若年者といった条件が報告されており[8]，対象となる患者に対しては制吐薬の投与を強化するなどして症状の出現を予防する．制吐薬を適正に使用することで，栄養摂取量の低下をある程度は抑えることができよう．

また，個人差があるものの，味覚異常・嗅覚異常は化学療法に伴って少なからず出現する．そしてこれらの副作用は，患者からの訴えが比較的少ないため要注意である．嘔吐や下痢といった目立った消化器症状がなく，食事摂取量が減少している場合には味覚・嗅覚の変化も疑うべきであり，積極的に問診していく．

消化器症状を起こしやすい代表的な薬剤について紹介する．リンパ系腫瘍の治療に頻用されるビンクリスチンは神経障害を起こしうるため，便秘や下痢といった消化器症状を引き起こしうる．イレウスを発症することもあり，食事摂取の状況とともに，良好な排泄が得られているかどうかの確認が必要になる．また，多発性骨髄腫に用いられるボルテゾミブ，イキサゾミブも下痢などの消化器症状を起こしうるため，治療に際しては消化器症状が出現する可能性について，十分に説明しておくことも重要である．CML，Ph^{+}ALL に使われる TKI も，特にイマチニブでは悪心・嘔吐，下痢などの消化器症状が出現しうる．ホスチニブも下痢が頻度の高い副作用としてある．

その他，悪心を起こしやすい薬剤として，ドキソルビシン，シクロホスファミドなどがある．再発・難治性低悪性度リンパ腫に用いられるベンダムスチンも悪心を引き起こしうる．

粘膜障害が強く出現する薬剤としてはメトトレキサートがある．またメルファランも粘膜障害が出現することがあり，同種造血幹細胞移植，自己末梢血幹細胞移植前の前処置で高用量のメルファランを使用する際には，クライオセラピーと呼ばれる口腔内の冷却が行われる．

次に，具体的な栄養管理法について述べる．まずは消化管に器質的な病変がある場合，具体的には悪性リンパ腫が胃や腸などに認められる場合であるが，治療に伴い胃穿孔，腸管穿孔やイレウスなどのリスクがある．病変の程度，部位にもよるが絶食補液下で治療を開始することがある．その場合，治療経過をみながら，画像検査などで腫瘍の状況を評価しつつ，食事再開時期を見計らう．流動食から開始し，問題なければ徐々に食上げしていく方法がとられることがある．

化学療法に伴う食欲不振に対してであるが，制吐薬などによる対処を十分に施した後でも食欲不振や悪心がある場合，食事内容の工夫が必要である．治療に伴う味覚・嗅覚の変化や口内炎などの粘膜障害，また悪心といった諸症状が原因で食事が摂りにくいという患者には，果物の盛り合わせ，冷たいうどん，お好み焼き，焼きそば，カレー，アイスクリームといったメニューが食べやすいことがある．嗅覚の変化に対しては，常温食にすることで食事の匂いが抑えられ，十分量が摂取できるケースもある．食べられそうなものを選び，経口摂取を継続することは，治療継続に向けての自信を促すことができる上，消化管の働きも継続することで全身状態の維持を図ることができる．

また，悪性リンパ腫，CML，多発性骨髄腫などは外来にての治療を継続するケースが多い．錠剤を自宅にて内服する，または外来化学療法室にて点滴加療を継続するなどといった方法であるが，医療従事者と接する時間は入院しているときと比較して格段に短くなる．著明な体重減少の有無，また食事摂取量減少の有無などを，限られた外来受診時に把握する必要があり，医師の他，外来および化学療法室の看護師，薬剤師などが一体となり，把握につとめる必要がある．

❷ 放射線療法と栄養管理

悪性リンパ腫や多発性骨髄腫など血液悪性疾患における放射線療法では，頭頸部がんや食道がんへの放射線療法に比するような，消化器近辺に対する強度の強い放射線療法が選択されるケースは頻度として少ない．よって，治療に伴い胃瘻を作る選択肢がとられるようなことはまれである．照射部位により，放射線治療に伴う消化器毒性が強すぎると判断された場合，放射線治療に代わり全身化学療法が選択されることもある．しかし，たとえば胃に限局的に発症したMALT（mucosa-associated lymphoid tissue）リンパ腫など，局所の放射線療法が標準治療とされている疾患に対しては放射線療法を行うが，外来通院をしながらの治療が可能であり，絶食補液で治療を行うことは標準的ではない．しかし食欲不振が出現することはほぼ必至であるため，化学療法時と同様に治療中および治療後の栄養状態を把握することが求められる．

❸ 造血幹細胞移植と栄養管理

同種造血幹細胞移植時の栄養管理の重要性については，国内外にてさまざまな検証がなされている[9]．特に，栄養状態の保持が移植の成績を向上させることが感染症や移植片対宿主病（graft versus host disease：GVHD）の発症頻度の低下につながることが示されている[9,10]．TBIを含む移植前処置では悪心は高頻度に出現し，また口内炎をはじめとした粘膜障害も経口摂取の妨げとなりうる．栄養士，薬剤師，看護師，医師などがチームを組み，歯科衛生士などによる口腔内チェックも加えながら，移植期の経口摂取をできる限り促す取り組みも進められている．

以上，簡潔であるが疾患の特徴と治療法，また治療法ごとに求められる栄養管理法について述べてきた．血液悪性疾患は免疫細胞ががん化しているため，免疫不全状態がベースにあるうえ，血球数が著減する強力な化学療法が選択されることが多く，治療中の感染リスクが高い．また年齢などの条件にもよるが，合併症の有無などにより全身状態が個々によって大きく異なるケースが多く，患者一人ひとりの状態に応じた対応が重要になる．まずは患者の全身状態の評価に加えて治療法ごとの副作用を把握し，起こりうる栄養摂取不良状態を予想し，目の前の患者の訴えをよく聞くことが必要である．そして必要な栄養摂取量を考慮し，可能な経口摂取方法を模索していくことが，地道ではあるが最も重要と言えよう．

文献

1）NCCN Clinical Practice Guidelines in Oncology：Acute Myeloid Leukemia. Version 2, 2012
2）Döhner H, Estey EH, Amadori S et al：Diagnosis and management of acute myeloid leukemia in adults：recommendations from an international expert panel, on behalf of the European LeukemiaNet. Blood **115**：453-474, 2010
3）Wassmann B, Pfeifer H, Goekbuget N et al：Alternating versus concurrent schedules of imatinib and chemotherapy as front-line therapy for Philadelphia-positive acute lymphoblastic leukemia（Ph＋ALL）. Blood **108**：1469-1477, 2006
4）Fukushima T, Miyazaki Y, Honda S et al：Allogeneic hematopoietic stem cell transplantation provides sustained long-term survival for patients with adult T-cell leukemia/lymphoma. Leukemia **19**：829-834, 2005
5）Park JH, Riviéne I, Gonen M et al：Long-term Follow-up of CD19 CAR Therapy in Acute Lymphoblastic Leukemia. N Engl I Med **378**：449-459, 2018
6）Ali S, Kjeken R, Niederlaender C et al：The European Medicines Agency Review of Kymriah（Tisagen leclencel）for the Treatment of Acute Lymphoblastic Leukeira and Piffuse Lauge B cell Lymphoma. Oncologist **25**：e321-e327, 2020
7）Fowler NH, Dickinson M, Dreyling M et al：Tisagen leclencel in adult relapsed or refractory follianlar lymphoma：the phase 2 ELARA trial. Nat Med **28**：325-332, 2022
8）山本昇，西條長宏（監）：がん化学療法の副作用と対策．中外医学社，東京，p.101，1998
9）Mattsson J, Westin S, Edlund S et al：Poor oral nutrition after allogeneic stem cell transplantation correlates significantly with severe graft-versus-host disease. Bone Marrow Transplant **38**：629-633, 2006
10）Seguy D, Berthon C, Micol JB et al：Enteral feeding and early outcomes of patients undergoing allogeneic stem cell transplantation following myeloablative conditioning. Transplantation **82**：835-839, 2006

追　補

追補

(1) 医学論文の書き方

吉野川病院
中屋　豊

筆者が米国に留学したときに研究結果を論文にしてボスにみせると，“poorly analyzed and poorly written” といわれてしまった．結果の分析もきちんとできておらず，書き方も良くない．せっかく良い研究であっても論文の書き方が悪いと不採用になったり，採用されてもあまり注目されないことになる．大部分の医師は，最初の論文は上司に何度も手直しされて仕上げている．良い論文を書くためには，最初の数回は必ず，研究の方針や論文のチェックなどは経験豊富な医師や上司に指導してもらうことを勧める．

論文の構成

論文の書き方には一定のルールが存在する．学術誌により，原著論文の構成やそれぞれについて異なっているので必ず投稿規定を確認することが必要である．病態栄養学会の原著論文は，タイトル・要旨・諸言・方法・結果・考察・謝辞など・文献・図表から構成される．

❶ タイトル

研究者が文献検索をするときにまず読むのが論文のタイトルである．したがって，タイトルは読者が興味を持つよう短い文でしかも具体的なタイトルをつける必要がある．投稿された論文をみると「サプリメントによるがん患者の栄養状態の変化」などと非常に大きなタイトルをつけることが多いが，もう少し具体的に「がん患者における運動療法とn-3系脂肪酸投与による筋肉量，体脂肪量減少の抑制効果」などのタイトルをつける必要がある．

❷ 要　旨

要旨はそれのみで読者が論文の内容を把握できるようにする．病態栄養学会誌では諸言・方法・結果・考察をそれぞれ独立した形の構造化抄録とするようになっている．要旨では一般に略語は用いないが，複数回登場する長い単語は略語を使ってよい． 投稿時には本文より前に要旨がくるが，書くときにはこの順番でないほうがいい．まず本文を作成し，最後にその本文を参考にしながら要旨を書くようにする．

❸ 諸　言

ここからが本文であり，要旨とは独立していると考える．要旨で略語を使用していても，本文の初出の時点ではもう一度フルで書く必要がある．緒言で総説的な文章を長く書いているだけの論文をよく見かけるが，この論文で明らかにしようとすることを読者が興味を引くように書く．

まず過去の論文を引用しながらこの分野で何がどこまでわかっているのか（研究の背景）を書く．このためには，先行研究論文を十分に読み込むことが不可欠である．またこれらのうちの重要な論文は引用する可能性が高いので，何らかの形でまとめておくと良い．次に，何がいまだにわかっていないのか（現状の問題点），そしてこの論文ではどのようにしてこのことを明らかにしようか（目的）の順に書くようにする．

❹ 対象と方法

対象をどのように選んだか，その際の適用基準と除外基準も書く．その他，試験期間，試験の施設，そして試験方法については読者が追試可能なように，機器や材料は会社名，会社の所在地まで書く．倫理委員会での承認，被験者からのインフォームドコンセントの取得も書く．方法の最後に，使用した統計手法（可能であれば使用ソフト）を記載する．誤った統計手法の使用も論文不採用の大きな理由になるので，必要に応じて統計に詳しい先生に相談するのがよい．

❺ 結　果

最も重要な部分で，図や表をうまく利用しまとめる．結果の項では要点を書き，図表から読み取れる数値は再び本文で繰り返すことはできるだけ避ける．最も大事なところは図にしてわかりやすくし，多くの数値を書きたいのであれば表にする．群間の比較では自分の感じだけで増えた，減ったなどの結論を出さず，必ず統計結果を添えるようにする．書く順序も大事で，思考の流れがスムースになるようにする．

❻ 考　察

考察の最初の段落には以前は総説的なことを書くことが多かったが，最近では英語の論文にならって，重要な結果をまとめ，そしてこの論文で最も言いたいこと書くことが多くなった．続いて得られた結果を重要な順に考察するようにする．今回の結果に対して関連のある文献を引用し，どこが違うか，あるいは同じかを加えて，結果について論理的に解釈を加えていく．最後に研究の限界について書く．

❼ まとめ

重要な結果を短くまとめ，この研究の意義と臨床応用への可能性について述べる．

❽ 文献

各学術誌により記載方法が大きく異なるので必ず投稿規定に沿って書く．ここが正確にできていないと，論文の内容にも正確さが疑問視されるので注意して書くようにする．また投稿時総説を引用している論文が多くみられるが，総説に書かれていることはそれ以前の原著に書かれているので，その原著のほうを引用するようにする．論文中に引用する文献は，孫引きの場合でも，必ず手に入れて読む必要がある．

❾ 図　表

論文では図のタイトルは下に，表のタイトルは上に書く．図は「図の説明」として別紙にタイトルと簡単な説明文を書く．印刷された図はかなり小さくなるので，字は大きすぎると思われるぐらい大き目にするほうがよい．表は原則として縦線は用いないことが多い．図表とも略語が使われていたら，説明するようにする．

❿ 論文を書く順序

一番書きやすいのは「対象と方法」「結果」であり，ここから書き始めるのがよい．発表したい結果をすべて各項目ごとに書き出して，大まかな図表を作り，後で順序を考え，必要の無い結果は省くなどを行う．「諸言」から順に論文を書こうとして1行も進まない初心者は珍しくない．まず，結果を書き，それを基に「考察」を書き，最後に「緒言」を書けば比較的スムースに進む．考察をまとめて書こうとすると初心者には難しいことが多い．考察も最初は思いついた部分を少しずつひとまとまりとして書いて，そのあとでこれらの順序を入れ替えてつなぎ合わせるとまとまった文章ができる．最後に考えのつながりがスムースかを確認し，文章を移動したり入れ替えたりすると，滑らかな文章として完成する．

⓫ その他

絶対にしてはならないことは，他の論文からそのままコピー・ペーストすることである．これがあると，論文は取り消しとなり，研究者としての信頼を失い，その後の論文の発表も難しくなるほどの重大な犯罪となる．

ひとつの文はできるだけ短くする．長い場合には2つの文章に区切れないかを検討する．また，初心者が書く論文は主語と述語の関係の問題がある文をよくみる．主語と述語だけを取り出して文が成立するかどうかを確認する．また，同じ内容の文章を繰り返していないかをチェックし, 繰り返している場合にはどちらかを削る.

何から書いていいかわからなくなり, 書けなくなることがある. その時は, とにかく何からでも気がついたことを書いてみることである. 別個のことをいくつでも書いてみる, それをあとでつなぎ合わせ, そして足りないところを足していく. マイクロソフト Word の機能にアウトラインというものがあり, ここではひとまとまりごとを簡単に移動できて編集できるので, 筆者は論文を書くときによく使用していた.

書き終えた後に, もう一度チェックして欲しい項目を表1にまとめる.

表1 医学論文のチェックすべき主なポイント

【要旨】
- 制限字数内である.
- 目的, 方法, 結果, 結論が明記されている.

【緒言】
- この分野でどのような研究が行われていたかが書かれている.
- どのような問題点があるのかが書かれている.
- 研究の目的が明示されている.

【対象と方法】
- 倫理委員会の承認を得ている.
- インフォームドコンセントが得られている.
- 対象の適用, 除外基準が明示されている.
- 研究 (分析) 方法が明記されている.
- 正しい統計手法 (その方法を記載) が使用されている.

【結果】
- 図表でわかるデータを本文で重記していない.
- 統計的な検討を行って, 有意な差の有無を示している.

【考察】
- 最初の段落に結果のまとめが書かれている.
- 結果の解釈が論理的である.
- 既報告との一致, 不一致について説明している.
- 結果に書かれていない事実が突然登場していない.
- 研究の限界が示されている.

【文献】
- 投稿規定に沿って正確に記載されている.
- 総説はできるだけ引用を避ける.
- 引用文献はすべて入手して読んでいる.

⑫ 再投稿

編集者からのコメントとして, そのまま採用, 一部修正すれば採用, 大幅に修正後再審査, 不採用などが帰ってくる. 修正をもとめられた場合は, 指摘された点について編集者が納得できるような修正が行われていれば採用, そうでなければ不採用となることが一般的である. 指摘された修正が不可能な場合は, その理由を研究の限界として書く. また, 編集者が誤解していることもあるので, 必ずしも指摘された点を全部修正しなくてもよいが, 修正しない場合はその理由を説明するようにする. 修正して再投稿する場合には, 編集者からの指摘に対して一つひとつ丁寧に返答することを心がけ, どこをどのように修正したか具体的にわかるようにする.

追　補

(2) がん病態栄養専門管理栄養士症例報告にあたって

がん病態栄養専門管理栄養士制度　管理栄養士委員会
利光　久美子　渡邊　慶子　松村　晃子　幣　憲一郎　須永　将広
稲野　利美　真壁　昇　竹元　明子　三上　恵理　渡辺　啓子

がん病態栄養専門管理栄養士制度は，（一社）日本病態栄養学会と（公社）日本栄養士会の共同認定制度である．

がん病態栄養専門管理栄養士は，がん患者の栄養管理に関する専門的知識・技術を身につけた管理栄養士であり，がん患者の治療の継続と副作用の軽減ならびに緩和ケアを栄養面から支える役割を担いう．がん患者の身体状況の変化，治療に伴う影響，さらには精神的なケアも含め，患者さんの変化と管理栄養士のかかわりについて症例報告を記入する．

記入例を**表1**・**表2**に示す．

表 1　症例報告記入例

様式 4-2 DL 版

※提出期限：平成　　年　　月　　日（　）付着信分まで（cancer@eiyou.or.jp あてにメール添付送信）

【記入要項】①1 症例につき本様式 1 頁に収めて記入すること．2 頁以上になる記入は不可（失格）
②文字サイズ・フォントは任意．但し各項目の枠内に収まるように記入すること．
③記入のボリュームに応じて各項目のスペースの増減調整は可．但し全体として 1 症例につき 1 頁とすること．

がん病態栄養専門管理栄養士認定申請

がん患者の栄養管理実績症例（A 区分 ㊟異なる 3 分野より 4 症例）症例番号(案)

会員番号		0	0	1		病態栄養認定管理栄養士番号	01-100

症例分野（以下①～⑤のうち前頁 A-1 以外のいずれか 1 分野の番号を右空欄に記入）→ ①
①呼吸器がん，頸頭部・口腔がん，脳腫瘍　②消化管がん(食道，胃，大腸)　③肝胆膵がん
④婦人科がん，泌尿器科がん，乳がん　⑤内分泌系がん(副腎，甲状腺など)，血液がん，その他

患者 ID	XXXXXXXXXX1	年齢	71 歳	性別	女性
初回指導日	2017 年 7 月 18 日				
栄養管理を行った期間	2020 年 3 月 1 日～2020 年 3 月 14 日（年は西暦で記入）				

主病名および合併症名

卵巣がん（StageⅢc）

病歴

[主　訴]	[既往歴]
腹部膨満感，食欲低下	51 歳　子宮筋腫(子宮全摘)，57 歳　心房中隔欠損症，三尖弁閉鎖不全，69 歳　帯状疱疹

[家族歴]	[現病歴]
父-大腸がん	2013 年 11 月 22 日，腹部膨満感を主訴に他院を受診．単純 CT にて腹水貯留と ALP 高値を認め，同年 11 月 25 日産婦人科を受診．腹水貯留が中等量認められ，卵巣がん StageⅢc と診断された．同年 12 月 2 日，精査加療目的にて当院を受診．その後，入院・外来にて，化学療法を施行し 2014 年 8 月 14 日に手術を施行した．その後，術後化学療法として，DC 療法施行後，アバスチン維持療法を行ったが，再発及び腹膜播種が認められ，2017 年 6 月 20 日から DC 療法施行．2020 年 3 月 1 日，腹部膨満感と食欲不振が認められ，同日緊急入院となった．

[入院時または介入時　主な身体所見と検査成績]
<入院時>
身長 161 cm，体重 48 kg(腹水 1 kg 除く)，BMI(腹水除く) 18.5 kg/m^2
TP 6.2 g/dL，Alb 3.1 g/dL，ChE 187 U/L，AST 31 U/L，ALT 15 U/L，LD 380 U/L，ALP 398 U/L，γ-GTP 72 U/L，Na 137 mmol/L，K 4.2 mmol/L，Cl 103 mmol/L，BUN 18 mg/dL，Cr 0.63 mg/dL，eGFR 69.9 mL/min/1.732，CRP 3.23 mg/dL，WBC $6.1\times10^3/\mu L$，RBC $3.85\times10^6/\mu L$，Hb 10.2 g/dL，Ht 34.5%，PLT $37.3\times10^4/\mu L$，CA165 3225.0 U/mL，CYFRA 22.8 ng/Ml

[治療計画]
2020 年 3 月 1 日，腹水コントロール目的にてアバスチン 600 mg を投与し，2 週間後に再投与を行う方針となった．

[経過の概要・転帰]
入院前より腹部膨満感による食欲低下を認めていたため，入院時より食事とビーフリード(500 mL/日)併用による栄養管理を開始となった．嘔気・嘔吐症状はなかったが，アバスチン投与による血圧の上昇が認められ，また腹水貯留と 1 回の排便量が少ないことから，腹部膨満感として出現し，食欲低下の一因となっていた．そのため，排便コントロールを行うと同時に，食欲低下に対する食事内容の調整を施行したことからアバスチン投与を 2 週間施行し，経腸栄養剤併用により経口栄養摂取量はやや改善したことから，2020 年 3 月 14 日退院となった．

（次頁へ続く）

表 2 （続き）

がん患者の栄養管理

介入日（2020 年 3 月 1 日～ 2020 年 3 月 7 日）	再介入（7 日後：2020 年 3 月 8 日～ 2020 年 3 月 14 日）
栄養評価・栄養診断 身長 161 cm，体重 48.0 kg（腹水 1 kg 除く），BMI 18.5 kg/m^2，%IBW 84.2%，TP 6.2 g/dL，Alb 3.2 g/dL，ChE 187 U/L，Na 137 mmol/L，K 4.2 mmol/L，Hb 10.2 g/dL 摂取量；エネルギー：650 kcal/日（標準体重あたり 11 kcal/日），たんぱく質：20 g/日（標準体重あたり 0.4 g/日） 目標栄養量；エネルギー：標準体重 57.0 kg×25 kcal＝1430 kcal/日（身体状況等により標準体重 57.0 kg×30 kcal＝1,710 kcal/日へ変更）たんぱく質：標準体重 57.0 kg×1.2 g＝68 g/日 栄養評価；中度リスク栄養障害 栄養診断：腹水（＋），エネルギー，たんぱく質摂取量が目標量の 45%で，腹部満感や味覚障害等による食欲不振が原因となったエネルギー摂取不足，たんぱく質摂取不足，経口摂取量不足と栄養診断する．	**栄養評価・栄養診断** 身長 161 cm，体重 47.5 kg（腹水 0.5 kg 除く），BMI 18.3 kg/m^2，%IBW 83.3，TP 5.7 g/dL，Alb 3.0 g/dL，ChE 165 U/L，Na 138 mmol/L，K 4.1 mmol/L，Hb 10.3 g/dL 摂取量；エネルギー：900 kcal/日（標準体重あたり 16 kcal/日），たんぱく質：40 g/日（標準体重あたり 0.7 g/日）※（栄養剤 200 mL 含む） ※最低目標栄養摂取量；エネルギー：900 kcal/日，たんぱく質：40 g/日 栄養評価：中リスク栄養障害 栄養診断；腹水（＋），エネルギー，たんぱく質摂取量が目標栄養量 60%，腹部満感等による食欲不振が原因となった経口摂取量不足と栄養診断する．
栄養介入・栄養療法（食事，経腸栄養，静脈栄養に分けて述べる） 食事＋栄養剤（※）：E 1,400 kcal/日，Pro 65 g/日 （経腸栄養；アップリード mni 2 本（E 400 kcal，P 14.0 g/100 ml）） 静脈栄養：ビーフリード 1,000 ml/日（E 420 kcal，Pro 30 g） 腹部膨満感があり，1 回で摂取できる食事量が限られていることから，少量高栄養の栄養剤の調整により，栄養管理，治療の継続支援を行うこととした．また，味覚障害があり，白ご飯は砂を食べているような感覚という訴えがあり，主食はおじややパン，麺類等とした．	**栄養介入・栄養療法**（食事，経腸栄養，静脈栄養に分けて述べる） 食事＋栄養剤（※）：E 1,400 kcal/日，Pro 65 g/日 （経腸栄養；エンシュア・リキッド 2 缶（E 250 kcal，P 8.8 g/250 ml/缶）） 食事量の増加は難しく，本人より退院後も栄養剤の摂取希望があり，アップリード mini からエンシュア・リキッド 2 本へ変更．ビーフリードは中止となった． 退院後は，自身が食べやすいものを摂取しつつ，エンシュア・リキッドにて補うこととした．
栄養教育・栄養指導 身体状態に応じた食事内容の提案を行った．著しく食欲低下が生じていることから，患者の希望に応じて食事内容に変更し，1 回提供量を少なく調整した．また，栄養剤にて栄養を補うことについて提案を行うなど，指導を行った．	**栄養教育・栄養指導** 自宅では，摂取しやすいものを摂ると同時に，栄養剤で栄養量を補っていることについて説明した．浮腫にて体重が増加していることを「太った」と思われていたため，浮腫・腹水について説明を行い，栄養状態が低下しないように注意が必要であることを指導した．
栄養モニタリングと評価・対応 食事摂取量：E 600 kcal±100 kcal/日，Pro 40±10 g/日 ※アップリード mini 2 本込み 食事の栄養摂取量は日々変動あり． 体重，腹囲；変化なし（腹水貯留量 1 kg） 血圧 165/98 mmHg の上昇あり	**栄養モニタリングと評価・対応** 腹部膨満感は継続しており，現在の摂取方法は継続する必要性があることから，退院に向けてエンシュア・リキッドの処方を提案した．エンシュア・リキッド 2 缶（E 250 kcal，Pro 8.8 g/缶） 体重，腹囲：変化なし 血圧 140/92 mmHg と安定
医療チームにおける他職種との連携 カンファレンスにて状況を報告し，情報の共有を行った．また，継続した体重測定の実施を依頼した．アップリードの付加を開始していることについて説明を行い，食事摂取量に加えて栄養製品（アップリード）の摂取状況についても確認が必要であることを共有した．目標栄養量については，患者の身体状況に合わせて迅速に調整する．	**医療チームにおける他職種との連携** カンファレンスにて状況を報告するとともに，自宅退院後の栄養確保には栄養剤の継続が必要であること，また本人の希望でもあることから，エンシュア・リキッドの処方について提案した．
倫理的配慮 本人から余命に対する言葉も聞かれており，精神的に不安定な状態である．	**倫理的配慮** 現在の身体状況に対して強く不安を感じているが，家族には努めて明るく振まっているように見受けられる．本人の意思を尊重した配慮が必要である．

考察と今後の課題

予後は厳しく，本人からも治療を行わず緩和ケアの希望が強い．退院後は，定期的な栄養食事指導を継続するとともに，地域のかかりつけ医の医師，管理栄養士と情報共有を行いながらフォローを継続する．
退院後の食事摂取不良時の対応として，エンシュア・リキッド等を用いて調整を行う予定である．

編集者からのあとがき（第３版）

2013年度（平成26年）より日本病態栄養学会では「がん」の病態と栄養管理・栄養療法に対して高度な知識と技術を習得した「がん病態栄養専門管理栄養士」の認定事業が始まり，それに合わせ「がん病態栄養専門管理栄養士のためのがん栄養療法ガイドブック」を平成27（2015）年に第１版，平成31（2019）年に第２版を発刊しました.

お陰様で管理栄養士を中心に多くの読者から支持をいただきました. さらに令和4年度診療報酬改定にて外来化学療法に係る栄養管理の充実として,「専門的な知識を有するがん病態栄養専門管理栄養士により外来化学療法を実施している悪性腫瘍の患者に具体的な献立等の指導を行うこと」で外来栄養食事指導料の算定が認められるようになりました.

がんサバイバーの増加と化学療法が外来中心に行われる時代となり，がんの病態と栄養管理について専門知識を持つ管理栄養士の活躍が時代の要請と感じております.

第２版の発刊から約５年が経過し，がんの診療や栄養管理に関して多くの進歩がなされており，このたび第３版のガイドブックを作成することになりました. 第３版のガイドブックは最新のデータやエビデンスが盛り込まれた大幅な改訂となっています. また，新規項目として「医療用漢方製剤」の項目が加わっています.

執筆いただきました先生方には診療・研究・教育等激務のなかでのご尽力に深謝申し上げます.

今後このガイドブックが「がん病態栄養専門管理栄養士」ならびに資格取得を目指す管理栄養士をはじめ，研修医，看護師など多くの医療スタッフの皆様方のお役に立つことを祈念致します.

2024年１月

日本病態栄養学会がん病態栄養専門管理栄養士委員会　委員長
利光久美子
日本病態栄養学会がん病態栄養専門管理栄養士制度　担当理事
加藤　章信

索引

和文

欧　文

がん病態栄養専門管理栄養士のための がん栄養療法ガイドブック 2024（改訂第3版）

2019年1月20日　第2版第1刷発行
2020年5月15日　第2版第2刷発行
2024年2月10日　改訂第3版発行

編集者 日本病態栄養学会
発行者 小立健太
発行所 株式会社 南 江 堂
〒113-8410 東京都文京区本郷三丁目42番6号
☎(出版)03-3811-7198 (営業)03-3811-7239
ホームページ https://www.nankodo.co.jp/
印刷・製本 小宮山印刷工業
装丁 Amazing Cloud Inc.

Guidebook of Oncology Nutrition, 2024 (3rd Edition)

定価は表紙に表示してあります．
落丁・乱丁の場合はお取り替えいたします．
ご意見・お問い合わせはホームページまでお寄せ下さい．

Printed and Bound in Japan
ISBN978-4-524-20473-1